D0360609

LES CHEVEUX BLANCS

Du même auteur

en français

Crabe sous la neige
nouvelle, in Cahiers du Japon, *n° spécial, 1985*

Yôko
roman, Picquier, 1995

Le Passeur
roman, Seuil, 1998

« Le Dos seul aux dernières lueurs du jour »
nouvelle, in Pour un autre roman japonais, *Cécile Defaut, 2005*

YOSHIKICHI FURUI

LES CHEVEUX BLANCS

roman

TRADUIT DU JAPONAIS
PAR VÉRONIQUE PERRIN

ÉDITIONS DU SEUIL
*27, rue Jacob, Paris VIe*

Ouvrage sélectionné par le Programme de publication
de littérature japonaise (JLPP), géré par le Centre de promotion
et de publication de littérature japonaise (J-Lit Center) sous l'égide
de l'Agence des affaires culturelles japonaise.

Titre original : *Hakuhatsu no uta*
Première publication : Shinchôsha, Tokyo, 1996
ISBN original : 4-10-319204-6

Les droits français ont été conclus avec Yoshikichi Furui
par le Japanese Literature Publishing and Promotion Center, Tokyo

ISBN 978-2-02-091585-4

www.seuil.com

Le parfum des sushis

Quand l'habitude s'est-elle prise à Tokyo de servir des sushis lors des veillées funèbres ? Plus de vingt ans que je m'interroge chaque fois que le cas se présente, et je n'ai toujours pas tiré ça au clair. À Tokyo, dis-je, car il ne me semble pas que ce soit une coutume partie de quelque vieille province – et même à Tokyo, sûrement pas de la ville basse : plutôt des beaux quartiers vers les cités nouvelles, où je l'imagine volontiers faisant son chemin peu à peu dans l'afflux des populations urbaines, pauvre expédient qui s'accordait en tout cas, d'après ce que j'en perçois, avec le sentiment d'emménager dans le provisoire.

Je me souviens de ma première veillée funèbre, c'était en 1949, ou 1950, j'étais en cinquième ou sixième année d'école primaire. Le lieu, une maison d'un étage un peu de guingois, au bout d'une étroite ruelle donnant sur la rue principale du quartier de Shirokanedai à Shiba, dans laquelle plusieurs familles dont la nôtre cohabitaient en s'étant réparti les chambres ; c'est là qu'un soir la propriétaire, une vieille dame seule, alitée depuis seulement trois jours, rendit son dernier soupir après avoir gémi et souffert une moitié d'heure environ. Cela, je crois, se passait dans les premiers jours du printemps, ou peut-être plutôt à la fin de l'automne, puisque le lendemain des funérailles ma mère apparemment trop occupée pour cuisiner m'envoya à l'école avec une gamelle de riz accompagnée d'un gros morceau de radis confit, sans doute un reste de la veillée, je me souviens d'un goût sucré. Cette nuit-là, même si nous n'étions pas en hiver, il fit dans la maison un froid mordant. Et plus bas sous l'odeur de l'encens, se mit à flotter un parfum de sushis qu'un enfant caché derrière les cloisons mobiles de la chambre voisine reniflait avec un appétit triste. Aux heures avancées de la veillée funèbre une certaine animation régnait autour de la morte. Il ne semblait pas que ce détail eût été arrangé d'avance.

La possibilité de se faire livrer des sushis, nous ne l'aurions eue en fait que deux ans plus tard environ. J'aurais donc été collégien ? Ce ne sont pas du tout des impressions de collégien que je garde en mémoire, mais admettons, cela se passait donc à la fin de l'automne 1951 ou au début du printemps 1952, la disparition de notre propriétaire qui était une vieille dame irascible marqua le début d'un relâchement dans cette maison, querelles et indolence se succédèrent, nous fûmes bientôt nous-mêmes à bout de ressources et contraints de déménager – les faits concordent.

Quoi qu'il en soit, l'enfant se demanda comment on pouvait devant une morte manger de ces choses crues, alors qu'un appétit sans joie le tenaillait, lui, il fronça les sourcils. Dans la chambre voisine les bruits de conversation de femmes et d'hommes enivrés se changèrent aussitôt en un désert effrayant. Mais frayeur et tristesse ne faisaient qu'un. Plus tard encore, elles venaient toujours ensemble, se reliant au parfum des sushis qui s'exalte dans les senteurs d'encens…

Quand l'habitude s'était-elle prise de servir à Tokyo des sushis aux veillées funèbres ? L'incrédulité, semble-t-il, prit véritablement son départ en moi cette fois-là, à la veillée funèbre de ma mère. C'était il y a plus de vingt ans, au début de la trentaine. Cette forme de questionnement qui s'en va fouiller dans les affaires d'autrui à la recherche d'on ne sait quelle raison secrète était comme la manifestation d'une confusion intérieure. Ni raison secrète ni rien. Il était clair que j'avais foncé jusque-là tête baissée pour échapper à la vieillesse, la maladie, la mort de mes parents. Et voici qu'à la cérémonie d'adieu à ma mère, sans y avoir été nullement préparé, je me conduisais avec une assurance, un sang-froid presque suspects. La confusion n'était jamais que passagère, la perplexité devant les sushis de la veillée funèbre ne dura elle-même qu'un instant. Simplement, me disais-je, cette chose-là n'avait toujours pas le pouvoir de se fondre dans la coutume ; je regardais le plat creux que les gens touchaient à peine, son parfum s'éventait sous la lumière des néons.

Il faudrait enquêter là-dessus, interroger autour de soi l'expérience des plus âgés. Si invérifiable que ce soit, on devrait pouvoir au fil de leurs souvenirs remonter peu à peu les époques, c'est toujours mieux que d'être renseigné d'un seul coup par la lecture d'ouvrages spécialisés et la connaissance y gagne en étendue… Des questions préméditées n'auraient pas non plus d'intérêt. Mais alors, comment interroger les gens sur un sujet qui s'y prête aussi mal ?… Et pendant ce temps les années filaient. J'avais de même laissé passer l'occasion d'interroger mon père. Mon sentiment était que je n'en tirerais rien de fiable et je me suis abstenu ; il m'aura fallu attendre sa veillée funèbre pour découvrir avec stupeur, une fois de plus, que je croyais depuis une décennie en savoir bien assez sur l'origine probable de ces sushis, alors qu'en réalité je n'étais sûr de rien. Aux réunions, avec le temps, je figurais de plus en plus souvent dans la catégorie des plus âgés, j'avais intérêt à me presser si vraiment je voulais interroger les gens – les gens d'âge mûr, pas les vieilles personnes, car il me venait des idées curieuses sur ce qui se fait et ce qui ne se fait pas lors d'une veillée funèbre. Pour ceux-là, d'âge mûr, on pouvait supposer (compte tenu de la pénurie des années de guerre où la question des sushis ne se posait pas) que de mes premiers souvenirs aux leurs ce serait blanc bonnet et bonnet blanc.

Dans les âges qui relèvent de l'âge mûr, il y a eu ces dernières années la mort de ma sœur et la mort de mon frère. Nombreux sont les sujets que je regrette de ne pas avoir abordés de leur vivant, mais notre famille était si peu au courant des rites bouddhiques que leurs souvenirs de veillées funèbres ne seraient, de toute manière, pas remontés au-delà de la guerre.

Et soudain : « Des sushis à une veillée funèbre ! Qu'est-ce que ça peut vouloir dire ? Sait-on même quand ça a commencé ? » – la question me revenait, posée par un jeune homme.

Tandis que je pensais, dans la rumeur des trains de banlieue de plus en plus lointaine et prenante à mesure que la nuit avance, au vieux prunier qui fleurissait de quelques fleurs blanches le bout de jardin d'une maison accolée à la voie ferrée, un bruit de pas avait franchi le portail, se dirigeant vers l'entrée de service, puis une voix de femme au ton calme et, aussitôt après, le parfum des sushis s'était détaché nettement sous les senteurs d'encens qui imprégnaient la maison.

– J'en ai vu à une veillée funèbre que je situerais en 50, ou peut-être plutôt 52… Pas avant, puisque c'était la guerre, qui ne laisse guère souvenir d'avoir mangé des sushis. De toute manière, il s'agit probablement d'une coutume récente.

Je me rappelai en passant un restaurant de sushis où mon père m'avait emmené, à proximité de la gare de Meguro, dans une ruelle qui menait si je ne me trompe à l'École navale. La nuit tombait. À l'entrée de la ruelle, il pleuvait à grosses gouttes qui se transformèrent bientôt en averse. Le cuisinier, qu'on appelait monsieur Tetsu, avait été renversé par une voiture quelques mois plus tôt et en gardait une gêne du côté droit : il récupérait peu à peu, nous dit-il, montrant son large poing qui se serrait et s'ouvrait lentement. À la fin, comme aucune place ne se libérait avec tous ces clients que la pluie retenait à l'intérieur, nous avions suivi le conseil du patron en courant, sous une trombe blanche, nous réfugier dans la boutique de beignets qui se trouvait presque en face. Une chance perdue de manger des sushis. Je pense que c'était en 43. Avant qu'il se mette à pleuvoir, nous regardions les tramways enguirlandés passer sur l'avenue.

Depuis peu, une ombre de souvenir bouge par moments : ma mère m'a amené à une veillée funèbre chez des gens. Il y a foule dans le salon et l'enfant se tient respectueusement sur le bord, je vois la maîtresse de maison quitter le cercle des invités pour l'accueillir, c'est gentil d'être venu, tu prendras bien des sushis, larme à l'œil elle va pour le servir sur une petite assiette – mais cela ne se peut, nous n'avons pas connu de deuil aussi proche de nous, et tout aussi impossible la présence de ma mère seule à cette veillée funèbre où elle n'aurait amené que son petit dernier. Il ne peut s'agir là que d'un faux souvenir.

Vrais ou faux, quand les souvenirs dignes d'être rapportés font défaut et que l'on regrette de ne pouvoir satisfaire la curiosité des jeunes gens, l'un des droits de l'interrogé ne serait-il pas, tant qu'à être l'aîné, de se montrer un peu cuistre ? On se met à fouiller au hasard dans ses lectures romanesques, une jeune femme meurt dans une pension du côté de Hongô, les étudiants de la pension et leurs amis, d'autres qui n'avaient même aucun lien avec la morte, ont été réunis pour la veillée funèbre, les cruches de saké circulent, un sentiment d'abandon les étreint tandis que le vent souffle et ils s'agitent dans la nuit en composant des vers burlesques. Nous sommes en 1937 ou 1938, je venais de naître. On se faisait alors livrer pour pas cher des sushis qui conviendraient fort bien pour une telle veillée, pourtant un plateau garni est posé devant chaque invité. On y voit entre autres choses des quenelles de poisson grillées ; les sushis ne sont pas au menu. La scène suivante, telle qu'elle me revient en mémoire, se situerait plutôt à la fin du siècle dernier, dans une maison bourgeoise de Tsukiji bien que les personnages soient eux aussi représentatifs d'un afflux de populations nouvelles : la maîtresse de maison a expiré au matin, les femmes s'affairent l'après-midi entre la préparation de la veillée funèbre, les ragoûts qui mijotent et le souci des vêtements qu'elles porteront le lendemain à la cérémonie. On aperçoit dans cette cuisine des restes de plats commandés, sushis, beignets sur riz chaud, destinés à soutenir les forces pendant les préparatifs. Que le zèle fléchisse encore un peu, et les sushis (pour ne pas parler des beignets) feront leur apparition à la veillée même.

Il ne me venait pas d'autre scène après celle-là. Et l'envie de parler s'arrête dès que les associations d'idées n'ont plus le champ libre. Avec ce genre d'histoires, je ne ferais d'ailleurs que barber mon interlocuteur qui ne me semblait pas être un passionné de romans. Les années 50, c'est déjà bien assez pour un jeune homme, pensez donc : plus de dix ans avant sa naissance. Même si ça ne réglait pas la question des origines de la chose, je me rassurais en misant sur la force de persuasion qu'aurait provisoirement, pour mon interlocuteur, le moindre fait remontant bien avant sa naissance, puis un doute me prenait, car je connaissais l'âge de ce garçon, c'était comme si je revenais d'un coup à la réalité, surpris de nouveau de me trouver ici chez lui, que ce garçon fût l'hôte, que je fusse l'invité… Un soir qui n'était pas une veillée funèbre.

– Ce sont donc des questions que les jeunes, eux aussi, se posent ?

Les mots se ressentaient du trouble où j'étais.

– Elles ne viennent pas de moi (Yamakoshi, me parlant, prêtait l'oreille aux bruits de pas qui montaient du séjour), c'est juste que je me rappelais sans trop savoir pourquoi ce genre de bizarrerie relevée par mon père à la veillée funèbre de mon frère aîné, dans les termes rapportés par ma mère à la veillée funèbre de mon père.

Je connaissais tout cela. Je savais en quelle année le père de Yamakoshi était mort, et aussi que son frère était mort à six ans.

C'était étrange. Qu'avais-je à tendre l'oreille en croyant me trouver à l'étage, alors que nous étions à l'arrière d'une longue bâtisse en bois de plain-pied, dans une petite chambre qui semblait avoir été ajoutée d'assez longue date au corps de logis, lui-même ancien ? Je m'étais laissé guider de l'entrée à la véranda à travers un couloir grinçant bordé de vieilles portes en treillis recouvert de papier, à l'extrémité gauche de la véranda il y avait un bout de plancher rapporté, d'où l'on tombait sur une marche unique qui menait par surprise à cette chambre. Puis, au moment où l'alcool commençait à faire son effet, Yamakoshi m'avait suggéré de me rapprocher de cette fenêtre où je serais plus à mon aise. Allons, si la jeunesse donne dans le vieux style : je suivis son conseil et m'adossai de biais contre le mur d'appui de la fenêtre, le coude sur la traverse basse d'une largeur confortable comme il ne s'en fait plus de nos jours, éprouvant réellement la sensation de relâchement, de bien-être, qu'on a à se couler tout entier dans une attitude familière. Autrefois la fenêtre ouverte faisait un courant d'air venu du fourré de bambous là-derrière, mais une maison s'était construite à la lisière du terrain, voici dix ans, m'expliquait mon jeune hôte en manière d'excuse, et pendant un temps ils nous ont si bien cassé les oreilles avec leur chaîne stéréo que l'habitude nous est restée de garder le plus souvent les volets fermés. Je crois qu'à ce moment-là déjà j'imaginais que la vue était haute derrière les volets, et j'avais la sensation auditive de m'être élevé d'un étage.

Yamakoshi aura tout juste trente ans cet automne.

Mêlée au parfum qui montait du plat de sushis posé directement sur le sol à portée de ma main pour que je puisse me servir tout en me prélassant, l'odeur de la peau de la femme qui s'était assise un moment au bord de la chambre pour bavarder avec nous s'étendait comme une fine couche de glace au fond de la nuit qui envahissait la pièce. Sa nuque était encore plus blanche qu'avant.

Cela fera deux ans dans deux semaines, d'entrée de jeu j'avais été celui qui interroge brusquement les gens sur leur âge. La scène : un parloir d'hôpital, bien après l'extinction des lumières, le garçon en chaise roulante, une planche fixée du côté droit sur laquelle reposait sa jambe plâtrée, puis moi, poussant un déambulateur qui avait, en plus haut, la forme d'un parc à bébé, enserré de l'occiput au menton et à la poitrine dans un attirail disgracieux destiné à maintenir en place les os du cou recollés par la chirurgie, le front ceint d'une courroie qui me faisait un bandeau blanc.

Il avait attiré mon attention dès le début, dans les couloirs, quand chaque jour me rapprochait de mon opération. Et j'admirais qu'on pût avoir des traits aussi réguliers de nos jours, moi qui me signalais par mon maintien, joliment raide depuis le bas du dos, et ce pas régulier de zombie en quoi s'épuisaient tous mes efforts pour marcher droit. Conserverais-je intacte ma liberté de mouvement ? J'essayais de ne pas penser plus loin que l'opération, c'était cela peut-être qui me faisait une posture de marche à ce point étriquée. Puis dans l'intervalle après l'opération, derrière la porte de la chambre d'hôpital où j'étais consigné sur le dos avec mon attirail, le dehors se réduisit à n'être plus pour moi qu'un monde imaginaire. Et lorsque enfin je me mis à marcher, accroché au déambulateur, je fus étonné d'apercevoir le garçon. Je l'avais classé parmi ceux qui devaient avoir quitté l'hôpital depuis une éternité. Mais en les comptant un à un je retrouvais autour de moi plusieurs autres malades, dans l'état où je les avais laissés avant l'opération. Alors, je sus réellement que mon incarcération avait duré à peine quinze jours.

Chaque nuit, j'avais de la peine à dormir. Tandis que je passais mes journées dans le soulagement d'avoir échappé au pire (je n'étais pas paralysé des membres puisque j'étais au moins capable à l'aide du déambulateur d'arpenter l'hôpital en tous sens), la nuit venue, et l'heure du coucher toutes lumières éteintes, mon corps immobilisé du cou à la poitrine refusait sitôt qu'il s'enfonçait dans le lit de se retourner, même si je n'étais plus obligé de garder constamment la position sur le dos. La somnolence qui allait enfin me visiter s'envole brusquement et m'envahit, comme juste après l'intervention chirurgicale, la même sensation d'étouffement qui répond à l'enfermement. Pour me changer les idées avant que l'insomnie s'installe, j'agrippe d'une main le montant du lit en redressant tout doucement mon corps entravé, le centre de gravité devient indiscernable dans le noir, il faut que je m'applique. Je suis maintenant le couloir comme si je me rendais aux toilettes, j'ai le menton soulevé par le carcan de fer et malgré cela, ce qui me soucie plus que tout, ce sont ces rides sur mon visage, un air de happer l'air, j'évite le bureau des infirmières, je vais droit au parloir désert à cette heure de la nuit.

Ce soir-là, Yamakoshi avait arrêté sa chaise roulante derrière un banc du parloir plongé dans l'obscurité et il regardait l'écran éteint de la télévision. Ses longs cheveux souples, jeunes et abondants, m'apparurent un instant comme blanchis, peut-être par un léger effet de lumière entrant par la fenêtre. Dans le même temps son visage juvénile se tournait vers moi, nos regards se croisèrent ; je poussai le déambulateur et m'approchai de la chaise roulante. La conversation s'engagea dans cette configuration qui me plaçait plus haut que lui, car j'aurais eu encore un peu de mal à m'asseoir près de lui sur un banc.

– Vous êtes né en quelle année, vous ?

Aujourd'hui, je ne comprends pas moi-même comment j'ai pu lui parler de la sorte. Je n'eus pas le temps d'être effaré :

– 1963, répondit mon interlocuteur sans interstice de silence.

Et ce n'était pas tout, voilà que ce jeune homme d'apparence taciturne se mettait à raconter sa vie alors qu'on ne lui demandait plus rien. Une drôle de façon de se présenter, en vérité :

– C'est l'année où ont eu lieu le même jour la catastrophe de Tsurumi, avec sa double collision de trains, et le coup de grisou dans la mine de Miike. Ça a fait au moins cent soixante morts à Tsurumi, plus de quatre cent cinquante à Miike, vous vous souvenez ? Novembre, je venais de naître, il paraît que ma mère est rentrée justement ce jour-là de l'hôpital en me portant dans ses bras. Dans notre famille, les naissances et les morts vont de pair avec les grosses catastrophes. Ma sœur est née un an plus tôt : catastrophe de Mikawajima, encore une double collision qui a fait à peu près le même nombre de victimes, n'est-ce pas. Mon frère est mort à six ans, moi je n'avais que trois ans et je me souviens seulement que mes parents pleuraient et s'agitaient mais cette année-là, dans le mois qui a précédé sa disparition, trois avions de ligne se sont écrasés coup sur coup, faisant au total trois cent vingt et quelques morts. Et ça a recommencé en automne. L'année de la mort de mon père, je m'en souviens bien puisque c'est l'année où je suis entré à l'université, il y a eu en février un grand incendie dans un hôtel d'Akasaka, on a vu aux fenêtres les silhouettes entourées de flammes de ceux qui étaient logés dans les étages supérieurs, parmi les victimes il y avait un lycéen qui passait comme moi les concours. C'était le 8 février. Le 9, vous vous rappelez, l'avion de la JAL au large de Haneda : *« Iné*

iné[1] », le commandant de bord délirant qui a fait plonger un avion de ligne dans la mer ? Mon père allait déjà mal, il restait couché à la maison, mais il a regardé en silence tout ce qu'il pouvait y avoir d'informations télévisées sur l'événement. Il n'a pas dit ce qu'il en pensait. Passé la cérémonie du quarante-neuvième jour de deuil, un soir, ce devait être la fin du mois de juillet, nous sommes restés seuls longuement, ma mère et moi, devant la nouvelle tragique des pluies torrentielles, des trombes d'eau déversées sur Nagasaki, en silence. Incapables, nous refusant semble-t-il l'un et l'autre le droit, alors que nous n'avions pas envie de regarder, d'éteindre la télévision. Ma sœur, qui n'était pas avec nous ce soir-là, est morte trois ans plus tard au début de l'été. Elle avait vingt-trois ans. Pendant l'été, vraiment seuls cette fois, nous parlions comme à l'envers, disant que ce serait bien s'il ne se passait rien, et c'est à la mi-août le terrible crash du jumbo-jet de la JAL. Il était plus de sept heures du soir. Après le flash spécial, c'était la nuit, il faisait chaud, ma mère grelottait. J'entends son murmure : tous partis, jusqu'au dernier… cancer pour le père, accidents de la route pour le frère et la sœur. Et le petit dernier qui s'offre une belle fracture au ski, comme vous le voyez je ne m'en fais pas. Il paraît même que la guerre du Golfe est finie.

Pour qu'une telle conversation fût possible il fallait sans doute que nous nous tenions ainsi, chacun pour soi dans le noir, baissant la voix pour ne pas être grondés par les infirmières. Ou peut-être ruminait-il déjà tout cela dans son coin avant que j'apparaisse, en regardant l'écran du téléviseur. Il n'y avait pas seulement ces intonations trop mûres pour ses vingt-sept ans, il y avait aussi des mots comme « avion de ligne », auxquels je prêtais l'oreille et je croyais y percevoir en écho la voix d'un père qui aurait eu à peu près mon âge.

– Au fait, de quoi souffriez-vous ? demanda Yamakoshi au bout d'un moment. Je vous ai vu rentrer de la salle d'opération sur un chariot…

Il avait entièrement repris la main et je me mis à faire l'historique de ma maladie. Yamakoshi sembla intéressé par mon histoire de paraly-

1. 9 février 1982. Le commandant Katagiri, à bord d'un DC 8 qui vient de décoller de l'aéroport de Haneda, entend une voix lui dicter sa conduite par un double impératif mystérieux (« vas-y » ? « meurs » ? « deviens quelqu'un » ? ou simplement « rentre chez toi » ?). Il actionne l'inverseur de poussée : l'avion s'immobilise, puis tombe à la verticale. *Toutes les notes sont de la traductrice.*

sie qui gagne brusquement les quatre membres à partir d'un rétrécissement des vertèbres cervicales, il cherchait à en savoir la cause. « C'est comme une branche qui casse sous le poids de la neige, sauf que ce sont les années qui tombent et s'accumulent, je ne m'étais rendu compte de rien jusqu'à ce que la maladie se déclare, bien que les tout premiers signes avant-coureurs, que j'identifie maintenant, remontent à au moins dix ans. » Comme j'abrégeais en riant, il me jeta sous le nez un regard profond et demanda d'une voix légèrement embrumée : « Quel âge avez-vous ? » J'appris que le père de Yamakoshi avait deux ans de plus que moi. Je fus incapable d'en déduire l'année de sa mort.

À cette époque, j'allais récupérant petit à petit l'arithmétique des années et des mois. Plus exactement, cela avait commencé par les jours. Jusqu'à l'opération, je ne faisais que compter ceux qui me séparaient de l'opération. L'avant-veille, demain qui se mettait entre aujourd'hui et ce jour m'avait paru un temps démesurément long, qui ne passerait jamais. Ensuite, condamné à une immobilité totale pendant trois semaines, je ne comptai plus que les jours déjà passés qui m'éloignaient de l'opération. J'avais malgré tout tenu jusqu'à dix avec un calme à toute épreuve, et sitôt qu'un médecin m'eut assuré qu'à ce train je pourrais me lever dans une semaine, les quelques jours restants s'allongèrent. J'en gardais sans doute des séquelles. Les comptes à partir de l'opération restaient sûrs, même depuis que je pouvais me tenir debout et marcher, tandis que d'aujourd'hui à plus loin qu'avant-hier, tout redevenait soudain flou. Trois mois plus tôt... trois ans durant... Parfois les mots surgissaient dans ma tête, sans contenu de mémoire, idée nue suspendue en l'air, que je contemplais de mon lit, alors m'empoignait l'angoisse d'être aspiré dans le gouffre sans fond du temps qui s'était arrêté.

À plus forte raison, les années que le garçon avait énumérées rondement comme en chantonnant un air maigrelet, des années qui étaient pour moi à l'époque très largement en dehors des limites du saisissable, quand parler de moi-même il y a dix ans me procurait une sensation d'arbitraire et que cet arbitraire s'accompagnait d'un imperceptible goût d'épouvante ; puis quelques jours après, je pouvais me trouver sur un lit somnolent des fatigues de la convalescence, en train de compter les années à travers le récit du garçon. Je ne retrouvais aucune date. Les additions-soustractions les plus simples étaient une torture pour ma tête. Il suffit. Toutes les catastrophes dénombrées par lui sont dans ma mémoire, connues, reconnues et mieux que cela : elles attirent les ombres de ma vie en ces moments divers, mais en jouant chacune sa partie, non reliées par un fil. On dirait qu'elles refusent toute tentative de chronologie, s'aplatissent et pâlissent aussitôt. Dès que je cherche à les amarrer dans leurs époques par des recoupements nécessaires avec mes événements personnels, elles me font voir le visage grimaçant du délire paranoïde. Et je comptais pourtant. Compter sans l'aide des chiffres était une ascèse obsessionnelle de grand style.

Une jeune femme rendait de temps en temps visite à Yamakoshi. Du couloir je jetais au passage un coup d'œil dans la grande chambre, au moment où dressant la tête au-dessus du visage de Yamakoshi, qui reposait sur le dos et fermait les paupières, elle relevait ses longs cheveux et dans l'imperceptible torsion de son dos se devinait alors l'effort de contenir un souffle qui s'emballe. Il y avait ces moments-là, et puis un dimanche après-midi, réfugiés dans un coin du parloir rempli de visiteurs et du bruit de la télé qui restait allumée, je les vis front contre front s'entretenir à mi-voix, me demandant un instant s'ils n'étaient pas parents. Yamakoshi était censé n'avoir plus ni frère ni sœur, d'ailleurs ils ne se ressemblaient pas. Mais autour d'eux (j'avais déjà aperçu cela tant de fois dans ce parloir, autour des familles des grands malades quand elles s'entretiennent à voix basse) flottait une atmosphère pareille, coupée du voisinage. La façon qu'avaient ces deux-là de parler un moment puis acquiescer tour à tour, et dans le désarroi toujours ménager l'autre, ne ressemblait pas non plus à une juvénile causerie sentimentale. La fatigue se lisait sur les cheveux de la femme. Bientôt la conversation s'interrompit brièvement et d'un seul coup, comme un sanglot roulant dans sa gorge, le rire s'empara d'elle. Je craignis une crise – c'était un rire limpide qui s'élançait joyeux. À chaque reprise de souffle, le son s'arrondissait un peu. Yamakoshi radouci souriait du bout des lèvres.

– Vous habitez ensemble ? lui demandai-je le soir même, quand nous nous retrouvâmes tête à tête dans le parloir désert.

– Nous n'habitons pas ensemble, trancha-t-il curieusement, avant d'ajouter d'un air étonné : elle est pourtant à la maison. Ces derniers temps, oui, elle vient chaque jour à la maison. Le vendredi soir, elle dort chez nous. Ma mère m'inquiète un peu. Il semble que par moments elle divague. Elle raconte des choses du temps où mon père était encore en vie… Mais non, c'est juste un problème de tension, elle se sent seule. Je ne suis pas là. Alors j'ai décidé de la faire entrer demain dans un hôpital du quartier, un hôpital où on la connaît depuis des années. Elle peut venir quand elle veut. Tout est arrangé avec mon amie, qui s'occupera aussi d'elle là-bas. Ça fait quand même drôle, vous savez, de se trouver ici et de confier sa mère aux bons soins d'une personne qu'on ne connaissait pas un an plus tôt.

– Ce n'est pas évident, dis-je.

Mais n'était-il pas encore heureux que ce fût une personne joyeuse ?

– Parce qu'elle a ri, cet après-midi ? devina aussitôt Yamakoshi. C'est que sans le savoir je m'étais mis à divaguer moi aussi ! S'il arrivait quelque chose à ma mère, si je restais sur le billard à la prochaine opération, quand il n'y aurait plus personne… est-ce qu'elle accepterait alors de venir habiter dans cette maison ?

Il était dans l'attente d'une seconde intervention et je n'en savais rien. C'était pour le jeudi suivant.

– Encore trois jours, lundi, mardi, mercredi, demain matin ça fera deux jours, en ajoutant cette nuit que je n'ai pas encore dormie. L'opération elle-même n'est pas grand-chose.

Je me tins silencieux.

– Où habitez-vous ? Vous sortez bientôt, n'est-ce pas ?

Après un temps, Yamakoshi m'interrogea d'une voix distraite. Puis, comme je lui indiquais mon adresse sans entrer dans le détail, il me demanda de préciser le numéro, on voyait qu'il se perdait dans des calculs et peu à peu, d'une voix basse qui parut se lever toute seule dans l'obscurité de la pièce, il se mit à rire :

– Quoi, nous étions donc voisins ! Vu d'ici, nous sommes bien du même quartier. Enfant, j'ai souvent poussé de ce côté, où vous habitez maintenant. Le jour tombait entre les champs.

La voix était radieuse, il riait sans fin. S'y enroulait comme une voix de femme montant des coins obscurs : je me mis aux aguets.

J'ai su qu'une autre ivresse avait commencé quand je me suis vu moi-même prêt à croire à nouveau, pour quelques rires féminins qui perçaient timidement sous notre conversation calme, qu'il y avait du monde à l'étage inférieur. Ce n'était, me dit-on, qu'un petit dîner entre femmes réunissant dans la salle de séjour trois jeunes dames du voisinage qui s'étaient montrées serviables dans les circonstances que l'on sait.

Yamakoshi était sorti de l'hôpital environ deux mois après moi. Sur la carte postale qui m'annonçait cette sortie il était fait mention aussi du retour de sa mère. Dans ma réponse, je l'invitais à prendre un verre dans le quartier l'un de ces soirs, puis l'année s'était écoulée, et la suivante, à nouveau sans nouvelles l'un de l'autre.

Notre rencontre nez à nez devant la gare à la tombée de la nuit remontait à deux semaines à peine, c'était un samedi. Je venais de traverser le passage à niveau et je me dirigeais vers les guichets ; il arrivait d'en face, l'air ailleurs, nos visages se croisèrent, trois trains passèrent pendant que nous restions gauchement plantés au bord du passage à niveau, conversant dans le bruit assourdissant des sonneries d'alarme. Sa mère était à nouveau hospitalisée depuis le nouvel an dans la même clinique de quartier, et Yamakoshi, pour la deuxième fois aujourd'hui, s'apprêtait à lui rendre visite en faisant un crochet par le supermarché. Le tintamarre couvrait nos voix qui ne portaient pas bien et pourtant :

– Si je dois vivre à ce rythme chaque jour, puisque nous en avons pour longtemps paraît-il, je ferais peut-être mieux de quitter mon travail actuel et de me faire embaucher par une petite entreprise du coin. Il n'y a qu'à regarder autour de soi, on trouve encore par endroits des fabriques de quartier. Il me semble aussi que ce serait plus conforme à ma vie...

Voilà comme il parlait. Ensuite, quand les sonneries se turent et que la voie fut libre, il proposa en riant :

– Demain, retrouvons-nous par ici et buvons, voulez-vous ? Je connais un bar qui reste ouvert le dimanche soir.

La tristesse de finir son dimanche à boire dans une gargote de quartier avait de quoi me séduire, moi aussi. Mais je n'étais pas libre le lendemain. Le dimanche suivant n'arrangeait pas Yamakoshi, de sorte que chacun était reparti de son côté, rendez-vous pris pour dimanche en quinze.

« Maman – est morte. » C'est aujourd'hui à la tombée de la nuit que Yamakoshi, m'ayant rejoint soudain en sandales et les bras chargés d'un grand sac de supermarché sur le chemin de la gare où nous avions rendez-vous, m'a appris la nouvelle quand nous arrivions côte à côte au passage à niveau, face aux barrières baissées. Retenu à l'hôpital le soir même où il me disait au revoir, il y a deux semaines, le lendemain dimanche, un peu après midi, tout était terminé.

– Une heure bien claire, sans combat, pour rendre son dernier soupir.

– N'est-ce pas aujourd'hui le quatorzième jour de deuil ?

– Il n'y a, maintenant, plus rien à faire.

Un rapide colorié comme un coffre à jouets nous passa sous le nez, l'express le suivait.

– Je peux vous le dire à présent, ma jambe cassée aussi c'était un accident de la route. À mon âge, je fonçais à moto dans la nuit pour chasser le cafard. On se demandait alors si les combats au sol allaient commencer dans le Golfe.

Après le passage à niveau, Yamakoshi prit à gauche le long de la voie ferrée dans la direction opposée à la gare. Sans doute était-il content de revoir une tête connue à l'hôpital et prêt pour ma part à l'accompagner autant qu'il lui plairait de marcher – ou de boire, qui sait, une petite heure ensemble – je m'accordai en silence à son pas. Cela ressemblait encore à la marche de deux éclopés. Tournant bientôt à droite nous enfilâmes un long chemin de traverse, passant devant une façade d'église peinte en blanc bien que, de côté, rien ne la distinguât des constructions ordinaires, passant devant une clinique, sans doute l'hôpital en question qui pouvait avoir été un sanatorium autrefois (on apercevait au fond un bâtiment de style occidental d'un bleu fané), jusqu'au point où le chemin se mit à serpenter pour rappeler aussi l'ancienne route des champs et Yamakoshi dit :

– Voulez-vous passer à la maison ? Cela vous semblera bizarre mais depuis le septième jour de deuil je me réjouissais à l'idée de vous recevoir chez nous. Les femmes ont préparé divers plats pour la soirée, mais nous resterons entre nous sans les déranger.

Nous étions déjà en face de la maison. Insérée entre des pavillons neufs, la longue bâtisse en bois, avec son toit simple à deux versants, sa couverture de planches horizontales d'un brun roux, son front étroit et sa profondeur confortable, avait attiré mon regard. C'était une construction dans le style moderne d'avant-guerre datant probablement de peu après la défaite, archaïque d'emblée, sentant son ancien temps. Un modeste portail de bois, puis entre portail et entrée, côté sud apparemment bien que d'ensoleillement douteux, le jardin comme une étroite venelle dans lequel on ne sait où poser le pied tant la végétation y croît, des plantes en pots aussi s'alignent en grand nombre, le tout semblant se perdre dès le début du printemps en un foisonnement obscur, mieux entretenu qu'on ne croit, si l'on regarde bien.

– Quel âge avait votre mère ?

– Elle allait sur ses soixante et un ans. C'est encore jeune.

– Vous voilà marié, n'est-ce pas ?

– Depuis maintenant six mois, nous habitons ensemble dans cette maison.

– Oui, ensemble… Y a-t-il un fleuriste près d'ici ?

– Ne vous en faites pas pour l'autel. De toute façon c'est dimanche, les magasins sont fermés.

On baignait dès l'entrée dans l'odeur de l'encens et le rire plein des femmes qui s'épanchait du fond et se tut sitôt que la porte glissa, celle que j'avais aperçue à l'hôpital vint à notre rencontre et me reconnaissant s'agenouilla sur le sol, les yeux humides baissés : « Ça fait longtemps, vraiment. » En ce temps-là aussi, quand elle s'effaçait d'un geste furtif en pliant la nuque devant un visiteur, j'étais surpris par la pâleur transparente de sa peau, comme si c'eût été elle la convalescente.

– Il paraît que dans les bruits de la circulation ce sont les basses fréquences qui se répercutent le plus loin et perturbent le sommeil des gens.

– Vous voulez parler des autoroutes, des voies ferrées aériennes ?

– Nous ne sommes pas loin ici, la nuit, des autoroutes centre et Tokyo-Nagoya. En tendant l'oreille on peut distinguer par-delà la rumeur de la Route 8 un son d'une nature un peu différente, comme un bruit d'averse. Or pour moi c'est un son strident.

– Vous savez, je ne conduis pas. Je me demande comment étaient les nuits à l'hôpital.

– La nuit où j'ai eu mon accident (ici la voix de Yamakoshi se fit pénétrante comme un chant qui commence), un soir où la rumeur de la Route 8 nous collait bizarrement à l'oreille, ma mère, qui pressentait un malheur, refaisait en détail le récit des attaques aériennes qu'elle avait vécues, si bien qu'à la fin j'en ai eu marre. Attends que je sois avec les autres et je vais t'en faire moi du boucan… Tout est venu de là, j'ai filé à moto. Pendant qu'on me transportait aux urgences, ma seule peur était qu'il soit arrivé quelque chose à ma mère.

Je voyais un garçon capable quand il se tait de se taire jusqu'au bout et qui ne se crispe pas pour rien si l'autre aussi se tait. Campé en tailleur devant le plat vidé de ses sushis, le visage plongeant en avant sans que le dos se courbe, au bord de la morosité et de l'abattement, il conservait une attitude dégagée.

– Quand ma sœur a eu le sien, j'allais me coucher, je regardais la télévision avec ma mère, les ambulances étaient de sortie ce jour-là et au moment où je lui disais Tu entends ? c'est fou, le téléphone a sonné derrière nous. C'était arrivé depuis plus de deux heures. Ma sœur avait quitté la maison un an plus tôt. Mais l'idée nous effrayait qu'après nous avoir quittés elle puisse nous revenir soudain morte et si près : venir mourir là, tout près de la maison, divaguait ma mère. La voiture, en réalité, roulait alors dans une direction qui l'éloignait de chez nous.

J'étais maintenant capable de calculer l'année d'après ce que j'avais appris à l'hôpital, l'année du crash du jumbo-jet – 1985. Du frère de Yamakoshi disparu lui aussi dans un accident de la route, l'année des catastrophes aériennes en série, c'est-à-dire 1966, je savais l'âge tendre et donc que le malheur cette fois-là aussi avait frappé tout près sans doute et j'essayais de retracer à l'oreille jusqu'où allait la Route circulaire n° 8 à l'époque. Tant de morts proches, à son âge, ne pouvaient qu'attiser de temps à autre en lui un sentiment de rage. Pourtant, pas le moindre crescendo dans son récit. De brusques commencements qui s'étirent un moment comme une plainte ténue, puis s'interrompent brusquement, n'attendant même pas qu'on leur donne la réplique. Et je note en moi depuis quelque temps (encore un signe de vieillesse ?) l'habitude, quand on me parle, d'écouter en silence. Je ne hoche même plus la tête inutilement, c'est curieux, sans que ce soit pour autant de la froideur.

Les rires cachés des femmes perçaient à nouveau. Il était temps pour l'hôte de ces lieux de songer à lever le camp, j'ai regardé ma montre croyant la nuit fort avancée, alors qu'il n'était que dix heures.

– Après six mois, elle est parfaitement à l'aise avec nos voisins (Yamakoshi s'attardait lui aussi sur la trace des rires) : il semble que ces jeunes dames, qui sont pour la plupart arrivées là ces dernières années par mariage, s'imaginent parfois qu'elle est une enfant du quartier. Il y a quelque chose en elle, je crois, qui fait qu'on pourrait s'y tromper.

– Cette maison, est-ce votre père qui l'a construite ?

– Non, il la tenait de mon grand-père qui l'avait rachetée, mes grands-parents étaient morts et mon père vivait seul ici, c'est alors que ma mère est arrivée et ils se sont mis ensemble. C'était en 1960, mon défunt frère était déjà en route. Ma mère avait trois ans de plus que mon père.

– Ah, évidemment…

Pourquoi ne m'en étais-je pas aperçu plus tôt ? Vexé de n'avoir pas su faire un simple calcul d'âge, j'ai détourné la conversation.

– Cette partie est un ajout ancien, je suppose.

– Il semble qu'elle était là dès le début, un legs des précédents occupants, c'était paraît-il une famille de huit personnes. Elle servait chez nous de salle d'étude pour les enfants, mais dans ses dernières années mon père y passait son temps, debout ou couché. On est ici un peu à l'écart des bruits du séjour.

À la place qu'il m'avait conseillée près de la fenêtre, j'avais trouvé mes aises en me laissant glisser de biais, bien calé maintenant, affaissé sur un coude, si mon jeune hôte m'avait révélé soudain que son père faisait toujours de même j'aurais été certain de perdre contenance et de ne plus savoir où me mettre, mais pour l'heure je n'échappais pas à un contentement un peu mélancolique. Yamakoshi reprenait son récit.

– Mon père, nous l'entendions jour et nuit appeler ma mère de cette chambre. Il n'appelait pas fort, juste avec une sorte de sévérité dans la voix qui portait dans toute la maison. Il appelait, et elle ne bougeait pas. On aurait pu penser qu'elle était en colère, mais non, elle avait peur. Elle baissait la tête et ses mains s'affolaient. Mais quoi, mon père n'avait pas toujours été ce mari despotique, pas plus que ma mère n'était une épouse docile. Parfois n'en pouvant plus je la brusquais, qu'elle y aille, il nous cassait les oreilles, alors elle se levait, oui, pleurnichant comme une gamine, ma mère. Et entrant ici dans la chambre, elle refermait soigneusement la porte. Rien ne filtrait, ou à peine le ton de mon père, un ton patient, sermonneur. Par moments, la voix se durcissait. Ma mère lui répondait alors d'une voix frêle. Voulait-elle l'apaiser, cherchait-elle son pardon, on ne sait. Je n'ai pas la moindre idée, moi le fils, de ce qui lui valait ce traitement de la part de mon père. En toute chose elle s'était montrée jusque-là plus alerte et plus entreprenante que lui. Et pourtant, quand elle sortait de la chambre, je voyais le visage d'une femme accablée de reproches. Elle restait assise dans un coin, la tête basse. Cette vision m'était insupportable. J'étais capable de lui dire des horreurs, qu'il n'en avait plus pour longtemps, qu'il fallait tenir bon… Je n'avais que dix-huit ans. Mon père en avait quarante-sept.

Si jeune, ai-je soupiré en secret. Et elle, de trois ans son aînée, à cinquante ans tout juste, jeune aussi. Quoi d'autre qu'un cancer à cet âge : l'homme a senti qu'il n'y avait plus d'espoir, il s'en remet à l'épouse et laisse libre cours à la plainte, qui peut-être, à distance et derrière l'écran des choses, s'entend comme une chicanière leçon de morale. Et ce que l'épouse en détresse tente alors s'entendra peut-être moins, s'il y a un doute, comme parole d'apaisement que comme recherche d'un pardon. Même à cinquante ans, emberlificotée dans la rancœur d'un mari dont les jours sont comptés, c'est d'abord en tant que femme qu'elle se sent visée. Rien d'étonnant non plus si après cela le fils, qui n'est pas encore sorti de l'enfance, s'offusque de la voir abattue et prostrée.

Vraiment, il était grand temps que je m'en aille. C'était déjà comme un supplément de grâce faite à notre commune condition de malades que Yamakoshi eût pu se confier à ce point, au-delà nous risquions de ne pouvoir conserver l'un envers l'autre cette franchise un peu décalée du réel que nous avions rapportée de l'hôpital, je me mettais en garde et je retraçais dans ma tête l'itinéraire du retour, le passage à niveau franchi et après une trotte, reliant obliquement le boulevard circulaire où les malheurs de la famille Yamakoshi semblaient s'être donné rendez-vous et la rue où j'habitais, la route relativement peu fréquentée pour le quartier, ce qui restait apparemment d'une amenée d'eau qui courait autrefois entre les champs, sinuant en douceur comme un serpent tranquille, y voyant le dos de l'hôte qui rentre ivre, ses cheveux soudain très blancs sur le fond de la nuit, touchant déjà presque à la blancheur totale pour ainsi dire précoce dans l'allée de cerisiers, où ne dirait-on pas qu'il est seul à fleurir, l'accompagnant d'un regard admiratif, tandis qu'à nouveau les rires des femmes enflaient comme montant d'un étage plus bas et Yamakoshi demandait :

– Est-il possible pour une femme, après avoir enduré dix ans, vingt ans la jalousie d'un homme pour une chose qui n'a pas été – ou qui pourrait avoir été, cela n'y changerait rien –, qu'elle éprouve, quand l'homme meurt, comme une bénédiction d'avoir été aimée jusqu'à ce point ?

J'ai trébuché sur ce mot « bénédiction » qui ne m'était plus familier à l'oreille, marmonnant en moi-même qu'il aurait pu parler de chance, au moins j'aurais compris, et pendant que j'observais son visage, Yamakoshi, toujours dos net et tête baissée, semblait attendre que les rires s'élèvent à nouveau, les yeux tournés de leur côté.

Digue de printemps

Une voix de fille dans mon dos, criant : « C'est plus joli de ce côté, regarde ! », tandis que l'autre fille qui venait de me dépasser à l'instant se retourne vivement sur sa selle. C'était un dimanche matin ensoleillé, deux lycéennes à en juger par l'âge, leurs bicyclettes arrêtées côte à côte sur le bord du trottoir, regardaient le long de l'allée qui se sépare à cet endroit de la rue principale et s'en va serpentant vers le nord des cerisiers dont la pleine floraison était déjà terminée. Puis le feu est passé au vert et ensemble, pédalant allègrement, elles ont franchi le passage piéton et se sont enfoncées sous les fleurs. Des cerisiers, mais elles auraient pu en voir des quantités si elles avaient poussé un tout petit peu plus loin jusqu'au jardin public ! Je m'étais arrêté à mon tour pour inspecter les arbres et, ma foi, c'est qu'on ne s'en aperçoit pas quand on vit à proximité, ils avaient grandi depuis la dernière fois. Ce que ça doit être de courir à seize ou dix-sept ans, haut perché sur sa selle, dans cette splendeur de fleurs tombées, sentir sur soi l'éclat bleuté des cheveux et son propre visage illuminé de blanc… Je les ai accompagnées du regard sur la route qui serpente jusqu'à ce que leurs silhouettes s'effacent ; elles m'avaient donné l'envie de changer ma promenade du jour et je suis resté là à guetter le prochain feu vert.

Vingt-six ans plus tôt, je suivais ce chemin pour la première fois. J'arrivais de la gare avec ma femme. Notre fille aînée nous accompagnait dans le ventre de ma femme. Nous venions voir l'appartement témoin installé sur le chantier de l'immeuble où nous habitons à présent. Ma femme tenait une ombrelle à la main, il me semble. Le chemin était le même qu'aujourd'hui. Les cerisiers plantés des deux côtés devaient avoir au moins une tête de plus que les hommes. Même le rejeton que notre fille aînée nous rapporta en souvenir de son dernier jour d'école primaire, planté dans notre cour d'immeuble, a déjà bien poussé et fleurit à foison.

J'avais commencé à m'intéresser aux sinuosités du chemin lorsque j'appris, environ quatre ans après notre installation ici, d'une dame qui y vivait depuis bien plus longtemps pour s'y être mariée, que ce chemin était la trace d'un ancien canal d'amenée qui avait été comblé. Au lieu de s'écouler au fond de la digue, il paraît que l'eau stagnait en un long marécage où des deux côtés les gens vinrent bientôt vider leurs poubelles jusqu'à le combler tout à fait. Et pourtant, disait-elle, quand on descendait au bord de l'eau on ne voyait que le ciel entre les hauts talus. Je me rappelais cette histoire chaque fois que je passais par là, ce qui m'arrivait de plus en plus rarement ces dix-sept ou dix-huit dernières années, depuis que j'avais à moins de vingt minutes à pied de chez moi dans la direction opposée, en allant vers le sud, une station de métro pour faciliter mes sorties en ville, et ce qui m'avait frappé les derniers temps, quand par extraordinaire je revenais ici, c'était la reconstruction que je voyais à l'œuvre, dans ce nouveau quartier résidentiel bâti comme tant d'autres sur une ligne de chemin de fer privé et que j'avais toujours considéré du même œil ; mais justement, me disais-je, les maisons construites dès avant mon arrivée ici, à trente ans passés, par des propriétaires dans la force de l'âge, n'étaient-elles pas en train de changer de mains, comme le laissait penser depuis quelques années le nombre extravagant de « veillée funèbre et obsèques » placardées dans ces rues ?

Cela faisait aussi pas mal de temps, je pense, qu'on pouvait lire sur le bord de l'allée une présentation de l'histoire du canal devant laquelle je m'étais parfois arrêté, la prenant à l'occasion en photo ; mais j'oubliais d'une fois sur l'autre ce qu'elle disait, la photo s'était égarée quelque part et ce n'est que le mois dernier que je m'étais intéressé au nouvel écriteau dont le contenu semblait plus détaillé. D'après ces explications, il s'agirait d'une dérivation des réserves d'eau de la Tamagawa, fort ancienne puisqu'elle aurait été aménagée entre l'ère Kanbun[1] et l'ère Genroku[2]. On l'avait d'abord appelée canal de Togoshi, puis canal de Shinagawa, plusieurs prises d'eau ayant été concédées au quartier de Setagaya en échange du passage

1. 1661-1672.
2. 1668-1704.

sur ses terres, bien que l'objectif premier fût d'amener l'eau jusqu'aux environs de l'actuel Togoshi dans l'arrondissement de Shinagawa. Elle se prolongeait donc jusqu'aux environs du quartier où je suis né. Vint l'époque moderne, et la dissolution en 1932 de l'ancien syndicat des Eaux entraîna après guerre le comblement du canal qui avait servi de décharge entre 1950 et 1952. Les explications étaient accompagnées d'un plan en coupe de la digue, une digue qui s'élevait à bonne hauteur au-dessus de la plaine, creusée en son milieu par un chenal et qui, filant à travers champs, résumait la vue qu'on pouvait avoir de cet endroit.

À peine avais-je imaginé ce paysage de digue épaisse qui se dandine dans une campagne sans grâce qu'un vent âpre soufflait en moi. Était-ce possible que, non content de l'imaginer, je l'aie vu ? Tout près de chez moi il y a un parc où se pratique l'équitation, inauguré en 1940, trois ans après ma naissance : c'était, à l'époque où nous habitions du côté d'Ebara, un but d'excursion pour les petites classes de la maternelle et de l'école primaire du quartier, ma défunte sœur y venait, mon défunt frère y venait. Les parents m'y auraient-ils amené, moi aussi ? Encore une chose que j'avais oublié de demander à mes morts. Ou peut-être se taisaient-ils exprès, mes morts, pensant que j'étais allé me perdre dans un pareil endroit par attachement à des lieux dont le nom m'était familier dans la petite enfance… mais pas du tout ! Et je hochai la tête de façon ostentatoire, car qu'est-ce que c'était que cette histoire de se sentir pris en faute, à présent, tandis que je m'éloignais de l'écriteau. Nous étions au début de mars et j'étais en chemin pour mon rendez-vous à la gare avec Yamakoshi.

À contre-courant du canal, le même chemin conduisait à la maison de Yamakoshi.

Cette rue-là, on dit que c'était la digue d'un canal autrefois : vous le suiviez toujours tout droit vers l'aval et vous arriviez, je crois bien, dans le coin où je suis né.

Je cherchais à me régler sur la diction de Yamakoshi, à certains moments.

Car voyez-vous, j'ai emménagé par ici quand vous aviez cinq ans, donc deux ans après la disparition de votre frère, mais depuis mon installation ici j'ai moi aussi dans cet endroit toutes sortes d'attaches avec les morts. Il y a bien un temple de la Vraie Secte de la Terre pure, au bout à droite, sur le côté gauche de la rue, la rue de l'ancien canal bien sûr, que vous rejoignez par la ruelle qui passe devant chez vous ? C'est là que nous avons organisé les funérailles de ma mère. De lointains cousins sont venus du pays de mes parents. Ils ont dû arriver à cette gare. Plusieurs d'entre eux sont morts à présent. Ensuite, vous continuez tout droit après le temple, juste avant la Route 8 vous traversez au feu côté nord, et quand vous suivez cette rue qui doit être à peu près parallèle, quelques rues plus à l'ouest, à celle qui passe devant chez vous, il y a bien un hôpital sur la gauche ? C'est là que mon père est mort. Je n'avais à l'origine aucune attache dans cet endroit. Tout cela est le fruit du hasard, je vous assure. La preuve, c'est que nous sommes encore allés ailleurs pour les funérailles de mon père.

J'avais tendance, bizarrement, à parler encore plus vite que Yamakoshi, alors que j'étais à peu près du même âge que son père. Puis, le regard perdu au loin dans les sinuosités du chemin :

Quand on puise de l'eau en amont, l'eau s'appauvrit en aval. Quel lugubre combat ce devait être. Pas de place ici pour le dégoût de la terre impure.

Voilà que je divaguais à nouveau, j'arrivais au coin de la rue où je retrouvais l'embranchement qui bifurque vers le nord, entre l'arrière d'une université et l'arrière d'un collège, et prenant du côté de l'allée des cerisiers encore plus isolée et splendide dans sa défloraison, enfin j'entrais dans la blancheur.

La femme qui vit là-bas avec Yamakoshi s'appelle Toritsuka de son nom de famille. Son prénom, Yamakoshi ne le mentionnait jamais, même quand il s'adressait à elle c'était toujours et seulement Toritsuka, alors on ne sait pas. Ça peut être une mode chez les jeunes concubins, encore que la voix de Yamakoshi appelant sa compagne par son nom de famille ne soit pas particulièrement insouciante. Il me semblait à moi qu'il y avait de la réserve ou je ne sais quel reproche dans cette voix. Il y a deux ans, alors que Yamakoshi était hospitalisé après son accident et que la santé de sa mère commençait à se dégrader, la femme passait plus de temps chez eux qu'à l'hôpital, il arrivait qu'elle y reste la nuit pour s'occuper de la mère, c'est elle aussi qui s'était chargée de la faire admettre dans la clinique voisine après en avoir parlé avec lui, ce que j'avais appris à l'hôpital de la bouche même de Yamakoshi. Puis quand Yamakoshi et sa mère étaient sortis de l'hôpital, ils avaient continué l'un et l'autre à se voir hors de la maison comme avant, comme des amants ordinaires, à cette différence près que la femme, deux fois par mois, venait chez eux le dimanche matin pour tenir compagnie à la mère qui n'avait plus toute sa tête, elle s'occupait de divers détails pratiques, dînait avec eux et à la nuit tombée regagnait au loin sa chambre. Parfois aussi elle dormait à la maison et du même pas repartait au travail le lendemain matin. Cela avait duré un an, jusqu'il y a six mois : aux yeux de Yamakoshi, la mère avait en l'espace d'une semaine perdu une grande part de son autonomie et ce qu'elle disait prenait à mesure un caractère plus inquiétant, la femme peu à peu resta chez eux plus longtemps. Il prit autant de congés qu'il était permis pour raison de soins apportés à sa mère, elle s'arrangeait de son côté pour trouver du temps libre et, malgré tout, au bout de dix jours, il n'y avait plus moyen, on l'hospitalisa à nouveau dans la même clinique. Quinze jours plus tard la femme quittait sa chambre et s'installait à demeure. La mère avait pris l'habitude d'attendre sa venue soir et matin.

Je ne sais de quel milieu vient son amie, mais en entendant cette histoire j'ai pensé que l'affaire n'était pas si mal partie pour donner, tout dépend du point de vue auquel on se place, un heureux concubinage à la mode d'aujourd'hui. Voici pourtant ce que Yamakoshi m'a raconté. Juste avant son hospitalisation, la malade se mit à appeler Toritsuka par son prénom. Bien sûr, elle ajoutait « mademoiselle ». Chaque fois qu'il l'entendait, Yamakoshi se réjouissait. Mais il s'aperçut bientôt que lui-même, lorsqu'ils se retrouvaient seul à seule, ne pouvait plus appeler Toritsuka par son prénom. Ce n'est pas pour autant qu'il se mit à l'appeler par son nom de famille : pendant un moment, elle n'eut plus de nom. Il se sentait plus libre ainsi. Toritsuka, qui jusqu'alors usait à l'extérieur du vocabulaire des jeunes amants et s'en tenait devant sa mère à un « lui » vague, commença, du jour où la malade l'appela par son prénom, à dire ouvertement « Hitoshi » en parlant de lui, ou même devant lui. Yamakoshi disait avoir cru en entendant sa voix que c'était une parente de la mère venue à son secours et qui régissait maintenant la maison.

Voilà le genre d'histoires que Yamakoshi était capable de me raconter, sans prononcer, même indirectement, le prénom de sa compagne. Son prénom à lui, je l'avais découvert deux ans plus tôt en lisant la fiche à l'entrée de sa chambre d'hôpital, je me souviens qu'un soir au parloir il m'avait à ce propos raconté, comme s'il avait assisté à la scène, la stupéfaction de son père qui avait son idée en l'appelant Hitoshi et qui ne s'était rendu compte de rien avant qu'on ne lui dise « Hitoshi, comme Ueki Hitoshi bien sûr[1] » ; faisant moi-même le rapprochement avec l'année de sa naissance – 1963 –, j'ai trouvé cela amusant. Le père de Yamakoshi était un homme tout d'une pièce. Quant à Yamakoshi, il avait continué à ne pas donner de nom à sa compagne jusqu'à la mort de la mère. Pourtant cette mort datait d'à peine deux semaines quand je leur ai rendu visite, sans rien savoir, le mois dernier. Le pourquoi et le comment du brusque changement qui a amené Yamakoshi à la désigner en public par son nom de famille se trouvent à mon avis dans la conduite de la femme, parmi l'enchaînement des faits qui ont suivi la mort de la mère : quel rôle elle a joué, quelle position elle a su tenir. Toutes choses que j'ignore. Mais, pendant ses six derniers mois, la mère avait passé beaucoup de temps seule avec Toritsuka. Sur ce qu'elle lui avait dit alors, Toritsuka restait étonnamment discrète. Yamakoshi sentait lui-même que lui soutirer son secret serait la contraindre encore plus, il attendait qu'elle règle d'abord cette affaire avec elle-même, quel qu'en soit le résultat.

Quant à l'histoire que Yamakoshi m'a racontée ensuite, il aurait peut-être mieux valu m'en tenir à mon rôle d'auditeur, l'entendre et ne pas en tenir compte. Lui-même n'était pas certain des faits.

Par trois fois durant ces six mois, la mère l'avait confondu avec le père qui est mort : la première fois chez eux, avant l'hospitalisation, les deux autres à l'hôpital, dans un état d'affaiblissement croissant, mais d'une fois sur l'autre les paroles prononcées par la malade ne variaient guère. « Il ne s'est rien passé, rien, je te le jure », disait la mère. Et dans son regard posé sur le visage du fils il y avait un air de supplication douloureuse : il faut que tu me croies. Yamakoshi avait immédiatement perçu, dès la première fois, que ce regard s'adressait au père. Mais il était trop tard pour faire entendre raison, pointer les erreurs, les illusions et les caprices de la malade. Il acceptait les propos les plus bizarres sans la contredire, attendant que ces idées lui passent. Aucun signe ne devait l'encourager. Il ne fallait pas non plus lui dire

1. Chanteur en vogue au début des années 60. Son plus grand succès avait pour titre *L'Irresponsable*, en 1962.

non. Seulement l'écouter, en restant impassible. Quelque chose semblait alors céder en elle, elle finissait par oublier. Yamakoshi acceptait cela de la même façon. Il dit qu'il ne se posait pas de questions.

Bientôt l'expression de la mère devenait indécise, son regard qui s'accrochait encore au fils commençait à vaciller légèrement, elle hochait un peu la tête. Elle se rendait, acquiesçait :

– Oui, c'est vrai. Tes reproches étaient justifiés. Je me souviens maintenant, murmurait-elle.

Et sa voix, menue, semblait radieuse.

– Après la naissance de l'enfant, j'ai vécu à tes ordres, disait-elle encore. Si je suis partie de la maison c'est parce que je devenais folle, mais il ne s'est vraiment rien passé cette fois-là. Pourtant, c'est bien toi qui avais raison.

Elle avait après cela un air imperceptiblement heureux, semblant avoir enfin tout oublié. Mais la troisième fois, bientôt, ce furent des larmes à n'en plus finir et cette plainte adressée à Yamakoshi :

– J'avais trois enfants, tous ont trouvé la mort.

– Je suis vivant ! répondit Yamakoshi malgré lui.

Le visage de la mère s'éclaira d'un seul coup.

– Que me dis-tu ? Ils sont en vie, tous les trois ? Mais oui, bien sûr qu'ils sont vivants. Puisqu'ils viennent me voir tous les jours ! C'est moi qui ne comprends rien à rien, je ne sais plus où j'en suis…

Puis elle réclama de l'eau, qu'il lui fit boire à la pipette, et elle s'endormit satisfaite. C'était une dizaine de jours avant sa disparition.

Des choses d'avant notre naissance, disait Yamakoshi. Il incluait naturellement son frère et sa sœur décédés depuis longtemps. De ce qui a pu arriver à une mère avant leur naissance, les êtres nés de cette mère n'ont pas à se soucier outre mesure, disait-il. Simplement, il n'avait pu s'empêcher d'être ému, même si cela restait embarrassant pour un fils de voir sa mère à ce point attachée, jusqu'au bout, à son père. En toute chose, Yamakoshi manifestait une franchise qui n'avait rien de futile, impressionné je l'écoutais parler de cette délicate affaire en évitant soigneusement de l'interrompre. Au reste, le récit de Yamakoshi s'interrompait de lui-même et, chaque fois qu'il menaçait de se tarir, les rires furtifs des femmes enflaient du côté du salon. Il tendait l'oreille à ces voix, puis reprenait son récit. J'ai eu l'impression d'une histoire qui se continuerait sans se dévoiler, sous la sauvegarde des femmes.

Au fond, et Yamakoshi souriait amèrement en disant cela, il s'imaginait des choses en tant que fils, tout en sachant que c'était totalement invraisemblable. Une femme qui n'avait jamais pris l'avion de sa vie, à peine deux ou trois fois le Shinkansen, les autoroutes elle ne savait même pas comment c'était fait au-dessus, elle les aurait bien vues bordées de commerces. Tout cela lui était parfaitement indifférent. Le fils se moquait d'elle, mais qu'avait-elle donc fait dans sa jeunesse ? Eh bien, elle n'était jamais entrée dans un café le soir, elle n'était jamais allée à un concert de rock'n'roll, et avec l'enthousiasme des gens qui ne connaissent de la réalité que ce qu'on en dit, elle décrivait à grand renfort de grimaces cette mode qui lui était passée sous le nez. Pas de période émancipée ? plaisantait le fils. Mais si, pendant un moment, vers vingt ans, elle s'était tout de même coiffée à la Audrey Hepburn, le tout dit sur un ton si sérieux que le fils était écroulé de rire.

Et pourtant, chaque fois que le fils riait de son manque d'expérience, je n'en ai pas l'air, disait la mère, mais j'ai tant peiné depuis ma jeunesse que je sais tout faire. Ça n'était pas à prendre à la lettre mais il y avait du vrai là-dedans. En dépit de ces anachronismes surprenants, il fallait lui reconnaître une remarquable faculté d'adaptation pour se mettre à travailler à cinquante ans, après la mort de son mari, chez un commerçant du voisinage, et bientôt engagée à l'essai sur recommandation dans une petite entreprise locale pour y jouer les petites mains, elle se fit apprécier aussi dans les tâches administratives car il suffisait de lui montrer pour qu'elle s'y mette, resta sept années environ, perdit sa fille, le fils trouva un emploi au sortir de l'université, on changea d'ère et elle continua presque sans relâche, jusqu'à ce qu'une sorte de lassitude la prît à la fin de cette année-là[1], de se rendre au travail avec son allure de bonne femme qui va faire son marché. Juste après la défaite, à quatorze ou quinze ans, ayant perdu son père elle était partie travailler dans une fabrique de quartier du côté de Gotanda. C'était un petit atelier à l'ancienne, on vous y faisait faire un peu de tout, c'est pour ça qu'aujourd'hui encore, vois-tu, je sais à peu près tout faire : il y avait dans ces paroles l'orgueil d'une vie. L'école, je n'y suis restée que le temps de terminer mes études primaires, disait-elle. Puis vers vingt ans, dans le voisinage de l'atelier, il

1. 1989, première année de l'ère Heisei.

y avait une usine de taille moyenne pour l'époque, tout ce qu'elle avait compris des explications qu'on lui donnait sur le contenu, c'est que c'était une affaire d'électricité, mais comme ça semblait bien marcher et qu'on y recrutait dans tous les quartiers alentour, elle se transporta de ce côté. L'entreprise en question devint par la suite une firme mondialement connue. Il se trouva qu'un jour la mère surprit son lycéen de fils en déclarant : les magnétophones, qu'est-ce que tu crois, j'ai su m'en servir toute jeunette. C'était comme ça, dès avant le milieu des années 50 (l'entreprise voulait-elle faire la publicité de ses nouveaux produits ?) même les filles rentraient chez elles, à tour de rôle, avec un appareil qui était assez gros à l'époque et des bandes magnétiques, de sorte qu'il lui était arrivé comme à d'autres, en particulier le dimanche, de passer une bonne partie de la journée à écouter et réécouter sur ces bandes les chansons à la mode. La mère avait vingt-trois ans quand la vogue des transistors se répandit.

Puis, deux ans après, elle retourna dans une petite fabrique de quartier différente de la précédente. Dix années s'étaient écoulées depuis qu'elle avait été mise au travail. Elle avait de plus en plus de mal, aussi, avec les endroits où l'on est trop nombreux. Cette fabrique-là avait un propriétaire âgé et peu d'avenir, mais elle s'y sentait à son aise. On lui faisait confiance, cumuler à elle seule plusieurs rôles et s'affairer d'une tâche à l'autre convenait mieux à sa nature. Les journées passaient plus facilement ainsi. Et pendant que je travaille ici, peut-être qu'un jour, quelque part… (mais dans son esprit cela ne pouvait venir que d'un coin de rue qui ressemblait au sien) on me parlera de mariage et ce sera bien, pensait-elle distraitement.

– Quand je nous revois, après la disparition de mon père et de ma sœur, il est certain que ma mère disposait de tout son temps pour m'entretenir de ses histoires du passé. J'étais plutôt du genre à la laisser dire en m'occupant d'autre chose. J'ai presque entièrement oublié ce qu'elle disait.

Après la mort du père, jour après jour, la mère se mit à faire son éloge. Au bout de quelques années elle ne se gênait plus pour déclarer parfois qu'il avait été une sorte de Bouddha. Que la mère parlât du père d'une façon un peu enjôleuse, le fils trouvait certes cela embarrassant, mais comme ça n'allait pas jusqu'à être pénible, le plus souvent il esquivait en silence. Or voilà que la sœur de Yamakoshi – se peut-il qu'avec seulement un an d'écart il en aille à ce point autrement pour une femme ? – se rebiffait, et cela depuis les premiers temps de la disparition du père, sitôt que la mère commençait à parler avec émotion du défunt. Elle se lassa peu à peu et ses paroles, pour être moins nombreuses, n'en étaient que plus acerbes. À la fin elle ne disait plus rien mais son regard prit un éclat venimeux, puis comme si elle avait attendu que le troisième anniversaire de la mort du père fût passé elle trouva une chambre et s'y installa, encore étudiante. La famille n'eut même pas à lui procurer l'argent nécessaire. Quant à son jeune frère, il avait vu le père, cet homme qui se voulait avant tout intègre dans son travail tout en dissimulant une attitude de rejet étrangement sévère à l'égard du monde, sa sévérité se retournant fréquemment contre la mère, et la mère qu'on croyait vaillante qui s'affolait alors cherchant seulement à l'apaiser, il avait vu cela – mais pas de rigueur excessive à l'égard des enfants : on aurait dit parfois que c'était de l'indifférence et pourtant, il le comprenait en chaque occasion où il ne pouvait faire autrement que de lui demander conseil, le père était en réalité plein d'attentions pour eux. C'est après la mort du père qu'il avait senti peu à peu que cette sollicitude était chargée d'une sorte de tristesse, il se demandait même si ce ne serait pas le fait d'avoir perdu son premier enfant encore tout petit dans un accident. Or brusquement, au moment où il raccompagnait sa sœur jusqu'à la gare (elle avait rassemblé ses dernières affaires et quittait la maison en pleine nuit) :

– Notre père ne s'est pas réjoui de notre naissance, pas comme font les parents d'ordinaire, tu ne crois pas ? Notre mère le savait aussi, dit-elle.

– Moi je suis bouché, vois-tu, répondit le jeune frère qui n'en revenait pas de la dureté des femmes.

La sœur ajouta alors, en détournant son visage du côté de la voie ferrée :

– Peut-on aimer les enfants quand dans le fond de son cœur on exècre à ce point le monde ? De toute façon, il est mort.

Après cela, la mère et le fils avaient vécu tous les deux seuls et malgré tout, tant que la sœur vécut, était-ce une forme de retenue vis-à-vis des absents, la mère ne raconta plus guère d'histoires se rapportant au père. Il fallut attendre encore un an après la mort de cette sœur dans un accident de la route, pour qu'elle se mette à guetter les retours tardifs du fils et à reparler du passé par bribes décousues. Le fils en pyjama regarde tout ce qu'il peut collecter des nouvelles du jour en passant hâtivement d'une chaîne à l'autre, tandis que la mère reste assise un peu à l'écart. Prêtant à demi l'oreille au débit rapide de la télé, le cerveau le plus souvent embrumé par un reste d'ivresse et l'envie de dormir, il se laissait raconter la rencontre avec le père et d'autres choses. Avait-il entendu ça la semaine dernière ou le mois dernier, était-ce la même histoire ou bien encore une autre : le manque d'enthousiasme du fils était tel qu'il ne faisait pas bien la différence. Le père, qui était sorti d'une école supérieure d'électricité qui se trouvait dans une banlieue pas trop éloignée de cette zone urbaine, avait vingt-quatre ans à l'époque, il avait mal supporté son premier emploi dans une grande entreprise qu'il avait quittée au bout d'un an, vivait de petits boulots, ayant perdu ses deux parents quand il était étudiant, sans frère ni sœur, et donc seul dans cette maison. Ils s'étaient rencontrés au début de décembre ; la mère fit beaucoup de détours pour en arriver au fait, mais disons que l'année suivante, bien avant les beaux jours, elle était enceinte. Il fut apparemment vite décidé qu'ils vivraient ensemble dans cette maison. Comme avant cela le père avait obligé la mère à quitter son travail, les petits boulots ne les faisant plus vivre, il se plia, reprit un emploi dans une vieille entreprise de matériel électrique dont on voyait bien qu'elle n'était déjà plus tout à fait dans le coup, c'est là qu'il allait travailler toute sa vie.

Le soir où il l'avait convoquée la première fois, tout de go sur un banc de jardin public glacé à la fin de l'année, ce fut pour lui faire un sermon. Tu sembles être une personne sérieuse, répétait-il en préambule, mais combien le monde était corrompu, mais combien vite on se perdait corps et âme pour s'être abandonné à son influence : de cela il voulait passionnément la convaincre en citant à l'appui tout ce qu'il avait vu et entendu dans son précédent emploi. On n'avait plus en tête que l'argent et le sexe, des horreurs pouvaient se préparer, on ne voyait rien, on n'entendait rien… Critiques enflammées que la mère pouvait entendre autant de fois, sans comprendre de quelles horreurs il parlait. À vrai dire, elle ne comprenait pas bien non plus ce qu'il lui reprochait au juste, si même il lui reprochait quelque chose ; simplement elle avait honte d'elle-même qui avait trois ans de plus que lui. Il en résulta pourtant, quand il la convoqua par la suite, qu'elle avait le cœur un peu gros mais y alla quand même. Et quand ils se voyaient, il la grondait à nouveau. Elle ne manquait pas de caractère, et puis le monde elle le connaissait bien assez pour avoir été mise au travail très tôt, pensait-elle, mais devant l'homme elle s'embrouillait dans ses répliques et finissait par baisser la tête en l'écoutant. Personne en tout cas ne lui avait jusqu'à présent parlé de choses aussi sérieuses, avec autant de véhémence.

Un soir, l'homme se leva du banc en criant : « L'époque dans laquelle on vit, je ne veux pas en être, moi, alors pas question d'aller à un mariage, un banquet ou des funérailles ! », et pendant que la femme, stupéfaite comme on peut l'imaginer, restait assise sur le banc à le regarder se débattre avec son propre discours, elle trouva qu'il avait un beau visage. « Dans ce cas, je n'ai plus le choix, je dois quitter mon travail », murmura-t-il avec le plus grand sérieux et il baissa la tête. C'était la première fois que la femme se tournait vers l'homme et lui adressait un sourire.

Quand il sut qu'elle était enceinte, il fut acculé dans une position qui le ramenait vers le monde avec obligation de reprendre un emploi, il était comme blessé, se déchaînant à l'occasion : mais quand même à la fin toujours gentil, disait-elle. Au printemps, la question du Pacte de Sécurité agita le monde, mais il partait tôt le matin au travail et le soir il rentrait directement à la maison, ce qui se passait dehors, ils n'en parlaient pas, n'avaient pas la télévision : ils vivaient cachés tous les deux, retenant leur souffle.

Le fils, qui dressait de temps à autre l'oreille à moitié par distraction, ayant jugé de bonne heure cette figure du jeune père tellement éloignée de son propre tempérament qu'il avait presque renoncé à s'en faire une idée, trouva un peu inopportune l'image qui, tant bien que mal, se formait maintenant dans son esprit. Le déroulement des faits eux-mêmes, d'une logique douteuse, l'avait plus d'une fois fait tiquer, mais il n'avait pas cherché à éclaircir les détails. Il sentait bien aussi que ce récit décousu devenait au fur et à mesure qu'elle le déroulait une espèce de mythe pour la mère, mais par lassitude il n'avait pas non plus tenté d'y mettre le holà. Puis, après s'être laissé abreuver pendant cinq ans (cinq ans !) bribe par bribe sans trêve ni répit, un soir, sans doute était-il mal luné, il se fâcha : où voulait-elle en venir avec ses histoires absurdes ?

– Les femmes se bornent difficilement à l'essentiel comme vous savez (Yamakoshi riait tout seul, en revoyant la scène), pourtant elles finissent par y arriver, alors qu'elles pourraient aussi bien se taire.

En fait, la mère confia qu'elle avait travaillé dans un bar. Le fils la dévisagea, l'imagination ne suivait pas, de qui parlait-elle ? Ce qu'elle lui raconta lui parut très innocent. Elle avait une amie qui avait grandi dans le même quartier et qui venait à peu près du même milieu qu'elle, un ami de celle-ci – son petit ami ou quoi, jusqu'au bout ça n'avait pas été clair pour la mère – traînait depuis quelque temps après avoir quitté l'école, et comme c'était un garçon malin, on l'avait fait patron d'un petit bar. « Patron » est beaucoup dire car il n'y avait que lui, et l'amie de la mère qui venait l'aider après avoir fini son travail de la journée, avec ça l'endroit était bon marché, il avait de plus en plus de succès parmi les étudiants désargentés. La mère y était venue quelques fois entraînée par son amie. Elle s'était habituée à l'ambiance du lieu, passant parfois derrière le comptoir pour donner un coup de main en coulisses. Sur ces entrefaites, la fin de l'année approchant, l'amie la suppliant car c'était un moment décisif pour l'avenir de ce petit bar, son travail à la fabrique était aussi très prenant mais il fut entendu qu'elle se libérerait le plus tôt possible pour passer dans la soirée les aider même une petite heure. Rien de plus. Avant que l'année se termine elle avait rencontré le père, s'était fait convoquer un certain nombre de fois, avait dû promettre d'arrêter ce travail-là le plus vite qu'elle pourrait. Quand elle était derrière le comptoir, elle restait pourtant collée tout au fond, sans presque tourner la tête du côté de la salle : comment avait-elle pu attirer l'attention du père, c'était pour elle un mystère.

Il y a comme ça des hommes qui se mêlent de tout, pensait le fils en écoutant cette histoire. Et puis ? Où se trouvait-il, ce bar ? Il apprit que c'était sur cette même ligne de chemin de fer, en sortant d'une gare à quelques stations de là en direction du centre. Vaguement désappointé, il voulut savoir, alors, bonne mère, pourquoi cette drôle d'idée d'aller fréquenter un lieu aussi inintéressant ? Il reçut une réponse de gamine : je ne sais pas, moi, à l'époque ça faisait déjà dix ans que je travaillais et je n'avais pas une seule fois pris le train pour aller au travail ! Après avoir pouffé de rire, le fils mesure combien ces derniers temps il se montrait taciturne à la maison et ne laissait aucune chance à sa mère. Or, sitôt que le visage du fils est défait par le rire, la mère, elle, se repent du passé comme si elle était enfin mise en accusation.

– Comme commerce, ça n'avait rien à voir avec le monde des entraîneuses de bar. Oui, bien sûr, c'était un bar. Pour les restaurants j'avais déjà eu une expérience avant, dans une courte interruption entre deux emplois, juste un mois toujours à la fin de l'année, le temps d'aider un marchand de nouilles qui avait ouvert son restaurant près de chez moi. Il n'y avait pas de différence. Quand même, ça avait un côté sans doute plus gai, je suppose. Ton père me l'a beaucoup reproché. Moi je n'arrivais pas à comprendre ça, je pleurais et je demandais pardon, le lendemain j'avais tout oublié. Chaque fois qu'il menaçait de ne plus se mêler de rien, j'étais de nouveau en pleurs et je demandais pardon. C'était apparemment ce que ton père trouvait de plus incorrigible en moi. Tu es quelqu'un de bien, mais tu es trop mal préparée à te protéger toi-même, c'est pour ça que je ne peux plus me séparer de toi, je ne te laisserai jamais tomber. C'est ce qu'il a dit à la fin. Je pense encore maintenant que j'ai eu tort. Si seulement je n'avais pas donné ce maudit coup de main, ton père n'aurait pas eu tant à souffrir. Mais en même temps, si je n'étais pas allée dans ce bar, je n'aurais pas connu ton père. Et vous ne seriez pas nés…

Tout en gardant à l'oreille ce « vous » qui incluait les morts, le fils s'étrangla de rire à nouveau ; il prit toutefois soin d'acquiescer pour empêcher le rabâchage et secourir la mère. Le plus drôle, c'était cet air de dire que la source de l'erreur était là, et en même temps de rester à battre sa coulpe devant lui, le fruit de cette erreur qui avait survécu. Il était tout de même rassuré en constatant, à l'oreille, que son rire était sans malveillance. Bientôt il balaya le rire, se trouva à court de moyens pour manifester son approbation, mais des paroles inattendues se présentèrent d'elles-mêmes :

– Dans ce bar aussi tu en faisais trop, ma mère, tu t'agitais en tous sens…

Alors, la mère ouvrit de grands yeux ébahis. Puis son regard s'adoucissant à vue d'œil elle hocha la tête lentement :

– Je pensais bien que j'étais une bonne à rien, mais c'était donc vrai ?

On aurait dit qu'elle était soulagée d'avoir enfin, au moment où elle ne l'attendait plus, une réponse facile à toutes ses questions.

– On se fait un thé ? dit le fils, profitant de ce moment pour se débarrasser de la mère en l'envoyant à la cuisine, et il vit en un éclair le jeune homme presque encore étudiant, la femme plus âgée que lui, la femme qui connaît le monde bien mieux que lui et qui l'accule dans un mélange d'attachement et de jalousie, rejoint par le tourment d'avoir soudain charge d'âme, d'avoir une vie qu'on met entre ses mains, et si maintenant il désire le corps de la femme, sachant de quel bois est fait ce père, il n'aura nul autre endroit au monde où entraîner la femme humiliée que cette maison… Oui, dans l'urgence il entrevit cela comme l'unique chose dont il devait être maintenant convaincu. Aussitôt, le silence de cette maison dans laquelle le jeune père séparé des siens par la mort vivait seul à l'époque (où ne survivaient à présent que sa mère et lui) descendit sur lui ; il tenait les yeux fixés sur une tache du panneau de bois de la vieille porte coulissante (la mère aussi prend de l'âge et retombe en enfance…). Devant lui il y avait la route circulaire et, de l'autre côté de la route, le croisement à la lisière d'une ruelle tortueuse où un soir il foncerait à moto : c'était environ quinze jours avant l'accident.

Le fils étreint sa compagne, dans cette maison où le père a pris pour la première fois la mère dans ses bras. Plus de dix ans après la disparition du père, des trois enfants il n'en reste plus qu'un et, quand la mère meurt à son tour, le tout premier secret des parents, si l'on en croit les soupçons de Yamakoshi, c'est la compagne qui en devient la dépositaire, la compagne à qui la malade aurait, plutôt qu'à lui, le fils, confié tous les détails. Une réalité, ou peut-être des sentiments, qu'il ne servirait à rien de transmettre au sexe opposé par des mots, car transmis par des mots il n'en comprendrait que ce qu'il veut bien comprendre ? Mais alors, étreindre deviendrait en soi, pour l'homme, une façon de questionner ; ce serait même, probablement, l'unique forme de questionnement possible. Et le silence de la femme, sans encouragement ni refus, serait une simple attente, disant Si tu veux savoir à tout prix, prends-moi dans tes bras, comme cela doit être. Si tu me prends dans tes bras comme cela doit être, tu comprendras. Je n'aurai pas besoin de parler, les voix qui filtrent à travers la maison, les treillis et les cloisons de papier, le plafond et les piliers, te diront ce que tu veux savoir : du père, d'abord, puis de la mère…

Il était près de midi et j'affrontais la dure lumière du soleil pour embrasser du regard un grand micocoulier. Je me tenais ainsi, les yeux levés vers quelque frondaison lointaine, tandis que le tronc épais s'arrêtait plus bas, coupé net à ce qui devait être environ le tiers de sa hauteur. C'étaient les restes d'un très grand arbre. Mais il semblait d'autant plus immense d'avoir été brutalement raccourci.

On aurait dit un arbre vieux de cent ou deux cents ans. Serait-ce une ancienne borne milliaire ? On ne voyait pourtant aucune trace de grand-route qui aurait pu passer par là. C'était un petit parc au cœur d'un quartier résidentiel tissé de ruelles étroites. Tout à l'heure, quand j'avais voulu revenir sur mes pas après avoir longé l'arrière du collège et m'être aventuré trop loin, semblait-il, en contournant encore l'arrière d'une école primaire, j'avais aperçu dans un virage anodin un carrefour à angle droit planté au bout d'une de ces ruelles. Il avait tout d'un vrai carrefour, les arbres qui s'assemblaient là, estompés par le bourgeonnement de la végétation nouvelle, m'évoquaient, peut-être par un excès de vigueur, l'atmosphère sombre de la saison des pluies (et sans doute était-ce aussi parce qu'il se superposait un peu plus loin avec le houppier d'un orme que ce micocoulier m'avait paru se couvrir de jeunes pousses). Vu de près, ce n'était plus un angle droit mais une simple fourche, dont le centre était occupé par un parc.

Pourtant, si l'on regardait bien, le chemin faisait un tout petit crochet au coin du parc. Mais était-ce assez d'un simple coude pour conserver l'atmosphère d'un ancien carrefour ? Après un nouveau tour d'horizon, je découvrais tout près de là un vieux poteau indicateur. En me penchant je pouvais y lire, gravés aux quatre points cardinaux, des noms de régions passablement éloignées. Et toujours pas de trace d'une croisée des chemins. Alors, ne me trouvais-je pas plutôt à quelque point stratégique d'un réseau de petites routes secondaires qui reliait autrefois, de crochet en crochet, les quatre directions ?

Un bruit de pas s'est approché dans mon dos. Il y a un instant je sentais, au bord de mon champ de vision, en même temps que je repensais, les yeux levés sur le tronc du micocoulier, à une scène d'amour où l'homme et la femme se retiennent de haleter bien qu'il n'y ait personne d'autre dans la maison, qu'il y avait là une maison séparée du chemin par un escalier de pierre, et quelqu'un se tenait à la fenêtre du premier étage. Je sentais ses yeux qui se fixaient sur moi. Or voici que je me retourne et qu'il n'y a pas l'ombre d'une maison construite au sommet d'un mur de pierre (de la façon dont était fait le terrain, une telle disposition semblait même impossible) : à la place, un vieillard aux cheveux blancs et raides avait surgi du milieu du parc, c'est à peine si son regard une seconde s'était durci en rencontrant le mien, déjà il souriait légèrement et s'avançait droit vers moi. Ce n'était pas un vieillard.

– En voilà une surprise. Tu habites donc par ici ?

Il m'avait apostrophé d'une voix juvénile, au moment même où je reconnaissais son visage. Après cela, il ne faisait plus que hocher la tête, là juste sous mon nez, comme empêtré dans ses sourires. Je voyais bien qu'il ne se souvenait pas de mon nom. Et je ne faisais pas meilleure figure, aucun nom ne remontait à la surface alors que j'avais devant les yeux le visage inchangé d'un camarade d'école. De la bouche de mon interlocuteur un nom de tiers est sorti :

– Tu sais, Sugaïke…

– Oui, Sugaïke…

Et ma mémoire s'est bloquée sur ce nom que je ne m'attendais pas à entendre ici ; plus moyen de tirer à moi le nom de mon interlocuteur.

Ni l'un ni l'autre n'osant se nommer, nous nous sommes absorbés un moment dans la contemplation du grand micocoulier.

Figure humaine

Il me restait en mémoire l'illusion du premier instant, l'ombre d'un vieil homme aux cheveux blancs et raides qui s'était dressée comme un reproche dans la lumière de midi, sous une pluie de pétales – du face-à-face entre compagnons du même âge résultait que, des deux, c'était moi qui avais le plus de cheveux blancs. Nous nous étions quittés avant l'angle de la rue et en me retournant je ne voyais déjà plus personne sur le chemin ; le vieux micocoulier déployait à nouveau sa frondaison vaporeuse. Fujisato m'avait dit seulement qu'il habitait tout près sans me montrer de quel côté était sa maison.

Il se passa ensuite un bon mois et demi avant qu'un soir je prenne sur un coin d'étagère l'annuaire des anciens élèves du lycée. Le dimanche après-midi de ma rencontre avec Fujisato s'était terminé sans grande émotion, mais j'éprouvais une gêne, une lourdeur persistante. La première chose qui ne passait pas c'est pourquoi, les yeux levés sur un gros tronc de micocoulier, j'étais allé chercher tout au bout de mon champ de vision, juchée sur un mur de pierre avec des marches en pierre, une maison qui n'existait pas. Et qu'est-ce que c'était que ça, avoir imaginé quelqu'un qui se tenait à la fenêtre du premier étage lorgnant de mon côté, et de ce pas gagnant l'escalier, de l'entrée dévalant les marches de pierre, pénétrant dans le parc et m'abordant sans façon, juste avant que je me retourne alerté par un bruit de pas ? Fujisato disait être arrivé aux abords du parc au cours d'une promenade, il avait remarqué là un homme qui levait sans cesse les yeux vers un micocoulier : après s'être pas mal débattu avec l'impression d'avoir déjà vu ce personnage-là quelque part, ses pieds, profitant d'un léger changement d'orientation de mon visage, avaient bougé d'eux-mêmes et il s'était rapproché de moi. J'avais donc été vu par quelqu'un. Mais ce n'était pas tout.

– Il m'a semblé que pour la première fois, depuis bien longtemps, j'avais eu sous les yeux la figure d'un homme debout, ajouta Fujisato au moment où nous nous quittions après avoir marché quelque temps côte à côte.

J'avais aussitôt compris qu'il voulait dire : figé. Et si « depuis bien longtemps » suscitait en moi un début d'accord triste (c'est vrai, ce genre de figure ne se rencontrait plus de nos jours), la suite n'en était pas moins parfaitement incompréhensible dès lors qu'il s'agissait de moi. Il n'y avait aucune raison qu'on me vît ainsi. Où Fujisato avait-il les yeux ? L'après-midi allait s'achever sur cette note de dépit, quand le téléphone sonna dans le salon. Je pris la communication, c'était la voix de ma fille aînée qui m'annonçait gaiement que voilà, elle allait rentrer à la maison dans la voiture d'un camarade de bureau qui voulait bien la reconduire, car elle s'était cassé la jambe en se recevant mal (réception au sol après un saut de parachutisme en chute libre), les premiers soins lui avaient été donnés sur place à l'hôpital. « Le parapluie s'est ouvert, au moins ? » demanda le père. Il était temps de s'en inquiéter : il savait depuis la veille au soir que sa fille se lançait cet après-midi dans une aventure, certes professionnelle, mais tout de même hardie. Hospitalisée le lendemain, opérée deux jours après. Elle s'en était bien tirée.

Un mois plus tard l'aînée sortait de l'hôpital, mais l'après-midi du même jour ce fut la cadette, partie depuis l'avant-veille en montagne, qui appela de la gare la plus proche de la maison disant qu'elle s'était tordu le pied dans la descente et qu'elle allait prendre un taxi pour rentrer, de sorte que l'ayant accueillie je repris un taxi pour l'accompagner au service des urgences du quartier. C'était un samedi. Au retour, éclats de rire entre l'aînée et la cadette, chacune découvrant l'autre, jambe plâtrée et béquillant, pied emmailloté et boitant. De nouveau nous nous en tirions à bon compte.

L'œil fatigué par une journée de travail achoppait à la lettre S. Ces derniers temps, annuaires ou dictionnaires, lorsque je consulte tard le soir l'un de ces minutieux ouvrages c'est souvent, bien avant l'endroit recherché, sur une lettre dont il n'a que faire que mon œil hébété provisoirement s'égare. Il arrive aussi qu'une liste de noms me retienne en dessinant à chaque ligne le visage d'un adolescent. Dans la colonne des professions s'inscrivent, après l'entreprise ou l'administration, le poste et la fonction. Autant de mondes inconnus, c'est le cas de le dire, pour moi qui n'ai d'autre expérience d'emploi que mes huit années d'enseignement. Qu'on me parle de division, de service, ce sont à vrai dire les contenus qui m'échappent. Et quand on en arrive à tel ou tel bureau, je suis totalement largué. À plus forte raison quand des mots étrangers s'en mêlent, car l'imagination, alors, ne suffit plus. Mon père et mon frère étaient des employés. La plupart de mes connaissances aussi, quand j'y pense, travaillent en entreprise. Mais je n'ai presque jamais demandé de détails sur la profession des gens. Si rarement que je le fasse, je vois que mon interlocuteur est embarrassé. Il ne sait pas comment expliquer sa spécialité à quelqu'un qui n'est pas du métier, on dirait qu'il est à court de mots. Se devine quelque chose qui ressemble à de la pudeur, et parfois aussi un secret dépit. Pour finir il se peut qu'en quelques mots rapides, mots de métier bien sûr, il ficelle une explication, à quoi je ne comprends goutte. Ne pas comprendre n'empêche pas d'opiner de la tête. On se laisse malgré tout convaincre par une sorte d'automatisme, même si l'incompréhension demeure. Il y a plus de dix ans, j'exhibais ma consternation devant un ami qui avait une longue expérience du travail en entreprise, disant que je savais ce que c'était que peiner pour gagner son pain, mais que la vraie teneur du travail des gens m'échappait totalement, je commençais même à me défier de mon imagination ; mon ami me rembarra, qu'est-ce que je croyais, c'était pareil pour lui : sorti de son petit monde, on ne sait rien…

Tout de même, quand arrive l'enquête de l'association des anciens élèves pour la mise à jour de l'annuaire, ça doit bien faire quelque chose d'inscrire scrupuleusement ses profession et position actuelles. Les changements significatifs qui interviennent peu avant la cinquantaine dans la condition des anciens camarades, même les gens comme moi pouvaient s'en faire une idée vague. Si je m'exclamais devant une belle réussite, on me retournait parfois un sourire ambigu. Depuis quelques années, je recevais plus fréquemment de ces faire-part qui ont trait à la carrière. Certains étaient plus compassés, d'autres donnaient assez souvent dans un style étrangement juvénile. Mais une fois l'annuaire imprimé, où chacun découvre son propre nom, sa profession ou le genre de poste qu'il occupe, tout cela ne prend-il pas l'allure d'une distribution des rôles (de quel présent s'agit-il ? quel est ce personnage ?) comme si tout était déjà décidé, accompli, indépendamment du moi actuel… Sottises qui m'occupaient l'esprit, lorsqu'un jour, en me promenant dans la seule colonne des professions, à un endroit où s'alignaient des intitulés de postes à rallonge, tous plus imposants les uns que les autres, je vis s'ouvrir un blanc qui attira mon regard dans la colonne de gauche : c'était Fujisato. Quelques lignes plus bas les trois syllabes du mot « écrivain » (dans la colonne correspondant à mon nom) faisait un rappel de blanc, qui dialoguait avec le blanc précédent.

Quoi, cet homme qui aurait dû occuper un rang considérable dans je ne sais quelle grande firme ? Pourtant je n'avais pas vraiment lieu de m'étonner, mes rapports avec Fujisato ayant toujours été des plus limités : nous étions de la même école mais pas de la même classe, dans la même université mais dans des départements différents, de sorte que nous ne nous étions probablement pas revus depuis le lycée. Je ne me souvenais pas même avoir eu de ses nouvelles par d'autres, du moins pas durant ces dix ou vingt dernières années. À moins que Sugaïke m'eût parlé de lui au détour d'une conversation… C'était la seule possibilité, et comme si je voulais en avoir confirmation je me remis à feuilleter l'annuaire dans l'autre sens ; mais quoi, je m'égarais à nouveau. Sugaïke n'avait jamais été dans cette école. Et nous n'étions pas dans la même université. Cet homme, je l'ai connu plus tard, sans lien avec mon travail, sans l'entremise de personne : par hasard. Je ne me serais jamais douté que Fujisato et lui se connaissaient. C'était d'ailleurs une curieuse manière de présenter les choses, puisque Fujisato lui-même était sorti du cercle de mes relations depuis plus de quarante ans. Soudain ma conversation avec Fujisato le premier dimanche de mai dans le parc au grand micocoulier me semblait faite de l'étoffe des rêves.

– Avec Sugaïke aussi, ça fait un bout de temps qu'on ne s'est pas revus.

– C'est vrai, moi aussi, ça fait bien cinq ans que je ne l'ai pas vu.

À cet instant où nous avions les yeux levés vers le tronc du micocoulier, il se parlait à lui-même et je lui répondais aussi naturellement qu'on respire et le nom de Fujisato, qui jusqu'à cet instant ne voulait pas me revenir, je le retrouvais sans peine.

– Nous avions le cours de mathématiques en commun, tu te souviens ? (et changeant de sujet, toute trace d'embarras disparaissant de sa voix :) J'étais juste derrière toi, je ne voyais que ton dos.

– C'est bizarre, ça. On était pourtant rangés par ordre alphabétique.

– On n'y regardait pas de trop près. Je suppose qu'au premier cours nous avions inversé nos places, et c'est resté comme ça.

– J'avais donc le mauvais œil dans mon dos. Parce que les maths, pour toi, c'était très facile.

– Du tout ! C'est seulement que je me débrouillais pour mettre les nombres en ordre. Toi, je t'ai toujours bien observé quand tu étais devant le tableau en train de résoudre un problème. Tu fais de curieux détours, tu sais.

– Tu as vu ça ! C'était drôle, non ? Je faisais ces détours idiots, et comme ça j'étais sûr qu'à un moment ou un autre je ferais une erreur.

– Non, c'est le cheminement de ta pensée qui m'attirait. Ça m'a vraiment intrigué. Tu pensais comme un mathématicien.

– Manquerait plus que ça. Ce n'est pas plutôt toi qui résolvais en une minute, en regardant ailleurs, des problèmes sur lesquels j'étais resté la veille au moins une heure sans trouver la solution ?

– Qu'en sais-tu ? J'étais derrière toi.

– Rappelle-toi, on s'est retrouvés plusieurs fois nez à nez le matin dans la classe vide.

– Ah, c'était donc ça… Au fait, tu habites de quel côté ?

De nouveau il changeait brusquement de sujet, attendant que je lui montre du doigt – par là-bas, près du Parc équestre – le chemin par où j'étais venu tout à l'heure pour se mettre en route du côté indiqué et dès cet instant, j'aurais pensé que nous reprendrions en marchant le fil de nos souvenirs, n'ouvrant plus la bouche. Son silence me ramenait plus sûrement au froid du matin dans la classe où nous n'étions que deux, Fujisato et moi. Une salle du deuxième étage, premier rang près de la fenêtre, où Fujisato est assis à la place d'un autre. Et dans l'angle opposé, le long de la diagonale, le dernier rang près du couloir où je suis moi aussi assis à la place d'un autre. Je me bagarre avec un problème non résolu que j'ai dû abandonner la nuit dernière, tentant de lui régler son compte avant que le cours de mathématiques commence. Le manuel et le cahier de Fujisato sont ouverts devant lui : apparemment il fait ses devoirs (trouve les solutions qu'il n'a même pas cherchées à la maison), mais quand je jette un œil de son côté, la plupart du temps il regarde dehors. Sa main, de temps à autre, court au-dessus du cahier. Encore quelques questions résolues, semble-t-il. Quand le cours commence et que nous nous retrouvons côte à côte au tableau, appelés par ordre alphabétique pour faire les exercices, j'en suis encore à la moitié que déjà Fujisato a lâché sa craie, quitté l'estrade et regagné sa place à grands pas. Ses solutions étaient claires et concises. Pendant ce temps, je n'avais pas le loisir de me demander pourquoi il arrivait encore plus tôt que moi avant le cours, lui qui était tellement à l'aise avec les maths, ni pourquoi cette place près de la fenêtre qu'il s'était choisie exprès ; mais, dans le prolongement des coups d'œil que je lui jetais, le paysage que Fujisato regardait par la fenêtre s'inscrivait de lui-même dans mon champ de vision. C'était à peine un paysage. Le bâtiment tournait à angle droit juste après cette salle de classe, si bien que de ce côté on ne voyait qu'un mur et des fenêtres. Même couvert de lierre l'ensemble était miteux et sans charme. Il y avait sur le vieux mur de béton des endroits virant au rouge sale, ou au contraire des décolorations blanchâtres, qui étaient sans doute, à en juger par les morceaux de bordure dans l'alignement du toit où était mise à nu la charpente métallique des décombres d'un bombardement, la trace du souffle brûlant qui avait rôti ce mur. Nous étions dans la neuvième année de l'après-guerre. On apercevait le parapet de la terrasse et son grillage rouillé, et sous le parapet une saillie discrète, où les pigeons se promenaient souvent, le genre de choses qu'il devait observer aussi. Certains jours, caché dans un coin après la classe, j'enviais les gens intelligents qui ont du temps à perdre : oui, il devait s'ennuyer…

– Une petite fièvre qui durait trois jours et c'était le drame, je me voyais déjà poitrinaire.

En racontant au hasard ce qui me passait par la tête, je comptais renouer la conversation. Mais Fujisato fit une légère grimace du coin des lèvres sans répondre, la tête obstinément baissée, les sourcils un peu froncés (alors qu'en levant les yeux devant le micocoulier il avait presque un visage d'enfant), se hâtant et gardant toujours un demi-pas d'avance sur moi. Cette attitude me faisait penser à un vieux bougon qui reconduit immédiatement à la porte le visiteur qu'il ne peut accueillir, et le doute me reprenait (ce que j'avais vu en premier n'était pas forcément une illusion). Ensuite, bien avant le coin de la rue, Fujisato s'arrêta. Puis, m'observant tandis que je me retournais vers lui :

– Tu n'avais pas changé d'école, dis-moi ?

– Si.

– C'était donc ça… Et justement, à partir de cette année-là, il n'y a plus eu d'élèves qui mouraient de la tuberculose.

Je ne comprenais pas le lien entre ceci et cela. Mais Fujisato avait le même sourire d'embarras et de pudeur qu'au début de notre rencontre, disant :

– C'est une chance que tu m'aies reconnu. Je me promenais et je suis arrivé au bord de ce parc, mon regard est allé vers le micocoulier : ah, un homme debout. Cette figure d'un homme debout, pour la première fois, depuis si longtemps, sous mes yeux. Et je cherchais, je cherchais qui ça pouvait bien être. C'était long, tu sais…

Nous nous sommes quittés là-dessus. Propulsé d'un seul coup dans une intimité profonde, un attachement qui semblait remonter loin, je ne trouvais plus le fil et les hochements de tête de Fujisato me disaient « ça suffit, ça suffit », me poussant à partir. Je crois que j'ai répondu de même par un hochement de tête tandis que je reprenais ma route, car je ne me souviens pas que l'embarras se soit ajouté au silence. Après l'avoir perdu de vue au coin de la rue je me répétais tout au long du chemin qui me ramenait à la maison les mots de Fujisato, quand il se demandait « qui ça pouvait bien être ». La façon dont il avait dit cela me paraissait à la fois étrange et très naturelle, d'un sens immédiatement perceptible et qui s'éloignait en même temps dans un vacillement trouble. Soliloquant maintenant : bon sang, mais c'est mon existence vue par lui qui est en jeu là-dedans ! – pris d'une faim soudaine. Au moment d'aborder la route de l'ancien canal, il était midi passé et le soleil printanier tapait dur, j'avais l'estomac dans les talons – les derniers lacets du chemin avant la fourche m'ont paru longs.

Devant le micocoulier je n'avais rien de figé, non. Le regard de Fujisato avait dû opérer une sorte de projection en même temps qu'il était attiré vers moi. Tout cela était inévitable quand on pense qu'une figure devient figure en étant regardée fixement par quelqu'un, les doutes d'une demi-journée se résolvaient dans cette conviction un peu grossière, puis le téléphone sonna et je fus occupé par un événement familial inattendu. Ce fut une expérience curieuse puisque la mauvaise nouvelle en question, du fait même qu'elle m'était annoncée par l'intéressée, devenait une bonne nouvelle (la nouvelle qu'elle était en vie). Je me méfiais des peurs rétrospectives, alors que trois jours plus tard, à l'heure où la nuit s'approfondit, la blessée enfin apparue sur un chariot hors de la salle d'opération riait et disait « Pardon, pardon ! » d'un air insouciant, à ses parents qui attendaient debout devant la salle d'attente ; le lendemain matin, l'anesthésie était passée, les calmants sans effet, quand son père entra dans la chambre elle fit tout de même la grimace, mais moins d'une demi-heure après son visage était détendu, elle commençait déjà à s'ennuyer. « Tu sais qu'on aurait été à tes funérailles hier, si le parapluie ne s'était pas ouvert », riait le père, béat d'admiration devant la force de la jeunesse. Les visites à l'hôpital se poursuivirent comme une lente digestion – plutôt légère au demeurant – des traces d'un malheur qu'on boit à petits coups.

Un mois et demi s'était écoulé, et maintenant c'était mon regard qui était aspiré par ce blanc laissé par Fujisato dans la colonne des professions de l'annuaire des anciens élèves : j'y revenais sans cesse, faisant semblant de réfléchir alors que j'étais évidemment incapable, étant donné ma connaissance du monde, de le combler en imagination par le plus petit début d'histoire. Cela me remettait à nouveau à l'esprit, avec un goût amer qui ressemblait à du remords, la façon dont Fujisato ce jour-là s'était retiré de la conversation. S'il n'avait pas eu envie de me parler, il ne serait pas venu me chercher. Jusqu'au dernier moment il paraissait prendre du plaisir à cet échange. Sans doute avais-je remué un tas de vieux souvenirs désagréables, en évoquant soudain cette salle de cours où nous nous retrouvions le matin. Quand un garçon doué en maths au point de s'ennuyer pendant les cours vient en classe si tôt le matin, il faut s'attendre à quelque problème familial. Chacun a de ces vieilles blessures d'adolescence. Longtemps oubliées, elles se réveillent brutalement dès qu'on les touche du doigt. Celles-là font souvent plus mal que les blessures moins anciennes. Il y a aussi des blessures qui deviennent plus sensibles à l'approche de la vieillesse. Quoi qu'il en soit, si l'on se fie aux paroles de Fujisato, c'était faire preuve d'indélicatesse, après tant d'années, de l'avoir attiré de loin en profitant de cet état de nostalgie pour lui rappeler brusquement des choses pénibles. Gardez en vous pendant près de quarante ans la sourde concentration du jeune garçon qui s'affole de ne pouvoir résoudre ses problèmes de maths, et vous obtiendrez un parfait balourd. Est-ce que cette sorte de balourdise grandit comme le font les vieilles blessures ?

Je reprenais l'annuaire et constatais que c'était l'édition de cette année, en date du mois de mars. Une édition bisannuelle si je ne me trompe, mais la précédente avait été évacuée par manque de place sur les rayons à l'arrivée de la nouvelle. Chaque fois que je reçois le nouvel annuaire, tous les deux ans donc, je parcours rapidement les rangs de mes anciens camarades. Il en est dont la situation actuelle me préoccupe un peu, à distance ; je saute de l'un à l'autre en m'étonnant du bizarre sentiment de satiété qu'on éprouve à lire le titre de la personne même sans rien y comprendre, et chaque fois, quand j'arrive à hauteur de mon nom dans la colonne des professions, j'entends une voix qui murmure « sans profession ! » et je détourne les yeux. Dans l'annuaire d'il y a deux ans, il me semblait qu'il n'y avait pas de blanc à proximité pour faire écho à cela. Je pouvais supposer que le poste de responsabilités d'allure imposante de Fujisato ne m'avait pas échappé sur le moment, mais je ne m'en souvenais pas. Le degré d'intérêt que je porte au monde se mesure à la façon dont chaque fois l'annuaire des anciens élèves atterrit au panier. En regard du colophon, il y avait une pleine page de publicité pour une célèbre entreprise de pompes funèbres située au cœur de la capitale. Ils assuraient la livraison de fleurs fraîches et artificielles. Se chargeaient aussi du programme de la cérémonie.

J'avais été tenté d'appeler Sugaïke pour lui demander des nouvelles de Fujisato ; mais je me suis abstenu, car il était minuit passé. Et c'est seulement ensuite que je me suis rendu compte que l'heure n'aurait rien changé à l'affaire, puisque de toute manière je n'avais pas ses coordonnées. Sugaïke était pour moi une connaissance dont le nom ne figurait pas sur mon carnet d'adresses. Nous nous connaissions pourtant depuis trente ans. C'était une fréquentation des plus irrégulières, sans échange de bons vœux, c'est dire – rien qu'un brusque appel téléphonique de sa part, à peu près une fois tous les trois ans, pour m'inviter à prendre un verre. Cette voix où résonnait l'écart du temps, sur un ton aussi familier que si nous nous étions vus le mois dernier, me charmait : nous prenions aussitôt rendez-vous et nous nous retrouvions un soir, parlant jusqu'à minuit exclusivement des histoires du passé. Ce passé avait duré pour nous une seule année, entre vingt-six et vingt-sept ans, quand, désœuvrés tous deux dans une ville de province, nous nous croisions sans cesse dans des bars de quartier. Après une interruption de près de dix ans, nos relations avaient repris à l'occasion d'une rencontre inopinée du côté de Shinjuku, puis du milieu de la trentaine jusqu'à la cinquantaine elles avaient continué sur le même mode. À chaque rencontre nous échangions d'abord nos cartes de visite. La mienne se réduit à un nom et une adresse qui n'ont pas changé à travers les années, tandis que les titres de Sugaïke étaient pleins de mots étrangers, et je demandais chaque fois s'il n'y avait pas eu de changement depuis la dernière fois. Il arrivait alors que Sugaïke me réponde que non avec un rire forcé, bien que le plus souvent, depuis qu'il avait quitté vers quarante ans cette société à capitaux étrangers dont je connaissais évidemment (et seulement) le nom, il prît un air gêné en m'expliquant qu'il y avait eu quelques remaniements. Mais il n'en disait pas plus. Je sentais qu'il m'appelait justement parce qu'avec moi il n'était pas besoin d'en dire plus. Il semblait se souvenir de moi chaque fois qu'il y avait eu un changement dans sa vie. Puis il rentrait satisfait, après une soirée de détente consacrée au « passé ». En partant il me remerciait, ajoutant parfois qu'il comprenait mieux où il en était lorsqu'il me rencontrait. Même si je n'étais qu'un bâton ou un pieu, je lui étais à mon tour reconnaissant de s'appuyer sur moi de la sorte une fois tous les trois ans. Il y a cinq ans, le même Sugaïke était arrivé l'air soucieux, s'excusant de ne pouvoir rester à cause d'une malheureuse affaire qu'il avait à régler dans la nuit, puis trois heures après, semblant regretter plus encore que de coutume le temps qui passe, il arrêta un taxi dans la rue et, au moment de se quitter :

– J'oublie à chaque fois. Sur la carte que je te donne il n'y a pas mon adresse personnelle. Ça me fait penser que pendant tout ce temps, toi, tu n'as pas changé d'adresse, c'est étonnant...

Comme il commençait à fouiller dans la poche intérieure de son veston alors que le taxi l'attendait déjà, je l'arrêtai :

– Laisse, ce sera pour la prochaine fois. Tu pourras me rappeler quand tu veux.

Et il me dit alors cette chose étrange :

– Oui, et si je reste trop longtemps sans t'appeler, tu te diras : pas possible ! ce type est mort. Oui, c'est une bonne idée. On n'y est pas encore mais pas loin, vois-tu, petit à petit, on y arrive.

C'était l'année où Sugaïke et moi avions eu cinquante ans. Je regardai le taxi s'éloigner, pensant que ce que je croyais, étant donné l'heure, être une affaire de cœur, ce sentiment diffus, écorché vif, était peut-être le moment où l'on se précipite à l'hôpital. On peut vivre sous la menace et, en même temps, dans un temps grappillé. Il me sembla que l'odeur qu'il laissait derrière lui était déjà une odeur d'hôpital.

Puis un matin, en rêve, au moment où je m'éveillais, Sugaïke se tourna vers moi en disant :

C'est bien comme ça. Tu te diras : voilà, ce type est peut-être mort. Mais tu n'iras pas pour autant prendre au fond du tiroir ma carte de visite et téléphoner à mon travail pour t'en assurer. Mort ou vif, tu serais bien embarrassé pour répondre. Et alors, petit à petit, ça devient pour toi comme si tu fréquentais un mort. Tant que je n'apparais pas de nouveau au téléphone…

Je lui répondais qu'il avait raison, oui. Il est vrai que j'avais ce genre de relations avec beaucoup de vivants, comme si j'avais affaire à des morts. Tout en étant vivant, devrais-je dire, sauf que nous sommes en ce cas tous pareils à des morts. Comme vivants nous sommes déjà achevés, pourrait-on dire autrement. Ne rien savoir, c'est être morts les uns pour les autres – et peut-être plus transparents que si l'on savait, m'emballais-je de façon absurde, réfléchissant de façon tout aussi stupide qu'en parlant d'être embarrassé pour répondre Sugaïke pensait d'abord à moi, mais peut-être aussi à lui-même, puis me demandant si ça ne ferait pas déjà huit ans qu'il ne donnait plus de ses nouvelles, refaisant péniblement le compte dans ma tête endormie, et à la fin ouvrant les yeux : quoi ? ça ne fait pas trois ans ! Peu de temps après, c'est moi qui fus attrapé par la maladie.

Cette hospitalisation, cette année-là, aux alentours du mois de mars, tombait au moment où j'allais bientôt (si tout se passait comme d'habitude) recevoir un appel de Sugaïke. C'était une hospitalisation de cinquante jours à peine, mais on est absent plus souvent qu'à son tour dans une maison de malade. Les appels de Sugaïke arrivaient toujours le soir un peu avant onze heures ; dès qu'il m'avait au bout du fil il commençait invariablement par s'excuser pour cette heure tardive. Sachant que onze heures était la limite, sa voix portait la trace des hésitations qu'il avait eues juste avant. J'ai l'habitude si je suis à ma table de décrocher sitôt que le téléphone sonne – mais si le téléphone du bureau se mettait à sonner en pleine nuit pendant mon absence, le numéro enregistré à l'hôpital étant celui du salon, il faudrait du temps, même dans un si petit appartement, pour que quelqu'un réponde. Et si à la cinquième sonnerie personne ne répond, sachant comme est fait Sugaïke, il aura déjà raccroché. Après trois tentatives de ce genre, il aura compris qu'on lui disait : laisse tomber. Même sans cela, son envie de me voir aura été déçue. Nous serons l'un pour l'autre redevenus des morts... Trois mois après ma sortie de l'hôpital, j'écrivais une courte note « de mon lit de malade » pour la rubrique des essais d'un journal d'économie, le genre de journal que Sugaïke devait parcourir. Il y avait une chance que cela tombe aussi sous les yeux de Fujisato. Cela voulait dire, en ce cas, que je restais seul à poursuivre une relation avec des morts. À moins que tous deux, m'ayant lu, aient gardé l'impression que je n'en avais plus pour longtemps. Tout cela datait d'il y a bientôt deux ans.

– C'est tout de même un monde, Sugaïke et Fujisato se connaissaient, et je n'en savais rien !

Me plaignant maintenant, avec une pointe de rancune, et sidéré moi-même par la vanité de cette plainte, je suis resté un moment les yeux écarquillés dans la nuit comme un oiseau surpris.

C'est environ un mois plus tard, en pleine saison des pluies et en pleine nuit, que le visage de Fujisato s'est reflété dans la vitre (reflété au sens où, me retournant et le voyant soudain, j'eus l'impression d'un reflet : Fujisato en réalité se tenait derrière la vitre, d'où il me faisait signe d'un air impatient).

Depuis ma maladie, je me suis mis à fumer la pipe. Je donne de cela toutes sortes de raisons si on me les demande, mais à vrai dire je ne comprends pas bien moi-même quelle modification du goût ou quel changement physiologique peut en être la cause. L'un des inconvénients quand on fume la pipe – pas pour ceux qui vont tous les jours au centre de la capitale, mais pour les gens comme moi dont le travail est de rester chez soi –, c'est qu'on trouve rarement dans les banlieues résidentielles un marchand de tabac à pipe. Par chance il y en a un dans le quartier où j'habite, qui offre un assez joli choix de tabacs, pas très loin mais quand même à un quart d'heure à pied. J'avais donc pris l'habitude, du moment qu'on ne pouvait s'en procurer que là, d'en acheter trois paquets à la fois et, quand le dernier était décacheté, de retourner chez mon marchand. C'était une habitude de quelques années seulement, pourtant elle était aussi coriace que si elle datait de plusieurs dizaines d'années.

Cependant je n'abandonnais pas la cigarette qui jamais ne m'avait fait défaut depuis l'âge de dix-huit ans, je revenais à elle quand fumer la pipe devenait trop compliqué (dehors ou au lit – déplorable manie de fumer au lit), mais les vieilles habitudes se ratatinent pour ainsi dire au contact des plus jeunes : si je n'y prenais garde la réserve était vite épuisée, je m'en apercevais une fois couché. Pour ne pas arranger les choses, les cigarettes légères qui avaient fait mon bonheur jusqu'à ma maladie ne plaisaient plus maintenant à ma bouche, il m'en fallait de bien plus fortes, d'une marque qui avait fait un temps l'objet d'une grande campagne publicitaire et que j'avais vue ces deux dernières années disparaître peu à peu des rayons des marchands et des distributeurs du voisinage. Il n'y avait plus à présent qu'un seul endroit où j'étais sûr d'en trouver, une supérette ouverte vingt-quatre heures sur vingt-quatre, à cinq minutes à pied de chez moi en marchant vite le long de l'avenue vers l'ouest.

C'était aussi pour moi l'occasion de fréquenter un peu ce genre d'endroit, en dehors d'y passer pour acheter le journal des courses du week-end. Marchant dans la nuit en sandales, je me convainquais moi-même que ça n'était pas si mal. Il ne s'agissait pas seulement de l'aspect pratique des horaires de nuit, il y a des moments où l'on n'ose pas entrer dans un magasin normal ; entrer, affronter le vendeur et parler demande un courage qu'on n'a pas ; je me disais que cela pouvait être une réponse à ces états légèrement dépressifs. Dans les supérettes aussi on se fait face et on parle, mais seulement au moment de payer, et en étant soi-même moins un client qu'un simple passant, ce qui pour un anxieux est un soulagement considérable. Je me disais encore ceci : que si jamais je sentais mon corps ou mon esprit se détraquer, peut-être que moi aussi je n'entrerais plus que dans des supérettes de nuit.

Cette nuit-là, me rendant compte après m'être couché que mon stock de cigarettes était épuisé, j'avais dans un premier temps renoncé à sortir, j'aurais pu pour un soir me contenter de fumer la pipe au lit, mais le sommeil était long à venir ; me levant donc, enfilant un pantalon et une chemise par-dessus mon pyjama, fermant doucement du dehors la porte à clé sur la maison et ses habitantes déjà endormies, car si futile qu'en soit la raison le départ d'un homme à cette heure tardive s'accompagnera toujours d'une vague odeur de crise, je m'en allai traînant un parapluie. Dans mon lit j'avais les yeux grands ouverts et sitôt dans la rue je marchais comme en dormant.

Pour trois paquets de cigarettes et un journal du soir qu'une manchette insolite m'avait donné l'envie d'acheter, je vis le jeune vendeur au comptoir prêt à sortir un sac en plastique, bien inutile, j'allais l'arrêter d'un geste quand je compris soudain que depuis tout à l'heure le vendeur s'activait étrangement en jetant des regards furtifs vers la rue. Puis, quand ces regards s'adressèrent directement à moi, me suppliant d'agir, je finis par me retourner. De l'autre côté de la vitre, au-dessus du présentoir chargé de magazines divers qui se trouvait dans l'alignement de la porte, Fujisato me faisait face, tapotant la vitre et m'envoyant des signes. C'était un geste d'une lenteur effrayante malgré son allure impatiente, et comme enceint de la distance du rêve.

En même temps que je reconnus Fujisato, un sentiment bizarre me traversa. Je ne sais pas ce qu'il faisait à cette heure dans un pareil endroit, mais son expression montrait assez qu'il était le premier surpris de m'avoir aperçu là en passant par hasard. La bizarrerie ressentie venait plutôt de moi, de cette façon que j'avais d'observer l'autre, sachant que c'était Fujisato, mais sans que mes traits s'adoucissent, sans réciprocité, juste le geste de me retourner et de guetter dans l'ombre.

Je n'aime pas, et cela depuis toujours, laisser passer un temps excessif avant de réagir aux actes et aux paroles des gens. Si j'ai pris récemment l'habitude d'écouter en silence, je ne le fais que dans la mesure où cela ne trouble pas mon interlocuteur. Tout particulièrement quand je suis face à un comportement inattendu : je m'efforce alors, quel que soit mon étonnement, de montrer par un air impassible que je ne vois rien là de suspect. Et malgré ça je continuais d'observer froidement le visage de Fujisato plongeant déjà dans la perplexité, sans lui porter secours, d'un regard de plus en plus sombre, on aurait dit un fantôme surgi au milieu de la supérette. Cela ne dura semble-t-il que quelques secondes, mais ce fut presque comme un sort jeté qui me paralysait et pendant un instant je pus me voir moi-même du dehors.

– Tiens, tiens ! comme on se retrouve, dis-je en levant la main sur le pas de la porte.

– Tu oublies ton parapluie, dit en riant Fujisato.

D'après ce qu'il me raconta, il rentrait du centre en taxi après avoir trop bu ce soir-là (ce qui ne lui arrivait plus guère) et, laissant au chauffeur le soin de trouver le chemin, il s'était endormi tranquillement ; quand il avait ouvert les yeux, ils roulaient dans un lieu qu'il lui semblait connaître sans en être certain. Puis ils étaient passés devant cette supérette, qu'il avait reconnue tout à fait. Le chauffeur, par erreur, était allé trop loin, mais en reprenant les choses à temps ils allaient s'éviter un bien plus grand détour. Or, au moment où Fujisato se penchait par-dessus le siège pour indiquer le chemin, dans sa tête il y eut soudain un blanc. Même le nom de la gare la plus proche ne sortait pas de sa bouche. Et pendant ce temps le taxi filait sur le boulevard circulaire, qui sait jusqu'où il allait être emporté ? – dans l'incertitude il préféra descendre. C'est ainsi qu'il avait rebroussé chemin une dizaine de minutes jusqu'à la supérette. En marchant, il était tourmenté par le doute improbable que c'était peut-être lui qui avait donné une fausse adresse au chauffeur. Bientôt il se trouva devant le terrain de l'hôpital, presque en face de la supérette : ce lieu-là, il le connaissait pour y être déjà passé, c'était enfin comme s'il s'éveillait tout à fait et, sur le point de prendre un raccourci en tournant au coin de la supérette, il avait aperçu au-dedans une figure qui me ressemblait et il avait fait halte.

– Content de t'avoir rencontré. Je vais maintenant rentrer à pied chez moi.

– Heureusement que tu t'en es rendu compte à temps. Tu aurais manqué le coche, ça t'aurait emmené loin. Mais quand même, quand on pense que ces supérettes ont toutes la même allure.

– Tu as raison. Quand je l'ai vue, je ne l'ai pas reconnue : j'ai d'abord reconnu une erreur.

– C'est exactement ça.

– Et quand je t'ai vu toi, l'impression d'une erreur grossière est venue en premier. Mais tu regardais avec une telle intensité ce que tu prenais sur les rayons que je n'ai pas pu m'empêcher d'aller y voir de plus près en me mettant de face.

Nous marchions le long de l'avenue, en direction de mon immeuble. Cela ne rallongeait pas beaucoup le chemin pour aller chez Fujisato. La figure qu'il disait avoir vue de l'extérieur du magasin ne pouvait pas être moi. En entrant dans le magasin j'avais attrapé le journal du soir et, de ce pas, je m'étais rendu au comptoir pour acheter des cigarettes. Je n'avais rien fait de plus. Mais il fallait convenir, avec une parfaite irresponsabilité, que c'était bien moi, finalement : il n'y avait pas d'erreur. Nous approchions de la fourche qui se trouve tout de suite à droite de mon immeuble, et Fujisato dit en regardant autour de lui, lentement :

– C'est ici que j'ai ouvert les yeux. Je l'aurais fait plus tôt, il n'y aurait pas eu d'erreur.

– J'habite là, à côté. Ça fera vingt-cinq ans à l'automne.

– Oui, je me souviens d'avoir vu un chantier de construction ici. J'ai trouvé que c'était grandiose. C'était juste avant l'arrivée d'un typhon, les échafaudages se dressaient encore vertigineusement dans le vent, l'effet était saisissant. J'assistais au désastre.

– Tu entres un moment ? Ce sera sans cérémonie, tout le monde est couché.

– Merci, mais gardons cela pour la prochaine fois. Je préférerais, si tu le veux bien, que nous marchions encore un peu ensemble. Me feras-tu le plaisir de me raccompagner jusqu'à mi-chemin ?

– À mi-chemin. Ah, nostalgie… Dans le vieux langage on disait « à mi-lieue », j'espère que ce n'est pas le cas !

– Une demi-lieue ? Si c'est ça, je vais me trouver encore une fois plus loin que chez moi.

– Oui, ça t'arrivera plus d'une fois.

Et nous sommes partis en riant, suivant les traces du vieux canal qui s'enfonce en serpentant vers le nord.

Un lieu calme

Et je continuais sans poser de question sur la situation de Fujisato. Je ne savais rien de son travail ni de sa famille. Je n'avais même pas su lui demander quelles étaient ses relations avec Sugaïke. Nous suivions côte à côte le chemin de l'ancien canal et Fujisato qui m'avait entraîné dans cette promenade ne disait pas un mot, de sorte que je pris le parti, pour sortir de l'impasse, de lui parler d'un détail qui me préoccupait et qui fut le début d'une étrange conversation.

– Te souviens-tu ? lui demandai-je, la dernière fois que nous nous sommes quittés, tu m'as demandé si je n'avais pas changé d'école. Et tu avais raison puisque je suis arrivé en milieu d'année pour faire ma seconde. Mais quel rapport avec le fait qu'à partir de notre année, disais-tu, il n'y a plus eu d'élève qui mourait de la tuberculose ?

– C'est vrai, je me suis compris tout seul, alors que tu ne demandais qu'à m'écouter. Je regrette, répondit Fujisato. (Il y avait de la tristesse dans sa voix. Il laissait son regard errer au loin sur le chemin, avec des petits sourires d'agacement qui ne s'adressaient qu'à lui-même...) À l'époque, on nous faisait faire des différentielles et des intégrales, nous étions donc en première. J'étais bien conscient, alors, que tu étais arrivé en seconde après les vacances d'été. C'est même pour ça que ça ne me gênait pas d'être vu où j'étais, de l'autre bout de la salle. Cette chose-là m'est revenue comme ça, quarante ans après, je l'ai laissée sortir. Mais bien sûr tu ne pouvais pas être au courant.

– Que s'est-il passé avant que j'arrive ? Tu as été malade ?

– Ah non, le mal de poitrine, c'est toi qui en as parlé le premier. Plutôt que notre année, il semble que ce soit l'année où nous sommes entrés au lycée qui a fait la différence : 1953. Justement l'année, si je ne me trompe, où la streptomycine a fait son apparition, ou s'est généralisée si tu préfères. Jusque-là que de ravages, même à l'école. Tu vois la grande pente devant l'entrée du lycée, la pente des retardataires, comme on l'appelait ? Il y avait une élève qui n'arrivait pas à la monter sans s'arrêter plusieurs fois pour reprendre péniblement son souffle. Ça ne l'empêchait pas de venir tous les jours en classe. Le prof principal qui ne supportait plus de voir ça lui a promis que la classe se partagerait le travail et qu'on lui enverrait les notes de cours mises au propre, il avait enfin obtenu qu'elle reste chez elle, trois mois après elle était morte. Le genre d'ambiance qui avait laissé des traces parmi nous, tu t'en doutes.

Puis il ajouta : « Moi, c'est à un suicide que je pensais. » Mais quand y avait-il pensé ? quarante ans plus tôt ? l'autre jour ? C'est ce que je n'arrivais pas à discerner. Fujisato m'apprit que le dernier suicide dans cette école remontait à juin, juin 1953 – je n'étais donc pas encore là. Un garçon de terminale s'était jeté un matin du haut de la terrasse dans la cour, à l'heure où il n'y a personne. Le gardien, qui pour une fois s'était réveillé plus tôt, s'apprêtait justement à sortir dans la cour et là, précisément à l'endroit où le bâtiment tourne à angle droit, sur l'étroite saillie à l'extérieur du parapet, grillage déjà franchi, le dos collé au mur et les deux bras ouverts cramponnés au grillage, une forme se tenait immobile. En coupant le bâtiment de biais la distance était assez grande, encore fallait-il ne pas se laisser voir ; le gardien se figea aussitôt en deçà du seuil. Le tour de la question fut vite fait, restait une seule chance d'agir : sans bruit il recula d'un pas. Alors, pour un mouvement de rien que l'autre ne pouvait même pas avoir vu, on aurait dit que le mur s'inclinait tout d'un coup vers moi (impression instantanée que le gardien racontait, paraît-il, en ces termes) et l'ombre glissa, tomba. La façon dont il s'y était pris pour grimper sur la terrasse à cette heure demeura une énigme. Mais d'après certains élèves qui assouvissaient à l'intérieur de l'école leurs désirs d'exploration, il y avait un mystérieux passage secret frayé à travers les gravats, dans la partie restée en ruine après les bombardements.

– Tu regardais, toi aussi, murmurai-je, sentant que j'aurais pu y être moi-même, comme une ombre cachée dans l'ombre qui observe la scène.

– Comment veux-tu, à cinq heures du matin ! (Sourire amer de Fujisato.) Il paraît qu'il y avait eu une courte éclaircie à l'aube, quand je suis arrivé il pleuvait de nouveau. Un petit bouquet était simplement couché, comme jeté, dans ce coin de la cour. La nouvelle s'est répandue dans l'après-midi.

– Tu savais, tu savais pour lui.

– Non, à vrai dire je ne lui avais même jamais parlé. Et environ trois jours avant ça, je le croise dans la cour ! Je le vois venir, il s'arrête, haletant reprenant son souffle, les yeux levés. Mais pas vers la terrasse. Tu te rappelles le ginkgo planté devant la salle de conférences ? J'ai suivi son regard jusqu'à la cime de l'arbre, pourtant il n'y avait rien là de bien extraordinaire, juste que le soleil commençait à percer entre les nuages et que c'était après la fin des cours. À l'autre bout de la cour je me suis retourné : il était encore là, debout, les yeux levés. C'est tout ce que je sais de lui.

– Là, au mauvais endroit et à la mauvaise heure : j'ai déjà entendu parler d'histoires comme celle-là, de l'impression qu'on garde ensuite.

– Même pas (et la voix de Fujisato se fit plus sombre) puisque pendant un an je ne m'étais souvenu de rien. Mais alors, quand je me suis souvenu… On a des folies en tête, à cet âge-là. Je me demandais ce qui était le mieux, pour réussir son coup, l'aube ou le crépuscule, un jour de beau temps, ou bien un temps couvert et pluvieux. Va savoir. Je ne me posais pas sérieusement la question. Mais ça ne fait rien, une fois que la chose est dans la tête l'imagination se met à travailler et, jusque dans les moindres détails, on reconstruit la scène. Le grillage franchi, le parapet qu'on enjambe, le pied sur la saillie…

– Mais c'est terrible, dis-moi.

– Hardi, petit ! On arrive au point où d'en bas la peur monte et s'insinue dans le corps. Déjà les cheveux se dressent et bruissent sur la tête. Et d'un seul coup, vlan, on revoit la silhouette au pied de l'arbre. Tout est tellement calme alors. Un calme uni à la peur qui monte. C'était ça le plus effrayant.

– C'est ce que tu venais vérifier de tes yeux, le matin, dans la classe ?

– Quand je le voyais en vrai, j'allais mieux. Cette salle où nous avions cours de mathématiques était juste à la bonne distance, proche mais pas trop. Et puis nous étions justement dans la saison des pluies…

– Ça n'était pas plutôt l'hiver ? Il me semble qu'il faisait froid.

– C'était le froid qui vient avec les pluies. Il pleuvait beaucoup. Le matin, il y avait des passages plus clairs au milieu des nuages. La salle, alors, paraissait sombre. Quelle surprise, quand la porte du fond s'est ouverte et que tu es entré.

– Moi, c'est une nécessité d'un ordre moins élevé qui m'amenait à partir tôt le matin.

– En entrant, tu t'es assis à la première place près de la porte.

– Forcément, je me retrouvais nez à nez avec un super-fort en maths. Les bêtes les plus faibles nichent aussi dans les coins les plus reculés.

– Ainsi nous étions posés à peu près symétriquement sur la diagonale de la classe. En cours je voyais ton dos, et là j'étais vu de dos.

– L'histoire de la diagonale, moi aussi je m'en suis souvenu en te rencontrant l'autre jour. Cette ligne, pour moi, filait tout droit dans la direction où tu regardais sans cesse.

– Tu avais remarqué, bien sûr. Tu devais te dire que ce type filait un mauvais coton. Moi, je peux te le dire maintenant, tu m'as donné de sacrées sueurs froides. J'étais parti du principe que je ne risquais rien à faire ce que je faisais, tant que j'étais seul et que personne ne me voyait. Mais que nous soyons deux, deux humains semblables, alignant nos regards… Le mur, d'un seul coup, n'était plus le même. Un sentiment d'absence, plus fort, m'aspirait. Et par-derrière ton regard me poussait…

– C'est bien le moment de me faire peur. Pourquoi ne t'es-tu pas retourné, en ce cas ? Tu aurais vu une tête d'idiot aux prises avec les exercices scolaires.

– Tu m'excuseras si j'ai cru avoir affaire à un autre humain qui serait mon semblable. Je ne connaissais rien de toi, en dehors de cette classe de maths où nous étions inscrits ensemble. Tout de même, cette déviation particulière, quand tu résolvais les problèmes au tableau. Tu trouvais des solutions improbables. En trouvant des solutions entièrement différentes, tu invitais à poser les problèmes différemment. Je me demandais ce qui se passait.

– Eh bien, tout ça, ce sont les lenteurs de mon cerveau. On parle de niveau d'abstraction, de catégories conceptuelles, qui ne sont que des histoires de brouillage et d'écart : quarante ans après j'en suis encore à bricoler ce genre de choses.

– Mais quel soulagement c'était de se souvenir de ça : tu n'étais arrivé qu'en septembre au milieu de la seconde, comme quelqu'un me l'avait dit un jour. J'aurais voulu te taper sur l'épaule, pour fêter ça.

– Tu aurais dû le faire, et résoudre au passage deux ou trois questions, ça m'aurait aidé.

– J'étais, trop content, retombé dans la contemplation béate de mon pan de mur. Il était différent, de nouveau. Le changement n'était pas dans les choses visibles mais dans le sentiment que *c'était fait*. On aurait dit un voile qui descendait du ciel et recouvrait la surface des choses. La peur n'avait pas disparu. Je savais maintenant que j'étais effrayé. Il y avait cette figure humaine qui glissait avec une force prodigieuse, en continuant de se tenir calmement les yeux levés vers l'arbre. Il y avait le paysage dans l'encadrement de la fenêtre que je voyais jusqu'à présent comme on voit la forme des choses, parce que je mettais toutes mes forces à lui conserver cette forme, et cela n'avait pas changé, je continuerais – mais jusqu'à quand ? – à l'observer à tout moment, sachant qu'à tout moment il pouvait se briser. Dans ma tête aussi, des choses qui n'auront jamais de forme continuaient à tourbillonner lentement, dans une solitude dont moi-même je me voyais absent. Tout cela au ralenti, comme si le cours du temps allait aussi disparaître, et pourtant la peur qui monte était bien là. Mais sur toutes choses se répandait équitablement le sentiment que *c'était fait*. Il se répandait aussi sur le mystère de ta présence derrière moi, à l'autre bout de la salle, toi qui n'étais pas dans cette école au moment des faits, pour qui tout cela n'était pas arrivé. *C'était fait*. Je n'ai jamais su trouver d'autres mots pour le dire. Voilà un trouble du langage que je garderai toute ma vie.

– C'est fait, ça n'est pas arrivé... c'est peut-être la même chose qu'on dit dans les deux cas. (Belle absurdité que je m'entendis murmurer, pris par la conversation ; dans le même ordre de choses, j'aurais bien aimé savoir si moi aussi quand j'avais les yeux levés l'autre jour sur le micocoulier je glissais tombais à toute allure dans les yeux de Fujisato, mais au fond ça n'était qu'à moitié intéressant et je choisis ce moment pour m'exclamer :) Tu pensais à ces choses !

– Je ne pensais pas, répondit Fujisato, je regardais seulement le mur. J'étais entièrement passif, au point qu'il serait plus juste de dire que j'étais regardé par le mur.

– Quelle audace, dis-moi ! m'exclamai-je à nouveau (je repensais à ce garçon inconnu qui se tenait les yeux levés vers le ginkgo). Il n'y a pas eu de séquelles ?

– On pourrait en effet se le demander si les choses en étaient restées là. Mais ensuite, est-ce que nous ne nous sommes pas retrouvés ensemble plusieurs fois le matin dans la classe ? Le sentiment que *c'était fait* devenait chaque fois plus profond. Dans mon esprit aussi *c'était fait*, je ne pensais plus, je ne voyais que le mur. C'est peut-être grâce à toi : tu ne savais rien, tu étais là.

– On ne sait pas à quoi on peut être utile, dans ce monde et parmi les hommes. Ce qui est fait est fait, c'est le cas de le dire, mais tu as eu bien du mérite. Dis-moi tout de même, le mur ne s'est pas imprimé dans tes yeux ?

– Je le verrai toute ma vie.

– Vilaine affaire.

– Non, c'est une chance.

Fujisato a traversé au feu et j'ai regardé son dos s'éloigner dans le tournant qui s'en va droit au nord ; puis, commençant à rebrousser seul le chemin de l'ancien canal, j'avais sa voix au creux de mon oreille, qui disait : je le verrai toute ma vie, non, c'est une chance. Elle disait le sentiment que *c'était fait* et que chaque fois qu'il était acculé dans une impasse il faisait appel à lui, se serrait contre lui. Jusqu'à quarante ans il s'était cramponné à ça avec une sorte de désespoir, mais passé cinquante ans, de plus en plus serein, il s'y appuyait simplement, et ces derniers temps, parfois, il était presque sur le point de tout voir comme si c'était déjà fait. Le *c'était fait* de Fujisato, plus qu'un simple c'est fini, qu'un simple c'est passé, empreint d'un calme profond s'élevant jusqu'au « rien ne s'est produit » que je pouvais moi-même y discerner vaguement, encore que le rapport qu'il semblait entretenir avec moi-même, soit par l'ombre que quarante ans plus tôt sans rien savoir je projetais dans le dos de Fujisato, soit par le regard de Fujisato qui m'avait surpris l'autre jour les yeux levés vers un arbre, m'empêchât de penser.

Ça ne fait rien, la voix de Fujisato m'accompagnait dans le noir, basse et pourtant parfaitement limpide. Sans cette voix, jamais ce genre de récit n'aurait trouvé en moi une écoute aussi accueillante. À minuit passé, le flot des voitures nous frôlait encore. Nous ne marchions même pas côte à côte et Fujisato gardait le plus souvent la tête basse en parlant. Pourtant la voix n'était jamais sombre, passé le premier instant. Plus elle avançait dans ce récit mélancolique et plus elle sonnait clair. Était-ce un effet de la caisse de résonance du temps ? Un son qui sonne d'autant plus clair que la caisse est plus vide ?

Puis au bout d'un moment soupçonnant autre chose, je me suis retourné : peut-être une hyperacousie passagère ? Mais alors, ce serait le symptôme de quoi ? marmonnai-je. Cela ressemblait aux soupçons qui m'avaient traversé l'esprit quand mon état de santé s'était dégradé. Je m'objectais à moi-même qu'il était naturel après tout, vu ce que Fujisato avait à me dire, de lui prêter une oreille attentive ; mais pour ne rien cacher le doute demeurait. Ces dernières années, de façon générale, je n'écoutais plus vraiment ce que me disaient les gens. Même en tendant l'oreille, ce n'étaient que des bruits lointains. J'étais de plus en plus distrait, comme si les bruits se dispersaient à l'infini. Ce qui serait sans danger si la vigueur de l'oreille allait en s'estompant. Mais une ouïe vieillissante cache aussi des formes d'acuité redoutables. Et il y a la paranoïa : prêter l'oreille et vouloir aussitôt tout saisir, poussé par un irrépressible besoin d'autodestruction…

– Je ne t'ai pas trop ennuyé ?

– Comment ça ?

– En te racontant maintenant cette histoire.

– Dis plutôt que je n'aurais pas été dans mon rôle, à l'autre bout de la salle, si je n'étais pas fichu d'écouter ton histoire.

– Drôle de rôle, bravo !

Fujisato rit joyeusement, filant à travers le passage piéton quand le feu fut au vert, sautant sur l'autre bord et se retournant sous la lumière des réverbères pour me montrer son visage d'enfant aux cheveux blancs de nouveau éclairé par le rire, criant :

– La prochaine fois, c'est mon tour, c'est moi qui te ferai signe.

Les mains en porte-voix, juste avant que le feu rapide ne change à nouveau de couleur, puis trois camions démarrant à la file effacèrent un moment son image.

Que signifiait cette confusion soudaine ? Fujisato se trompait, puisque j'étais ce soir-là dans le rôle de l'hôte.

Et ce fut Yamakoshi qui me rendit visite. À nouveau, une quinzaine de jours s'étaient écoulés depuis ma rencontre avec Fujisato dans une supérette de nuit, nous étions au milieu du mois de juillet, l'heure était tout aussi tardive. Le téléphone avait sonné dans le bureau, à ma montre il était dix heures plus que passées – allons bon, ce doit être Sugaïke qui se souvient de moi cinq ans après ; décrochant sur ce pressentiment, j'entendis une voix jeune et Yamakoshi se nomma. Je suis maintenant dans un *family restaurant* près de chez vous, qu'en dites-vous, si vous avez une minute. La voix s'étrangla comme je m'y attendais, aussitôt j'enchaînai par une invitation. Mais venez plutôt par ici, vous connaissez le chemin, et lui, dans un filet de voix : je connais, oui.

Évidemment, pensai-je après avoir raccroché, trois jours après ma rencontre avec Fujisato j'étais en Allemagne (tout cela me semblait déjà loin). J'étais rentré depuis deux jours à peine de ce voyage qui avait duré moins de deux semaines. Avant-hier je m'étais obligé à rester debout jusque tard, mais réveillé hier à neuf heures par les bruits de la campagne électorale, l'habitude prise pendant mon voyage de me lever plus tôt ne m'avait pas laissé me rendormir et ç'avait été une longue journée à la maison, pour quelqu'un qui se levait d'ordinaire vers onze heures du matin. Le travail assis que je pratique depuis des dizaines d'années fut, après seulement quinze jours d'interruption, immédiatement pénible. Les muscles de mon corps auxquels le voyage avait donné de l'exercice se raidissaient de partout, j'avais des picotements douloureux sur l'extérieur du petit doigt des deux mains ; dans les genoux, une sensation de faiblesse. Si j'essayais de marcher tout allait pour le mieux mais, à la seconde où je me relevai de ma chaise après être resté longtemps assis, ce flageolement des jambes qu'on aurait dit devenues des échasses me rappela les symptômes de la maladie que j'avais eue deux ans et demi plus tôt. Pendant mon voyage, de cathédrales en musées, de musées en crucifixions, j'avais passé mon temps le cou renversé vers les hauteurs : y voir le contrecoup de cet usage intensif serait grotesque, mais lors de mon précédent voyage aussi j'avais été à ce régime pendant un mois, puis environ deux mois après était apparue une mystérieuse paralysie des membres, qui était déjà le signe que les vertèbres cervicales étaient atteintes. Il allait falloir suivre ça de près. Mais ce jour-là j'oubliai d'y penser, submergé par le travail en retard qui est la règle des retours de voyage.

Déjà, avant le voyage, toutes mes journées étaient occupées à combler par avance, si peu que ce fût, ce vide de quinze jours. À force de serrer les dents et de gratter, gratter les forces qui commençaient à s'épuiser, le corps à un moment se sentait comme allégé, et tout en parant au plus pressé j'entrais dans un état où l'esprit n'est plus tout à fait là. Le travail fini, je ne changeais pas de visage, aussi tendu et acharné que lorsque j'étais à ma table, sentant mon âme qui flottait maintenant à quelques doigts du corps. Était-ce cela que Fujisato avait remarqué du dehors de la supérette, cela qui l'avait attiré malgré lui, puis lui avait donné l'idée, sous le couvert de cette distraction qu'il percevait en moi, de me raconter son histoire ? La veille du départ à neuf heures du soir j'étais enfin libéré et il ne me restait plus qu'à faire mes bagages, quand vers dix heures et demie le téléphone sonna : c'était un appel longue distance en provenance de Gifu, de la maison de famille de ma défunte mère, m'apprenant par la voix de la veuve du chef de famille qui venait de mourir au début du printemps la mort d'un oncle qui était le deuxième frère de ma mère. Je me revissai à ma table, et quand j'eus rédigé ma lettre de condoléances, préparé l'offrande qui serait envoyée en recommandé, il était minuit passé, je n'avais pas songé un instant au programme du lendemain.

– Je suis venu après le travail rendre une visite, dans cet hôpital, à un ami que j'ai connu à l'université, dit Yamakoshi, installé sur une chaise dans ma chambre.

Il parlait de la polyclinique qui occupe un vaste terrain situé presque en face de la supérette où j'avais rencontré Fujisato l'autre soir. Son ami avait été transporté là avec un ulcère à l'estomac assez avancé, mais pas au point de devoir être opéré, pour l'instant il promenait son ennui dans les couloirs de l'hôpital.

– On dirait que l'hôpital nous aime, tous les deux ! dis-je en riant (pensant, sans le dire, que c'était dans le même hôpital que ma fille aînée venait de passer un mois ce printemps). J'imagine que vous avez profité d'un moment perdu, sans avoir pris le temps d'avaler quelque chose, et finalement vous êtes resté jusqu'à l'extinction des lumières. Peut-être que les visiteurs qui venaient nous voir le soir, quand nous étions là-bas, se précipitaient eux aussi sur la première table qu'ils trouvaient en sortant.

Mais Yamakoshi ne participait pas à ma gaieté.

– Mon appel de tout à l'heure, vous ne l'avez pas trouvé bizarre ?

– Je n'ai rien remarqué de particulier.

– Pendant une seconde la voix ne sortait pas, je veux dire ma voix.

– Vous croyez ? Il me semble que ça arrive, quand on reçoit un appel d'un téléphone public, on décroche et pendant un instant la voix de l'interlocuteur ne passe pas.

– Non, à l'instant où la voix va sortir, mon doigt a bougé et j'ai failli couper.

– Vous pensiez à l'heure, ça vous a troublé.

– Ça n'est pas impossible mais tout de même, c'était moi qui appelais, et sitôt que j'ai entendu la voix à l'autre bout du fil je n'ai plus eu qu'une envie, rester caché. Je pourrais moi aussi pratiquer ces appels anonymes où on ne souffle mot.

– Je crois plutôt que c'est la manière assez brutale que j'ai, en décrochant, de dire aussitôt mon nom : il paraît que de temps en temps c'est un peu désarçonnant. Mais dites-moi, il s'est passé quelque chose ?

– … quelque chose ? Je n'irais pas jusqu'à dire ça, répondit Yamakoshi après un temps d'hésitation. Je peux comprendre, à la rigueur, quand je me revois moi-même à l'hôpital, mais… le malade ne disait rien.

Il ne disait rien, et pourtant si Yamakoshi par discrétion faisait mine de se retirer, il le retenait ; il ne l'avait pas laissé partir avant l'extinction des lumières.

Quand Yamakoshi était arrivé à l'hôpital, le dîner était terminé, il faisait encore jour dans la chambre, une chambre de six où le malade était assis en tailleur sur l'un des lits près de la fenêtre, dévisageant d'un air sévère le visiteur qui pointait son nez dans l'entrebâillement de la porte, puis comme le visiteur commençait à se décourager devant le peu de réaction que suscitait sa présence, toujours sévère, plissant alors les lèvres comme un enfant qui pleurniche, il avait grimacé un sourire. Puis d'un bond leste il avait sauté du lit et s'était avancé tout droit, le visiteur tentant de lui adresser la parole, lui le dépassant, le précédant de plusieurs pas dans le couloir, disparaissant à l'intérieur du parloir. Quand ils se sont assis face à face, il a dit : « Tu peux fumer » ; il semblait après coup que ce fussent les seuls mots qu'il eût adressés clairement au visiteur.

Au début le visiteur s'informait, disant des choses comme : la santé paraît plutôt bonne, à ce train la sortie est pour bientôt, et le malade acquiesçait tantôt d'un ouais tantôt d'un peut-être, de sorte que Yamakoshi ne se sentait pas trop embarrassé. Une hospitalisation un peu longue, quand le rétablissement est proche, peut rendre excessivement loquace, ou au contraire pauvre de mots pour exprimer sa reconnaissance à l'égard des visiteurs venus aux nouvelles. Mais entre-temps le malade avait cessé de produire le moindre son, même bref, à tout ce qu'on pouvait lui dire il répondait invariablement par deux lents hochements de tête et c'était tout, la conversation était au point mort. Yamakoshi avait beau faire, il sentait que cela ne tournait pas rond. Et là, il a vu par la fenêtre le ciel nuageux encore éclairé par les dernières lueurs du jour, il s'est mis à parler du temps, de la saison des pluies partie pour traîner en longueur cette année, pensant : allons, il est temps de partir – le malade se levant alors, allant dans un coin de la pièce prendre une canette de thé Oolong dans le réfrigérateur collectif, la posant en silence devant le visiteur, puis croisant les bras.

Ce geste, Yamakoshi l'a accueilli avec joie car il avait soif. Reconnaissant aussi, parce que ce devait être une de ces journées où même la compagnie des visiteurs est un poids et qu'on avait fait pourtant l'effort de le retenir au moins une fois, il a bu le thé sans se faire prier, continuant seul, sans attendre de retour, à faire la causette sur des sujets inoffensifs, ne s'interrompant que pour penser : allons, il ne faut pas le fatiguer – et le malade alors le devinant et se levant à nouveau, avec cette fois une sorte d'impatience dans les mouvements, rapportant du réfrigérateur le même thé Oolong et le posant devant lui, à côté de la canette vide. Sur le milieu des deux boîtes était écrit au stylo-feutre le nom du malade en lettres soignées.

C'est bon, Yamakoshi était décidé maintenant à rester autant qu'il plairait au malade et, quand il serait fatigué, il le lui ferait savoir lui-même, mais merci pour le thé. Ce genre d'endurance n'était pas inhabituel pour lui. Il avait avec cet ami des affinités qui pouvaient aller jusque-là. Il était alors un peu plus de sept heures ; ils allaient pour finir se retrouver face à face jusqu'à neuf heures du soir. Non qu'ils se soient tus tout ce temps : une fois entré dans son rôle, Yamakoshi ne redoutait plus tant les silences, mais il continuait tranquillement de donner des nouvelles de leurs amis communs du temps où ils étaient étudiants, pour celles qui lui venaient spontanément à l'esprit. Et il en venait auxquelles il n'avait pas prêté attention jusqu'à présent ou qu'il avait oubliées, découvrant maintenant qu'il était intarissable sur le sujet. Il comprenait aussi que le malade l'écoutait avec attention. Même s'il trouvait déplaisant que ce fût toujours avec le même air sévère et cette façon solennelle de ponctuer le discours de hochements de tête, un accord se faisait peu à peu entre sa propre diction nonchalante et les hochements de tête de l'autre, alors il se revoyait lui-même épuisé après sa seconde opération, manquant toujours – alors qu'il entendait la conversation des gens, alors qu'il en comprenait provisoirement le sens – d'un rien pour la saisir en son entier, d'un rien pour être convaincu, même s'il n'y avait pas lieu d'être convaincu de rien (le sujet n'en demandait pas tant), et à cause de ce manque tout bruissait et se défaisait, le discours filait à toute vitesse, il devait se dépêcher de hocher la tête de-ci de-là, sans quoi il était largué... Si le malade ne parlait pas, c'est que physiquement il était incapable de parler, il n'y avait pas à sortir de là. L'impression qu'il se taisait par défi s'était estompée. Il lui semblait maintenant que le regard dur et tendu du malade s'éclairait d'un imperceptible sourire, quand ses hochements de tête se réglaient parfaitement sur la respiration de son propre discours. Non pas se taisant, mais incapable de parler, et pourquoi ? Ce n'était de toute évidence ni par mauvaise volonté ni par bravade, de sorte qu'il n'y avait qu'à accepter les choses comme elles étaient, pour le moment – se perdre dans les pourquoi n'était pas dans son caractère. Simplement, cet homme était là juste devant lui, et en réalité il était loin, il le sentait, sans pouvoir dire à quelle distance, mais loin, douloureusement loin. Ce qui ne donnait, à l'inverse, que plus de prix, pour l'un et pour l'autre, à ces histoires insignifiantes qu'on écoute de loin l'oreille tendue, hochant de temps à autre la tête, mais qui passent en tout cas, dont le son au moins se transmet.

– Homme accompli ! m'exclamai-je, laissant parler l'admiration : presque un saint (cela, je le gardai au-dedans de moi).

– Pensez-vous, à peine sorti de l'hôpital j'étais complètement hébété, je me suis retrouvé plus loin que la fourche, dans le noir de l'allée, à contempler les grandes baies vitrées de ce que je croyais être la cafétéria de l'hôpital, trouvant même l'intérieur très chic.

– Et alors, pardon d'être indiscret, mais si cet ami est hospitalisé pour un ulcère de l'estomac, il est donc en médecine générale. Les médecins savent ?

– Ils savent, je pense. Pendant que nous parlions, une infirmière est venue deux fois, mine de rien, avec quelqu'un qui semblait être le médecin principal. Il est reparti en disant que ça ne se présentait pas si mal.

– Et vous, vous ne saviez rien en arrivant.

– En fait, mon ami m'avait téléphoné le samedi, en fin de journée, je savais donc qu'il était hospitalisé. Puis j'ai encore eu un appel de lui le dimanche matin et le dimanche soir. Comme j'avais un rendez-vous de travail lundi, je lui ai promis que je viendrai le voir mardi dans la soirée. Et voilà que, hier soir, je rentre vers neuf heures à la maison et Toritsuka me regarde : il venait d'appeler à l'instant. C'était juste un message disant de ne rien apporter demain. Je crois que j'étais un peu nerveux à la fin de la journée, en me rendant à l'hôpital. Descendu comme toujours à la même gare, ça m'a fait un drôle d'effet quand je me suis vu partir à grands pas dans la direction opposée. Loin de la maison. On peut se sentir perdu, n'est-ce pas, même dans le quartier où on est né et où on a grandi. J'ai tout de même été étonné en passant par une ruelle de me trouver pile en face de l'hôpital. Il a été rebâti, n'est-ce pas ?

– Rebâti quand ? (et cette question détournant à leur tour mes pensées :) Je me souviens, il y a deux ans, au printemps, j'avais été renvoyé à la maison avant vous, puis un jour que je me promenais dans le coin, je me suis dit, ah, ici aussi tout est neuf.

– Vous vous êtes dit ça, reprit Yamakoshi d'un air ému, semblant tendre l'oreille vers la fenêtre close.

– Et cet immeuble-ci, quand a-t-il été bâti ? demanda-t-il ensuite.

– En 1968, ça fait donc vingt-cinq ans.

– J'avais cinq ans. Ce coin aussi a beaucoup changé, j'imagine.

– Non, je pense que les plus grands changements avaient eu lieu avant. La Route 8 passait déjà par ici. Il y avait seulement la liaison Tokyo-Nagoya et l'autoroute centrale qui n'étaient pas encore en place quand je suis arrivé, ça faisait des encombrements terribles dans cette rue avec les poids lourds qui coupaient par ici pour aller au centre.

– Mon frère était mort à six ans renversé par une voiture, deux ans plus tôt. Non, ce n'est pas dans cet hôpital qu'on l'a transporté. Il est parti tout seul à bicyclette et il est allé assez loin, mais pas dans cette direction. Pendant longtemps les parents ne m'ont pas dit exactement où c'était. Ils avaient peur apparemment que je sois attiré, si je savais.

Mon père, finalement, n'aura jamais rien dit qui puisse m'éclairer. Ma sœur non plus, qui a prétendu jusqu'au bout qu'on ne lui avait rien dit, qu'elle n'avait pas envie de demander, mais qu'en était-il vraiment ? Ni elle ni moi n'avions eu affaire à cet hôpital.

La diction du jeune homme retrouvait son allure chantante, je me taisais et attendais la suite.

– Mon ami hospitalisé a perdu son père, lui aussi, l'année où mon père est mort. Lui, c'était le fameux *« Iné iné »* de février 1982. Le commandant fou qui a plongé droit dans la mer juste devant l'aéroport. Il était à bord de cet avion dans l'une des places avant. Ce qui vous explique que nous ayons pu, depuis l'université, nous dire l'un à l'autre ce que nous ne pouvions dire à personne d'autre, en vertu des affinités que j'ai dites. Voici ce que cet homme m'a raconté, dimanche soir au téléphone. C'est une chose qui lui est arrivée quand il était encore au repos forcé, il se réveillait en pleine nuit, et alors autour du lit la terre grondait jusqu'au tréfonds, emportée dans une chute, une chute dont lui, attaché maintenant sur ce lit, se sentait responsable. Il n'avait pas prévenu les autres à temps et son châtiment était d'être couché là, au calme, les cheveux dressés sur la tête. Ce n'est pas le genre d'homme qui parle à la légère, même si au cours de nos discussions il changeait parfois de visage en disant des choses extraordinaires, par exemple que lui et moi nous étions bien placés pour hurler à la face du monde. Mais ce qu'il me racontait là renvoyait à un état passé de sa maladie, il semblait lui-même embarrassé d'en parler maintenant, moi je pensais à la solitude, tout en lui répondant, bien sûr, qu'il en avait vu de dures, mais vous savez, l'ambiance des dimanches soir à l'hôpital, dans les couloirs, après l'extinction des feux, j'entendais même par instants l'ascenseur monter lentement, je devinais cela derrière sa voix. En y allant j'ai eu confirmation : le téléphone était près de l'ascenseur.

Cela fait vingt-deux ans déjà. La dépouille de ma mère avait été déposée un moment dans la morgue souterraine de cet hôpital. Elle était décédée dans un autre hôpital, qui se trouve au bord d'un plateau plus à l'ouest en descendant un peu vers le sud par la Route 8. Le médecin qui avait pris la malade en charge pendant ses trois mois d'hospitalisation avait proposé une autopsie, la famille était d'accord (c'était à l'évidence un cancer des poumons, mais il y avait dans la forme qu'il avait prise quelque chose qu'elle ne pouvait accepter). Or cet hôpital n'était pas équipé pour cela. C'est ainsi que, transportée en ambulance, accompagnée de moi seul, le troisième de ses fils, escortée par la voiture que conduisait le médecin, la dépouille en tournant à l'est s'approcha de ma demeure et parvint jusque dans cet hôpital. Après qu'on l'eut enlevée de la morgue, j'étais assis là, sur un banc glacé, prêt à attendre le temps qu'il faudrait mais, sur les conseils du médecin qui était revenu me chercher, je rentrai chez moi à pied et dormis d'un sommeil de plomb, trente minutes exactement.

– Quel calme, ici aussi, disait Yamakoshi.

– Calmes, c'est nous qui le sommes devenus, répondis-je.

Rue incarnadine

La forêt gronde. Je tombe sur cette phrase peu après avoir commencé à lire distraitement la traduction, en édition de poche, du *Samyutta Nikaya*, qui rassemble les conversations du Bouddha et des divinités. Il est dit que la forêt est grande. En plein midi, quand les oiseaux se reposent sur les branches, est-il écrit. Ce doit être un ciel chauffé à blanc où même les oiseaux ne volent plus. J'ai compris que le vent lui aussi s'était calmé.

Cela me paraît effrayant, dit la divinité.

Cela me paraît un plaisir, répond le Bouddha.

Un homme qui aurait été au contact des grands espaces forestiers de l'Inde ou de l'Asie du Sud-Est saurait d'expérience de quoi il s'agit. Le froissement innombrable des feuilles qui frémissent tour à tour sous la caresse d'un vent discret résonne et s'accroît de tous ces menus décalages, la forêt entière se remplit d'un mystérieux vacarme : cela est vraisemblable. Mais je vais plus loin, je prétends que ce grondement est le silence même. C'est ainsi que je l'ai spontanément perçu.

Il est certain que le silence n'existe presque pas à l'état naturel. Même le calme le plus profond est fait de bruits et de voix. Il arrive cependant que cette paix profonde, sous l'impulsion d'on ne sait quoi – mais il y a fort à parier que c'est encore un bruit ou une voix –, les innombrables sons minuscules dont elle est faite s'annulant alors l'un l'autre, s'approche infiniment de la frontière du silence.

Et ce qui gronde alors, n'est-ce pas l'être même de la grande forêt, désertée un moment par les bruits naturels ? Ou si c'est une apparence, n'est-ce pas de voir ici maintenant la grande forêt se détacher, n'est-ce pas cette illusion, pure illusion sur le point de disparaître, qui gronde sans bruit ?

Cela paraît effrayant, cela paraît un plaisir : la façon dont on le reçoit change du tout au tout.

Pensées lentes, pensées disproportionnées, réservées aux après-midi d'été, quand le corps fatigué rejette la corvée. Ce n'était pourtant pas l'été le plus propice pour imaginer le tumulte de la grande forêt aux heures de forte chaleur. Depuis juillet on ne voyait pas le bout de la saison des pluies, le temps restait incertain, les températures ne montaient pas, à la mi-août elles étaient encore un peu fraîches même après le passage d'un typhon ; fin août enfin le plein été semblait vouloir s'installer, mais un nouveau typhon approchait et les cigales qui s'étaient tues jusqu'à ces derniers jours, s'accrochant aux branches des arbres malmenés par des bourrasques au cœur froid, étaient comme folles. Même à l'écouter couché, ce chant agité déteignait sur moi : j'étais loin de la paix.

Il y a quelques jours, comme pour fêter la venue tardive du plein été, je me trouvais dehors par hasard, ayant à faire en ville dès midi, et le soir à la tombée de la nuit pendant tout le chemin du retour que je fis à pied depuis la gare de chemin de fer privé la plus proche de chez moi, dans le vent, je voyais jusque dans le détail le paysage autour de moi se détacher étrangement. Je n'étais plus très loin, déjà dans la rue commerçante, et l'impression d'y voir clair durait, au point que ces rangées de maisons qui m'étaient quotidiennement familières me devenaient étrangères. Les rayons du crépuscule y étaient peut-être pour quelque chose, ou la qualité de l'air exceptionnellement limpide. Puis on ne détaille guère d'ordinaire ce qui se trouve à sa porte. Mais ce n'était pas une impression, je découvrais réellement des choses inattendues, comme cette raison sociale désuète à l'enseigne d'un commerce où j'avais mes habitudes depuis vingt ans. Avec l'âge et la fatigue des mois d'été, la vue a tendance à faiblir. C'est pourquoi on dit qu'il vaut mieux, malgré ces petits inconvénients, attendre pour se faire examiner les yeux que le temps se soit rafraîchi et d'avoir récupéré après les grosses chaleurs. Or une altération saisonnière de la vue qui se manifeste fugitivement dans une vision plus claire, qui se tourne, qui se dérègle en vision claire… je me rappelais avoir connu ça.

C'était trois ans plus tôt, un été très chaud celui-là. À la tombée du jour (toujours à la tombée du jour) je descendais l'escalier de la gare terminus. Dans le train déjà j'avais, je ne dirais pas un voile, mais comme une difficulté à voir les choses à travers la fatigue qui me faisait écarquiller les yeux. En abordant l'escalier, mon pas était devenu un peu plus hésitant. Les yeux toujours écarquillés je ne regardais que le sol, si bien que par moments je ne percevais plus bien les différences de niveau. Trois marches pouvaient m'apparaître un instant comme des parallèles couchées côte à côte sur une surface plane. Malgré tout je ne ralentissais pas mon allure. Si je le faisais, je serais un obstacle pour ce qui m'entourait. Même si je devais avoir une attaque cardiaque ici, je continuerais tout droit, jusqu'en bas, jusqu'à pouvoir m'écarter tout doucement de la foule et m'accroupir dans un coin ; arrivé au bas de l'escalier, je pris à droite en suivant le mouvement de la foule et, sitôt que j'eus parcouru d'un œil étonné ce couloir souterrain qui m'était, lui aussi, familier depuis de longues années, j'eus d'abord l'impression d'être soudain libéré d'un mal de tête dont je souffrais jusqu'à cet instant sans en être conscient, puis j'entrai dans la vision claire.

Cette vision-là aussi fut réelle et passagère. Les figures humaines se détachaient une à une et d'assez loin, bien que se bousculant en masse. L'espace était dur et tendu. On dirait une scène de théâtre ! m'exclamai-je. On dirait une assemblée de saints ! Et mon regard allait d'un visage à l'autre, chaque visage devenant à tour de rôle le centre, parmi une multitude de centres qui grouillaient en tous sens. À ceci près que l'ensemble penchait discrètement vers la droite. Il semblait que l'axe de mon corps (mes muscles qui se raidissaient ?) était un rien tordu. Il semblait en même temps que j'étais sourd et muet, bien que ce fût encore un effet de la trop grande clarté du regard, car je percevais distinctement les bruits de pas autour de moi. Aujourd'hui, quiétude parfaite, murmurai-je pour faire un essai de voix ; elle portait normalement.

Non, rien d'anormal, puisque j'étais encore capable de ces petites plaisanteries. D'ailleurs, la vision s'était défaite sitôt que j'avais entendu ma voix, ce qui avait été à l'instant m'apparaissait comme un vieux paysage appartenant à un passé indéfini. Me retournant pourtant, cherchant si c'était réellement une impression de déjà-vu, j'avais pensé tout à coup que c'était un présage…

L'instant où le présage apparaît ne coïncide-t-il pas avec le retournement, sous nos yeux, du présent en passé ? Et encore, chassant une pensée où je ne me retrouvais pas moi-même, imaginant tout de même quelque intrusion du futur dans le présent telle que le présent serait repoussé vers le passé, ou encore, que le présent ayant été repoussé vers le passé, le futur se trouverait aspiré sur ses traces, m'acharnant dans des suppositions qui me ressemblaient de moins en moins.

Il s'agit bien de moi ! Je réfléchis au phénomène du voyant. Où est le mal ?

Je me tirai d'embarras en commençant un dialogue avec moi-même. C'était bien un dialogue avec moi-même, mais j'imaginais devant moi le visage de Sugaïke (Sugaïke qui ne devrait plus tarder à m'appeler).

Reprenons. Du point de vue du voyant, donc, appelons cela providence divine ou je ne sais quoi, le futur s'introduit dans le présent, et le présent, c'est-à-dire les hommes, c'est-à-dire le monde, est repoussé vers le passé : lui-même se tient donc sur les traces du passé. Mais si nous mettons maintenant à sa place un observateur étranger, que voit-il ? Un homme qui pousse et pousse le présent vers le passé, essayant à toute force en créant du vide d'attirer le futur, là où le présent est réellement présent. Évidemment ! L'important, pour attirer les présages, c'est de transformer tous les instants actuels en choses révolues, et par là de vider le présent de sa substance. Pourquoi ?...

Et mon discours se brisa net : je venais de m'apercevoir que je n'avais personne en face de moi et je me sentais tout bête, ou bien seul (cela se mélangeait sans cesse), passant le contrôle des billets, m'observant moi-même avec ma drôle de façon de marcher, la largeur des pas diminuant au fur et à mesure si bien qu'au tantième les pieds s'affolaient puis retrouvaient la cadence, m'admirant moi-même d'avoir pu, avec ça, marcher à grands pas pendant des années.

C'était environ quatre mois avant qu'apparaissent les signes avant-coureurs de la tétraplégie.

Je faisais aussi ce genre de rêves.

On voyait une chambre. Elle était vide.

C'était une pièce de six tatamis, dans le style japonais, les portes tendues de papier parcouru d'ombres bleues étaient closes, le soir tombait peu à peu. Tout était bien rangé. Personne n'était rentré pendant une demi-journée. Et ce fait n'avait pas de témoin.

Je n'étais pas là non plus. Le soir continuait de tomber.

Mais alors, qui diable est là pour voir ça ? se demandait-on, sur le point de s'éveiller comme d'un rêve ordinaire. Pourtant c'était bien moi maintenant qui secouais la tête sans bien comprendre, car la chambre m'était familière mais je ne connaissais pas cette maison. J'avais ouvert les yeux en pensant que la femme était sans doute sortie la dernière, il m'en était resté une sorte de tristesse. M'étonnant ensuite calmement, reprenant les raisons pour lesquelles peut-être (puisque je n'étais pas là, puisque la chambre se voyait clairement, puisque le passage du temps et l'absence se voyaient aussi), bien qu'il y eût nécessairement un point de vue, ma présence – en tant que sujet du rêve – ne se ressentait nullement.

Le doute continua de planer sur ma demi-journée de travail. Ce que je retenais d'abord de cette chambre, même si je n'avais pas souvenir de l'avoir jamais vue, c'était une atmosphère familière, une longue familiarité qui me prenait maintenant aux entrailles. Mais ce sont des choses qui arrivent souvent dans les rêves. J'avais pensé aussi, peut-être, à un petit enfant qui s'éveillerait d'une sieste et regarderait dans la chambre sans y trouver sa mère, encore qu'une telle vision ne pouvait s'être construite à partir d'une si petite taille. La façon dont tout était rangé ne laissait pas non plus croire à une simple sortie pour aller faire quelques courses. Puis la chambre était entièrement close, closes les portes et les cloisons coulissantes, les armoires et la petite fenêtre au mur. Pas une ouverture par où un regard se serait glissé. La chambre était simplement là. Elle n'était pas regardée. Sur le point de me réveiller j'avais pensé aussi que les deux choses s'excluaient mutuellement, et qu'étant vue si clairement la chambre ne pouvait être regardée par personne.

Après quelques jours sans soleil, c'était à nouveau le plein été tardif. La veille, le typhon avait atteint la presqu'île de Bôsô vers midi, à deux heures il était sur Kujûkurihama, mais alors que depuis le matin on signalait un fort vent d'ouest et des passages de pluie violente sur Tokyo, dans la banlieue ouest où j'habite il pleuvait et ventait sans plus, et le soir il pleuvait encore quand le soleil couchant fit une apparition sous le noir bandeau des nuages, en se consumant lentement à travers le rideau rougi de la pluie. Or, à la nuit tombée, le journal télévisé montra des images du centre-ville, du côté d'Ôtemachi, où plusieurs regards crachaient en geyser au milieu de l'avenue l'eau qu'ils ne pouvaient plus contenir, on la voyait qui débordait sur la chaussée et qui allait bientôt rejoindre l'eau des fossés. Dans la station de métro d'Akasaka-Mitsuke, elle était montée à hauteur des quais. On annonçait depuis la veille qu'un énorme typhon, du même type et prenant le même chemin que le typhon Kitty il y a quarante-quatre ans, se dirigeait sur la région de Tokyo. Les mots « typhon Kitty » réveillaient sans cesse en moi des impressions pénibles – je comptais, il y a quarante-quatre ans, c'était donc en 1949, j'étais encore à l'école primaire – mais ces impressions n'étaient pas dues seulement au choc direct de ce typhon, il avait beaucoup plu cet été-là et il y avait eu aussi, pendant les pluies de juillet, une série d'accidents ferroviaires de mauvais augure plus encore que lugubres, à commencer par une histoire de morceaux de corps écrasés dispersés sur le talus le long de la voie ferrée. J'entendais les adultes murmurer que peut-être cette malédiction était une vengeance des criminels de guerre qu'on avait pendus. Était-ce à la même époque qu'il y avait eu aussi une affaire d'assassinat dans le quartier où j'habitais ? Si je me souviens bien, la femme qui avait été enterrée dans le bois était, à ce qu'on disait, servante dans une auberge près de notre maison. Elle avait un seau renversé sur la tête. L'affaire du tronc et de la tête coupés qui avaient échoué l'un après l'autre sur le bord du canal de déversement des eaux d'Arakawa est arrivée, je pense, quelques années plus tard, mais dans ma mémoire elle se trouve aspirée à l'intérieur de cette année où il avait tant plu. Le tronc et la tête étaient enveloppés dans du papier huilé. Apparemment c'est le souvenir de cette odeur de papier huilé qui faisait surgir l'impression de grande pluie.

Mi-juillet, il y eut les élections législatives : alors que les résultats faisaient apparaître un vote de soutien même grincheux au gouvernement sortant, une coalition de partis se constitua à la limite du trafic de voix, les vieux gouvernants se retirèrent et un nouveau gouvernement fut formé qu'on vantait en chantant la fin du système de 1955 – mais si on voulait dire par là qu'un système qui avait duré si longtemps était arrivé en fin de course et exigeait qu'on le remplace, ne fallait-il pas remonter plus haut, recompter à partir de 1949 ? N'était-ce pas à cette époque qu'avaient été posées les grandes lignes de l'économisme, dans le soulagement provisoire d'une économie poussée au bord de la faillite par la défaite ? Et, dès cette époque, les esprits n'étaient-ils pas en gros fixés, entonnant par la suite le refrain des changements et des réformes, mais dans le fond à peu de chose près déjà tels qu'ils étaient à présent ? La totalité des divers droits acquis, grands et petits, matériels et immatériels, acquis dès cette époque, ne formait-elle pas exactement notre système actuel ? Pendant tout un mois je plongeais dans la mélancolie chaque fois que j'entendais appeler à la réforme et je songeais à ces choses, mais sans être clairement conscient, jusqu'à ce que le retour annoncé d'un énorme typhon m'eût obligé à compter qu'elles dataient de quarante-quatre ans.

C'était la nuit, d'autres souvenirs me venaient.

– Cette ville fait peur.

– Pourquoi ça ?

– Parce qu'elle n'a pas brûlé, tiens !

– C'est vrai.

La brusque entrée en matière était de Sugaïke, l'approbation immédiate était de moi. Il y a de ça trente ans, au plus fort des grandes chutes de neige qui s'abattirent en 1963 sur le Hokuriku, nous marchions ensemble à une heure avancée de la nuit dans la rue principale de Kanazawa. La circulation intérieure était interrompue depuis plusieurs jours, comme la ville n'était pas bien grande on se rendait partout à pied, chaussé de bottes en caoutchouc, avec de grosses cordes enroulées autour des semelles. Et de façon inattendue, cela faisait en fin de journée le bonheur des bars guettant les clients fatigués sur le chemin du retour. Toute cette semaine, ayant suspendu la plupart de mes cours à l'université parce que je n'avais pas un nombre suffisant d'étudiants, je passais des jours entiers à faire tomber la neige du toit de la pension. Trois jours rien que pour dégager le grand toit, l'auvent et pour finir la remise, en travaillant chaque fois jusqu'à la tombée de la nuit – et le matin du quatrième jour le grand toit était couvert de neige comme avant. Après deux tours de ce manège, ce matin-là, j'avais ouvert en me levant la lourde fenêtre pour regarder tomber d'un ciel saturé de brouillard, au point qu'on n'en connaissait plus la hauteur, de gros flocons dont l'énergie n'avait pas diminué depuis la veille. Le propriétaire de la pension s'approcha à son tour, aligna sur le mien son visage ahuri et bientôt, sans raison, nous nous mîmes tous deux à rire.

Ce jour-là le propriétaire et moi, tout en nous préparant à monter sur le toit, nous bavardions sans entrain, retardant sans cesse le moment de nous mettre au travail. Une seule fois dans l'après-midi, je décidai d'aller voir où en étaient les choses, je sortis par la petite porte près des toilettes, escaladai l'énorme tas de neige qui avait envahi la petite cour et, du haut du tas grimpant sur l'auvent, je posai l'échelle pour escalader le grand toit. Pieds et hanches calés sur les derniers barreaux de l'échelle, une pelle au tranchant fin retournée dans mes mains, je raclais la neige du bord dressée devant mon visage comme un parapet. Le mur de neige était fait de couches, avec divers grains de poudreuse, de grêlons ou de gros flocons qui se superposaient dans l'ordre de leur chute, si bien que le toucher de la pelle changeait à mesure que je creusais. En me hissant jusqu'à la poitrine sur le bord du toit, je n'avais plus devant les yeux que la surface inclinée de la neige montant vers un ciel couleur de cendre, et rien d'autre. Une fois le pied posé sur le toit je ne distinguais plus même de frontière entre le ciel et la terre. Je rassemblai et piétinai assez de neige autour de moi pour en faire un point d'appui solide, pensant au travail du lendemain, puis de là je m'élançai tout droit vers l'arête du toit.

Pendant quelque temps, debout au sommet du grand toit, dans le flux incessant du brouillard qui s'épaississait et se diluait par vagues, face à la ville et aux montagnes par-delà la rivière qui apparaissaient et se cachaient, malgré la neige tombant de plus en plus serrée, j'écoutais le silence sur tous ces toits différents d'hier, où plus une ombre humaine ne bougeait, d'où plus aucun bruit humain ne montait.

Devant la petite porte, je songeais déjà qu'il tombait sans doute assez de neige en un jour pour recouvrir toutes les traces de pas extérieures. Et ensuite, au milieu de la neige, je sentis une odeur de femme, odeur de cheveux et de peau…

C'est en sortant au hasard en début de soirée qu'arrivé dans ce bar très tranquille je fus accueilli, tout au fond, par la voix de Sugaïke qui semblait m'attendre.

– Qu'est-ce qui se passe ? Tu t'es vu ? On dirait que tu viens de passer la journée enfermé dans ta chambre avec une femme.

Et sans attendre de réponse, simplement comme une suite au mot « femme » :

– Ici aussi il n'y a que des femmes, ce qui n'aide pas à déblayer la neige, encore quelques jours à ce train et les poutres de l'étage tomberont.

Puis il caressa en silence le vieux mur près de lui. Ce n'était pas un sujet de plaisanterie. Dans ces petites rues aussi on tombait tous les trois pas sur un amoncellement de neige rejetée des deux côtés vers la chaussée, que les passants franchissaient et piétinaient. Par endroits, du haut de ces tas, on avait à hauteur des yeux un étage aux poutres effondrées. Les portes et les fenêtres gauchies, brisées, laissaient entrevoir parfois le dedans d'une chambre, une armoire barbouillée de neige sale, du rouge dans les draps, spectacle cruel et sans remède étalé au milieu de la neige qui tombait de plus belle. Je n'aime pas beaucoup voir ça, on dirait une femme violée, avait dit Sugaïke. Son geste de caresser les murs, j'en avais fait moi-même ces derniers temps une manie quotidienne. On mesure ainsi le gondolage imperceptible des portes et fenêtres, le gauchissement du toit sous le poids de la neige. S'ils s'aggravent, la surface des murs et des piliers saura le faire savoir.

– Sugaïke, tu viens ici le soir à tes moments perdus, tu pourrais t'occuper de déblayer un peu, répondis-je. Comparé à chez moi, il n'y a pas de dépendances, c'est facile. Tu n'as qu'à tout balancer dans la rue. Tu mets une des filles de la patronne en faction sur un tas de neige, elle guette les trous entre les passants, et vas-y c'est bon… stop ! Elle envoie des signaux en direction du toit.

Sugaïke et la patronne se taisaient (malgré un sourire amusé dans leurs yeux). Chaque fois qu'un client lui parlait de la neige sur le toit, cette patronne, qui semblait avoir dans les quarante-cinq ans, répondait : forcément, on manque de bras ici. À l'étage, elle logeait ses deux filles qui étaient parties travailler, mais il paraît que toutes deux restaient calmes, n'arriverait que ce qui devait arriver. Une seule fois, quand la conversation avait porté sur la neige, la patronne avait déclaré en substance que si tous les jeunes cossards dans leur genre jouaient leur rôle de gendres partout où ils allaient il n'y aurait plus de maisons détruites par la neige, par plaisanterie bien sûr, mais le ton était assez mordant, si bien que Sugaïke pouvait avoir trouvé là aussi une raison de se taire ; il finit pourtant par me reprendre en riant tout bas.

– Crois-tu que les femmes de cette maison vivent sans penser à rien ? Une vieille maison a son équilibre de vieille maison. Quand s'ajoute le poids de la neige sur le toit, ça devient plus délicat. Mais tant qu'on ne perturbe pas cet équilibre, les vieilles maisons de bois sont solides. L'équilibre aussi a ses points névralgiques. Ce bar, d'après ce que je sens, n'en fait pas partie : peut-être que l'équilibre commence à partir de l'escalier. Moi, j'écoute le bruit des pas. On marche discrètement, ici. Les femmes de cette maison savent d'instinct comment faire, comment se poser en douceur sur l'équilibre de la maison, et se retirer en douceur. Plus la neige s'accumule sur le toit et plus les nœuds de l'équilibre se resserrent : se lever et s'asseoir, se coucher et se redresser, se courber et s'étirer, choses qui se font sans doute plus haut que l'escalier mais, quels que soient l'endroit et la chose, le corps touchera aux points névralgiques de la construction tout entière. S'habiller et se déshabiller aussi. Je ne connais rien de plus érotique qu'une femme veillant sur sa maison quand elle menace ruine. Là-dessus, vous amenez un brise-tout comme moi, tout fier qu'on soit venu le chercher, c'est bon, allons voir à l'étage, et sur ces conclusions hâtives il se précipite dans l'escalier, les poutres s'effondrent aussitôt.

– Le vilain, il voit tout ! plaisanta la patronne, mais c'était aussi un réflexe pudique.

– Ne rions pas trop s'il vous plaît, les poutres vont tomber, répliquai-je gêné.

Je savais que les filles de la maison rôdaient là-haut avec la lourdeur de la jeunesse.

Après cela nous nous taisions tous trois, nous avions sommeil. De temps à autre le tonnerre grondait dans le ciel et dehors la grêle martelait un moment la chaussée, mais ces bruits s'adoucissaient pendant qu'on les écoutait, emprisonnés dans le silence floconnant de la neige. Puis très loin, frêle, étiré, pour ainsi dire égosillé comme le cri des oiseaux aquatiques, le bruit d'un bulldozer poussant dans le lit de la rivière les tas de neige abandonnés au pied du grand pont.

À quelques jours d'intervalle j'ai fait exactement le même rêve, me réveillant cette fois muet d'admiration : c'était le même calme absolu semblant me dire qu'autant de fois que je ferais ce rêve rien ne changerait jamais. C'était un rêve qui nie l'existence du rêveur. Pourtant la sensation des jours qui passent, ne serait-ce qu'une demi-journée, s'y inscrivait clairement. Cette lente inclinaison du temps m'avait donné au réveil un court frisson dont je ne comprenais pas la raison.

Je me rappelais à nouveau les paroles de Sugaïke, trente ans plus tôt : « Cette ville fait peur. » Au centre de la route où le va-et-vient des voitures avait cessé, une trace de piétinement formait un fil mince qui se perdait dans le brouillard juste devant nous. La nuit était bien avancée et les rues étaient vides, la neige foulée et durcie jusqu'au soir était déjà recouverte d'une couche de poudreuse, mais l'étendue blanche conservait tout de même en creux cette ombre effilée qui, par un caprice de la lumière, faisait penser à un pâle incarnat.

La question que je lui retournai – « Pourquoi ça ? » – m'était venue, je pense, après une dizaine de pas. Quand il neigeait ainsi nous sortions sans parapluie, préférant l'un et l'autre une tenue de montagne légère, des pataugas équipés de crampons sous les semelles pour agripper le sol. C'était un tel bonheur de fouler la neige toujours neuve, comme séchée au tamis, nous nous sentions ivres à nouveau, enveloppés en marchant dans une extase blanche.

« Parce qu'elle n'a pas brûlé, tiens ! » – la réponse de Sugaïke aussi était venue après un temps de silence, et certainement au moment où déjà la neige avait effacé tout repère et les côtés du chemin n'avaient plus le même visage.

« C'est vrai », cette fois je l'avais approuvé aussitôt, prenant juste le temps de tendre l'oreille à travers la neige. À l'époque il y avait déjà de cela dix-sept ans, l'année de la défaite à la fin du mois de mai, dans la banlieue ouest de Tokyo pour moi, du côté de Shiba, c'est-à-dire plus près du centre pour Sugaïke, les bombardements d'une même nuit détruisaient nos maisons. Je m'en étais tiré en galopant empoigné par la main de ma mère entre des murs en feu qui menaçaient de s'écrouler, tandis que Sugaïke perdait ses parents dans la ruée vers les abris. Dans son cas comme dans le mien les pères étaient absents, c'est donc en courant avec sa mère traînant, elle, un énorme ballot dans chaque main, sa main à lui posée sur ce bagage, qu'il s'était vu enfin cramponné au bagage d'une femme inconnue. Et au même moment il avait vu, disait-il, que cette erreur s'était produite bien plus tôt, quand il était emporté dans le tourbillon du troupeau humain courant en tous sens à la vue des flammes qui s'élevaient devant eux.

Si tu nous perds ne t'affole pas, mais va droit où les gens s'enfuient, ne tombe pas ! L'enfant de sept ans courut donc sans se retourner, comme ses parents le lui avaient enseigné de longue date. Et bien qu'il courût dans l'intention de rejoindre ses parents, il ne cessait de distancer les adultes qui avançaient en titubant sous le poids des bagages. Suivant toujours le flot humain, il s'engouffra dans un abri antiaérien troglodyte creusé au pied d'une butte, dans un parc.

Combien de temps restèrent-ils ainsi, tassés dans les ténèbres de l'abri et retenant leur souffle au bruit des avions ennemis qui ronflait au-dessus des têtes comme de l'intérieur de la terre ? Bientôt, dans l'ouverture carrée qu'ils apercevaient en levant un peu les yeux du fond de l'abri où ils étaient assis, l'ombre d'un homme se détacha, à peine le temps (mais que signifiait ce décalage ?) de s'immobiliser soudain dans une attitude méditative et aussitôt un éclair bleu jaillit, illuminant l'abri et les visages des hommes et des femmes qui semblaient s'esclaffer ensemble, puis un noir de fumée d'une puanteur atroce se précipita au dedans. La scène paraît digne des représentations de l'Enfer hurlant. Or il disait que la mémoire des bruits et des voix s'était effacée. Il se souvenait seulement que l'intérieur de sa tête était calme et qu'il pensait avec une lenteur effrayante. Quand il revint à lui, les gens se ruaient vers la sortie étroite en criant « Pas de panique ! pas de panique ! » (cela ou autre chose), l'enfant pour ne pas être renversé s'accrochait des deux bras aux hanches d'une femme en pantalon qui se trouvait devant lui, la femme épouvantée tentait désespérément de l'écarter, l'enfant se cramponnait de tous ses ongles, enlacés ils roulèrent hors de l'abri où flanqué à terre, se relevant d'un bond et se mettant à courir, il vit à la même seconde, en jetant un coup d'œil en arrière, les piliers de l'entrée et les bois de soutènement flamber comme des feux follets.

Puis pendant plus de trois heures il avait erré seul. Quand le ciel était redevenu tranquille il avait cessé de courir, de trottiner même, à la vue des flammes. Il allait derrière les adultes sans forcément les suivre. Des feux tardifs s'allumaient çà et là, mais presque tout était incendié et rasé de sorte que les mouvements humains aussi s'étaient dissociés, éparpillés, débandés. Il y avait les points de ralliement que ses parents lui avaient indiqués pour le cas où ils seraient séparés, maisons de proches à défaut de la sienne dont il aurait su trouver le chemin même au milieu des incendies, mais chaque fois qu'il se dirigeait vers l'une d'elles il tombait sur un îlot abandonné étrangement paisible, derrière lequel se profilait un feu, si bien qu'il les évitait tour à tour et à force de marcher il s'était retrouvé devant le parc. Le parc où il ne pénétra pas, ayant cru voir au moment où il s'enfuyait un homme tombé à l'entrée de l'abri.

La nuit commençait à blanchir dans la fumée et la suie, et quand un grand soleil inattendu troua bientôt le ciel, rouge comme un couchant blafard, il marchait pour rentrer à la maison. La plupart des quartiers étaient réduits en cendres, bien qu'il restât par endroits des parties curieusement épargnées qui l'aidaient à se repérer. La peur d'être poursuivi par les flammes l'avait quitté depuis longtemps. Il fit pourtant, le temps l'atteste, d'assez nombreux détours, c'est-à-dire qu'en marchant il continuait d'éviter, semble-t-il, les lieux encore intacts, allant de préférence là où le feu avait fait place nette.

S'il voyait un jet d'eau fusant d'une conduite éclatée il s'approchait, prenait la file pour se laver les yeux et se désaltérer. À un certain endroit il vit du coin de l'œil une distribution de riz cuit entre les habitants du quartier, laissant, continuant sa route quand une petite mère courut après lui qui lui glissa entre les mains une boule de riz enveloppée de papier journal, allant alors plus loin et mangeant sans cesser de marcher.

En chemin, il passe près d'une maison isolée que les flammes ont épargnée ; sans trop savoir pourquoi, il s'accroche au rebord de la fenêtre et aperçoit sa mère : assise dans une chambre d'une maison inconnue, elle parle en pleurant doucement – c'est un rêve que bien des années plus tard, sa mère étant morte entre-temps, il faisait parfois. Ces derniers temps – disait-il – la scène se déroulait à Kanazawa, dans un coin assez reculé en amont de la rivière.

En réalité, quand Sugaïke était arrivé sur les traces de sa maison détruite, sa mère était accroupie au milieu des gravats, n'ayant apparemment qu'un seul souci en tête : écrire du bout d'un bâton calciné sur une planche à demi brûlée. Elle lui raconta par la suite que n'en pouvant plus d'attendre en vain parmi les décombres elle allait, non moins vainement, partir à sa recherche et pensant alors au malheureux enfant si jamais il rentrait dans une maison vide elle aurait voulu écrire au moins : Maman va bien, attends ici sagement, mais le bout du bâton se cassait sans cesse, et puis elle butait sur les mots les plus simples, affolée de ne même plus se rappeler le tracé des syllabes.

L'enfant demeurait au bord des décombres, immobile, il observait sa mère qui ne le voyait pas. Il rêvait, bercé par le vent.

Au rayon croate

Ceci n'est pas un rêve que j'ai fait mais le rêve d'un autre, un rêve qu'on m'avait raconté et dont je me souvenais au réveil. N'en aurai-je jamais fini avec ces rêves qui me font honte à moi-même, se lamentait le propriétaire du rêve. Cet homme, qui a le même âge que moi, avait alors une cinquantaine d'années. Dans son rêve il était encore étudiant. Ça se passait après les vacances d'été, au milieu de sa dernière année d'université, il comptait les unités qui lui manquaient pour obtenir son diplôme. Depuis le printemps, il n'allait presque plus en cours. Il était malgré tout encore possible de sauver la mise s'il s'astreignait à une présence régulière. Mais depuis trop longtemps déjà il portait son intérêt ailleurs, dans une entreprise dont il ne voyait pas le bout, une entreprise qui l'avait épuisé moralement et physiquement. Or cette autre chose qui ne relevait ni du passe-temps ni des arts d'agrément, qui n'était pas un gagne-pain sans lendemain et encore moins une forme de débauche, il comprit peu à peu, en rêve, que c'était son emploi actuel. Il avait une femme et des enfants. Ses enfants étaient encore petits, ce qui voulait dire le début de la quarantaine, l'âge à risques. Et donc un dispositif à deux niveaux : l'homme de cinquante ans se rêvant lui-même à quarante ans, se rêvant à vingt ans. Mais s'il avait quarante ans, cela ferait bientôt vingt ans qu'il travaillait, et toujours dans ce même emploi qu'il avait pris en sortant de l'université. Il vivait avec femme et enfants dans la maison qui avait appartenu à ses parents. Outre que cette maison-là n'existait plus depuis longtemps, tant d'années passées à se démener et travailler à deux pour rembourser les dettes de la maison qu'ils avaient achetée suffisaient, même en rêve, à lui démontrer l'absurdité de la chose ; il n'en était pas moins continuellement tourmenté par le sentiment de n'avoir jamais abouti, ni dans ses études ni dans un vrai métier, à rien qui en valût la peine. C'était un matin sombre. Il s'était levé de mauvaise humeur, avait évité de décharger sa colère sur sa femme et ses enfants mais n'avait rien pu faire contre son air renfrogné, ni contre la violence cruelle avec laquelle, pour se débarrasser des regards craintifs qui accompagnaient sa sortie, il avait malgré lui, sursautant après coup, claqué la porte derrière lui. Soudain il avait pitié d'eux ; il refaisait en costume d'homme mûr le chemin qui va de la maison de ses parents à la gare de chemin de fer privé. Il comptait pour une fois se rendre à l'université. Il irait du même pas faire un tour au bureau. Dans les deux cas, il voulait en finir une bonne fois. En finir, mais de quelle manière ? Changer d'humeur et tout reprendre à zéro mais quoi, l'étude ? le travail ? les envoyer plutôt balader l'un et l'autre ? Plus il réfléchissait et moins il voyait le bout de cette affaire. Son pas s'alourdissait. Le chemin familier lui paraissait long – plus long chaque jour semblait-il. Puis il s'arrêta pile à l'angle de la rue qui menait au passage à niveau. « Tiens, si j'allais rendre visite à un ami aujourd'hui ? » murmura-t-il.

Arrivé à ce point du récit, il pouffa. Dans son rêve il avait ri au même endroit. Nous n'avions pas d'autre lien que d'avoir été par hasard, rapidement, présentés l'un à l'autre ce jour-là, et de nous être à nouveau par hasard trouvés côte à côte, le soir, au bar de l'hôtel.

– Il faut vous dire que même si c'est un rêve que j'ai fait bien des années après, j'étais loin de pouvoir me permettre ce genre de fantaisie quand j'étais étudiant, ni après d'ailleurs : je ne risquais pas d'être lassé de mon travail, vu que depuis le début, c'était clair, je n'avais pas le choix. Le seul endroit peut-être où je me reconnais un peu, c'est qu'avant même d'avoir vingt ans je n'avais plus de famille, alors à quoi bon, me disais-je, puisque de toute manière, moi non plus, je n'en ai plus pour longtemps, d'où peut-être une forme de fatigue. J'ai toujours été plutôt robuste, mais j'étais jeune alors…

Cet homme qui trouvait encore à sourire en me racontant cela, j'ai appris l'autre jour par quelqu'un qu'il était mort l'an dernier d'une insuffisance cardiaque.

Je me rappelais à nouveau les paroles d'un mort, disant que le cœur des vivants est rempli, pour ainsi dire insufflé, de paroles semées par les morts que le vent pousse comme un tas de feuilles sèches. Disant feuilles sèches, mais pensant qu'elles ont parfois une force plus vive, mystérieuse et tourbillonnante, que le cœur des vivants. Il m'avait tout de même fallu un mois, après la nouvelle de sa disparition, pour que le récit de ce rêve qui était en quelque sorte le seul souvenir que j'avais de cet homme se glisse un matin dans le vide du réveil et se mette à tourbillonner lentement. Toujours ce long chemin pour aller jusqu'aux choses ?

À la fin, deux mots continuaient de s'agiter, deux mots (« matin sombre ») dont j'avais noté, au moment même où le rêve m'était raconté, qu'ils étaient de ceux qu'on n'entendait plus depuis longtemps déjà. Oui, les temps avaient changé, à l'époque où le défunt avait quarante ans le premier réflexe d'une sombre matinée pluvieuse aurait été plutôt d'allumer les néons – et pourtant dans ce rêve, à ce qu'il semblait, la maison restait plongée dans la pénombre. Les habitudes d'économie ont la vie dure, mais il y avait autre chose, comme un dégoût des lampes allumées dès le matin qui font penser aux ennuis qui commencent. Et, tandis qu'ils s'affairent dans cet intérieur sombre aux préparatifs de la journée, le maître et la maîtresse de maison, les enfants qui s'attablent d'un air endormi, chacun est avare de paroles, les visages se ferment. Les gestes les plus quotidiens ont une gravité soudaine. Il règne sur la maison l'ambiance des brusques départs en voyage. C'est un de ces matins où les ombres du passé, sans que rien de particulier ne les y invite, s'en viennent rôder furtivement. Il n'est pas étonnant que l'homme dans la quarantaine dangereuse se double alors d'un jeune homme de vingt ans à peine. Peut-être le rêve du défunt sortait-il tout entier de l'obscurité du matin.

Blancheur qui filtre sous le bord des rideaux, encore une journée nuageuse. Elle se partagerait entre de brèves éclaircies et aussi un peu de pluie. C'était sans doute tout ce qu'on pouvait attendre d'un temps d'octobre dans cette région du monde. En latitude, après tout, nous étions plus haut que l'île de Hokkaidô. On me dit que les Allemands n'allument pas la lumière même dans des chambres ordinairement assez sombres, tant ils ont de bons yeux. Évidemment, quand on sait combien les jours sont courts en hiver. Allons, nous étions pareils il n'y a pas si longtemps.

L'horloge à la tête du lit est réglée sur huit heures et va bientôt sonner. Quelle que soit l'heure à laquelle je le mets, je m'éveille de moi-même un peu avant la sonnerie du réveil. C'est une manie récente que j'ai emportée en voyage, une habitude que je prends quand je suis pressé par le temps. Mon travail n'est pourtant pas de ceux qui obligent à courir dehors dès le matin – je pourrais, tiré brutalement du sommeil, traîner encore un peu au lit sans que la face de ma journée en soit grandement changée – mais j'ai tout de même besoin d'ouvrir les yeux de moi-même et de m'encourager d'un « Allons ». Je suis hébergé dans cette chambre depuis quatre jours. Ma mission s'est achevée il y a deux jours, mais je suis resté : hier, je suis parti en randonnée toute une journée hors de la ville, avec une connaissance, une personne du pays. Rentré tard dans la nuit, j'ai fini de préparer mes bagages, si bien qu'il ne me reste plus aujourd'hui qu'à m'en aller tout seul. J'aimerais en attendant faire encore un petit tour en ville, mais au-delà de cela je n'ai rien décidé.

L'horloge est restée réglée sur l'heure choisie par mon prédécesseur dans cette chambre. Une heure à laquelle, en temps normal, je dors encore, mais pendant que je me demandais en regardant l'horloge le soir de mon arrivée ici si ce n'était pas un peu tôt, il m'était apparu plus facile de suivre simplement les traces de mon prédécesseur inconnu. Hier j'ai couru en me levant à six heures pour monter dans le premier train du matin, en ayant exprès sorti la veille de mon sac mon propre réveil, c'est sur lui que je me suis reposé. Je n'ai même pas songé à ce que cela pouvait avoir de bizarre. Y aurait-il en moi le désir de ne pas laisser d'empreinte de ma propre existence ? Dans deux heures, j'aurai quitté ce lieu.

Ou serait-ce une envie irraisonnée de s'installer soi-même, en quelque sorte, au-dedans de l'absence ? Non pas une envie, mais quelque chose de cette sorte, que réellement, je ne sais trop comment, nous pratiquerions en certaines occasions, et précisément quand se présente un tournant : sur ces seuils où le temps semble suspendu – où nous n'aurions plus d'âge, passé futur confondus, affluant, débordant, ou tous les âges pris ensemble ? Et songeant ainsi, la somnolence qui m'avait presque quitté refluant brusquement, j'étais face à la chambre vide, regardant, et regardant disparaissant à mon tour, entraîné peu à peu vers un état de blancheur où subsistaient pourtant des jeux de lumière là où mon ombre s'était effacée, puis j'entendis quelque part comme un éclat de voix déplaisant et l'horloge se mit à sonner. En me redressant précipitamment, le torse rejeté en arrière, je ne savais plus pendant un bref instant où se trouvaient mes mains et mes pieds, enfin un bras se tendit pour couper la sonnerie et, comme délivré d'un charme qui pesait sur mes membres, je repris haleine et compris qu'il y avait encore à la tête du lit un téléphone m'appelant doucement.

Je crus, perdant tout repère temporel, que c'était la réception qui m'appelait, inquiète de ne pas me voir me lever, et attrapant le combiné, tout à trac, j'y déversai mon nom, à l'autre bout du fil il y eut un temps de silence puis une voix s'esclaffa : « C'est bien ce que je pensais : toujours là ! Ha, ha, ha, ha ! »

Ce n'est qu'après qu'elle se nomma : « C'est moi, Sugaïke. Ne me dis pas que tu es avec une dame ! »

Dans cet endroit se tenait sous l'appellation de *Buchmesse* une foire du livre de grande ampleur réunissant les éditeurs de différents pays (c'est ce qui m'y avait amené moi-même) et Sugaïke, qui était venu par hasard jeter un œil sur cette fameuse *Buchmesse*, profitant du temps de loisir que lui laissait un voyage d'affaires, avait aperçu dans le hall une silhouette qui pouvait être moi. Hier un peu avant midi, dans l'espace de l'Europe de l'Est, aux rayons des Balkans – cela me disait quelque chose en effet. Dans le stand des éditeurs croates il y avait un Asiatique tenant ouvert un livre de photos en noir et blanc qu'il lisait debout ; Sugaïke venait de passer juste derrière lui et après un bon nombre de pas, repensant au genre de scène apparemment sinistre que ce type contemplait avec passion, il s'était arrêté, avait tourné aussitôt les talons, mais à l'endroit précédent il n'y avait personne. Pris d'une inspiration soudaine, il avait traversé en courant les rayons de la Slovénie à la Hongrie, suivi des yeux l'allée voisine et vers la gauche, tout au bout, il avait reconnu la silhouette en train de gagner la sortie. Il se mit à sa poursuite en se frayant un chemin dans le flot humain, mais le passage de ce hall au bâtiment principal était particulièrement encombré ; il l'avait maintenant totalement perdue de vue.

Au moment où il s'épongeait le front en ricanant à part soi : « Ben, mon vieux, tu parles d'un sport ! », ses yeux tombèrent sur les cabines téléphoniques du rond-point. Après avoir calculé l'heure qu'il était à Tokyo (pensant alors : « J'ai dû me tromper de personne, ça n'en sera que plus amusant »), il appela chez moi. Il avait prévu, au cas où je prendrais la communication, de s'en tirer par une pirouette (« Je suis à Francfort. Dis-moi, tu n'es pas déjà venu ici ? »). Or de tomber sur ma femme et de s'entendre dire « Il est parti pour Francfort », voilà qui donnait une autre tournure à cette coïncidence – c'était comme si ses questions délirantes trouvaient d'un seul coup une réponse dans la réalité même – qui lui parut dès lors inquiétante, mais il y apprit le numéro de l'hôtel et le programme de mon séjour. Et par la même occasion il savait aussi avec quel éditeur japonais j'étais en relation, de sorte qu'il put se rendre de ce pas à son stand, non sans se perdre plusieurs fois en chemin, au moment où moi-même, à l'étage au-dessus et rencontrant les mêmes difficultés, j'allais rendre visite à un éditeur local ; on m'y offrit du vin et la visite se prolongea. Cette nuit-là, je ne regagnai ma chambre que fort tard. La nuit précédente aussi j'étais rentré après dix heures.

– Eh bien, nous nous verrons tous deux, pas exactement en tenue de pèlerins, mais en tout cas sur le départ.

Sur ces paroles, s'étant assuré encore une fois que je n'avais pas de trop gros bagages, Sugaïke raccrocha. Sa matinée serait prise par des discussions d'affaires et le soir il devait s'envoler pour Berlin, nous avions donc convenu de nous retrouver à midi et demi dans une cave à vins, où apparemment, selon ce qui ressortait de notre échange, nous nous étions déjà manqués de peu l'avant-veille au soir.

Une étrange fatalité, me disais-je, quittant le lit, écartant les rideaux (ce qui ne donna pas beaucoup plus de lumière) et quand je m'assis dans le fauteuil près de la fenêtre : pas tant que ça, finalement. Un mois plus tôt, au début de septembre, j'avais cherché à joindre Sugaïke à son travail. Pas de chance, on m'avait répondu qu'il était en voyage d'affaires, cela m'avait permis du moins de vérifier que son dernier lieu de travail – « mon dernier lieu de travail » étant la formule préférée de Sugaïke lorsqu'il se moquait lui-même de ses changements d'emploi répétés – était celui où il se trouvait encore et rassuré j'en étais resté là. Sugaïke devait avoir trouvé un mot sur sa table, sans doute s'en était-il souvenu l'avant-veille en apercevant dans la foule de la foire du livre une silhouette qui pouvait être moi. Et peut-être avait-il justement du temps à perdre à ce moment-là. Mais qu'est-ce qui m'avait pris à moi, après cinq années d'éloignement, et alors que pas une seule fois jusque-là je n'avais pris l'initiative de l'appeler, de téléphoner à son travail, voilà ce qui m'intriguait à présent. C'était un après-midi calme et ensoleillé, vers trois heures. Heure à laquelle je fais une pause, et parfois, cela me traverse l'esprit, je me demande ce que deviennent les amis que j'ai perdus de vue. Il y avait aussi le hasard qui m'avait jeté sous les yeux, quelques jours plus tôt, un soir où trop fatigué pour même avoir envie de lire je tripotais distraitement un tas de vieilles cartes de visite, la dernière carte que m'avait donnée Sugaïke – « mon dernier lieu de travail », comme il disait – et j'avais éclaté de rire en me rappelant que moi aussi j'étais ici dans ma dernière demeure. Mais depuis que je suis tombé malade au début du printemps il y a deux ans, je suis plus négligent vis-à-vis des gens, vis-à-vis du monde, c'est certain, encore que je ne pense pas être devenu particulièrement timoré : si recevoir des appels ne me dérange pas, je préfère maintenant m'abstenir de passer des coups de fil sans objet précis, même quand il m'arrive de tendre la main pour le faire. Ouvrir abusivement un chemin vers autrui risque d'attirer sur soi on ne sait quelles perturbations, indépendamment de ce que la relation devient, telle est l'espèce de crainte superstitieuse, ou non pas crainte mais réticence, qui se meut subrepticement et finit par se changer en indolence. Le corps y joue sans doute son rôle, à nouveau. Il est vrai qu'aujourd'hui je n'attendris plus personne tellement je suis redevenu solide, mais reste enfouie en moi comme une seconde nature la sensation de ma petite santé préservée par un équilibre fragile, et c'est peut-être cet équilibre précaire qui se traduit au-dehors par un pressentiment de perturbations à venir. À moins qu'il existe une explication plus simple : tous les interlocuteurs que j'ai envie d'appeler, sans autre raison, sont éloignés de moi, de ma vie, comme l'est Sugaïke, comme le sont Fujisato ou Yamakoshi, flottant les uns et les autres dans cette zone indifférenciée entre l'inconnu, le connu et ce qui est tombé dans l'oubli.

C'est ce Sugaïke, avec qui je suis en relation depuis trente ans, qui se situait lui-même il y a cinq ans, quand nous nous étions quittés sur le bord du chemin, à peu près à la frontière des vivants et des morts et qui avait eu le culot de m'impliquer aussi là-dedans.

Il faisait encore plus sombre dans la chambre, je me levai et m'approchai de la fenêtre ; le dessin des collines se détachait encore sur le ciel, derrière une pluie fine qui s'étendait à perte de vue, et sous mes yeux le fil de la rivière aux reflets livides tirant sur le violet, sur laquelle un canoë à quatre rames glissait par à-coups.

Un doute m'effleura – si ça se trouve, je n'avais pas dit mon nom quand j'avais appelé Sugaïke à son travail : apprenant qu'il était absent, n'avais-je pas raccroché précipitamment ? Sugaïke dans ce cas ne pouvait pas savoir en apercevant une silhouette dans cette foire et se lançant à sa poursuite, avec l'idée malgré tout qu'il se trompait de personne, que l'intéressé avait cherché à le joindre peu de temps avant et c'est donc à tout hasard qu'il avait téléphoné à Tokyo.

« Ah, tu es là ? » m'aurait-il dit si j'avais pris cet appel.

Il m'est arrivé plusieurs fois d'assister à des rendez-vous entre Japonais d'âge mûr dans des cafés ou restaurants de villes étrangères, la façon fort sèche dont ils se saluent donnerait à penser qu'ils se voient tous les jours, puis on les entend dire Ça fait combien d'années déjà ? tu vas bien ? Même ensuite, ils ne se parlent que par sursauts brefs. Ayant passé commande, ils laissent se développer autour d'eux une ambiance qui sent la fatigue.

Puisque je l'avais fait courir l'avant-veille après moi, je tenais aujourd'hui à être là le premier à l'attendre : arrivé en avance, je commençai à descendre les marches vers le sous-sol ; d'en bas, un dos (un manteau) se tourna vers moi et opina du regard. C'était exactement la manière dont il m'accueillait autrefois, il y a trente ans, quand nous nous croisions à l'entrée d'un bar de Kanazawa.

– Ah, ah… Observons ces deux Japonais, plantés l'un à côté de l'autre.

Telles furent ses premières paroles. La remarque n'était pas mal vue : même sac de voyage aux formes molles accroché à l'épaule, même imperméable léger pendouillant, déboutonné sur le devant car depuis midi le ciel s'était éclairci et le vent avait tiédi, contemplant une nouvelle fois, ensemble, le plafond de la vieille cave à vins où nous étions venus séparément l'avant-veille.

– Quel que soit l'endroit où je vais, il me semble que je n'y ai pas ma place. Au Japon, c'est pareil. Ça fait une trentaine d'années que ça dure. Allons, je compte sur toi pour l'allemand.

Et disant cela Sugaïke s'était déjà délesté de son bagage et s'entendait en bon anglais avec le maître d'hôtel pour le confier au vestiaire.

– Alors, toujours le dernier lieu ? demandai-je, après avoir commandé à boire et à manger dans mon mauvais allemand.

– Toujours, et de plus en plus le dernier, répondit-il très sérieusement.

– Qu'est-ce qui t'amène ici ?

– Les affaires, tu t'en doutes. Et toi, il paraît que ton travail cette fois c'est d'aller à des réceptions ? C'est ce que j'ai appris par ton épouse. Elle m'a dit que tu ne rentrerais pas avant la fin du mois. Tu vas t'en tirer, avec un si petit bagage ?

– À propos de ce coup de téléphone...

– Oui, j'ai eu une riche idée.

– Non, je veux dire celui que j'ai passé à ton bureau. Il y a tout juste un mois. On m'a répondu que tu étais en mission.

– Un appel de toi... (Sugaïke fronça légèrement les sourcils) mais oui, c'est vrai. J'ai eu le message.

Apparemment, il avait oublié. Mais oublier valait mieux que de n'en avoir rien su, me rassurai-je selon une logique qui m'échappait à moi-même – il devait y avoir une raison à cela, que je ne pouvais lui demander. Le vin arriva pendant un moment de silence.

– Tu n'es pas devenu plus grand, toi ? (Déjà moins maussade en portant le verre à ses lèvres, son visage s'élargissait maintenant d'un sourire confiant.) C'est pour ça que je n'ai pas pu te rattraper à la foire. Cette taille-là, ce devait être un autre...

– Mais que dis-tu de ce vin ?

– Le vin, pas mauvais. C'est un bon choix. Tout de même, c'est ce que je me disais à l'instant quand nous nous tenions côte à côte à l'entrée du restaurant, tu n'aurais pas grandi par hasard ?

Pendant les deux ans et demi qui ont suivi ma maladie, quelques amis, par plaisanterie, m'ont fait la même remarque. Je ressentais facilement une fatigue au niveau des genoux quand j'oubliais de tendre bien droit le dos et la nuque. Un cadeau que m'avait laissé la paralysie du système nerveux. Ou peut-être avais-je à mon insu, dès avant que la maladie se déclare, évité une plus grande paralysie des bras et des jambes en étirant les vertèbres pour dégager le chemin de la moelle épinière. Il est certain qu'avec les années les disques des vertèbres s'étaient usés. Qu'en était-il cinq ans plus tôt, quand j'avais vu Sugaïke ? Dans tous les cas je lui devais des explications, en commençant par la maladie. C'était, d'une certaine manière, comme si j'avais à justifier à mon âge le scandale ou la faute de paraître plus grand.

Sugaïke m'écoutait les yeux grands ouverts. Il rebondissait avec précision, me posant des questions sur les épisodes compliqués que je tentais d'abréger. Du coup ma propre narration devenait plus limpide, les explications étaient cohérentes, je ne me perdais pas en détours, j'avais aussi plus de souffle. Le plus amusant était de voir nos gestes, pendant que nous discutions avec ardeur, portant les verres à nos lèvres et les reposant devant nous, le rythme de nos hochements de tête alternés, tout cela tendu et en même temps serein : avec quel art consommé nous partagions le vin de midi. Les mimiques de plus en plus expressives dont j'accompagnais mon récit finirent par me troubler moi-même.

– Je ne sais pas ce qui se passe, mais dès qu'il est question de maladie la conversation des Japonais d'âge moyen ou avancé pourrait être exposée dans une foire internationale, plaisantai-je pour donner le change.

Sugaïke, gêné, posa les coudes sur la table.

Les plats arrivant, vérifiant l'un et l'autre que nous n'avions plus qu'un « transfert » au programme de la journée, je commandai une autre bouteille de vin et m'inquiétai à mon tour de la santé de Sugaïke depuis la dernière fois.

– Je suis tombé dans les escaliers du métro, répondit-il.

Il venait de régler une affaire du côté de Suidôbashi et s'apprêtait à redescendre dans la station. Il n'y avait jamais grand monde dans cette bouche de métro, et à cette heure (un peu après deux heures de l'après-midi, sans arrivée de train semblait-il) c'était le seul endroit, bien qu'étroit, qui fût parfaitement désert. Il allait donc d'un bon pas, avait encore quatre marches à descendre avant d'atteindre le palier tournant. C'est là que le tempo se dérégla. Il s'imagina apparemment que le palier n'était plus qu'à un pas. Sur le point de dégringoler, il se lança, sauta, d'un bond qu'il croyait léger – tandis qu'à la réception, quelques marches plus bas, la lancée se révéla plus violente qu'il ne pensait et, pour ne pas tomber dans le vide, titubant, entraîné par ses pieds, il s'en alla donner contre le mur d'en face. Le choc frontal avait été évité de justesse, c'est l'épaule droite qui avait tout pris, même si sur le coup il s'était senti aplati comme une crêpe. Il se peut que pendant trois secondes il eût perdu conscience. Il était assis sur le béton, près du mur, le buste impeccablement droit. Des voyageurs venus d'en bas, se trouvant nez à nez avec lui, n'auraient pas été peu étonnés de ce spectacle insolite. Heureusement, quand le train déchargea son flot de voyageurs, il s'était remis sur pied, faisant mine de chercher un objet tombé à terre.

– C'est certainement très drôle… mais figure-toi ce vol plané au-dessus du palier, à peine six mètres carrés de béton, et je voyais une étendue bleu ciel se déployer sous mes yeux !

– Tu volais ? Tu étais un oiseau ?

– Je voyais de l'eau. Puis tout du long sur la rive opposée, une étroite prairie en fleurs, comme dans les images…

– Ah non, pas ça ! La légende n'a jamais dit qu'on volait. Et le petit signe de la main, tu l'as vu ? Non. Alors ? Regarde en plus où nous sommes, ça ne cadre pas avec ton histoire.

– Ça ne cadre pas, en effet.

– Dis-moi plutôt : personne ne t'a vu, vraiment ?

– Si, en me relevant j'ai senti une odeur, une jeune fille est passée. Seize ou dix-sept ans. Elle descendait tranquillement, je me suis dit que les jeunes d'aujourd'hui étaient bien insensibles et, d'en bas, après quelques pas, elle s'est retournée discrètement, toute pâle, elle m'a vaguement souri.

– La voilà, ta prairie en fleurs.

– Si on veut…

Sugaïke lui-même avait un vague sourire rêveur. Pendant que nous parlions de ces choses, les plats se vidaient doucement. Apparemment j'avais eu le nez fin en choisissant pour tous deux, puisqu'il me laissait faire, des plats qui me semblaient digestes, les mains y revenaient sans cesse. Pour des yeux extérieurs notre conversation pouvait sembler plaisante. Après sa chute, Sugaïke était retourné travailler du même pas jusqu'à la tombée du jour et le soir – le soir, il était toujours frais et dispos pour aller boire en compagnie –, rentré à minuit passé, il était d'excellente humeur ; le lendemain matin, il s'éveillait dans son lit le corps aussi raide qu'une planche, grinçant de douleur – de l'épaule au côté, du côté à la hanche – sitôt qu'il essayait de se lever. Il voulait pourtant aller travailler mais, dans le miroir au-dessus du lavabo, son visage était violacé et enflé comme s'il sortait d'une nuit de débauche et de violences, il téléphona au bureau prétextant une fièvre, resta la journée au lit tandis que la planche grossissait de plus en plus ; le jour suivant, croyant mourir, il se précipita dans l'hôpital le plus proche. Après une palpation soigneuse, plusieurs radios furent prises, le diagnostic révéla une vérité d'évidence : il souffrait de contusions (ah bon, répéta-t-il sottement, ce sont des contusions) et déjà il sentait, grâce à la série de postures que le médecin lui avait fait prendre au cours de l'examen, ses articulations nettement plus souples qu'avant. Or voilà que le médecin mesure à nouveau la tension, le regarde, hoche la tête. Il pensait au début que c'était à cause de la nervosité, comme il arrive lors d'une première consultation, mais même au repos la tension ne baissait pas d'un poil (et lui qui se demandait tout à l'heure, quand on l'avait fait s'étendre un moment sur un lit, s'il allait avoir droit à une séance de chiropraxie ; tout autre fut l'arrêt du médecin) : cette valeur numérique exigeait un traitement.

– Et le lendemain matin, ah, le premier hypotenseur avalé à la cinquantaine ! Je m'éveille, temps radieux, puis d'un seul coup le monde devient sombre. Je tente de me lever, c'est comme si je m'extirpais, vacillant, du cercueil. En réalité, il semble que je me tenais en pyjama à l'entrée de la cuisine, absent, le regard fixe, après tant d'années découvrant curieusement le visage de ma femme. Heureusement que ça m'avait pris un samedi et un dimanche.

– J'ai entendu parler de ce genre d'état dépressif, mais ça peut donc être aussi grave ? Tu t'es reposé, j'espère.

– Oui, toute la journée du samedi, je n'ai fait que dormir comme si une force me tirait chaque fois vers le fond de la terre. La moitié du dimanche aussi, et dans l'après-midi j'ai avalé une soupe de riz qui m'a redonné un peu de vie, pour me réhabituer à marcher je suis sorti me promener dans le quartier.

– Les sorties sont déconseillées aux fantômes.

– C'est vrai, ou, pour le dire avec emphase : soit j'étais un revenant, soit la ville était une chimère. Plus rien ne m'y semblait familier. Et on peut dire que je le connais par cœur, ce quartier. Depuis vingt ans que j'habite là. Tous les chemins, je les ai faits. Pourtant je m'arrêtais à chaque coin de rue, regardant autour de moi, perdu, alors que j'étais censé tout connaître. C'était comme de s'être égaré à la nuit tombante, en même temps, tu te rappelles cette impression de déjà-vu dont tu nous rebattais les oreilles à Kanazawa, l'impression d'avoir regardé exactement la même scène exactement de la même manière aujourd'hui et autrefois ? – en même temps c'était ça, aussi. Autrefois… peut-être avant ma naissance.

– Avant ta naissance, après ta mort… Quand même, tu as eu de la chance de ne pas te perdre. Tu n'as pas dû te promener souvent dans le quartier, ces dix dernières années.

– C'est certain. En fait, à chaque coin de rue je repensais aux enfants que j'emmenais jouer quand ils étaient encore petits, mes pieds savaient où aller et se mettaient à bouger d'eux-mêmes. Et à propos d'enfants perdus, j'en ai rencontré trois ce jour-là, des vieillards qui m'ont demandé leur chemin. Ils ne savaient plus apparemment comment rentrer chez eux. En les interrogeant j'ai compris qu'ils étaient presque arrivés. J'ai pris mon temps, je n'ai pas été avare de mots. Sans me vanter, je les ai bien guidés. C'est peut-être eux qui m'ont sauvé. Je les verrais bien en bodhisattvas.

– Les Trois Bodhisattvas ! Une vraie bénédiction, je parie que dès le lendemain tu es reparti au travail.

– Contre l'avis de mon entourage, mais je les ai rassurés : mauvais pied mauvais œil, j'étais sûr de trouver mon chemin.

– On dirait que tes médicaments n'étaient pas très efficaces.

– Si, si. Je me regardais moi-même en riant, à quelques centimètres, quelques millimètres, attrapé par la dépression.

– Ça m'apprendra : c'est ça que tu te disais ?

– Pas vraiment, je n'étais pas si cruel. Je trouvais que je faisais de mon mieux.

– Il n'y a pas pire !

– Je vais te dire une chose, de ma vie je n'ai jamais agi avec autant de prudence et de justesse qu'à ce moment-là. C'est normal, puisque je me voyais moi-même comme une figure extérieure. Reste à savoir si c'était une bonne ou une mauvaise chose.

– Une figure extérieure… ça, je n'ai pas encore connu, pas de façon continue. Ça a duré combien de temps ?

– Presque un mois et demi, je pense.

– Un mois et demi, c'est long.

– Très long.

Et alors Sugaïke jeta un coup d'œil vers le haut ; il se mit à l'écoute. Je suivis son mouvement, me souvenant que nous étions en sous-sol, l'oreille tendue vers le plafond, mais il ne semblait pas y avoir le moindre son caché dans cette voûte épaisse. Je voyais à nouveau une sorte de connivence dans le temps, le long temps, entre cet homme et moi. Lui aussi en était apparemment conscient : quelle que soit la chose, à l'instant, qui nous avait mis en alerte, nous avions réagi presque simultanément. Et nous nous taisions à présent. Les deux bouteilles de vin que nous avions vidées ensemble nous montaient à la tête. La table desservie, on nous apporta des cafés et

Sugaïke renoua la conversation, mais sur le ton dont on se remémore des faits déjà lointains.

– À un moment, j'ai cessé de prendre les médicaments.

– On dit pourtant qu'il faut les prendre toute sa vie.

– Eh bien, tant pis.

– C'était à cause de la fatigue ?

– Le médecin l'attribuait aux séquelles du choc après la chute. Pourquoi pas, mais ça semblait tout de même un peu gentillet, non ?

– C'est plus ancien.

– Ça doit coïncider à peu près avec ton hospitalisation.

Nous sentions le sommeil venir. La précipitation est mauvaise conseillère en terre étrangère : il valait mieux se préparer doucement à partir. Bien que le mois dernier j'eusse cherché à le joindre, c'est à peine si, nous rencontrant ici par hasard, nous avions eu le temps de prendre des nouvelles l'un de l'autre, et chacun s'en irait de son côté, la prochaine fois que nous nous verrions ce serait la soixantaine ? Mais telles avaient toujours été mes relations avec cet homme. Nous n'avions jamais, pas une seule fois, parlé de nos situations présentes. Alors surgirent enfin, libérées, les questions qui devaient me préoccuper depuis six mois déjà.

– Fujisato, ça te dit quelque chose ? Tu le connais, je crois.

– Fujisato ? Tu le connais toi aussi ?

– Évidemment, nous étions dans le même lycée. Mais lui savait que nous nous connaissions, toi et moi.

– Eh bien, d'où a-t-il pu tirer ça ?

– Ce printemps, on s'est croisés dans le quartier, c'est lui qui m'a abordé. Ça faisait peut-être bien trente-sept ans, depuis le lycée je pense, qu'on ne s'était pas vus. Nous ne savions même pas que nous étions voisins depuis des années, il est venu droit vers moi et le premier nom qui est sorti de sa bouche, ce n'est pas le mien, c'est le tien.

– Mon nom, qu'est-ce que c'est que… Ah ! j'y suis : nous venions de faire connaissance, c'est à ce moment-là qu'on a parlé de toi. J'ai pensé à toi parce qu'il venait de me dire le nom de son lycée, nous n'avions pas de meilleur sujet de conversation, tu vois. Et ça va faire dix ans bientôt.

– Il fait quoi ?

– Comme moi, de la télégraphie. Mais dans une plus grosse boîte que la mienne. Il doit avoir une belle situation.

Télégraphie, le mot que Sugaïke avait employé la première fois qu'il m'avait dit sa profession, autrefois, à Kanazawa. Dans une si petite ville, j'avais tout de suite deviné de quoi il pouvait être question. Quand nous nous étions ensuite retrouvés à Tokyo, il était dans les calculateurs ; là aussi, si ignorant que je sois des affaires du monde, je m'étais fait une idée au vu de sa carte de visite. Mais la fois suivante il avait de nouveau changé d'emploi et à partir de là je n'ai plus suivi, il me disait qu'il était revenu à la télégraphie, fort bien, son employeur avait donc changé et son domaine était toujours la télégraphie, seulement je ne comprenais plus du tout de quoi il s'agissait. Était-ce vraiment une appellation courante ? Ou bien un mot dont il se servait avec moi par la force de l'habitude ? Je ne sais pas.

– Comment voulais-tu que je me souvienne ? (Ici Sugaïke se mit à rire bruyamment.) Avec Fujisato, nous avons parlé de toi en anglais !

– En anglais ?

Je tressaillis malgré moi.

– C'est une histoire idiote. Nous avions passé l'âge, mais nous imitions les clubs de conversation anglaise pour étudiants. (Le rire de Sugaïke prit aussitôt un ton amer :) À une époque on ramassait dans les entreprises les employés approchant la cinquantaine sous prétexte de les former au business international, histoire de leur donner un petit coup de fouet, ce genre de séminaires était à la mode, tu dois toi-même en avoir entendu parler. On m'avait expédié là et pourtant la boîte était radine. Nous étions confinés à l'hôtel pendant un mois, conférences et débats du matin au soir, en anglais. La nuit, nous rédigions des rapports. Au milieu de tout ça des heures de *free-talk*, deux par deux avec un inconnu, allez-y, bavardez en anglais, interdiction de parler business. On m'avait mis avec Fujisato. Un type à faire carrière, une autre pointure que moi. En plus, il était apparemment venu en observateur, l'anglais ne lui posait pas de problème, à lui. Pour moi, c'était encore pire que de me faire reprendre sans cesse par la jeune prof étrangère. Que pouvions-nous nous raconter en anglais ? Le tour des questions est vite fait. Où êtes-vous né, en quelle année ? Et pendant la guerre… ? Un petit effort encore : où avez-vous fait vos études ? quelles études ? Puis la panne : c'est là que tu es apparu. Coup de bol ! *Hi iz maï fren'd*, parfaitement ! *Méni yeurz !* Je me suis raccroché à toi.

– Et le benêt, il sait rien, il débarque comme une fleur… Tu aurais pu me prévenir plus tôt ! Qu'est-ce que vous avez dit ?

– Tout oublié, pas étonnant, c'était de l'anglais. Et l'autre qui tenait son sujet, les *mathematics*. Qu'est-ce que tu veux que j'y comprenne ?

– Pour ça, il était très fort en maths.

– Il était fort aussi en anglais. Vraiment fort, je l'ai su par la suite, à force de pratiquer moi-même. J'ai continué à parler comme un petit robot. Lui, c'était un fleuve ondulant.

– Vous ne vous êtes jamais revus ?

– Si, trois ans après, ç'a été la seule fois. M'abordant dans la rue un soir d'été, il me propose de prendre un verre. Je me méfie des brillants élèves comme tu sais, mais on est sentimental aussi. Je le suis, il m'emmène, première surprise, dans un bar à la bonne franquette. C'est un homme doux, n'est-ce pas ? Eh bien, on s'aperçoit après coup qu'il peut dire des choses plutôt rudes sur un ton bien calme. Je le félicite pour son anglais, il me répond que ça ne sera jamais suffisant pour se faire vraiment comprendre, que ce sera toujours l'aphasie au-dedans. Et puis qu'il n'y a pas de contact établi avec l'étranger, dans ce pays. On peut sauver les apparences, mais ça ne fera jamais une véritable communication.

– Ah ? Autant être mauvais en langues, alors.

– Il paraît que tu as fait un discours à la réception, avant-hier soir ?

– Juste trois minutes.

– On m'avait dit que c'était court, en effet.

– D'où tiens-tu ces renseignements ?

– De la réception d'hier soir. Un Allemand s'adresse à moi en anglais, il dit ton nom : Vous le connaissez ? Et allez, je pense bien : *Hi iz maï fren'd*, tiens ! Mais c'est pas le benêt qui sait rien, cette apparition-ci. Il paraît que tu as fait ça en anglais. On m'a tout rapporté.

– Jamais de la vie ! C'était du japonais. La traduction était en anglais.

– Ça semblait pourtant être une information de première main.

– On me coupait à chaque phrase, pour les besoins de la traduction. Je ne savais plus ce que j'étais en train de raconter, l'interprète a dû inventer.

– C'était donc du japonais ?

Sugaïke hocha la tête en jetant un coup d'œil sur sa montre, puis il laissa échapper un soupir et, se redressant :

– Ça ne fait rien, même en anglais, j'ai reconnu ton style. Le voilà notre fantôme, l'esprit qui habite les mots. Au fait, tu m'as dit que tu allais à Mayence en train ? Je prends le train jusqu'à l'aéroport. Pour Mayence, pas la peine de se presser. Moi aussi j'ai tout mon temps, nos bagages ne sont pas lourds : si nous marchions jusqu'à la gare ? Ça nous dégriserait. Comme au temps de Kanazawa. Et c'est un peu le même ciel.

Il souriait, tendant à nouveau l'oreille vers le plafond.

– Les bombardements ont été terribles ici aussi, prononça-t-il enfin. Puis il ajouta :

– Tiens, à propos, ce Fujisato, j'ai entendu dire il n'y a pas longtemps qu'il avait l'esprit dérangé. Il se serait mis en congé pour six mois.

Ritournelle blanche dans la nuit

Cela devait faire un moment que j'entendais ce bruit. Le mouvement de mes pieds heurtant les dalles de pierre s'alourdissait à mesure. Chaque fois que j'approchais des premières marches de l'escalier, prêt à gagner aussitôt la sortie, je tournais autour d'un pilier et me retrouvais devant la chapelle. C'était une chapelle qui ressemblait à une cave emboîtée dans une autre cave. Pourtant sous la voûte assez haute se dressait un autel isolé, fait de simples blocs de pierre carrés surmontés d'une petite crucifixion rouge aux formes graciles. Le corps du supplicié suspendu à la traverse s'inclinait bas, la tête penchée vers la droite, comme pour adorer le sang qui coulait de son flanc. Il n'y avait pas d'offrandes ni d'autres ornements. Derrière l'autel, le mur était percé d'un unique vitrail de couleurs très pâles, que brouillait une blancheur de jour pluvieux tombée des soupiraux.

J'étais entré dans une crypte, c'est-à-dire un tombeau – des niches aménagées dans la paroi abritaient les sarcophages des empereurs du Moyen Âge –, mais le grès des murs, des piliers et des arcs, d'un rouge tirant par endroits sur le rose, créait une atmosphère accueillante, la pierre était imprégnée de l'odeur douce de l'encens brûlé à travers les siècles. Les corps fatigués par la fièvre ont cette même odeur. Oui, l'air ici avait une tiédeur au toucher qui démentait octobre et cette journée de pluie finissante. Les entrées et sorties s'étaient interrompues, pourtant on aurait dit que chacune des pierres avait prélevé et conservait encore un peu de la chaleur des humains qui les avaient frôlées en passant.

Je n'entendais que le bruit de mes pas. Il ne fait pas bon s'attarder dans un pareil silence. L'homme est fait pour vivre entouré de bruits qui le distraient de lui-même, me disais-je, faisant sonner mes pas en cadence, m'en aidant pour avancer. Tout à l'heure m'avait effleuré, sur le point de suspendre mes pas, la peur de voix qui me semblaient venir d'ailleurs, et m'élançant, affolé, je ne pouvais plus m'arrêter. J'étais manifestement dans une posture de fuite, sans oser pour autant m'en aller, passant ensuite sans transition à une allure dévote, paisible acceptation de ce qui devait arriver. Les bruits d'eux-mêmes étaient plus feutrés, le pas ralentissait, m'approchant à nouveau de l'autel j'attendais un chœur de voix discordantes : ce fut un sourd grondement tapi entre le plafond, les piliers et les murs.

Se devinait dans le noir grouillement de la cave le mouvement unanime des yeux levés vers la voûte.

Tout là-haut dans le ciel, les avions passaient vrombissant.

Et sur l'autel aussi, le rouge de la crucifixion.

Le retour d'un assez long voyage à l'étranger se traduit, dans mon cas, par une période d'activité intense pour rattraper le retard accumulé pendant mon absence, puis un jour je m'éveille enfin, épuisé, apaisé – libéré sans doute du décalage horaire et des écarts de saison, débarrassé de l'excitation du voyage.

Je m'éveillai donc un matin dans cette disposition d'humeur et, sans l'avoir précisément voulu, profitant du beau temps, je m'écartai de ma promenade habituelle en signe de léger mieux et poussai jusqu'au parc du vieux micocoulier où j'avais rencontré Fujisato ce printemps ; il n'y avait pas d'enfants mais du vacarme pourtant, autour de la palissade protégeant le pied de l'orme dressé au coin du parc dans sa parure d'automne, là où un vieillard maigre vêtu d'un blouson, une canne à la main, de l'autre brandissant le coude levé vers le ciel un petit transistor réglé à plein volume sur un programme de disc-jockey destiné à la jeunesse, même pas appuyé sur sa canne, faisant des moulinets, battant l'air à grands coups, tournait furieusement en rond. Le pas était rapide mais les mouvements saccadés, évoquant des exercices de marche, une rééducation après quelque maladie ou trouble moteur. Tout de même, n'y avait-il pas un danger à s'exciter de la sorte ? Non, on aurait dit plutôt que c'était une façon de calmer l'excitation rageuse qui s'était emparée de lui. Et quand bien même le son de la radio, les balancements de la canne, l'impétuosité du tournoiement et l'ennui n'auraient fait qu'attiser la rage, cela valait peut-être mieux que de rester sans rien faire.

Une façon comme une autre et peut-être la meilleure, observais-je avec admiration. Mais pour moi, aujourd'hui, cela voulait dire aussi que le silence nécessaire pour penser à Fujisato ne me serait pas accordé. Il était apparu dans ce parc un jour de printemps vers midi, comme par hasard en plein silence, et comme surgi du silence. Il s'était approché de moi comme s'il avait eu quelque chose à me reprocher, et au moment où je me retournais du même mouvement qu'alors vers l'endroit où Fujisato s'était dressé ce jour-là, un peu plus loin sur un banc, roulé dans un épais duvet de couleur voyante, un clochard chevelu (sans pour autant paraître sale) lisait avec passion, couché sur le dos au soleil, une revue de bandes dessinées. La quarantaine, bien dodu, et au surplus chaudement emmitouflé en dessous du duvet, il ressemblait à un poupon. Sous le banc, bien rangés, un sac à dos d'alpinisme vert et violet, un sac à provisions et un chariot de supermarché. Et bien sûr, autour du parc, ni mur ni escalier de pierre : aucune maison ne répondait au signalement.

– Il est devenu fou, c'est ça ? avais-je demandé après un certain temps.

Ma voix avait un accent rauque, chargé de tristesse. C'était la faute de l'ivresse et du vent froid, le froid de ce pays plongeant dans l'arrière-saison qui soufflait sur mes joues en feu.

– On peut interpréter les choses autrement. Dire qu'il feint la folie, par exemple, ce qui nous entraînerait à nouveau dans un registre passablement désuet.

Sugaïke avait aussitôt compris que je parlais de Fujisato. Comme nous arrivions à un grand carrefour et qu'il regardait du côté de la station de métro, je crus qu'il se ravisait, qu'il pensait avoir présumé de ses forces en lançant au sortir du restaurant, sous l'impulsion de l'ivresse, l'idée d'aller à pied jusqu'à la gare centrale (à cinquante ans, en voyage et traînant un bagage, ça n'était pas raisonnable en effet), mais il détourna les yeux et prit le chemin de la gare centrale.

Nous marchions de nouveau l'un et l'autre en silence. Au-delà de l'irritation de ne savoir comment répondre, en ce domaine, de façon à peu près compréhensible aux questions d'un parfait ignorant, je devinais un sentiment général de lassitude, une envie de ne plus parler de ces choses, j'étais prêt à laisser tomber.

– Il n'y a pas à dire, même pour tuer le temps, quand nous marchons, nous marchons. Est-ce que tu te rappelles ce retour de randonnée en montagne, deux lieues et demie de marche pour rejoindre le car, et nous tellement absorbés que nous n'avons pas vu le crépuscule qui tombait sur la plaine ?

Sugaïke, qui sourit obligeamment à ma remarque, répondit à la question précédente :

– Il faisait semblant d'être dérangé pour échapper au ressentiment des gens. Cette boîte-là, c'est connu, a eu le mérite il y a cinq ans, en pleine euphorie boursière, de mettre discrètement en place une réduction des effectifs. Au moment où d'autres continuaient de s'accroître, une partie du personnel a été transférée, et dans ces transferts un nombre non négligeable de personnes ont été poussées dehors. Un dirigeant perspicace a pris sur lui, paraît-il, de mener l'opération ; c'est déjà étonnant que son opinion ait été acceptée à l'époque. Cet homme a démissionné quand autour de lui on commençait à juger positivement son action. Ce qui peut se comprendre aussi. Il disait, toujours d'après ce qu'on m'a rapporté, que l'empereur précédent venait de rendre l'âme et qu'il avait seulement, lui, voulu rendre un dernier service, d'ailleurs c'était un homme très doux. Il est décédé il n'y a pas si longtemps, je crois. Mais Fujisato, dans tout cela ? Je savais qu'il avait une belle situation, sans qu'il ait jamais été question d'un rôle de dirigeant. C'est une tellement grosse boîte. Mais d'après les rumeurs, c'est sûr, il aurait été le cerveau de l'opération. De là à devenir fou en endossant les reproches des gens, ou à simuler la folie pour pouvoir se retirer… Cette histoire décidément ne me paraît pas vraisemblable, pas de nos jours. Les rumeurs ont sans doute leur vie à elles. Tout cela de toute façon est trop loin de moi.

Puis il se tut de nouveau, marchant, et au bout d'un moment il me demanda avec un sourire gêné :

– Qu'en penses-tu ? Imaginons le cas où, m'étant fourré moi-même dans une impasse à ma mesure, je me retrouve à la fin coincé de tous côtés. J'aurai récolté ce que j'ai semé. Puis admettons que je sorte de là complètement fou, ou à moitié fou : devrai-je me sentir honoré si après mon départ, reconnu dans ce petit monde, même un temps, on dit de moi que je suis devenu fou en endossant la rancœur des gens ?

– Le mythe du sacrifice. C'est ça ? Un tout petit mythe, pour finir, qu'on laisse généralement planer derrière soi un petit moment…

– On ne peut même pas tirer sa révérence tranquillement. Si l'intéressé est au courant, il doit être à cette heure mort de honte. C'est très sérieux, une rumeur, surtout si on doit la traîner toute sa vie. Les histoires les plus stupides prennent alors un caractère sacré, intouchable. Bienheureux les ignorants.

– Oui ! bienheureux, nous les morts !

Je n'avais pas une vision du monde aussi détachée que cela, je ne faisais que donner la réplique comme elle venait, tout à la joie d'un échange bien rythmé, mais ces paroles sitôt lâchées prêtèrent à la foule des visages que nous rencontrions en chemin un air uniformément vénérable. Entre-temps, laissant subsister à peine un peu de rouge, la nuit était tombée complètement, les magasins alignés des deux côtés étaient éclairés sombrement de l'intérieur, de sorte que la lueur blafarde qui tombait du ciel sur la terre s'accrochait, semblait-il, aux visages. Quand même, ces visages des gens que nous croisions – dès qu'ils entraient dans une certaine distance, lorsqu'ils s'approchaient à travers l'obscurité – ils amenaient (et c'était normal, s'agissant d'étrangers inconnus) à chaque fois à un degré de netteté extrême cet éloignement – et à partir de cet extrême éloignement se levait en moi une sorte de profond déjà-su, comme une sensation incompréhensible de moins j'en savais, plus j'en savais. Bientôt, comme après avoir déliré de fièvre, je fus entraîné dans un état de vision claire – laquelle, au fond, n'est que du vide.

– Ne marchons-nous pas avec allégresse ? fit remarquer Sugaïke.

Ensuite, il demanda :

– Est-ce que ça t'arrive aussi ces derniers temps, une espèce d'extase sans raison, qui te saisit par moments ?

– Ça m'arrive, oui, et comment !

Le plaisir de donner la réplique durait encore. Après ce oui vint la conscience que j'étais tourmenté, jour et nuit, sans répit, par une extase aussi discrète qu'imparable.

– Mais on est à deux doigts du désert, murmura Sugaïke, imagine, on fredonne une ritournelle qu'on ne connaît pas, en se balançant comme ça…

– … en étirant les finales, len-te-ment.

Les bâtiments de la gare étaient maintenant proches.

Après que Sugaïke eut sauté dans le premier train en partance pour l'aéroport, je restai assis sur un banc du même quai, tout le poids de mon bagage retomba sur moi sitôt que je l'eus déposé, mon regard ensommeillé commençait à se voiler ; puis je m'éveillai en sursaut : le train s'en allait et Sugaïke, à la fenêtre, hochait la tête en riant.

Je crus apercevoir sa silhouette encore une fois, une demi-heure plus tard. Après son départ, je m'étais promené un moment dans la gare, où j'avais fini par trouver, et prendre juste avant qu'il démarre, un train qui allait à Mayence ; assis près de la fenêtre j'eus le temps de m'étonner au sortir de la ville que nous fussions si vite au milieu de la campagne obscure, avant de m'assoupir à nouveau, semble-t-il, car ensuite le train roulait dans un souterrain et je reconnus bientôt la gare de l'aéroport. Et moi qui pensais que l'aéroport était à l'opposé de là où j'allais. Sugaïke lui-même, qui était un voyageur averti, ne s'était aperçu de rien. Nous nous étions quittés bêtement : ça non plus, ce n'était pas nouveau, ça durait depuis trente ans, n'empêche que pendant ces quelque trois minutes d'arrêt, ce triste quai qui ne bougeait pas même quand il ne resta plus que de rares voyageurs descendant du train mit mes nerfs à dure épreuve.

J'avais dû me tromper. Il était impensable, vu le temps écoulé, que Sugaïke fût encore à traîner sur ce quai. Au moment où le train redémarrait enfin, j'avais remarqué un dos en manteau debout à l'avant du quai désert. Il s'épongeait le front avec un mouchoir, ça n'en finissait pas, il épongeait, épongeait – de plus en plus découragé, le dos. Mais au moment décisif – je le tenais, j'allais voir son visage –, j'ai détourné les yeux par faiblesse ; en un clin d'œil le train a fendu le quai et s'est précipité dans les ténèbres du souterrain.

Le manteau était ouvert, le veston déboutonné, la cravate desserrée (à ce qu'il m'a semblé).

C'est devenu chez moi une habitude chaque année, depuis quatre ou cinq ans, quand le feuillage d'automne des ormes du voisinage commence à se ternir et que les chênes prennent la relève en rougissant, d'être accompagné toute la journée d'une légère envie de dormir. Le temps de travail se raccourcit d'autant.

Ensommeillé, agacé sans cesse par des erreurs stupides, le travail avance plutôt mieux. Plus j'ai à faire, plus j'ai sommeil. Plus j'ai sommeil, plus je m'acharne. Dehors, est-ce que les gens de mon âge vont aussi vers la fin de l'année en travaillant de cette façon ? Cette façon de travailler ne leur donne-t-elle pas plutôt l'impression de rêver, parfois ?

La course des jours restants est à chaque instant une course contre la montre ; mais parfois, au travail, le temps se laisse oublier pour quelques heures. Je n'étais pas concentré à ce point. C'était plutôt l'inverse : mon esprit vaguait, traversé par toutes sortes d'idées, comme des objets flottants translucides qui jouaient dans ma tête, comme dans un demi-sommeil on tend l'oreille de son lit aux bruits et aux voix de la maison et du dehors, des idées qui ne semblent pas à soi et qu'on voit passer lentement, l'œil attiré, au beau milieu de ses occupations. C'était un de ces moments de distraction où l'on se dit, mais quoi, qu'est-ce que j'étais en train de penser, et qui vous laisse après coup une légère, une incompréhensible sensation d'extase.

Mais justement, il y a trois ans, de l'automne à l'hiver, pendant que la paralysie progressait à mon insu, j'ai souvent eu de ces sortes d'extases. Je me taisais pendant des heures, le silence me réchauffait...

Avec ce que j'avais vu dans la gare de l'aéroport, j'eus de quoi m'inquiéter plusieurs fois au cours de mon voyage (car Sugaïke m'avait parlé de ses problèmes de tension), en même temps je savais qu'il pouvait s'agir d'une méprise : quand je l'appelai à son bureau quelques jours après mon retour, Sugaïke était de nouveau parti en mission. Heureusement, car si je lui avais raconté mon histoire il n'aurait pas manqué de me dire : à cette heure je serais déjà sous terre, si ç'avait été moi ! Le plus inquiétant, à nos âges, n'était-ce pas de vagabonder en terre étrangère, libre et sans expérience, comme je l'avais fait pendant ces trois semaines ? Et quelques jours plus tard ce fut lui qui m'appela pendant les heures de travail, pour me raconter en riant la course de sa vie à travers l'aéroport après qu'il se fut aperçu dans le train que l'avion décollait, évidemment, plus tôt qu'il ne pensait. Évidemment. Il s'agissait donc bien d'une méprise. Or, séparée du corps de Sugaïke, l'image – ce que j'avais vu dans la gare de l'aéroport – se montrait encore plus insistante, accrochée dans un coin de mon esprit pendant que j'étais au travail.

Il s'essuyait avec un mouchoir. Ruisselant, haletant, il essuyait les sueurs froides qui lui venaient après coup. Un instant plus tôt il retournait le contenu de son sac, courbé en avant, empêchant les gens de passer. Quand il était descendu du train, il s'était mis à marcher embarqué dans la foule, est-ce qu'il l'avait mis dans son sac ce matin à l'hôtel, sa disparition ne serait pas une grande perte, mais sur ce point brusquement sa mémoire était mise en défaut et bien qu'on ne puisse évidemment se souvenir de tous les détails un à un ce trou de mémoire s'étendait et quand même, fronçant les sourcils, balayant cette pensée, il avait continué d'avancer résolument pendant un temps, c'est seulement ensuite que l'idée s'imposa que s'il allait jusqu'aux escaliers il n'aurait plus envie de s'arrêter, qu'il garderait une fois dans l'avion une impression pénible – là était l'erreur.

Bientôt il ne fut plus qu'un bloc d'obstination nue, accroupi au pied des humains qui passaient. Il savait que c'était pour un objet sans importance, mais ses mains bougeaient d'elles-mêmes et fouillaient ; au moment où les pas s'étaient tus autour de lui, tout son corps était retombé dans le silence d'une colère froide. Et quand l'objet perdu réapparut tout à coup, ça lui rappela qu'en faisant ses bagages le matin il s'était dit exprès à lui-même, ça, je le mets là.

Sitôt qu'il ferma le sac et se releva, son visage fut inondé de sueur. Il sentait une coulée froide du tour du cou jusque dans son dos. À sa montre tout allait bien, l'embarquement n'était pas pour tout de suite. L'objet perdu puis retrouvé avait de moins en moins d'importance. Ne l'aurait-il pas retrouvé, cela n'aurait rien eu d'irrémédiable. Que de fois n'avait-il pas oublié dans des hôtels une ou deux babioles de ce genre ? Il faut tenir compte en voyage de ces brusques moments de tension nerveuse, quand le programme de travail est trop chargé. Pourtant, pendant qu'il s'occupait obstinément à retourner le contenu de son sac, il ne pensait pas à l'heure du départ. Il ne pensait ni à son travail ni à ce qu'il était venu faire ici. Il n'y avait plus ni vie privée, ni famille, ni temps. Non qu'il eût oublié : de tout son corps il refusait de penser. Seule subsistait, venue d'on ne sait où, l'image d'un chat qui dort dans une petite flaque de soleil.

L'irrémédiable était peut-être là…

Fujisato ne pouvait pas être vraiment fou, pas lui, ce ne serait pas tolérable (cela se produisait comme toujours en plein travail, un cri, le regard qui s'écarquille) : nous étions déjà en décembre, c'était un après-midi glacial, ciel couvert depuis le matin sans un souffle de vent. Dans le bois taillis du parc voisin le feuillage des chênes s'était à son tour terni, il offrait par temps clair un spectacle hivernal aux couleurs roussâtres, tandis que sous ce ciel presque noir il semblait se remettre à briller de son plus bel éclat. Je croyais avoir travaillé d'arrache-pied malgré la torpeur, et voici que sans rupture le retard s'était reporté sur le mois suivant.

Mais enfin, de quelle époque parles-tu ? m'interrogeais-je sévèrement. À supposer que cette mésaventure fût réellement arrivée à Fujisato, elle datait, au dire de Sugaïke, de la révélation d'un déclin de l'activité économique, ce qui nous ramenait au moins deux ans en arrière, dans un temps où l'existence de Fujisato ne laissait aucune ombre sur ma vie. Nous étions dans un éloignement qui durait depuis près de quarante ans, Fujisato serait devenu fou que je n'en aurais rien su. Le bruit eût-il été porté à mes oreilles par quelque camarade de classe, j'aurais répondu, oui, Fujisato, sans bien me représenter son visage. Il serait mort que ç'aurait été la même chose : une mort pareille à celle d'innombrables inconnus.

– Quoi qu'il en soit, ce Fujisato ne peut pas devenir fou.

– Ce Fujisato, dis-tu ? Qu'en sais-tu, tu ne l'as revu que deux fois, en peu de temps. Qu'il ne puisse être fou, est-ce à un parfait étranger d'en juger ? Ou prétends-tu faire tout ce tapage pour démontrer qu'il ne l'est pas, à présent ?

Tout en ripostant méchamment, je me représentais le mouvement des mains, d'une inimitable douceur, dont Fujisato accompagnait toujours ses paroles – ou plutôt qui les précédait, un moment empêtrées dans sa bouche, comme s'il tâtonnait dans le vide – et ce mouvement, détaché de l'image de Fujisato, me rappela à son tour le geste d'un vieillard, je ne sais où, je ne sais quand, qui, ne trouvant rien à dire, dans un sourire d'embarras paisible, se met à danser lentement. Frôlant à tout instant le burlesque et le macabre, il danse au lieu de répondre, souriant à demi, dansant avec application, et jusqu'au soir, devant ma table, je fus hanté par ce geste.

Le visage de Fujisato qui m'appelait derrière la vitre de la supérette me revint à la nuit profonde, quand, le texte du livre ouvert sur ma table devenant de plus en plus obscur, je levai les yeux, surpris par une lecture aberrante. De l'apparition extravagante d'un visage suspendu comme une lune au-dessus d'une espèce d'arc-en-ciel dessiné sur la vitre, Fujisato, bien sûr, n'était pas responsable. Il n'était pas étonnant non plus, après s'être égaré dans la nuit, rebroussant chemin jusqu'à un endroit qu'il reconnaissait enfin clairement, que de revoir à cette heure, au coin de la rue, dans la clarté déserte d'un libre-service, le même visage qu'il n'avait pas vu depuis près de quarante ans et qu'il venait à peine de retrouver par hasard, l'envie lui fût venue de faire le tour par-devant pour s'assurer qu'il ne rêvait pas. Devant un tel enchaînement de rencontres fortuites je n'aurais pas pu moi-même entrer directement, je lui aurais d'abord fait signe en frappant à la fenêtre, comme un papillon de nuit qui se cogne et s'affole contre la vitre. Il m'avait appelé un bon moment, semble-t-il, avant que je me retourne. Ce n'était pas tant l'impatience qui se lisait dans ces signaux qu'un désespoir au ralenti : comme si peu à peu, à mesure qu'il m'appelait, il s'éloignait lui-même à reculons.

Ce fut lui, à la fin, qui parut le plus déconcerté quand nos yeux se croisèrent. Il y avait là un visage sans défense, oui, je m'en souvenais à présent : à la seconde où j'allais reconnaître Fujisato, c'était bien cette absence de défense qui m'avait frappé d'abord. Il ne souriait pas. Son front était parfaitement lisse. Hormis un air de doute qui eût fait croire que c'était lui qu'on appelait soudain, aucune expression ne pointait vers moi ; il était simplement offert au regard. J'ai observé cela un moment, sans un sourire ni même un signe de la tête. Instantanément, j'ai ressenti la puissance lugubre de ce regard à sens unique, comme si je m'étais caché dans l'ombre pour l'épier par-derrière, et malgré tout, malgré la peur secrète que m'inspirait mon geste, si je ne pouvais mettre fin au sortilège c'est peut-être que j'étais moi-même aspiré par la totale absence de défense de Fujisato.

Tout de même, comment pouvait-on, en appelant quelqu'un derrière un écran, présenter un front aussi insoucieux quand l'autre se retournait ? N'avait-il pas éprouvé, ne serait-ce qu'une fraction de seconde, l'indélicate intrusion de mon regard ? Un regard qui, attiré au-dedans d'autrui, s'effrayait seulement de ses propres réactions... Ce ton de reproche à l'égard de Fujisato, montant en moi, tout chargé d'une rancune injustifiée, prit une résonance plaintive. Il disait que depuis sa jeunesse, chaque fois qu'il était acculé, il s'était cramponné à la certitude apaisante que c'était fait. Il disait qu'avec l'âge, devenu plus serein, il s'y appuyait simplement. Un tel homme n'a pas le droit de devenir fou ! murmurait la résonance plaintive. Que deviendrait l'adolescent d'alors, et la paix qui descendait sur toute chose ? La paix, équitablement répandue disait-il, sur l'urgence de la peur, sur la lenteur comme si le temps allait disparaître, sur les présences et sur les absences, sur celui qui n'était pas là et celui qu'on sent maintenant juste derrière soi...

– Ce qui est fait n'est plus à craindre : en particulier devenir fou !

J'entendais des paroles. On aurait cru la voix de Fujisato, mais Fujisato n'avait rien dit de tel. Pourtant il y avait bien des choses qui étaient sorties de ma mémoire, parmi toutes celles que nous nous étions dites, voici déjà six mois, en suivant côte à côte le chemin de l'ancien canal.

– Alors toi aussi, tu es tombé malade ? J'ai remarqué que tu avais rajeuni.

– J'ai du mal à vieillir depuis quelque temps, figure-toi.

– Oui, il n'y a plus qu'à rajeunir quand on en est là.

– Quand on en est là, mais où ?

– J'étais malade moi aussi. C'était blanc.

Il dit encore : *Je rajeunissais de jour en jour.* Allons donc, cette conversation ne pouvait avoir eu lieu. Je ne lui avais pas touché mot de ma maladie. Et puis parler de rajeunissement en juin quand nous ne nous étions retrouvés qu'en avril après quarante années d'éloignement… Mais peut-être avions-nous échangé deux ou trois mots pour nous plaindre en plaisantant de cette inconvenante jeunesse qui nous venait bizarrement.

J'ai remarqué que tu avais rajeuni. Ah, ces paroles, il me semblait que Fujisato les avait réellement prononcées, d'une voix soudain plus joyeuse, comme une lampe qui s'allume. Même sans rien savoir des quarante années qui avaient précédé, cela concordait avec l'impression d'alors : il pouvait avoir dit cela. Mais moi, je n'avais rien répondu. Et je m'étais demandé si cet homme n'était pas un peu fêlé – chassant aussitôt cette idée qui me paraissait déplacée.

Mon comportement ce soir-là n'était pas moins louche, si l'on va par là. Quittant Fujisato et m'en retournant jusque chez moi, je fredonnais, d'une voix fluette, tout le long du chemin. C'était une espèce de rengaine, traînante et puérile, pas nécessairement triste, ce soir j'avais revu Fujisato et je l'avais écouté – il suffit : c'était la ritournelle, blanche dans la nuit, du contentement calme qui s'échappe et chante de lui-même.

Louche aussi, le sommeil de cette nuit-là. Rentré à la maison j'avais retrouvé ma place encore tiède au creux des draps quittés à peine une heure plus tôt et, pendant que je dévidais lentement de nouveau les paroles échangées à l'instant avec Fujisato, ma pensée ne s'arrêtait à rien, je m'endormis facilement, puis, revenu d'un long sommeil profond, je bavardais en me retenant de rire.

Dis-toi que cet homme est devenu cinglé petit à petit, à force d'en faire trop pendant des années. Et malgré tout il a tenu tête un bon moment encore, mais c'était de plus en plus difficile. Alors, un soir, il est minuit passé, son épouse pressentant quelque chose sort de la chambre et le trouve dans le séjour, assis sous l'éclairage le plus faible, dans un petit fauteuil de rotin et non sur le divan, jambes écartées comme sur la lunette des cabinets, perdu dans ses pensées. Cela faisait un moment qu'elle le regardait se débattre : tu en as assez fait, lui dit apparemment l'épouse, essaie d'aller demain à l'hôpital. Le regard de l'époux fait le tour de la pièce, son doigt se tend lentement vers un objet posé sur une étagère, il demande : quand as-tu acheté ça ? Elle répond : notre aîné venait d'entrer au collège, souviens-toi. Il demande aussitôt : combien l'as-tu payé ? C'est une bonne ménagère, capable de répondre, grosso modo, à une telle question. Elle lui a même rappelé qu'ils étaient allés l'acheter tous ensemble. Elle pensait apparemment que c'était une bonne chose s'il cherchait à se souvenir du passé. Ah bon ? répond seulement l'époux, perdu de nouveau dans ses pensées. Plus tard il relève la tête, pointe le doigt vers un autre objet : quand as-tu acheté ça ? combien l'as-tu payé ? L'épouse réfléchit consciencieusement, elle s'efforce de répondre avec précision. Il a de longs temps de silence, pose une question après l'autre. Le doigt qui se tend vers les objets est de plus en plus paniqué. Mais plus minutieuse était la réponse, plus elle le laissait égaré et pensif ; à la fin, il a pris sa tête entre ses mains et s'est tu. Timidement, l'épouse a demandé : tu ne te souviens de rien ? Puis, voulant l'apaiser : ce ne sont que des détails, un homme n'a pas à se souvenir de ça. Mais si, l'homme se souvenait de tout, c'est ce qu'il lui a répondu semble-t-il. Seulement, il n'arrivait pas à penser jusqu'au bout. Penser à quoi ? a demandé l'épouse. Justement, c'est ce qu'il n'arrivait pas à savoir, même en réfléchissant. Il lui avouait ça pour la première fois, ajoutant pour conclure : mais je ne suis pas fou, crois-moi, j'ai pu vivre jusqu'ici avec ça… De fait, il n'était pas devenu fou.

De fait – voilà tout ce que j'avais à dire – *il n'était pas devenu fou*, et plus je brûlais de le dire, plus je me perdais en détours. Il me sembla ici que le rire contenu explosait d'un seul coup, mais quand j'ouvris les yeux il n'y avait aucune trace de rire, ni sur ma face ni dans ma gorge. Qu'est-ce que ça a de drôle ? soupirai-je. Puis je me rendormis et la fois suivante, au réveil, je parlais sur le ton d'une déposition de témoin.

Mon père ? Il est mort il y a onze ans, oui. Et ma mère est morte il y a vingt-deux ans. Nous vivions à l'étroit dans une maison pleine de vieux objets. Après la guerre, tout ce qui pouvait se vendre avait été vendu, les choses inutiles qui ne s'étaient pas vendues, essentiellement des vêtements, nous les avions trimbalées de déménagement en déménagement sans pouvoir nous résoudre à les jeter. C'était une sorte de maladie dans cette famille. Ma mère passait souvent la moitié de ses journées accroupie devant un placard qui sentait le moisi, à faire du rangement parmi les vêtements qui ne tenaient plus à l'intérieur, les sortant, les rentrant, infatigablement. C'est peut-être d'avoir respiré trop de poussière de tissu : à soixante ans passés, elle a eu un cancer des poumons. Puis une dizaine d'années plus tard, quand mon père s'en est allé à son tour à près de quatre-vingt-cinq ans, il a fallu vider la maison dans laquelle il avait vécu ses dernières années seul avec ma sœur qui ne s'était pas mariée ; après un tri courageux opéré par ma sœur « au titre des réparations de guerre » (nous allions en finir avec notre après-guerre), il lui restait pourtant sur les bras de quoi remplir encore deux grandes vieilles malles d'osier. Que faire ? Elle m'avait avoué au téléphone qu'elle était ennuyée ; y allant, j'ai compris qu'on pût rester perplexe devant ce que je découvrais maintenant, déballé au soleil sur le bord de la véranda : des kimonos de femme tous plus voyants les uns que les autres, tels qu'en sortant de nos jours ainsi vêtue dans la rue on serait passée pour… je ne sais quoi. C'étaient des souvenirs de notre grand-mère paternelle morte à plus de quatre-vingt-dix ans, il y a de ça une trentaine d'années. Ils dataient de la fin des années 30 d'après ce qui se lisait sur les emballages, témoins des commandes assidues que la vieille dame, à plus de soixante ans et veuve depuis peu, passait à des grands magasins de Tokyo ou de Nagoya, jamais portés ou presque. Je me souvenais d'avoir lu quelque part que les dessins des kimonos des femmes honnêtes, à cette époque, étaient si audacieux qu'ils paraissaient impudiques aux yeux des vieilles générations. Tout de même, on dira ce qu'on voudra des femmes et de leur coquetterie, on se sentait déprimé rien que d'oser imaginer cette grand-mère tellement austère aveuglée par le désir ; rabattant le couvercle sans en avoir vu la moitié, ma décision était prise (et je ne pouvais pas faire moins car ma sœur était à nouveau très embarrassée, même les brocanteurs lui avaient ri au nez) : je me chargerais d'une des malles. Renforcée aux quatre coins par des pièces de cuir et munie de solides courroies, elle semblait lourde rien que par son aspect, je croyais l'avoir transportée à grand-peine en taxi jusque chez moi mais c'était une illusion de mémoire. Ma sœur me l'avait envoyée par messagerie express. Sans même déballer le colis à l'arrivée, tant les couleurs enfermées dans la malle me donnaient la migraine, j'avais transporté le tout sur un diable, de mon appartement au premier étage d'un immeuble urbain jusque dans les sous-sols, pour le fourrer dans l'une des caves alignées là comme des consignes automatiques ou des niches de columbarium. Mon travail était terminé. Dix ans plus tard, je repensais encore de temps à autre à la coquetterie de la vieille dame qui devait avoir commencé de pourrir dans l'humidité d'un souterrain de béton. Dans l'intervalle, ma sœur s'était mariée sur le tard et peu de temps après elle était morte. Mon frère aussi était mort, qui n'avait pas participé à la discussion avec ma sœur sur le devenir de ce colis. Et puis ce printemps, un ami à qui j'avais parlé de cette histoire avait bien voulu s'intéresser aux effets de la grand-mère. Son épouse s'était lancée dans la fabrication de poupées, il se demandait si on ne pourrait pas leur en faire des habits. J'étais heureux qu'ils revoient la lumière, même en coupons ; j'avais aussitôt choisi le jour où nous pourrions recevoir le couple à la maison mais je voulais avant cela, par la même occasion, me débarrasser aussi des vieux livres entassés pêle-mêle sur la fameuse malle, pour épargner mon dos après la maladie je les avais remontés en plusieurs fois avec l'aide de ma femme et nous les avions vendus ; enfin, c'était je crois deux jours avant le rendez-vous, la malle soigneusement époussetée fut apportée dans l'appartement, on l'ouvrit – elle ne contenait que des vêtements masculins. Ma sœur avait apparemment pris le soin de trier ce qui venait du grand-père pour me les envoyer. Six ans après sa mort, il n'avait jamais été question avec mon beau-frère de l'autre malle qu'elle aurait gardée, c'est donc qu'elle avait pris sur elle de jeter les affaires de femme. Je regrettais à présent de ne pas avoir ouvert la malle à son arrivée : j'aurais au moins pu l'appeler pour la remercier. J'avais haussé les épaules en me moquant des fantasmes de grand-maman, l'enfouissant dans un sous-sol sans même la montrer à ma femme, imaginant seulement bizarrement, si je mourais, que les trois femmes de la maison seraient déconcertées par ces tapageuses toilettes pourrissantes découvertes dans un sous-sol et qu'elles ne pourraient rattacher à rien de connu… Mais il était trop tard même pour les regrets, j'ai aussitôt rappelé mon ami, tout penaud, nous n'avions à lui offrir que des vêtements masculins ; qu'à cela ne tienne, me dit-il, cela fera très bien l'affaire : le jour dit, à la tombée de la nuit, réunis tous quatre sous la lumière des néons, nous passions en revue les effets du grand-père dépliés un à un sur leurs housses de papier.

À vrai dire, je n'ai pas connu mon grand-père paternel. Il est mort l'année de ma naissance, je ne sais si j'étais né ou encore à venir, il avait dans les soixante-quinze ans. Enfant, on m'envoyait déjà m'incliner devant sa photographie. Mes parents me disaient aussi qu'il avait une belle prestance ; on ne disait pas qu'il était petit mais, d'après sa physionomie ronde et pleine, ce pouvait être un homme de taille moyenne tout au plus, c'est à peu près l'image que je m'en étais faite. Les vêtements du défunt convenaient à ce type de corpulence. C'étaient pour la plupart des habits de tous les jours, parmi lesquels se glissaient pourtant des choses plus curieuses comme ce manteau façon dandy (d'une coupe réservée maintenant aux femmes) qui faisait notre admiration, à mon ami et à moi. Les hommes avaient autrefois un goût de la toilette que nous avons perdu – même cette sobriété était tellement plus sensuelle ! Le grand-père était un banquier de province ayant exercé deux ou trois mandats de député, qui s'était employé à réorganiser et regrouper les banques locales, mais on disait aussi qu'il avait à plusieurs reprises failli ruiner la famille en jouant à la Bourse, c'était un sacré viveur. Ça ne serait pas sa tenue habituelle pour aller dans les quartiers de plaisirs ? disait mon ami, qui dépliait en riant un sous-kimono clair agrémenté d'un grand paysage à la manière des estampes. Tous à part moi se passaient, s'échangeaient, comparaient maintenant les kimonos, avec des hochements de tête incrédules. N'ayant aucune connaissance en la matière, je ne comprenais pas ce qui les intriguait tant. Au bout d'un moment mon ami en attrape un – un kimono d'intérieur, apparemment – et m'invite à l'essayer sur-le-champ. En riant je l'enfile maladroitement, et pendant que je me redresse et le mets en place, j'ai moi aussi une drôle de sensation.

Je mesure, à l'ancienne, cinq pieds sept pouces de haut, ce qui m'aurait classé autrefois dans la catégorie des grands. Or si j'avais, dans ce vêtement, toute la longueur souhaitée et même au-delà, je n'arrivais pas à faire descendre les manches plus bas que le coude.

En comparaison de sa longueur, le buste et les manches étaient singulièrement étriqués. Nous avons affaire à quelqu'un d'autre, suggérait mon ami. Quelqu'un de bizarrement bâti, soufflaient les femmes. L'expérience s'est arrêtée là. Nous avons bu et dîné. Tard dans la nuit mon ami et sa femme sont repartis en taxi, emportant dans le coffre la plupart des vêtements et par surcroît la vieille et lourde malle.

Je leur devais une fière chandelle ; mais ils me laissaient en compagnie d'un nouveau parent, du côté paternel, long, maigre, et excessivement étroit d'épaules. Ni mon père ni mon oncle n'étaient bâtis sur ce modèle. Ils étaient plus courtauds, plus solidement charpentés. Il fallait que ce fût un bien précieux parent pour que son souvenir se trouvât mêlé aux souvenirs de mon grand-père et de ma grand-mère, entre les mains de mon père. Jamais mes parents n'avaient fait la moindre allusion à un tel personnage. À supposer même qu'il fût mort jeune, la qualité du tissu et ce goût sobre laissaient penser qu'il avait atteint la maturité. Ça ressemblait à des habits de tous les jours, mais si peu abîmés qu'on imaginait une personne extrêmement posée. On aurait dit en outre qu'ils avaient été lavés, soigneusement défroissés, et aussitôt mis à l'abri.

Planté droit dans ce kimono, j'avais très certainement une allure bizarre aux yeux de mon ami, de sa femme et de la mienne, à qui je faisais l'effet d'un cintre posé sur pied, comme s'ils voyaient surgir le fantôme du cintre. Mais pour moi, mis à part l'aspect frileux, répugnant, des bras qui dépassaient nus, l'habit me collait parfaitement à la peau. Je suis un homme plutôt large d'épaules.

La peau violette

Sur la pelouse sèche fleurissaient par places des touffes d'adonides. Lorsqu'on regardait en l'air, la lumière du ciel était déjà printanière. Au bout de l'emplacement des écuries, monté sur le fumier des vieilles litières entassé haut, un homme creusait et défaisait le tas à la pelle, de sous ses pieds montait une épaisse vapeur blanche. Où, vers quel champ de courses, irait cet engrais de printemps ? La vapeur fluait jusqu'au terrain d'entraînement tout proche où les chevaux marchaient entre des grilles tournantes comme une porte à tambour, leurs silhouettes enveloppées dans un halo bleuté. C'était un peu avant midi.

Nous étions encore dans la première semaine des grands froids[1], mais depuis quelques années je suis devenu plus sensible aux signes avant-coureurs du printemps. Après le nouvel an, la chute brutale des températures entraîne, comme une empreinte de la maladie, le ralentissement de la circulation du sang dans mes membres et une certaine raideur des articulations qui me font tout naturellement désirer le printemps. À moins que ce soit plutôt une réaction naturelle à la lumière du soleil de plus en plus forte à mesure qu'on s'éloigne du solstice d'hiver, les extrémités des vaisseaux sanguins se déliant peu à peu, provoquant à rebours, par leur agitation menue, l'illusion que la paralysie me guette.

Dans l'atmosphère irrespirable d'un train de nuit presque comble circulant entre le centre et la banlieue, j'étais assis à ma place, les manches de mon manteau réunies sur mes genoux, tentant d'imaginer la nudité frileuse d'un bout de bras qui dépasse sous une manche de kimono. Il y avait malgré tout quelque chose qui clochait dans

1. Période d'une quinzaine de jours qui commence le 20 ou 21 janvier et correspond à l'une des vingt-quatre sections du calendrier solaire.

cette carrure excessivement étroite en comparaison de la longueur du vêtement et, maintenant que j'y songeais, n'était-ce pas finalement un vêtement féminin ? Ma grand-mère paternelle était une femme de petite taille, même selon les critères d'autrefois. Mais sans doute lui fallait-il toute cette longueur de robe, retroussée à la taille. Et les rayures brunes et noires pour un habit de tous les jours conviennent à la vieillesse. L'homme de cinq pieds sept pouces sentait l'habit épouser son corps, bien qu'il eût renoncé, dégoûté par ses bras qui s'exhibaient nus, à le croiser sur le devant. Il ne s'était pas même soucié de la largeur des manches.

Lui revenait la vision des chambres bien ordonnées, glaciales en plein été, et de la silhouette qui allait de l'une à l'autre, rangeant encore avec une sombre maniaquerie. Jamais un doux sourire pour aucun des bambins, des tremblements montant jusqu'aux épaules quand elle était en colère, qui se terminaient par de longs sermons d'une voix haut perchée. Détestait-elle à ce point le moindre laisser-aller ? Elle pouvait dénouer sa ceinture et ouvrir son vêtement pour réajuster son jupon sous les yeux des enfants. Mon père et les autres, au seuil de la vieillesse, étaient encore intimidés par leur vieille maman. D'où le pressentiment désagréable du petit-fils qui se figurait lui-même, à l'approche de la vieillesse, à peine avait-il enfilé la tenue ordinaire de cette vieille dame au tempérament violent, l'existence d'un parent mâle à la santé fragile affligé d'un physique quasi monstrueux ?

Pourtant il n'y a rien d'abominable si les genres féminin et masculin des parents finissent par se fondre en un, dans la longue distance des années. Aux yeux des morts lointains, tout au moins, les corps des descendants héritiers du sang de l'homme et de la femme deviennent tous des monstres unissant les deux sexes, et probablement plus encore dans le grand âge que dans leurs jeunes années…

Le parfum des pruniers se répandait dans le wagon. Je ne les avais pas encore vus fleurir cette année, mais depuis ma jeunesse j'étais sensible à leur parfum nocturne. Soudain je le flairais dans un lieu fermé, dans une salle de réunion quelconque ou dans un bar, pensant que je me faisais des idées sans doute, puis une fois dehors je remarquais çà et là quelques fleurs inattendues. Tout au début, quand je percevais leur parfum, quelque chose s'y déployait qui ressemblait moins à la douceur qu'à l'angoisse. Je me demandais si ce n'était pas une habitude prise dans les ténèbres des abris antiaériens au début du printemps, quand les bombardements faisaient rage au-dessus de Tokyo. Mais juste avant, au moment où j'allais sentir le parfum des pruniers, je pestais contre une odeur de camphre, l'odeur que je détestais. Du camphre à la fleur de prunier, l'analogie peut trouver son chemin. Peut-être y avait-il une odeur de camphre au fond des abris souterrains.

Le train s'arrêta dans une gare de correspondance où se fit un mouvement de voyageurs, dans les interstices duquel j'entrevis le visage de Yamakoshi assis en face de moi. Un instant, je crus distinguer les ravages de la passion amoureuse sur ce visage de jeune homme tourmenté qui me fit l'effet d'une rareté, une chose qu'on ne voit plus de nos jours. Il était bel et bien perdu dans ses pensées, lorsque, jetant devant lui un regard endormi, il m'aperçut en train de l'observer et me fit signe d'un air gêné, avant de disparaître à nouveau derrière les voyageurs qui venaient de monter.

Nous ne nous étions pas rencontrés par hasard. Nous rentrions après avoir bu ensemble. Nous avions pris en tête de ligne un train omnibus où il ne restait plus que quelques places assises ; nous en avions trouvé deux, l'une en face de l'autre, nous perdant de vue et voyageant ainsi une dizaine de minutes. Il semble que je m'étais assoupi peu après le départ.

En nous donnant rendez-vous du côté de Shinjuku, nous devenions deux usagers de la même ligne, regagnant notre gare commune.

– Votre père avait deux ans de plus que moi. Il est décédé avant ses cinquante ans, n'est-ce pas ?

– À quarante-sept ans précisément.

– Si jeune…

Ce bref échange eut lieu dans un bar au moment où nous nous apprêtions à le quitter. Nul doute qu'aux oreilles d'un jeune homme de trente ans cela résonnait comme un radotage de vieillard oublieux.

– L'année de votre naissance, j'avais pris pension chez un graveur de sceaux de Kanazawa dans le Hokuriku. C'était l'année des grandes chutes de neige. Mais peut-être, puisqu'elles sont tombées de janvier à février, n'étiez-vous pas encore né ?

– Je suis du mois de novembre.

De nouveau je suscitais un intérêt limité, me renfrognant sans rien dire, tandis que mes paroles réveillaient en moi le silence d'une nuit de neige, quand je soupirais après un corps de femme, et c'était aussi, fugitivement, le silence d'avant les naissances. Yamakoshi ne semblait pas disposé à reprendre la conversation. Nous aurions sans doute été entraînés sur un terrain sensible ; peut-être même, d'emblée, sur un terrain secret. Ce genre de conversation ne trouverait sa place nulle part dans les villes, me disais-je, revenu à mon point de départ, non sans un regard circulaire sur ce bar admirablement désert en comparaison d'autres lieux.

J'avais reçu à la fin de l'année un simple mot de Yamakoshi remplaçant les souhaits de bonne année après un deuil récent. J'y avais répondu, parmi les vœux que j'adressais à d'autres, sous la forme d'une carte ordinaire « en témoignage de sympathie pour la nouvelle année ». Me souvenant moi-même de ce que signifiaient ces moments après la disparition d'un proche parent, je veillais depuis quelque temps, si j'en avais la possibilité, à répondre dans l'année aux faire-part de deuil qui me venaient d'amis de longue date. Il y avait aussi ceci, une carte qu'un voisin m'avait envoyée d'un hôpital lointain dans les tout derniers jours de l'année, et quelques jours après, rentré tard dans la nuit, j'avais vu un avis de décès affiché à l'entrée de sa maison ; aussitôt chez moi j'avais relu cette carte, elle était datée d'un dimanche et se terminait par des vœux de bonne année : j'y revivais la solitude des dimanches à l'hôpital entre la tombée du jour et le coucher.

Allons prendre un verre, un de ces soirs. C'est ce que j'avais écrit à la fin de ma réponse à Yamakoshi. Puis, plus de vingt jours après le nouvel an, tout juste avant-hier, et bien sûr un dimanche à la tombée de la nuit, Yamakoshi m'avait téléphoné, l'entrée en matière fut discrète : c'était au cas où j'aurais l'occasion de me rendre au centre-ville. En passant en revue les jours qui pouvaient convenir, il nous parut plus simple de sortir tout de suite chacun de son côté et de se donner rendez-vous dans un bar ouvert le dimanche soir, au bout de l'allée commerçante, face à la gare la plus proche, mais je ne sais plus lequel des deux se rappela finalement qu'il n'était pas libre, et comme le surlendemain j'avais justement une rencontre prévue qui m'occuperait jusqu'au début de la soirée, nous avions décidé, en attendant, de nous retrouver entre huit heures et demie et neuf heures dans un café. Après avoir raccroché, j'avais commencé à réfléchir à un endroit possible.

– Il y a quelque chose, là, qui me rappelle les nuits au parloir de l'hôpital.

Yamakoshi a regardé autour de lui le lieu où je l'avais conduit, il a apprécié son atmosphère paisible. Puis il a dit ces mots. C'était un bar, avec un choix intéressant de vins d'Europe de l'Est, un comptoir flanqué de quelques tables sans grâce dans une espèce de réduit tout en longueur oublié dans le plan de l'immeuble et dont on n'aurait même pas cherché à dissimuler la nudité. On avait en effet – à table plus encore qu'au comptoir – l'impression de dîner dans un couloir compartimenté.

– Et puisque c'est la première fois que je viens au rendez-vous dans cette tenue…

Il a sorti de la poche intérieure de son veston une carte de visite qu'il a posée devant moi. C'est vrai, depuis l'hôpital je ne lui avais jamais demandé sa profession. Et je découvrais qu'il travaillait pour une grosse boîte dans le monde du textile qui était, à l'époque où je finissais l'université, l'une des perspectives d'emploi les plus enviées, un monde qui avait depuis belle lurette, c'est-à-dire quelques années après la naissance de ce jeune homme, piqué du nez et ne devait sa survie qu'à une reconversion dans des secteurs d'activité fort divers, ce que je n'étais pas sans savoir même si je n'avais aucune idée de ce qui pouvait se cacher sous le nom du bureau de programmation qui figurait dans l'en-tête.

– Je suis maintenant incapable de lire les cartes de visite qui me sont offertes.

Façon bien docile de s'excuser en empochant la carte d'un jeune homme – d'un seul coup je me rappelais une réflexion désabusée d'un camarade de mon âge qui se demandait il y a quelques années, oubliant que j'avais moi-même très tôt pris la tangente, si, parmi tous les événements imprévus qui pouvaient encore se produire, nous avions vraiment pensé il y a trente ans en prenant un emploi que nous y resterions jusqu'à l'âge de la retraite : nous nous sommes en quelque sorte incrustés, avait-il conclu en riant. J'ai détourné la conversation.

– Ça fera bientôt trois ans, pour nous deux.

– Trois ans dans quelques jours, a répondu Yamakoshi.

Il parlait du soir où il avait été renversé à moto par une voiture.

– Tout juste au même moment, vous savez, je commençais à avoir des difficultés pour marcher mais sans encore penser à la maladie, j'étais donc parti à Kanazawa pour le travail et je marchais d'un pas chancelant sous la neige… J'ai bien cru malgré tout que j'allais mourir.

– Il m'a laissé sur la route. C'était un délit de fuite.

J'entendais cela pour la première fois.

– Mais comment ? Je regardais son visage et je pouvais seulement gémir : vous ne lui en voulez pas !

– J'étais responsable de ce qui m'arrivait. Et puis j'avais d'autres chats à fouetter. J'avais eu la vie sauve. Mais après coup, c'était horrible de se dire que les deux frères et la sœur, l'un après l'autre, avaient tous eu un accident de la route. J'avais l'impression que ça ne finirait jamais.

Le frère à six ans, la sœur à vingt-trois ans, Yamakoshi à vingt-sept ans : toujours les mêmes comptes que je refaisais chaque fois que je pensais à lui, et à quoi servait de compter encore, j'étais horrifié à mon tour par cette série de malheurs de plus en plus rapprochés.

– Mon souci, voyez-vous, c'était ma mère.

Il en parlait comme si elle était encore en vie.

– Vous disiez, je crois, que vous ne pensiez dans l'ambulance qu'à ce qui pouvait arriver à votre mère ?

– C'est qu'avec toutes ses misères physiques elle était persuadée qu'elle n'en avait plus pour longtemps. Est-ce qu'elle n'allait pas s'imaginer en plus qu'en mourant elle sauverait au moins la vie d'un de ses enfants ? Elle était bien capable de faire un tel vœu. Et puis si elle sortait la nuit dans le froid, avec son hypertension ? Ma sœur était morte au début de la saison des pluies, plus de six mois s'étaient écoulés, on avait changé d'année, et bien sûr au moment des grands froids combien de fois ne suis-je pas rentré le soir tard et ma mère n'était pas là, il fallait aller la chercher dans le vieux sanctuaire du quartier où elle faisait son circuit de prière pour la ramener à la maison. On aurait dit alors qu'elle délirait vraiment, elle croyait que ma sœur était encore à l'hôpital. Je ne voulais pas croire qu'elle faisait ça pour moi.

J'allais intervenir, lui dire qu'il ne se trompait pas, que c'était bien pour lui ; j'ai vu le regard de Yamakoshi et je me suis tu.

– Ce que je dis là pourrait passer pour de l'amour filial (Yamakoshi riait), en tout cas pour une forme de complexe maternel. Cloué sur un lit d'hôpital, j'ai compris peu à peu qu'il s'agissait en fait d'autre chose. Cette fois, apparemment, je m'en étais tiré, mais ma mère ne risquait-elle pas à la fin de se retrouver seule ? Quand ? Je n'en savais rien. Même lorsqu'il a été question de me réopérer, je n'ai pas pensé qu'il pouvait m'arriver quelque chose. Et si ma mère restait en dernier, c'est que je mourrais avant elle, mais ce point-là m'échappait totalement. Je ne pensais pas du tout que j'allais mourir. J'étais donc en complète contradiction avec moi-même, mais tout ce que je savais, c'est qu'à la fin ma mère resterait seule. Quand je me réveillais la nuit c'était accroché là, comme une affaire réglée, je la voyais en survivante. J'étais donc mort. Pourtant, ça ne m'épouvantait nullement. Je n'étais même pas inquiet de la savoir seule au monde. Il n'y avait place ni pour l'inquiétude ni pour les larmes : l'intime conviction que ceci était juste passait en premier.

– Comment ça, juste ? ai-je demandé par simple habitude (une réaction naturelle de rejet que m'inspirait ce mot).

– Juste. Je ne peux pas dire autrement, a répondu Yamakoshi, puis son regard s'est relâché : ... du moins pas dans l'état d'esprit où j'étais alors.

Et déjà la voix se retournait vers le passé.

Disant encore :

– Juste, parce que c'était plus pesant que la peur. Au point de ne plus pouvoir bouger.

L'instant d'après, il riait.

– Finalement, c'est ma mère qui est morte la première.

Il avait évité le mot de destin : oui, un mot qu'il valait mieux éviter de nos jours, pensais-je tardivement. Un rire de femme resurgissait à mon oreille. À celle qui s'était si bien occupée de la mère plus mal en point depuis que le fils était à l'hôpital, il n'avait pas pu s'empêcher de demander, au cas où il arriverait quelque chose au fils et à la mère, si elle accepterait de venir habiter dans la maison vide. Et ce vœu chuchoté, que disait-il pour elle ? Prends soin de la dernière survivante – ce ne sera plus très long – et garde la maison ? La femme avait éclaté d'un rire roulant comme un sanglot. Mais ce rire qui avait démarré à la manière d'une crise, devenu limpide et joyeux, se colorait à chaque inspiration profonde comme si l'intimité des corps avait été évoquée en public.

– Pas encore d'enfant ?

J'étais moi-même effrayé par le ton de la question, qui avait la laideur d'une indiscrétion de vieillard ; mais c'était un rôle qui semblait me convenir désormais. Et tant pis si Yamakoshi me quittait scandalisé.

– Ou peut-être songez-vous à déménager ?

Évidemment, je fourrais brutalement mes pattes dans ses affaires et il faisait la grimace en fronçant un sourcil. Pendant qu'il se déridait lentement, je m'attendais à quelque réflexion sur son rôle à lui, qui n'était pas de mettre au monde les enfants. Mais ce fut autre chose.

– Toritsuka n'est pas contre, a-t-il répondu.

Le son de sa voix était calme et qui plus est parfaitement distinct. Elle n'en était que plus déconcertante. Pas seulement pour moi, mais pour Yamakoshi lui-même, qui paraissait surpris.

– Comment va-t-elle ? ai-je demandé, avec plus de succès.

– Ça va, tout se passe bien pour elle. On dirait qu'elle est depuis plus longtemps que moi dans cette maison, parfois elle me fait voir des choses que je n'avais jamais remarquées pendant toutes ces années. Par exemple, l'étrange disposition des placards.

Puis il s'est redressé, s'est incliné pour me remercier, et comme je ne voyais pas de quoi :

– Je vous ai fait venir jusqu'ici. (À la bonne heure !)

Nous sommes alors passés à une eau-de-vie brutale et ronde en bouche, occasion de se divertir tous deux, dans un rapport d'âge qui nous faisait presque père et fils, en se racontant les subtilités amusantes de la convalescence. Je pensais que la jeunesse de Yamakoshi était un atout suffisant et qu'une fois sorti de l'hôpital il serait tiré d'affaire ; mais après l'hôpital il était encore dans le plâtre et la vie à béquilles continuait, il avait essayé pendant quelques jours de retourner au travail, mais bien qu'il se sentît de plus en plus solide la chair fondait à vue d'œil, son visage ravagé lui donnait l'air d'un vieux : craignant d'offenser la vue de ses collègues de bureau, il s'était fait mettre en congé jusqu'à ce qu'on lui retire son plâtre. Même après, il y eut une période où il allait travailler, en évitant les heures d'affluence, avec une armature de fer soutenant sa mauvaise jambe au-dessous du genou, la différence de longueur entre droite et gauche le déséquilibrait, au début il se poussait en avant la sueur au front pour ne pas gêner les gens et bientôt, habitué à cela aussi, il fut pris d'une illusion étrange, celle d'être le seul à avancer lentement dans la foule et pourtant d'aller allègrement. À la maison, maintenant, il avait encore la sensation d'être dans le plâtre, et quand il allait et venait, un pas lourd après l'autre, sa compagne le regardait. Bientôt, un geste de rien du tout déclenchait un rire peiné : « Quelle horreur ! » Il se voyait alors et c'était, à vrai dire, un spectacle pénible. Il se demandait lui-même ce qu'on pouvait éprouver quand un tel corps vous approchait. « Ça ne sentait pas bon », lui expliqua sa compagne.

Quand la mère fut hospitalisée de nouveau, il était en principe complètement guéri, ce qui ne l'empêchait pas d'aller à l'hôpital en boitillant toujours du pied droit. Il lui semblait qu'il avait une épaule plus basse, et même le sourcil plus bas de ce côté. C'était pourtant le moyen de tenir plus longtemps. Tandis qu'il repartait avec le linge sale de la malade, glissant à la nuit profonde le long d'un couloir d'hôpital, il lui arrivait de s'endormir quelques secondes. Il s'éveillait en entendant sa propre respiration. Un soir, alors qu'il faisait les cent pas entre la chambre et le couloir, las d'être assis au chevet de sa mère, le regard de celle-ci se mit à clignoter comme alerté par ce bruit et même après, le fils se tenant coi, elle bougeait encore lentement les yeux comme pour suivre son ombre mouvante.

– Tu avais toujours, vu de dos, cette allure de malade, disait sa compagne (un médecin lui avait recommandé après l'hospitalisation d'observer par-derrière sa façon de marcher, et l'habitude lui était restée ; parfois ils se croisaient en chemin, l'un rentrant l'autre repartant vers l'hôpital de la mère, ils échangeaient de brèves consignes et se quittaient pressés, mais elle se retournait malgré elle) : une allure de malade plus sensible à mesure qu'il s'éloignait.

Même à présent, par ce froid, il avait des douleurs sourdes dans le genou droit quand il était étendu la nuit dans son lit. Ce n'était pas vraiment pénible, juste lancinant comme un souffle paisible et des pensées lui venaient entre les élancements. Qu'importe ce qu'il pensait : il n'avait que du blanc dans la tête, mais tout imprégné du silence de la nuit. Jusqu'au bruit des voitures sur la route circulaire qui se fondait dans le silence.

– Ils ont fait ça ?

Yamakoshi s'est arrêté au coin de la rue, son regard s'est durci en voyant le nouveau parc pour les enfants qui s'étendait à notre gauche.

Il y a quelques années encore, il y avait là, je crois, une belle propriété avec un jardin rempli d'arbres qui poussaient en tous sens. La maison avait été démolie, on avait épargné les arbres du jardin, entouré d'une clôture basse les deux côtés du terrain qui donnaient sur la rue : un jour ou l'autre on y bâtirait un petit immeuble, à moins de couper tous les arbres et d'en faire un parking, me disais-je, en attendant le terrain restait à l'abandon et la végétation reprenait le dessus au milieu des ordures jetées qui s'accumulaient derrière la clôture. Combien de temps cela avait-t-il duré, je ne sais trop, plusieurs années me semblait-il, car j'avais cessé depuis un moment de me promener par ici. Et je pouvais aussi bien m'être aperçu dernièrement que ces arbres coupés ou transplantés ailleurs avaient laissé la place à un parc clair et convenablement ordonné, comme m'en être aperçu, de la même façon, il y a quelques années.

– C'est certainement plus net.

Et, détournant les yeux, se mettant à marcher, il y avait du dépit dans sa voix. J'ai admiré la différence : même à trente ans à peine, la réaction de qui est né et a grandi sur place aura toujours une vigueur qui manque aux sensations d'un individu transplanté, eût-il vécu autant d'années dans ce lieu, et j'ai imité le pas vif de mon jeune compagnon. Le chemin s'éloignait de la maison de Yamakoshi et me ramenait chez moi.

Tout à l'heure au sortir de la gare, à l'endroit où nos routes se séparent, Yamakoshi s'était rangé de mon côté et m'avait suivi sans un mot, je pensais qu'il s'arrêterait à la supérette ; le passage à niveau franchi, il a dit : « J'ai besoin de me dégourdir en marchant un peu, c'est l'occasion de vous faire un bout de conduite. » À ce moment, il y avait encore une nuance d'indignation dans sa voix, je revoyais le visage de l'homme aperçu à l'instant dans la gare, juste avant le contrôle des tickets. Il devait avoir dans les quarante-cinq ans, il marchait sans se presser, nous précédant de quelques pas, ivre sans doute, la démarche insouciante mais, dans la queue qui se formait au contrôle des tickets, il se trouva quelqu'un pour lui barrer le passage et encore quelques autres pour se faufiler devant lui ; son dos se raidit et s'immobilisa aussitôt. Il se fichait maintenant d'être un obstacle pour ceux qui voulaient avancer : buté, décidé à rester planté là. Quand j'ai jeté un coup d'œil en passant près de lui, il avait le masque de la colère. Apparemment cela n'avait duré qu'un instant, lorsque je me suis retourné après le contrôle des tickets plus rien ne ressemblait à la silhouette inquiétante que je venais d'entrevoir, mais j'étais étonné, prenant conscience de ma propre démarche, de la trouver colorée par la colère de l'homme. Et soudain Yamakoshi était de nouveau près de moi.

Sur la route de l'ancien canal, le pas s'est ralenti, nous allions encore du côté de chez moi. Nous ne faisions que nous éloigner de la maison de Yamakoshi. Après avoir servi de dépotoir, ce canal plusieurs fois centenaire avait été finalement comblé entre 1950 et 1952, soit plus de dix ans avant la naissance de Yamakoshi, recomptais-je, et au moment où je pensais à ce paysage, sans doute plus difficile à imaginer quand on est un enfant du pays (oui, imaginer une digue qui serpente sans fin à travers la campagne...), au même moment, le silencieux Yamakoshi a dit :

– J'ai entendu une vilaine histoire.

– Qui parlait de qui ? ai-je demandé bizarrement.

C'était comme une allusion remettant sur le tapis une histoire qui devait un jour ou l'autre me revenir à la figure, j'étais découragé d'avance.

– Bah, je ne sais quel ami d'un ami d'ami... une histoire pour moi sans visage, j'aurais pu m'étonner simplement, ça ne prêtait pas à conséquence.

Il allait renoncer à donner suite à l'affaire, mais se ressaisissant :

– Ce n'est qu'un potin qu'un ami m'a rapporté l'autre jour, en m'appelant à propos d'autre chose, n'empêche que si ça n'avait pas été au téléphone et si j'avais eu en face de moi l'un des principaux responsables, ou un ami direct, je crois que je l'aurais frappé. Pourquoi fallait-il qu'il raconte ce genre d'histoire ? Est-ce qu'il ne pouvait pas garder ça pour lui ?...

La fureur lui coupait la voix, comme prise à son propre piège.

– Mais après tout, ça pourrait être une histoire vieille d'un siècle !

Et, plaisantant ainsi, il a poursuivi son récit.

Un couple marié depuis trois mois à peine invite un soir trois hommes à la maison.

Les trois invités sont des amis que l'homme et la femme ont en commun ; mais, entre eux trois, c'est la première fois qu'ils se rencontrent. Tous ces hommes, mari compris, ont une trentaine d'années.

Le dîner avait commencé dans le calme. Le mari était aux petits soins pour mettre ses hôtes à l'aise, la femme se montrait discrètement attentive, la conversation s'animait. Les invités sentirent à un moment que les choses allaient un peu trop loin. Le mari ivre avait une gaieté quelque peu excessive qui lui faisait perdre toute retenue, mais pas au point de chercher querelle à ses hôtes, ni de les forcer à boire et, bien qu'il se contentât d'être aux anges en répétant tout seul qu'est-ce qu'on s'amuse ce soir, sa femme le reprenait d'un air anxieux. Bientôt elle partit à la cuisine, d'où elle l'appela peu après : le maître de maison se leva et quitta la pièce sans prévenir. Suivit ce qui semblait être une dispute à voix basse. Les invités retournèrent à leur conversation de première rencontre, parlant travail, échangeant des informations. Ils n'étaient pas à court de sujets, tout leur était bon pour ne pas entendre ce qui se passait.

Les pas montèrent furtivement au premier étage, après quoi on n'entendit plus un son. Les invités profitèrent de ce moment de répit et le dialogue reprit avec plus d'entrain, on parla de curieuses expériences de voyage à l'étranger. Mais l'heure tournait et l'étage demeurait silencieux. Le dialogue aussi tourna court : « Notre hôte s'est donné trop de peine pour nous, peut-être est-il tombé de fatigue et d'ivresse », murmura l'un d'eux. Tous éclatèrent de rire. Aussitôt, après un grand bruit d'empoignade dévalant l'escalier, suivi d'une chute fracassante du côté de l'entrée, ce furent des cris contenus et des souffles de lutte qui s'approchaient dans le couloir, la porte de la pièce s'ouvrit avec une étrange lenteur : épaules rentrées résistant à la poussée, accroupie presque jusqu'au sol, avançant inéluctablement, la femme apparut complètement nue aux yeux des invités.

Jetée d'un coup trébuchante au milieu de la pièce, elle bondit de côté, courut dos aux invités se blottir dans un recoin, recroquevillée, puis assise bien droite, la tête inclinée vers le mur. Elle cachait son visage dans ses mains ; des larmes semblaient couler, mais pas un son ne filtra.

Le maître de maison, dont le visage démoniaque se dessinait dans l'ombre du vestibule, se retira brusquement, probablement du côté de la cuisine car on entendit un bruit d'eau qui coule et de là, peu après, il réapparut en s'inclinant avec un mot d'excuse, sans trace de désordre, reprit sa place, redressa le buste et saisissant le flacon de saké refroidi invita d'un air grave ses hôtes à trinquer encore une fois.

Trop embarrassés pour parler, ils auraient dû se lever un à un et gagner précipitamment la sortie, mais non. La gravité du maître de maison semblait avoir donné le ton, le premier qui se leva remercia et refusa poliment, et dans le même temps il ôta son veston, couvrit le dos de la femme et sortit ; les deux autres le suivirent en silence.

Ils étaient dans l'entrée enfilant leurs chaussures, celui qui avait protégé la nudité de la femme ayant déjà remis son manteau pardessus sa chemise, quand l'hôte venu les raccompagner à la porte, avec le précieux veston dans ses bras, le lui présenta, comme s'il allait l'habiller, disant : « Je vous en prie, il fait froid. » L'invité reprit simplement son veston et le jeta sur la manche de son manteau.

– N'ayez crainte, je prendrai soin désormais de ma femme, dit l'hôte à la fin, sur un ton sans ironie ni mordant.

Mais en toile de fond il y avait l'escalier, sur lequel des pièces de lingerie s'étaient éparpillées en glissant. Elle avait donc tenté de cacher sa nudité en serrant sur sa poitrine les vêtements qu'il lui arrachait.

Tous les ans, ils recevaient chacun une carte de vœux imprimée avec de brèves nouvelles signées de l'homme et de la femme : un enfant était né l'année suivante, le second n'allait pas tarder…

– Ils avaient eu tous trois des rapports avec cette femme, n'est-ce pas ?

Je savais dès la fin de l'histoire que cette chose-là allait sans dire, mais c'est justement pour ne pas l'entendre de la bouche de Yamakoshi que je m'en assurais moi-même.

– Une fois dehors ils se seront dit, vu ce qui venait d'arriver, qu'il valait mieux parler franchement, a répondu Yamakoshi ; et il s'est tu.

Que s'imaginaient-ils en acceptant l'invitation ? Ce point me préoccupait, mais je l'ai passé sous silence, n'étant pas certain de ne pas heurter les sentiments de Yamakoshi si j'en parlais sur un ton de reproche, entre-temps nous marchions à nouveau d'un pas vif, et comme nous n'étions plus très loin de chez moi, suggérant : « Si nous nous promenions encore un peu ? Il me semble qu'en allant de ce côté nous nous rapprocherons un peu de chez vous », traversant la rue entre deux flots de voitures, puis hésitant un instant, mais comment faire autrement puisqu'il n'y avait pas de moyen naturel de l'éviter, j'ai pris le chemin qui menait au parc du micocoulier dans lequel au printemps dernier j'avais rencontré Fujisato. Au coin de la rue, Yamakoshi suivait toujours sans lever les yeux.

– D'où peut bien venir cette histoire ? ai-je demandé au bout d'un moment.

– Je suppose qu'au début l'un des intéressés n'a pas su tenir sa langue, mais avant qu'elle arrive jusqu'à moi, en plus de l'ami qui m'a téléphoné et de celui qui la lui a racontée, beaucoup de monde s'est interposé sans doute. Une vilaine histoire, disais-je tout à l'heure, mais à l'entendre au téléphone, elle était trop bien faite, trop amusante, pour être déplaisante. Et mon ami, en y réfléchissant après coup, s'y était pris avec adresse. Il n'est pas si adroit d'ordinaire. Il riait en la racontant, pourtant son rire n'avait rien de vulgaire, voyez-vous. Puisque c'est une histoire qui ne se rattache à rien. Une histoire qui se serait construite au fur et à mesure, passant de l'un à l'autre et perdant peu à peu ses attaches. N'empêche, on ne m'ôtera pas de l'idée que quelqu'un, dans le lot, l'a trouvée tellement déplaisante qu'il en a fait, cet homme, une histoire sans attaches. Disons aussi que l'impression, pendant que j'étais au téléphone, n'était pas franchement agréable, comme histoire drôle ça se laissait gentiment écouter, c'est un fait ; mais à la fin on est seul, on y repense, et on ne comprend plus comment une telle histoire est possible. Je ne parle pas de l'événement. Je parle du déroulement de l'histoire. Quelqu'un avait tout fait, tout mis en ordre, pour éviter la vilaine impression laissée par l'événement lui-même. C'est du moins ce que je pensais. Quelques jours passent, et voilà qu'un soir je n'arrivais plus à me rappeler comment mon ami s'y était pris, dans quel ordre. J'essayais de le reproduire : plusieurs étaient possibles, tous étaient dégoûtants. Tout à l'heure encore, dans le train, je me demandais comment mettre cette histoire en ordre, pour la raconter d'une manière qui ne soit pas dégoûtante.

Le propos était ardu, mais la voix du jeune homme se remettait à chanter, toute en modulations ténues. Aucune réplique ne serait bienvenue. C'était, je le sentais maintenant, moins l'exaltation d'une parole solitaire qu'une façon, peut-être, de refuser doucement les réponses prématurées. Et peut-être aussi sa façon à lui de ménager l'instant propice aux confidences ? Il y a des choses promptes à se déformer, promptes à s'hypertrophier dans la laideur, selon le moment choisi pour les dire – il y a aussi ce qu'on ne dit pas, simplement parce que le moment de le dire n'a pas été saisi.

Dans le chemin qui maintenant s'enfonçait légèrement, soudain, des deux côtés, des cerisiers étendaient leurs grosses branches nues au-dessus de nos têtes. Dans une lumière incertaine surgissaient déjà au regard des milliers de bourgeons durs gonflés jusqu'à une taille anormale. Cette écorce-là, exposée au soleil couchant, brille d'une couleur violette. Cette peau secouée au vent froid, il y avait eu un temps où j'avais contemplé son éclat avec un corps qui commençait à perdre sa liberté, mais sans penser encore que j'étais attaqué par une méchante maladie. Glacée, on aurait dit pourtant qu'elle avait un parfum.

– Oh ! ça, c'est un collège. Voir une école la nuit, ça me met toujours mal à l'aise.

– On dirait qu'il y a quelqu'un derrière ces fenêtres…

– Oui, ça vous fait aussi cet effet ? J'ai parfois l'impression que je suis ce quelqu'un. Je faisais comme ça des rêves horribles quand j'étais enfant. J'étais là, tout à coup, seul.

– C'était votre école ?

– Non, moi, c'était de l'autre côté de la voie ferrée.

Puis il a dit :

– J'ai couché une seule fois avec une femme, qui a été élève ici.

Et dans un murmure, passant plus loin près de l'école primaire :

– Je lui ai déplu.

Et alors seulement j'ai pensé, comme si j'entendais enfin sa voix, que ce jeune homme, peut-être, employait pour la première fois devant quelqu'un ces mots : coucher avec. Que « j'ai couché » serait à jamais relié au contact de la peau, à l'odeur de la peau d'une seule femme, d'une presque étrangère, de leur unique étreinte froide sans lendemain, s'éloignant en laissant derrière lui le regret de lui avoir « déplu », et qu'il serait enfermé là, sans se mêler ni entrer en contact avec d'autres rapports plus profonds. Mais qu'il était enfermé aussi dans le silence nocturne des établissements scolaires locaux – embusqué, je crois bien, sur tous les chemins que peuvent emprunter les écoliers d'ici.

– Eh bien, n'est-ce pas le moment de nous séparer ?

Je m'étais arrêté le premier. Nous arrivions à un étroit carrefour. En prenant à gauche, le parc du micocoulier n'était plus qu'à deux pas. Tout près de là, l'œil était offusqué par la blancheur d'un écriteau (« pause avant le prochain service ») accroché à la porte d'un restaurant de quartier poussiéreux. Le vent semblait se lever.

– Vous saurez certainement retrouver votre chemin, vous l'enfant du pays.

Alors, Yamakoshi a regardé autour de lui comme s'il découvrait un nouvel endroit et soudain son regard a pris de la hauteur, il a vu un pauvre arbre nu planté au coin de la rue, un cerisier pourtant, tout gonflé de bourgeons. Sa longue chevelure souple sur laquelle glissait une lumière incertaine m'apparaissait aussi blanche, fine, abondante que la première fois, quand je lui avais adressé la parole dans ce parloir obscur d'un hôpital de nuit, mais son allure déjà si jeune avait encore rajeuni, debout, enveloppée de douceur, comme s'il voyait des fleurs. Enfin, il a répondu :

– Je saurai. Il n'y a qu'à redescendre par là, tous les chemins débouchent au bord de la voie ferrée.

Son regard s'est tendu le long de la route vers l'ombre du micocoulier qui se révélait à la nuit, peut-être parce qu'il n'était plus dérangé par la lumière, comme un simple tronc pourri cassé en son milieu ; il s'est retourné vers moi lentement et m'a regardé dans les yeux.

– C'était bien là, oui, dans cette maison. La première fois avec mon père. Dans le salon il n'avait même pas mis le chauffage, trop pressé de la sermonner, de lui faire encore des reproches, et ma mère affolée qui demandait encore pardon, jusqu'à ce qu'il change de visage et commence à lui arracher, pas seulement ses bijoux, les vêtements aussi parce qu'il voulait lui infliger une correction, n'est-ce pas… et alors elle se serait jetée dans ses bras en pleurant : faites de moi ce que vous voudrez. C'est Toritsuka qui m'a raconté ça.

Puis il s'est mis en route, se retournant encore une fois, aux deux tiers, le temps d'énumérer de sa voix chantante :

– Le premier fils a été appelé Sakae ; la première fille, Megumi ; le deuxième fils, Hitoshi.

D'un doigt nerveux, il a dessiné les lettres dans le vide, aussitôt balayées de la main, et quand il s'est retourné de nouveau j'ai lu sur ses épaules qu'il partait d'un petit rire, en s'en allant droit devant lui.

Resté seul, de ce côté du micocoulier, j'ai obliqué brusquement à gauche.

Rêve de rossignol

C'est une guérite en préfabriqué vitrée de trois côtés et appuyée au mur extérieur qui côtoie l'entrée de la supérette la plus proche de chez moi, bâtie là comme une espèce de petite serre, mais au nord, où le soleil n'entre guère : moitié serre, moitié baraque de foire, elle abrite une marchande de fleurs. Rien n'a changé en vingt-cinq ans, depuis que je me suis installé dans le coin. La boutique était tenue autrefois par une petite jeune fille maigre, sans apprêt, de dix-sept ou dix-huit ans, qui s'activait sans repos et prenait les commandes des clients d'une voix un peu rauque. Mis à part faire marcher les affaires, cette fille ne semblait pas avoir grande ambition dans la vie. Ou peut-être ceci, qui vient à l'esprit des gens de ma génération : gagner autant d'argent qu'elle pourrait dans ce lieu de fortune, puis s'installer quelque part à son compte. La même femme tient toujours boutique, seule, au même endroit. Chaque fois que je passe devant, j'admire cette petite *toujours là*, *pareille à elle-même*, je me retourne un moment et vois le temps qui a passé. Elle a le visage qui convient à son âge. Mais dans mes yeux elle a gardé son allure de gamine empressée. Je ne vois rien qui ait changé en elle. Il m'est arrivé de penser que ces vingt-cinq années, au bout du compte, n'étaient rien. Simplement, le choix de fleurs était plus riche qu'avant. Et ce n'était pas la quantité qui avait changé.

Les anciens habitants de ce quartier ont pris de l'âge à leur tour en oubliant et se ressouvenant que cet endroit existe. Mais quand le regard s'arrête plus souvent sur la devanture de la marchande de fleurs et que l'envie vous vient de lui acheter quelque chose, est-ce le signe que les temps sont prospères, ou au contraire le signe qu'on est dans une impasse ? me demandais-je incidemment.

Du passage clouté qui mène au quartier commerçant de l'autre côté de l'avenue, on aperçoit par temps clair, les matins d'hiver, le mont Fuji blanc et net au bout de la route à deux voies qui court à peu près droit vers l'ouest, si grand qu'on le croirait tout proche, quand l'air est transparent ; les rangées de bâtiments disparates qui l'enserrent de part et d'autre de la route commençaient à prendre le sombre aspect des anciens relais de poste qu'il m'est arrivé de traverser dans ma jeunesse, avec leurs auberges alignées au pied de la montagne. Une fois passé de l'autre côté, sur le trottoir opposé, il ne restait bientôt plus rien du mont Fuji, pas même l'atmosphère d'un lieu d'où on pourrait le voir. Je gardais pourtant quelque chose au fond des narines, une odeur, huile et fer, graisse et rouille, qui n'était pas celle des gaz d'échappement des voitures. Et je sais maintenant que cette chose-là me vient de très loin, je le sais depuis une dizaine d'années.

J'avais quinze ans et je regardais, à chaque matin clair, pendant tout un hiver, le mont Fuji se dresser avec cette même allure imposante au-dessus de la ville. C'était au milieu d'un fouillis d'herbes sèches, sur les décombres d'une riche demeure d'avant-guerre qui restent encore aujourd'hui la seule trace alentour des incendies qui ont ravagé le quartier, à l'extrémité sud, au bout du bout d'un plateau qu'on appelle le mont du Palais de Shinagawa. Je peux dater ces moments de l'hiver 1952-1953, car nous venions tout juste d'emménager dans le coin. Du mont du Palais je descendais vers la rue des Huit-Monts, continuant à pied jusque devant la gare de Gotanda, d'où je prenais le tramway pour rejoindre mon collège sous les Hauts de Takanawa et l'enfilade de plateaux qui prolonge le mont du Palais. Au départ de ce périple, j'avais découvert un raccourci par lequel je cheminais à travers les décombres, les yeux levés vers le mont Fuji. Dans la même direction s'étendait la ville ouvrière installée sur les bords de la Meguro, autre lieu entièrement dévasté par la guerre, mais où déjà se pressaient en rangs serrés de petits ateliers et des fabriques de quartier, tout un paysage pauvre en couleurs d'où ne montait pas encore la rumeur du travail ; c'est là pourtant que, pour la première fois, sous la légère odeur d'huile et de fer tendue dans l'air limpide du matin, j'ai senti comme allant de pair avec la blanche silhouette du Fuji la beauté d'une vitalité qui y couvait sans bruit. À vrai dire, comme mon père avait des responsabilités dans l'une de ces fabriques, je n'étais pas sans connaître malgré ma jeunesse la morne réalité dissimulée par ces toits de zinc et d'ardoise, le sentiment de peine perdue qui accompagnait les sursauts d'énergie : accablé chaque fois que je touchais à cette atmosphère, je n'avais jamais rien fait pour l'écarter ; je courbais le dos et la laissais peser sur moi. Je me souviens que dans l'attrait pour ce paysage mêlant Fuji et fabriques entrait aussi, chaque fois, l'image des filles de mon école qui venaient de quartiers où régnait une ambiance similaire, il y avait donc aussi l'éveil du sexe, l'autre étendue qui s'ouvrait devant moi. Des dizaines d'années plus tard, chaque fois que la croissance économique de ce pays rencontre un nouveau plafond, chaque fois que nous nous retournons sur le chemin parcouru pour le trouver morne et désert, je me permets de protester : non, le même morne désert est déjà contenu dans les périodes de grande énergie, et nous sommes programmés, c'est le désir qui veut ça, pour bouger en réaction contre lui. Nous sommes faits de telle manière que le travail assidu conscient de sa propre inutilité, cette autre forme de désolation, nous stimule. Et si je me demande dans quel genre de désert, vraiment, nous nous trouvons transportés le jour où le désir disparaît d'un seul coup, c'est ce paysage-là qui se présente à mon esprit comme une puissante chimère. C'est dans ce paysage que la mère de Yamakoshi a vécu elle aussi, quand elle avait à peine vingt ans. Elle aura travaillé sans répit, oui. Au parfum de sa peau se sera mêlée l'odeur légère de fer et d'huile qui a flotté dans l'air quand il l'a attirée dans ses bras.

Cette année j'entends souvent la voix du rossignol. La première fois, c'était à la fin du mois de février, un peu après midi, je venais de m'asseoir à ma table, il a poussé son cri à l'est derrière la fenêtre. C'était une impression étrange. Je me rappelais la description de la forêt qui gronde en plein midi, quand les oiseaux se reposent sur les branches : était-ce l'inverse ? était-ce la même chose ? Après un long temps, un nouveau cri, indécis, deux cris clairs coup sur coup, puis plus rien. J'ai quitté mon bureau, j'ai fait le tour des chambres comme à la recherche d'une voix, dans l'appartement vide. Les conséquences du froid de l'été dernier se faisaient sentir, le riz commençait à manquer. À la maison, nous nous habituions au goût des riz étrangers. Les filles, à vingt ans, ne voyaient guère de différence avec le riz produit au Japon. Les parents étaient ouverts, sans prévention (le riz nouveau n'était déjà pas bien fameux, ça aidait) malgré de mauvais souvenirs d'enfance liés au riz étranger. Ils découvraient des qualités bien supérieures à ce qu'on avait importé au lendemain de la défaite. Mais l'odeur était la même. Cette odeur qui leur était si pénible autrefois, même le ventre vide. Aujourd'hui, tout est affaire de cuisine : les différences de goût excitent un appétit différent. Nous devions paraître très affaiblis, autrefois. Et on mangerait n'importe quoi quand on a faim ? C'est ignorer que l'appétit aussi régresse quand progresse la malnutrition. On devient plus que tout sensible aux goûts et aux odeurs dont on n'a pas l'habitude. Le corps affamé les rejette. Il les vomit, même. Mais peut-être avais-je changé de corps en changeant de régime alimentaire, depuis bientôt cinquante ans. J'avais peine en tout cas à croire à ces histoires de gens âgés qu'un peu de riz étranger suffit à dégoûter des repas.

En mars, le rossignol venait souvent chanter tout près de la maison. C'étaient des cris espacés, mais qui pouvaient durer longtemps. J'abandonnais mon travail et me mettais à errer dans l'appartement. C'était amusant de partager son étonnement avec d'autres. Car cet oiseau-là chante avec un sens de la mise en scène subtil, presque comique, pour surprendre l'oreille incrédule des humains. Lorsque culmine le sentiment que tout effort est vain, soudain, à chaque fois, l'oiseau se met à chanter. Sa voix est claire et pourtant l'homme n'a pas l'air d'être convaincu avant de l'avoir entendue une deuxième fois. Mais ce n'étaient pas ces appréciations d'esthète qui me faisaient errer sans but : tant que le rossignol chantait, j'étais tourmenté par la sensation d'avoir du temps à ne savoir qu'en faire alors même que j'étais débordé. J'attendais, tournant en rond, qu'il veuille bien s'arrêter. Je commençais tout juste à retoucher une traduction que j'avais eu le plus grand mal à terminer vingt-sept ans plus tôt ; ce texte devait être republié dans des œuvres complètes. Outre que la première fois je l'avais traduit et retraduit en m'acharnant avec toute l'énergie et la force d'un jeune homme de trente ans, il se trouvait avoir été déjà remanié, et de fond en comble, il y a sept ans, soit vingt ans après, lors de sa parution en livre de poche. L'éditeur, cette fois-ci, n'attendait probablement pas une nouvelle traduction. Il m'avait seulement envoyé les épreuves par acquit de conscience. On m'accordait cependant un certain délai avant la date de retour. Et le hasard voulait que moi-même, étant entre deux travaux, j'eusse un peu de temps libre. Je n'avais pas envie d'en profiter maintenant pour m'aiguiser les nerfs sur les inévitables erreurs d'interprétation.

Il aurait été vain d'attacher plus d'importance aux mots que je ne l'avais déjà fait. Si je me mêlais de bousculer un peu trop le texte traduit dans ma jeunesse, la riposte, par endroits, était étonnamment cinglante. Je commençai par me défaire de l'obsession du style et me lançai dans l'aventure en pensant qu'il serait plus intéressant pour le coup, débarrassé des nécessités présentes puisque j'avais le bonheur cette fois de ne pas travailler dans l'urgence, de chercher un arrangement (ce qui ne veut pas dire en finir) avec les tourments de jeunesse. Or ce que je croyais être une activité de délassement prenait peu à peu une allure obsédante, les épreuves étaient déjà couvertes de rouge jusqu'à la dixième page ; reparti avec une sorte de rage dans tout ce tapage d'ajouts et de corrections, je ne pouvais plus faire marche arrière. Il n'était pas question de s'affoler, puisque personne ne me pressait, mais j'étais quand même, en attendant, empêché de vivre de ma plume pendant tout le temps que je consacrerais à ce travail. C'est alors que le rossignol venait chanter à ma fenêtre. Ses cris espacés duraient.

Il avait chanté aussi, au bord du taillis, un peu avant midi, un jour de grand soleil. C'était l'avant-veille de mon opération d'il y a trois ans : un jour clair et long. Il ne restait plus qu'une seule autre journée jusqu'à cette intervention que j'avais attendue plus de dix jours après que le verdict fut tombé – ça traînait, ça n'avançait pas, particulièrement l'après-midi, le temps semblait s'être arrêté pour un jour. Demain, quand l'opération serait pour le lendemain, il reprendrait son cours, tel était mon unique espoir. Comme si tout devait se régler demain.

Le cerne blanc des bambous nains dans le sous-bois frappa mon regard, sans doute parce que la couleur des feuilles s'assombrissait de jour en jour. Ce jour-là, je n'avais entendu qu'un seul cri.

Quelques jours plus tard, il y eut de nouveau un cri vers quatre heures de l'après-midi, alors qu'il pleuvait depuis le matin, un seul cri à ma fenêtre, puis le chant qui se déplaçait et s'étirait, de loin en loin, de proche en proche, vers la fin de cette journée de plus en plus claire après la pluie. Je ne quittais plus mon bureau, maussade, poursuivant mon travail en luttant contre la tentation moins des cris que du silence entre les cris. Il y avait plus de dix ans déjà, un jour semblable à celui-ci, dans la montagne, à la saison des pluies, j'avais tendu l'oreille au chant des rossignols. Non, il n'y avait même pas à tendre l'oreille, toute la montagne en était pleine, les monts, les vallées, le brouillard résonnaient sans repos de leurs échanges presque braillards. Je guettais là-dedans le cri trop rare du coucou. L'amorce de son chant se confond, au premier demi-cri, avec le chant des rossignols. Mais au moment de s'élancer avec grâce, il s'aplatit soudain, se recroqueville, on croit reconnaître des syllabes, des mots humains mal articulés, et la voix qui s'élève alors semble en effet appeler les hommes, elle semble vouloir, avec ses mots maladroits, se plaindre de quelque chose. Dès lors que j'avais été captivé par cette voix que le silence m'avait reprise d'un seul coup, je ne pouvais plus relâcher mon attention. Et quand on en vient à sursauter à la moindre amorce de chant d'un rossignol, il faut que l'ouïe reste tendue comme une corde. Plus l'attente est déçue et plus la sensibilité s'exacerbe. À la fin, j'en étais au point de ne plus pouvoir distinguer pendant un instant si ce que j'entendais était réel, ou si ce n'était qu'illusion. À l'intérieur d'une espèce de surdité, pendant que les cris des rossignols résonnaient continuellement, la montagne entière se taisait autour d'un chant de coucou prêt à surgir. J'avais passé une demi-journée dans cet état. Le soir tombait, quand j'arrivai à l'auberge la voix s'éleva nettement au loin et continua une petite heure par intermittence, mais jusque tard dans la nuit, couché dans le lit, je me surprenais encore à tendre l'oreille vers le dehors, tourmenté par l'idée qu'on pourrait écouter sans limite. Durant deux ou trois jours après mon retour à la maison, je restai moralement et physiquement affaibli. Cet été-là, mon père, qui était âgé et semblait avoir depuis le début du printemps des difficultés à se mouvoir, tomba sous le soleil brûlant, victime d'une embolie cérébrale.

Il avait fait ce rêve dans la nuit du 22 du douzième mois de l'an 2 de l'ère Bunsei (1819). J'ai feuilleté le livre un bon moment avant de retrouver la date de sa mort : c'était le 7 du huitième mois de l'an 6 de Bunsei, à l'âge de quarante-quatre ans. J'avais les yeux fatigués. Il m'a fallu encore quelque temps pour calculer cette chose toute simple : il avait fait ce rêve environ trois ans et huit mois avant de mourir. Ces derniers temps, j'ai de nouveau du mal avec les soustractions, pas au même point que pendant ma maladie, mais je peine.

Trois ans et huit mois, me disais-je, pensif. Ou plutôt non, je ne pensais pas. Je regardais simplement les chiffres : les années qu'il lui restait à vivre.

Depuis la fin du mois de février, je lisais les *Vies* d'Ôgai[1], la nuit seulement, et par petits bouts. Je n'en avais pas l'intention, jusqu'à ce que je prenne par hasard dans ma bibliothèque son « Izawa Ranken ». Je n'avais jamais lu aucune de ces *Vies* jusqu'à la fin. Je ne comptais pas non plus aller jusqu'au bout de celle-ci. Mais tandis que je m'appliquais à suivre autant que je le pouvais sans trop malmener ma vue et mon endurance actuelles les citations de poèmes chinois et les extraits de correspondance dont le texte est truffé, je me souvenais de l'impatience avec laquelle jusqu'alors je sautais généralement ces passages, et je trouvais amusant que ce genre de lecture, en principe inconfortable, pût être d'autant plus prenant. On peut poursuivre une lecture par attrait pour ce drôle d'inconfort. Puis c'était pour le corps et l'esprit une sorte de délassement, après s'être durement battu pendant la journée avec cette traduction à retoucher, de n'exercer son attention sur rien de particulier et de parvenir ainsi à un état de distraction pour ainsi dire désert. Se lancer d'un même souffle dans la lecture de « Hôjô Katei », après avoir terminé « Izawa Ranken », était malgré tout la preuve que j'avais du loisir.

Soudain, en rêve, je suis à Hayashizaki. C'est le milieu de l'automne. Je sors et vais frapper à la porte de Baiô. Il est absent. Finalement je me rends chez Ôkô. Ôkô me dit : « Je ne peux pas sortir aujourd'hui pour une certaine raison. » Nous restons donc à parler un court instant. Ensemble nous regrettons Keiken ; Rinsai n'est plus parmi nous à présent. L'envie me prend d'aller aussi chez Kangyo. Dans cette idée je me dirige vers Naniwa. Je n'y arriverai pas. Je m'éveille bientôt de mon rêve. Au même moment, la lampe de chevet s'éteint. Ce doit être l'action conjuguée de la pluie et du vent.

J'ai pensé d'abord qu'il s'agissait d'un rêve de grande solitude. Cela ne m'évoquait rien de plus. Nous étions presque à la fin du mois de mars. J'éprouvais également de la gêne comme quand on vous raconte un rêve trop direct. Et pourtant, me suis-je dit ensuite, il m'est arrivé à peu près la même chose, même si ce n'était pas un rêve. J'étais tout jeune alors. Je n'avais pas d'argent et pour tromper l'ennui j'avais

1. Trilogie monumentale que le romancier Mori Ôgai (1862-1922) entreprit en 1916. Il y décrit le Japon de la fin de l'époque Edo, à travers trois figures appartenant au même cercle de lettrés confucianistes, praticiens de la médecine chinoise : Shibue Chûsai (1805-1858), Izawa Ranken (1777-1829) et Hôjô Katei (1780-1823).

eu l'idée un après-midi de rendre visite à un ami, qui n'était pas chez lui. À l'époque, on ne se téléphonait pas comme maintenant. Une fois dehors je n'avais pas grand-chose à faire d'autre que tenter ma chance auprès d'un autre ami ; il n'était pas absent, celui-là, mais enfilant précipitamment des socques et venant à ma rencontre, sous prétexte que la maison était en plein branle-bas et qu'il ne pouvait pas sortir, il se mit à marcher au hasard. Moyennant quoi nous nous retrouvâmes tous deux, un peu plus loin dans la rue, à discuter sans fin. Je revois la scène. Il y a dans l'air une odeur de début de printemps légèrement nuageux. Nous avions au moins deux morts en commun. En quittant cet ami, je n'avais pas encore envie de rentrer chez moi car les journées sont longues en cette saison, j'étais certain qu'il serait absent mais je pris tout de même le train, m'éloignant de plus en plus, pour rendre visite à un troisième ami.

Il n'empêche qu'en prenant de l'âge le corps et l'esprit s'affaiblissent, même en rêve on connaît ses limites : on s'est transporté soudain d'Edo à Ise mais on supporterait mal un voyage plus long. Sitôt en chemin vers Naniwa, pendant qu'il s'admirait lui-même d'avoir eu cette idée brillante, que se passe-t-il ? – la scène du rêve s'estompe, se défait à vue d'œil, le voici qui s'éveille en sursaut. Je n'y arriverai pas : impossible. Ce seul mot résume peut-être les mille sensations du réveil. Certains estimeront en lisant les *Vies* de Mori Ôgai que le personnage de Katei n'a aucun intérêt. Je ne suis pas de cet avis. Je ne sais si Katei a vécu à une époque intéressante ou non, mais il semble bien qu'il se soit trouvé dans une situation inintéressante à son époque. Que tout se soit joué à la naissance, que l'opposition de la jeunesse ait accentué en lui une tendance au découragement, que par opposition il se soit mis lui-même dans une position incommode, ou qu'il se soit à un moment trompé sur la voie à suivre, je ne me permettrais pas d'en juger d'après ce que disent les *Vies*. Dans un cas comme dans l'autre, sans doute, il était difficile une fois fixées les conditions d'existence (et vu le peu d'espoir de changement, le monde n'étant pas comme il est aujourd'hui) de conserver ses illusions. S'il tente à sa façon de se redresser moralement, le voilà pris, avec ses dits et gestes fougueux, dans les stéréotypes de l'époque. Il pourrait bien alors devenir inintéressant. Ce qui m'attirait maintenant, ce n'était pas tant les éclairs superficiels que ce qu'il y avait de sinueux là-dedans : j'étais décidé à aller de l'avant tant que ma vue tiendrait bon.

Je faisais des rêves étranges, moi aussi. Pas des rêves originaux, non. Comme souvent dans les rêves – et on peut le penser aussi du rêve de Katei –, le contenu paraît d'autant plus banal qu'il est plus chargé d'émotion. D'ailleurs mon rêve à moi ne donnait pas dans l'émotion : cinq ou six anciens amis se trouvaient réunis, simplement. Ils étaient camarades de classe, du temps où ils faisaient leur premier cycle à l'université. La scène se passait chez les parents de l'un d'eux. On apercevait un corridor noir et luisant. C'était, le long d'une ligne de chemin de fer privé, une belle maison d'avant-guerre construite probablement au milieu des années 20, après le grand tremblement de terre du Kantô, dans un style mi-japonais, mi-occidental, épargnée par les incendies. Ils avaient terminé de festoyer dans la grande salle de réception du fond et s'étaient déplacés vers le petit salon, pour boire encore quelques alcools fins en attendant de lever la séance. C'est le moment où l'on sort le vieil album de famille. Tous se réunissent, on l'ouvre, sur une photo noir et blanc un peu jaunie se tenaient pompeusement alignés en plein air des militaires et des fonctionnaires étrangers, auxquels se mêlaient quelques officiers japonais. « Photo-souvenir de grandes manœuvres dans un pays d'Europe orientale. » Les camarades de classe regardaient avidement. Ils faisaient des études de lettres, autant dire que l'avenir se présentait mal pour eux. – Plutôt traverser l'océan, même dans les cales d'un cargo ! – Trop de gens sont déjà partis en Amérique ou en Europe occidentale, ça n'est pas amusant. Est-ce qu'il n'y aurait pas moyen (faut voir) d'entrer en Europe du côté est ? – Si le régime ne vous dérange pas, tant mieux, mais il vient quand même d'y avoir une insurrection dans ces pays… Je sais, d'après ces murmures, que ceci est un rêve et dans le même temps une scène du passé. Nous nous sommes réellement réunis dans cette maison-là, entourant le fils de famille qui avait passé avant guerre une partie de son enfance en Europe du Nord ou de l'Est, plongés en cercle autour de cet album dans une contemplation douloureuse. Nous sommes tous jeunes en rêve. Mais l'homme un peu gêné qui nous commentait la photo manque depuis tout à l'heure. Son absence éclate, indubitable, dans le rêve, de pair avec le noir corridor de plus en plus glacé à mesure que la nuit s'avance. Cet homme est mort l'an dernier, enfin cela me revient ; une mort accidentelle – emporté si je me souviens bien par une avalanche au début de l'été dans les Alpes bavaroises. La chose qui m'avait étonné d'abord, c'est que, devenu ambassadeur, il avait continué à pratiquer l'escalade pour de bon.

Ce rêve remontait à la fin février. L'après-midi, j'avais entendu pour la première fois le rossignol chanter. Je me rappelle avoir pensé inopportunément, comme je tendais l'oreille au second cri, que le matin même j'avais fait un rêve étrange. C'est souvent que je rêve de gens qui sont morts, avais-je noté ensuite.

Dans celui de la veille, je déjeunais avec mon père. Deux ans et demi environ après la fin de la guerre, au milieu de la quarantaine, mon père s'était trouvé dans une mauvaise passe qui l'avait contraint, en utilisant ses relations du temps de l'université, à déménager avec toute la famille. Nous louions à six une chambre où le soleil n'entrait guère de la journée, dans une vieille maison un peu penchée au fond d'une ruelle. La scène se déroulait, je pense, environ quatre années après notre installation dans ce lieu, alors que nous n'arrivions toujours pas à joindre les deux bouts. Autour d'une table ronde bon marché peinte en rouge qui se casait comme elle pouvait sur les vieux tatamis, nous avalions du riz froid accompagné de je ne sais quel condiment d'algue salée. Il y avait là aussi le deuxième de mes frères, celui qui est encore en vie – ma mère, ma sœur et mon plus grand frère n'apparaissaient nulle part. Ils n'étaient pas à la maison. Mon père et mon frère sont dans leurs vieux vêtements de tous les jours. Or moi, je porte veston et cravate. On m'a fait venir au petit déjeuner pour parler d'une affaire urgente. J'avais dû partir de chez moi avant six heures, je pense. Cette importante affaire réglée, je m'en irais de ce pas travailler (alors que j'avais abandonné mon emploi depuis plus de vingt ans déjà ? Bizarre...) mais je ne sais pas ce qui se passe, la question pour laquelle on me fait me déranger de si bon matin ne vient toujours pas sur le tapis, et nous sommes là tous trois à expédier ce repas comme s'il y avait le feu. Je voyais que moi-même j'avais l'air de ne rien attendre de spécial. C'est toujours la même histoire dans cette maison, concluais-je à la façon d'un étranger, chacun évite de parler et laisse aller les choses. Malgré tout, le repas terminé, quand je me levai de table hésitant, disant en fuyant les regards « Il faut que j'y aille, je repasserai plus tard », je me sentis tout à coup triste. Et voilà que mon père, sans prévenir, abordait la question des tremblements de terre. Que s'il en venait un grand, les deux étages de cette maison dont les poutres penchaient déjà n'y résisteraient pas ; quand la terre avait tremblé du côté de Nikkô, les secousses faisaient grincer les poutres, on croyait qu'elles allaient lâcher d'un moment à l'autre. Mais qu'est-ce que je pouvais y faire, moi ? L'embarras croissant avec la fatigue, je proposai en désespoir de cause : « Dans ce cas, pourquoi ne pas déménager ? » Le son de ma voix, tant d'irresponsabilité, me surprit. Bien réveillé maintenant, je trouvais suspect, même venant d'un rêve, un rebondissement si soudain. La terre n'avait-elle pas réellement tremblé par petites secousses pendant que je dormais ?

Mais ensuite, je n'ai plus rêvé des morts pendant au moins un mois. Je pourrais à mon âge en rêver plus souvent que ça n'aurait rien d'une malédiction. N'est-il pas dans l'ordre des choses que les morts, peu à peu, en passant par les rêves, prennent en douceur l'avantage du nombre ? Pourtant mon père ne s'était pas comporté comme un mort avec moi. Mon ancien camarade de classe, d'autres encore, ne me montraient qu'ils étaient morts que par leur absence. Que ce fût de la répugnance ou de la discrétion, cela renseignait en tout cas sur l'état d'esprit du rêveur, il me semble.

Dans le courant du même mois, il y eut une vraie réunion d'anciens élèves. Les anciens du collège l'organisèrent en l'honneur de leur professeur et de son épouse. Passé le milieu de la cinquantaine, les gens resserrent progressivement les rangs. À chaque rencontre je retrouvais un visage que je n'avais pas vu depuis des décennies. Chaque fois inchangé, malgré les ravages de l'âge, il me semblait que si je l'avais croisé hier dans la foule je l'aurais aussitôt reconnu. Comme on reconnaîtrait un mort, en somme. Nous devions à tour de rôle faire le point sur ce qu'il y avait de nouveau ; bientôt un homme se leva, qui nous apprit la mort de notre camarade S. survenue tout récemment. Visiblement submergé par l'émotion, qu'il avait apparemment du mal à mettre en mots, soupirant et hochant la tête sitôt qu'il commençait une phrase, ce qu'il avait à dire resta confus jusqu'au bout. Nous acquiescions en faisant mine d'avoir compris tant bien que mal. Mais en secret je m'étonnai : cet homme n'avait-il pas déjà rendu compte précédemment de la mort de S., soit au moins deux ans plus tôt, lorsque nous nous étions réunis chez le professeur au début du printemps ? Nous nous réunissions chaque année à la même saison. L'année dernière, je n'avais pas participé à la rencontre. J'avais appris fin février la mort d'un cousin du côté de ma mère (celui qui avait hérité de la maison de famille). Il me semblait que je n'avais pas non plus participé à la précédente rencontre, mais laissons, admettons que c'était il y a deux ans. À ce moment-là, on ne disait pas que S. était dans un état critique : on disait qu'il était mort. Ou peut-être était-ce ma mémoire qui me jouait des tours ? Ah, dans ce cas ce serait un signe encore plus inquiétant, un faux souvenir inventé tout à coup comme à rebours du temps, au moment même où je venais d'apprendre la mort de S. – une sorte de déjà-vu-déjà-entendu, pour le dire autrement. J'avais tout au moins, quant à moi, vécu pendant deux ans dans l'idée que S. était mort. J'attendis de voir si quelqu'un exprimerait le même doute, mais rien de tel n'arriva et ce souci se dissipa bientôt au milieu d'un bavardage amical.

Cet homme, pas de mal-entendu possible, parlait de la mort de S. comme d'un événement tout récent. Il fallait donc supposer que j'avais prévu cette mort et fait mieux que prévoir : pour moi, S. était mort depuis deux ans. L'affaire prenait tout de même, quand ce ne serait que pour moi-même, un tour bien dangereux ; mais les jours passaient et je me contentais d'y repenser de temps à autre, d'un air dubitatif et rêveur. Elle aurait pu se terminer ainsi, pourtant vers le cinquième jour elle commença à me préoccuper sérieusement, pour la tirer au clair je ressortis mes agendas des trois dernières années. Les agendas périmés me tiennent lieu de journal. Cela me permit de constater que j'étais présent, aussi, à la rencontre de l'an dernier chez le professeur, et que celle-ci avait été fixée un mois plus tard que cette année. La mort de S. remontait donc à moins d'un an, de sorte que notre camarade pouvait y avoir repensé cette année encore en la situant parmi les faits les plus récents, ce qui n'aurait rien d'étonnant puisqu'ils se fréquentaient depuis de longues années. On pouvait imaginer que même après un an, quand il se lève devant ses anciens amis pour parler, l'émotion se renouvelle malgré lui. J'avais dit « l'an dernier », mais cela voudrait dire avant mars de l'an dernier. Même à supposer qu'il faille remonter deux ans plus tôt, si la réunion avait lieu dans le courant du mois de février, l'impression que c'était l'an dernier l'emportait. Les distances avaient pour moi tendance à se creuser. En ce sens, il n'y avait rien à suspecter, ni chez lui ni chez moi. Pourtant je restais mécontent.

En vérifiant pour plus de sûreté mon emploi du temps d'il y a deux ans, je voyais que la réunion s'était tenue fin février et que j'étais présent cette fois encore. D'ailleurs je me souvenais que j'avais apporté une bouteille de cognac d'Arménie, tandis qu'il y a un an c'était du vin rouge parce qu'on ne trouvait plus de ce cognac à cause des conflits dans l'ex-Union soviétique.

La réunion que j'avais manquée était celle de l'année d'avant : que ce soit en février ou en mars, j'étais alors à l'hôpital.

Sugaïke me téléphona un après-midi, jour férié. Il avait rencontré par hasard Fujisato dans la semaine et ils avaient parlé de moi.

– Comment allait-il ?

– Il allait bien.

– Ah, tant mieux.

Mais qu'est-ce que je raconte ! Écœuré, je tournai les yeux vers la fenêtre de mon bureau qui s'obscurcissait dans l'après-midi même par temps clair, me souvenant qu'un peu avant midi les rossignols s'égosillaient dans le bois, près du petit sanctuaire de Kannon à la tête de cheval, sans se soucier des voix humaines.

– Il fait beau, n'est-ce pas.

– C'est le milieu de *higan* [1].

Le monde extérieur était apparemment en congé pour deux jours ; je ne savais plus lequel correspondait à l'équinoxe de printemps. Et ça faisait longtemps que je n'avais pas entendu cette expression.

– Tu as une drôle de voix, on dirait.

– Ça s'entend ? Évidemment. J'ai trouvé moyen d'attraper la grippe juste maintenant.

Il avait passé son samedi et son dimanche au lit. Le jeudi soir déjà, il avait eu une poussée de fièvre, qui s'était calmée après une nuit de sommeil. Ça ne l'avait pas empêché d'aller travailler, mais toute la journée il avait les jambes en coton et en rentrant le soir il crut qu'il allait mourir, le retour fut épique : quand il prit sa température il avait plus de trente-neuf de fièvre.

– Aaah, toute la nuit j'ai fait des cauchemars. Ça n'était pas dans

1. Période de sept jours entourant l'équinoxe où on honore les morts en se rendant sur les tombes. Le mot signifie littéralement « l'autre rive », le monde de la Délivrance. De nombreuses cérémonies bouddhistes accompagnent le changement de saison, liées en particulier au culte du bodhisattva Kannon. Batô-Kannon, « Kannon à la tête de cheval », est considéré comme le protecteur des animaux et des métiers qui s'y rapportent, dont l'élevage des chevaux.

une lande desséchée, mais ça courait quand même en tous sens comme un vrai démon[1]. Ce type était infatigable !

– Qui donc…

– Ton serviteur, je ne vois pas autrement. Et ton serviteur toujours, tout délirant de fièvre, hurlait C'est pas bientôt fini, ce boucan ? Laissez-moi dormir !

– Quand on hurle, c'est qu'il y a de l'énergie. Mais ça va aller, tu crois ? C'est qu'elle a fait pas mal de morts, la grippe de cette année.

– À la fin de l'année, il y a eu une telle hécatombe chez les vieux que l'espérance de vie a un peu diminué, à ce qu'il paraît. Bénéfice de l'affaire, les derniers sont plus coriaces !

Ce matin, il s'était réveillé comme exorcisé en entendant le chant des oiseaux. Il se sentait tout frais, c'en était même inquiétant, mais il avait préféré se lever parce que rester couché lui donne mal au dos ; d'ailleurs tout allait bien. Le jour a commencé à lui paraître long dans l'après-midi. C'est alors qu'il s'est dit, mais oui, c'est le milieu de *higan* – ça lui a donné l'envie de m'appeler. Il voulait le faire déjà le jeudi soir.

Jeudi. Je refis le compte des jours en douce : ce soir-là, je lisais le fameux passage du rêve de Katei. Si Sugaïke m'avait appelé à ce moment, aurais-je été étonné ? Non, j'aurais tout bonnement oublié le rêve du vieux Katei.

– Et alors, Fujisato, comment allait-il ?

– Ah, il allait bien.

Après un court silence, nous éclatâmes de rire ensemble.

– Tu vas me demander s'il gardait des traces de sa folie, dit Sugaïke.

– Exactement.

– Je crois que non.

Je n'arrivais pas à saisir le sens de ces mots « croire que non », qui étaient pourtant clairs et nets. Avec toute ma bonne volonté, je n'y arrivais pas.

– Nous parlions de toi, dit Sugaïke, parce que nous ne pouvions pas parler d'autre chose. Le travail, c'est exclu.

– Il t'a dit quelque chose ? demandai-je.

1. Allusion au dernier poème de Bashô : Tombé malade en voyage/ mes rêves courent en tous sens/ sur la lande desséchée.

– Oui, que vous vous étiez retrouvés, quarante ans après.
– Il t'a dit ça ? C'est donc bien vrai.
– Quarante ans après…
Et la répétition se changeant en murmure, il se tut.
– Eh bien oui, répondis-je.
Le courant des idées était en quelque sorte coupé, plus moyen d'enchaîner (c'est souvent que ça se produit maintenant, pour un rien).
– Quarante ans… répéta pourtant Sugaïke, encore une fois.
Je ne trouvai pas mieux que de crier : « Hé, ho ! »
– Oh, pardon (la voix resurgit plus rauque), j'ai cru que j'allais me mettre à tousser. Pour tout te dire, ces quarante ans, pendant que je délirais de fièvre, le démon avait fini par se calmer et subitement je n'avais plus que ça en tête. Je ne pensais ni à toi ni à Fujisato, seulement à ces quarante ans qui me troublaient. Qui me troublaient comment, je ne sais pas, mais qui me troublaient sérieusement. Tout à coup, c'était comme un ballon autour de mon corps, un truc rouge translucide qui se tendait et se resserrait chaque fois que j'étais troublé. Et le fin du fin, j'étais là-dedans comme un ludion, qui monte, qui descend, qui fait la culbute… je n'en pouvais plus. Je voyais bien qu'il suffisait d'arrêter de faire l'étonné, mais ça ne marchait pas.
– C'est pas un peu dangereux, ton truc ?
– À la fin, c'est venu d'un seul coup, ouahhh !
– Quoi ? Quoi ?
– Une énorme vague rouge qui me recouvrait… En réalité, je m'étais mis à crier. Les miens s'étaient levés d'un bond. Et je haletais, je riais, je regardais autour de moi, qu'est-ce que vous me faites là, une veillée funèbre ? Eux voyaient la sueur qui ruisselait de mon front. J'ai fait allumer le poêle et debout j'ai enlevé tout ce que j'avais sur moi et je me suis remis au sec. Il a fallu qu'on change aussi les draps. Bientôt le jour s'est levé.
– Ça n'était pas ce matin, j'espère.
– Non, c'était hier. Ensuite j'ai dormi comme une masse pendant vingt-huit heures, en me levant seulement trois fois.
– Et tu es bien au chaud, là ?
– Ne t'inquiète pas, je suis assis en plein soleil avec le téléphone près de moi. Il est juste en train de tourner et de se rapprocher petit à petit du mur…

La voix s'interrompit, on soupira. Deux fois, trois fois, et toujours sans parler. Ce n'était pas le genre d'homme à rester des heures au téléphone, ni à s'enfermer dans le silence en laissant son interlocuteur en plan.

– À propos de front en sueur… (enfin il commençait à parler, d'une voix ensommeillée) l'homme qui s'épongeait le front dans la gare de l'aéroport de Francfort, tu te souviens ? Celui que tu as aperçu par la fenêtre au moment où le train démarrait et tu as cru que c'était moi. Eh bien, Fujisato m'a dit qu'il le connaissait. Il paraît que la sueur s'était mise à ruisseler d'un seul coup, pendant qu'il marchait sur le quai. On ne connaît pas la raison. Il n'était ni particulièrement pressé ni particulièrement tendu. Il se sentait plutôt bien. Physiquement, il n'avait aucun problème. De retour à Tokyo, il s'est fait hospitaliser deux jours pour un bilan complet, sait-on jamais – mais tout était en ordre. Pourtant ce soir-là, de cet aéroport, il s'était envolé pour Hambourg et le lendemain matin à l'hôtel en sortant son mouchoir il l'avait trouvé légèrement rougi. Il inspecte aussitôt ses sous-vêtements : rien. Ce n'était peut-être qu'une impression, mais assez déplaisante pour qu'il aille au lavabo laver son mouchoir. Il le suspend mouillé dans la salle de bains, le soir il était sec. Or le lendemain matin, quand il le regarde à nouveau à la lumière du jour, un peu de rouge transparaissait encore. Ne voulant pas s'y attarder davantage, il l'a fourré dans son sac. Quelques jours plus tard, à la maison, il s'est souvenu du mouchoir après que sa femme eut jeté tout le linge sale dans la machine à laver. Comme nous parlions de toi, de ta manie de voir des choses bizarres, je lui raconte cette histoire, et Fujisato me dit, cet homme, je le connais. J'ai cru comprendre que les jours ne concordaient pas tout à fait, mais est-ce que ça ne serait pas le même personnage ?

Sa diction était lente et dans les intervalles il soupira plusieurs fois. Je le voyais me parler en lézardant au soleil.

Trois vieillards

Les fleurs commençaient tout juste à s'ouvrir. Au bout du parc près de chez moi, il y a deux étangs ; au-dessus du plus petit, un vieux cerisier étendait autrefois ses grosses branches noueuses qui versaient, quand venait la saison, une telle abondance de fleurs pâles qu'à les voir on se sentait troublé – elles fleurissaient à la fois dans l'air et sur l'eau –, mais cela fera bientôt dix ans, je pense, une forte chute de neige se produisit en pleine floraison et partout dans le parc il y eut des branches brisées, le vieux cerisier au bord du petit étang, de tous le plus atteint, ne fut plus de ce jour, année après année, qu'une ombre effacée du passé. Qu'on lui arrache un cinquième de ses branches et l'arbre, surtout un vieil arbre, paraît diminué de moitié. Il fleurissait tristement. Le spectacle était à ce point pitoyable que chaque année, à la pleine saison, je détournais les yeux en passant près du petit lac. Cette année pourtant je m'étais arrêté. Était-ce la fragilité des fleurs dont un tiers à peine étaient écloses ? Les branches qui avaient encore vieilli dans l'intervalle de ces quelques années rallumaient, par leur activité restreinte, une claire image de leur passé. Âpres et dévastées sous un ciel nuageux un peu froid, elles montraient une blancheur qui semblait flotter hors du temps.

Pendant ce temps, Sugaïke, Fujisato et moi nous convenions d'une rencontre à trois dans les tout prochains jours. Il y eut même de la part de Fujisato une proposition surprenante : Sugaïke et moi irions chez lui.

Avait-il vraiment dit *cet homme, je le connais* ? demandai-je à Sugaïke, cet après-midi d'équinoxe où il m'avait appelé. Il l'a dit, m'affirma Sugaïke et dans sa voix sombre résonnait le doute qu'il avait perçu dans ma question. Fujisato avait écouté en silence cette histoire qui remontait à près de six mois, l'homme debout sur le quai de la gare souterraine de l'aéroport de Francfort ne semblait pas beaucoup l'intéresser et pourtant il avait réagi ainsi, mot pour mot, un temps après la fin de l'histoire. Il avait peut-être un côté tête en l'air, malgré les apparences, murmura Sugaïke. Puis je n'étais pas mal non plus dans mon genre, moi qui l'avais reconnu dans cet homme, ajouta-t-il en riant.

L'étourderie et Fujisato se mariaient difficilement en moi. Une supposition bizarre me traversa l'esprit : si Fujisato devait être étourdi, ce serait du vrai, du sérieux. Mais cet homme dont parlait Fujisato n'était pas une connaissance directe… Tout se défaisait à nouveau et l'histoire n'offrait plus que des conclusions assez vagues. Dans cette gare souterraine d'aéroport, on pouvait imaginer un défilé constant d'hommes d'affaires japonais trop habitués aux voyages pour prendre un taxi (à moins qu'ils soient obligés depuis quelque temps de réduire aussi leurs frais de déplacement) et il ne fallait pas s'étonner s'ils se ressemblaient tous, soumis qu'ils étaient en voyage à la même fatigue, hantant les mêmes lieux. Plantés sur le quai, épongeant la sueur qui ruisselle, quoi de plus ordinaire ? Le mouchoir qui semblait ensuite comme légèrement teinté de rouge ? À mettre sur le compte de la psychologie des gens âgés qui redoutent, et espèrent en même temps, découvrir dans leur corps de mystérieux symptômes.

– Le premier se trompe, et c'est l'erreur en chaîne.

Sugaïke concluait en tout cas à une erreur de personne ; il revint au milieu de *higan*. Parti comme c'était, il n'irait pas sur les tombes ce printemps, d'ailleurs c'était prévu ainsi, il y allait s'il pouvait, sinon on l'excusait. Pourtant il faisait si beau et la journée était longue, même en sachant qu'il ne pouvait sortir dans cet état, il lui venait bizarrement des regrets à mesure que le soleil tournait. Bizarrement, car ce louable souci ne lui était pas habituel : c'était seulement cette année, et depuis le début du mois de mars, que sa prochaine visite au cimetière le préoccupait tant. Irait-il samedi ou dimanche ? Il ne le saurait qu'au dernier moment, pourtant il y pensait sans cesse. Et en même temps, il pressentait qu'il n'irait pas cette année. Le précédent week-end qu'il avait passé sans rien faire l'avait mis en alerte ; la fièvre survenue le jeudi soir l'avait au fond soulagé. Mais le vendredi à minuit, en plein délire de fièvre, il s'évertuait à laver une tombe à grande eau sous la pluie. La pierre était comme rougie par le soleil couchant – il s'acharnait d'autant. Voilà qui ressemblait plutôt aux rêves des lendemains d'ivresse, pas bien recommandable non plus, ce rêve-là, seulement il faisait si beau, la journée était longue…

– Mais le soleil s'incline à présent, je commence à avoir froid au dos.

Sa voix aussi semblait s'être assombrie soudain. Il y avait dans ce récit une forme d'incohérence à quoi Sugaïke ne m'avait pas accoutumé, j'avais l'impression qu'il tournait en rond et qu'il fallait intervenir vite.

– En tout cas, tu ferais mieux de te mettre au lit.

– Peut-être bien. Je vais faire un petit somme en attendant la nuit. À la prochaine !

Et Sugaïke raccrocha aussitôt. Je reposai le combiné avec un temps de retard et, tournant les yeux vers la fenêtre de mon bureau, qui donne à l'est et s'obscurcit dès le milieu du jour, je m'interrogeai sur cette belle journée – belle, certes, mais valait-elle tant de soupirs ? Puis de quel cimetière, de quelle tombe parlait-il ? J'avais oublié de lui demander qui s'y trouvait, et s'il était lui-même dépositaire de cette tombe. J'avais même fait mieux : je ne connaissais toujours pas son adresse. Ami, si on peut dire, de trente ans, je ne savais ni son adresse ni son numéro de téléphone actuels. Mis à part les années de célibat dans la même ville de province, où réunis par le hasard nous nous tenions compagnie dans les bars, cela devait faire bientôt vingt ans déjà que nous nous étions retrouvés de nouveau par hasard à Tokyo, chacun annonçant à l'autre avec un rire gêné qu'entre-temps il s'était mis en ménage et avait eu deux enfants, après quoi nous ne nous étions plus jamais demandé de nouvelles de nos familles respectives. D'ailleurs, en vingt ans, les occasions de se rencontrer ont été si rares qu'on pourrait les compter sur les doigts d'une main. Une fois tous les trois ou quatre ans, Sugaïke m'appelait chez moi vers minuit sans crier gare, la distance se réduisait sitôt que j'entendais sa voix ; nous nous donnions rendez-vous le lendemain ou le surlendemain dans un bistrot, nous remettant aussitôt à parler du passé, et c'était si joyeux qu'il ne nous restait plus assez de temps à la fin pour échanger les dernières nouvelles. D'ordinaire, c'est l'inverse ; mais pour nous cela se terminait toujours ainsi. Nous sortions dans la rue et bientôt chacun repartait de son côté. Sugaïke me donnait chaque fois l'impression de prendre à cette heure tardive le chemin d'un autre bar. Ou peut-être était-ce une habitude d'homme pressé. En le quittant, je m'apercevais subitement que j'avais à nouveau oublié de lui demander son adresse, mais je le laissais partir, convaincu sans trop savoir pourquoi qu'il me rappellerait lui-même un de ces prochains jours – et les années passaient.

Qu'avions-nous de si passionnant à nous raconter quand nous nous voyions au bistrot ? Sans doute des histoires de cette ville où nous étions deux célibataires, mais je n'étais même plus sûr de m'en souvenir à présent.

Pendant la conversation de l'après-midi, je me représentais vaguement un point sur la carte où situer la maison de Sugaïke, que je n'étais pas censé connaître. L'homme serait-il ainsi fait qu'il ne peut supporter de parler à quelqu'un sans savoir où il se trouve ? Lors de nos retrouvailles à Tokyo, Sugaïke m'avait laissé entendre qu'il habitait sur une ligne de chemin de fer qui se trouve au nord par rapport au quartier où j'habite. Peut-être m'avait-il dit le nom de la gare la plus proche, mais je ne m'en souvenais pas. Ce soir-là nous avions parlé plus de deux heures, excités par cette rencontre inattendue, sans vouloir ni l'un ni l'autre apparemment renouer davantage les liens anciens. Au milieu de la trentaine, nous étions encore à un âge où l'on se précipite vers la nouveauté. Sugaïke était à mon égard aussi ouvert qu'il l'était dans sa jeunesse, sauf que dans cette générosité qui était à l'origine si finement nerveuse je percevais que se mêlait comme une rigidité qu'il n'avait pas auparavant. Les quelque dix années qui séparaient nos deux dernières rencontres n'étaient pas seules en cause : je me disais qu'un homme qui se place dans un univers de relations intimes semble accumuler, à mesure qu'il acquiert de l'expérience, quelque chose comme cette timidité des bébés qui pleurent dès qu'ils voient un visage inconnu – de sorte que je n'étais pas froid mais je faisais attention, depuis nos retrouvailles, à ne pas me mêler des affaires de mon interlocuteur. De l'endroit où il habitait, il suffisait qu'il me dise : j'habite maintenant sur la ligne X ou Z, et cette réponse me satisfaisait. Une réponse bien évasive, voilà qui convenait à merveille, on se retrouvait buvant ensemble au milieu des grandes chutes de neige du Hokuriku. Mais ensuite, chaque fois que Sugaïke m'appelait vers minuit au moment où je commençais à l'oublier, j'imaginais près de chez moi sur les bords de l'ancien canal un étroit chemin qui bifurquait au nord et s'en allait tout droit par-delà le passage à niveau, tant que durait la conversation, puis je posais le combiné et m'étonnais.

« Il disait qu'il avait froid au dos, j'espère que ce n'est pas une rechute », murmurai-je.

Quand je levai les yeux de mon travail, la fenêtre était entièrement noire, l'air glacé des premières soirées de printemps montait du sol à mes pieds. Je voyais cet homme convalescent suspendu des heures au téléphone, les jambes d'abord étalées sur le plancher puis se redressant peu à peu, menu, serrant d'un bras ses genoux, à mesure que la flaque de soleil glissait vers un coin de la pièce. J'entendais les rires de ma femme et de mes filles, là-bas, dans le séjour. Aussitôt je pensai : la voix de Sugaïke, cette voix d'homme seul qui parle au téléphone dans une maison vide…

Dans la nuit je me fis à nouveau du souci pour Sugaïke, car je l'avais laissé parler pendant des heures sans penser à la convalescence ; j'aurais voulu m'assurer au moins qu'il n'allait pas trop mal après cela, regrettant d'avoir une fois de plus laissé passer l'occasion de noter son numéro de téléphone, lorsqu'une idée me vint : pourquoi ne pas le demander à Fujisato ? Le numéro de téléphone personnel de Fujisato se trouvait dans l'annuaire des anciens élèves du lycée. Peut-être connaissait-il le numéro de Sugaïke. Ce serait un curieux détour si je réussissais à apprendre par Fujisato, que j'avais complètement perdu de vue depuis le temps du lycée jusqu'il y a un an à peine, quelque chose sur la maison de Sugaïke, mais ce soir je n'avais pas d'autre solution.

Il paraît que tu as rencontré Sugaïke – telle serait mon entrée en matière, pensais-je. Un appel de Sugaïke cet après-midi même m'avait donné l'envie en apprenant la chose d'appeler à mon tour, pourrais-je lui laisser croire, et ce serait réalité du moment que j'appelais. Je lui apprendrais qu'entre-temps Sugaïke avait passé trois jours au lit, grippé et fiévreux, mais qu'aujourd'hui il allait déjà mieux. Et donc, je lui dirais que Sugaïke m'avait appelé, mais comment réagirait-il, lui, quand je lui confierais que j'étais embêté car je ne connaissais pas le numéro de Sugaïke et j'avais justement besoin de le joindre ce soir ? Une crainte m'effleura l'esprit : Fujisato n'allait-il pas imaginer de mauvaises raisons ?

Il me sembla entendre la voix de Fujisato lever aussitôt le doute en réponse à ma crainte : lui-même avait observé l'autre jour en rencontrant ce monsieur un fait légèrement inquiétant.

Et soudain, entraîné par mon imagination, je me voyais discuter tout bas avec Fujisato de ce cas passionnant – l'homme qui s'essuyait le front dans la gare de l'aéroport – comme s'il avait un étroit rapport avec Sugaïke…

Si les erreurs, quiproquos et malentendus relèvent aussi de la folie, Sugaïke était certainement de nous trois le plus éloigné (dans cette histoire, du moins) de ce genre de supposition folle que je chassai bien vite.

Quant à Fujisato, il n'aurait certainement pas de temps à perdre avec cette histoire, si, connaissant le téléphone personnel de Sugaïke, il pouvait me renseigner sur-le-champ. Dans le cas contraire, si ma question demeurait sans réponse, il resterait un doute.

Je renonçai donc, sans vouloir paraître trop nerveux, à poser des questions qui n'auraient pas lieu d'être tant que Sugaïke serait en état de faiblesse. Puis je répétai à voix basse : « qui n'auraient pas lieu d'être… »

Le cerisier du petit étang était maintenant au milieu de sa floraison, arbre mort et brisé jusqu'au bout de ses grosses branches, mais sur les extrémités noueuses des branches plus petites ouvertes comme de fines ombrelles blanches déployaient une splendeur juvénile. Le projet de nous retrouver tous trois chez Fujisato prenait forme, plus que dix jours à peine, et pourtant il semblait ne jamais devoir se réaliser. Mais à ce jour personne encore n'avait fait savoir qu'il ne pourrait en être.

Sugaïke n'avait rien eu de grave, en appelant à son bureau le lendemain de l'équinoxe je l'avais eu au bout du fil et j'étais rassuré. Après m'avoir parlé, il s'était mis au lit par prudence, avait sombré dans le sommeil, n'ouvrant les yeux que bien après minuit, s'étonnant d'avoir pu dormir si longtemps à son âge, se rendormant aussitôt, et quand il avait rouvert les yeux le jour se levait déjà. Il riait, disant que dormir ce n'était encore rien, qu'il fallait voir en se levant tout ce qu'il avait mangé !

– J'étais un peu inquiet, vois-tu. Peut-être serait-il temps, on ne sait jamais ce qui peut arriver, que tu me donnes ton numéro de téléphone personnel ? lui proposai-je enfin.

– Hé ? Je te l'ai pas donné ? (Sugaïke parut surpris ; il répara aussitôt cet oubli, mais ensuite, alors qu'il semblait se rappeler encore autre chose, il demanda simplement :) Au fait, tu es à la maison ce soir ?

– Non, mais c'est incroyable. Je ne te l'avais pas donné… (le soir, au téléphone, il enchaîna comme si la conversation de midi avait été seulement interrompue) je comprends maintenant pourquoi tu n'appelais jamais.

– La dernière fois, c'était avant notre rencontre de l'automne dernier, il y a presque six ans, je crois, au moment de se quitter…

– Oui ! Je voulais t'écrire ça sur une de mes cartes de visite, j'ai commencé à fouiller dans la poche intérieure de mon veston et cet idiot de taxi est arrivé. J'avais la main levée, alors bien sûr.

Puis la voix s'assombrit ; il se parlait à lui-même, disant qu'il était pourtant persuadé de m'avoir donné son numéro, il se demandait depuis quand.

– Aïe aïe aïe ! Si je ne fais pas attention, je vais encore oublier (et la voix rebondit) : j'ai eu dans la journée un appel de Fujisato, tout juste après le tien, c'est comme ça que je me suis enfin souvenu. Mais deux fois coup sur coup, beau score pour le gâtisme !

Il m'avait téléphoné hier, dit-il, pour me transmettre la proposition de Fujisato de se voir tous les trois prochainement. Au lieu de ça nous avions parlé du beau temps, puis je lui avais posé une question qui avait amené la conversation sur la grippe, et de là, parlant de sueur, nous avions dévié vers l'homme qui s'essuyait le front dans la gare de l'aéroport.

– J'ai peut-être laissé passer cette occasion parce qu'il me semblait que tu avais une forte méfiance à l'égard de Fujisato, pour je ne sais quelle raison… Ou plutôt non. Jusqu'au bout je voulais te transmettre son message. Mais j'ai raccroché précipitamment, tu te souviens ? Après, ça m'est complètement sorti de la tête.

– Fujisato a réellement envie qu'on se voie ? demandai-je. (Sugaïke avait raison, en effet : il y avait de la méfiance dans ma voix.)

– Moi aussi, j'ai pensé que c'était une amabilité. Mais ce matin, au téléphone, il insistait. Il veut savoir où ça en est. Il se réjouit d'avance.

– Il se réjouit, tu penses !

Et de nouveau je fus effrayé par cette attitude soupçonneuse qui transparaissait dans la moindre de mes remarques.

– N'est-ce pas réjouissant ? hasarda Sugaïke, après une longue pause.

– Oui, n'est-ce pas réjouissant ? répondis-je, stupéfait que le mot lui-même, à défaut du ton qui restait dubitatif, pût éveiller au fond de moi une petite idée de jouissance, comme un mot qui revient de loin.

À la fin, je pris plus ou moins les choses en main. C'était raisonnable, étant donné les relations qui nous unissaient. Un tel projet doit être rondement mené si on ne veut pas laisser échapper l'occasion : pour commencer, nous pouvions confronter nos deux agendas, le 1er avril était un vendredi, j'augurai que ce serait donc plutôt le vendredi d'après, ou le tout début de la semaine suivante, l'ambiance serait plus calme, une fois les cerisiers défleuris ; Sugaïke dit qu'il se chargeait de trouver un endroit et, avant que la conversation se termine, il ajouta :

– À propos, je fais tout dans le désordre, on dirait, mais comment va ta petite famille ?

– Bien, je te remercie, c'est tranquille.

Puis sur le même ton, d'une voix flûtée m'enquérant :

– Et chez vous, mon cher ?

– Ça va, ça se maintient, répondit Sugaïke.

Il rit tout seul – pas mal, le ça se maintient ! – et au moment de raccrocher, il me donna aussi son adresse, sait-on jamais.

Sugaïke, en réalité, n'habitait pas tout au bout de ce chemin, dans la direction que j'imaginais chaque fois qu'il m'appelait ; pour arriver chez lui il y avait encore quelques kilomètres à faire en obliquant légèrement vers l'ouest, jusqu'à l'extrémité sud de l'arrondissement voisin. Je regardais l'adresse que j'avais prise en note : quelque chose dans les lettres tracées me procurait une sensation d'éveil. Il m'arrive de retrouver par accident l'adresse d'une personne avec laquelle je ne suis plus en relation depuis longtemps, plus rarement d'une personne décédée, pouvant l'épeler du début à la fin. Je m'éveille en sursaut, et j'ai tout oublié. Seule demeure une impression réelle, sans image réelle pourrait-on croire – quelque chose de cet ordre, pensai-je, revenant à moi la main posée sur le téléphone, regardant la pendule murale. Je ne connaissais pas par cœur le numéro de téléphone de Fujisato. Il fallait d'abord extirper l'annuaire des anciens élèves d'un coin de ma bibliothèque, me frayer un chemin à travers les petits caractères, écarter de nombreux noms connus, repérer celui-là, juste au-dessus de mon propre nom, le recopier en grand sur un bloc-notes. Depuis quelques années une « consultation » de ce genre peut me prendre (à faire plusieurs fois distraitement la navette entre les aîtrait même comme une

d'attente, une image très
une lune en plein ciel,
» alors même que je lui
i étrangement que je lui
ant point par point l'his-
nière année, mais tandis
ournée : pourquoi Yama-
? Comment allait-il, ce
en confiance nuit après
ui dont le père, autrefois,
égard de la femme, avait
nme on violerait et bien
re sa mère ; n'était-il pas
ner la chair de ses parents
é, je voyais le chemin de
maison de Fujisato se
Yamakoshi et la mienne,

écidé, avec Sugaïke ?
r le téléphone dès qu'il
attendre un long moment)
s-je dit mon nom. Même
parole en annulant d'un
ıne manière aussi directe
arlai des dates auxquelles
dit aussitôt que vendredi,
ında, au fait, où était la
ue je venais d'apprendre ;
combiné qu'on pose sur
oment, juste un rire clair
» : il était revenu au bout

chez moi dimanche dans
s dînerions ensemble. Un
ais Sugaïke n'habite pas
ns d'en discuter avec ma

fille, elle est ravie. Ça ne nous arrive pas si souvent d'avoir du monde à la maison. J'ai perdu ma femme il y a cinq ans. Ce sera un repas très simple.

Chez Fujisato ? L'idée laissa d'abord Sugaïke songeur, quand je le rappelai tout de suite après ; mais pourquoi pas ? Se voir le dimanche à la maison, c'était bien de notre âge, répondit-il simplement. Et comme j'ajoutai avec un temps de retard que ce serait sa fille qui nous recevrait, lui demandant s'il savait, à ce propos, que Fujisato avait perdu son épouse cinq ans plus tôt :

– C'était donc ça ? Quand je l'ai vu l'autre jour, j'ai trouvé que la conversation accrochait bizarrement par endroits. Nous n'étions pas sur la même longueur d'onde, je comprends maintenant (la voix devenait lointaine, comme s'il se parlait à lui-même)… mais dans ces conditions, puisque Fujisato veut nous inviter et que sa fille est d'accord, laissons-nous faire. Et puis ce n'est pas une si grande affaire, maintenant que nous ne sommes plus de première jeunesse ! Fujisato aussi riait l'autre jour en disant la même chose.

Je rappelai aussitôt Fujisato, puis de nouveau Sugaïke pour les dernières mises au point : jour, heure et lieu, en une soirée tout fut réglé. C'était le lendemain de l'équinoxe.

En trois jours, le cerisier du petit étang avait presque entièrement fleuri, à le revoir ainsi, avec ses rameaux en ombrelles blanches plus richement ornés que je l'imaginais, il semblait resplendir en ployant, non certes sous le poids des fleurs, mais tant gonflé de fleurs jusqu'aux plus fines branches qu'il se reflétait à nouveau à la surface de l'eau. Malgré tout, ce n'était encore que la moitié de sa splendeur passée, car sous les fleurs pendantes se dressaient, noirs au milieu de l'eau, les gros pieux qui soutenaient autrefois ses grandes branches cassées et perdues. Plus les fleurs s'entassaient, plus le reste des branches et le tronc développaient une image d'arbre mort.

L'année où les branches avaient été brisées par la neige en pleine floraison, quand nous venions ensuite au parc, il y avait partout jonchant le sol au pied des arbres, sous un ciel encore sombre et frileux, des branches et des rameaux presque entièrement fleuris ; les plus grosses branches avaient été débitées à la tronçonneuse et les jardiniers les emportaient en camionnette de sorte que les chemins du parc aussi étaient jonchés de petites branches tombées de la plateforme, toutes bien fournies en fleurs et en boutons, que les visiteurs ramassaient précieusement, et c'était comme une fête des fleurs mélancolique de les voir s'en retourner chacun un rameau à la main. À la maison aussi nous en avions tous rapporté : disposés dans des vases, de l'entrée au séjour, de la cuisine au bureau et jusque dans les toilettes, ils faisaient un intérieur plus lumineux que le dehors tout proche où fleurissaient pourtant les cerisiers de la cour. Les visages des femmes de la maison semblaient plus blancs même en plein jour. Tout n'était que splendeur – et nous avions vécu à nouveau sur la pointe des pieds, passant ces quelques jours dans un état bizarre. Vint ensuite le moment où tout s'éparpille, bien qu'il n'y eût pas un souffle de vent dans la maison.

Réveillé de bonne heure, j'écoutais à l'extérieur le bruit des sabots d'un cheval qu'on emmène. Encore une vieille habitude. Cependant la clarté qui enflait sous le bord des rideaux semblait encore bien pâle, les étudiants ces derniers temps ne vont pas s'entraîner si tôt dans le parc : sur l'écran lumineux de mon réveille-matin je vis s'afficher un peu plus de quatre heures. Je me recouchai sur le dos, guettant les chevaux suivants. Car c'est aussi chez moi une manie déjà ancienne d'avoir toujours au réveil quelque chose à compter. Je compte les jours, et ne sais plus en comptant de quels jours il s'agit. Prêter l'oreille au bruit des sabots et dénombrer les chevaux qui passent, ce n'est pas mal non plus. Parfois je me rendors au milieu d'une série, mais aujourd'hui rien ne venait après le premier : il était seul, un seul cheval qu'on emmène à l'aube. Je continuais d'entendre son pas au loin, tournant le coin de la rue tout là-bas, là où l'œil ne pourrait plus le voir, puis toujours plus loin longeant l'enceinte du parc et semblant à l'ouïe, doublé peut-être d'un faible écho répercuté par les murs des bâtiments qui se dressent alentour, enfermer à lui seul le tumulte d'un troupeau. Ensuite, quand il se tut soudain quelque part près de la porte du parc, je comptai qu'il restait cinq jours avant dimanche, jour où j'irais chez Fujisato. Ces comptes me laissaient un arrière-goût désagréable. Qu'est-ce que c'était que cette vie où l'on ne connaît pas de dimanche ? m'étonnai-je.

Un fait divers dans le journal avait retenu mon attention. Un homme de cinquante-sept ans n'a pas eu d'autre solution que de tuer son fils de vingt-quatre ans. Vice-président, actuellement, d'une filiale d'une grande entreprise, il avait dirigé pendant huit ans jusqu'à l'année dernière un comptoir de vente aux États-Unis ; son fils avait fait le lycée et l'université là-bas, en rentrant il avait pris un emploi mais cela n'avait pas duré longtemps, depuis il traînait à la maison, il se droguait au solvant. Arrivé à mon âge, j'ai moi aussi ma façon de lire ce genre d'événement, que je protège des interprétations qui ne me conviennent pas. Je considère, dans les explications ou les suggestions relatives aux dessous de l'affaire ou à l'intimité des intéressés, la manière dont elles sont mises en place – mais je ne les suis pas. Je veille à ne pas me laisser convaincre. Je traite de même toute remarque sur les faits avérés et les penchants qui composent l'arrière-plan du drame. Il y a aussi, même quand l'article s'efforce d'être objectif, le rôle des mots en usage dans le monde, le souci évident de la réception, des conclusions qu'en tirera la société, auxquelles je ne m'oppose pas, faisant moi-même partie de cette société, les acceptant comme un moyen de connaissance mais sans me laisser convaincre là non plus. Ce qui me reste alors, en fin de compte, c'est une sorte de chronologie des cas et des individus, ce que l'article originel ne pouvait développer en détail et que j'en extrais donc, la matière la plus brute, le réseau extrêmement clairsemé des années, plantées comme des piquets muets au milieu du courant, à quoi presque rien ne s'accroche, mais qui pour moi pèsent le plus lourd.

Or l'article qui rendait compte de cette affaire était, en peu d'espace, précis dans les détails, traitant moins des circonstances de l'affaire que des personnages à des âges différents, courtes annales qui cependant, malgré leur caractère détaillé, ne cherchaient pas à pénétrer au « dedans ». Les réactions sentimentales étaient contenues. À première lecture, cela m'avait paru plutôt une preuve d'intérêt, peut-être l'article avait-il été écrit en luttant contre un fort sentiment de pitié, ou peut-être, si ça se trouvait, il y avait entre les acteurs du drame et le journaliste une certaine proximité – je déployai une autre page pour tenter de vérifier cette hypothèse, mais c'était la seule information de ce genre.

Telle était à peu près l'impression que je tirai de cette lecture. Je me mettais en garde contre ce qui pourrait trahir un intérêt trop marqué, un engagement trop profond. Mais quelques heures après j'étais à mon bureau devant un livre, quand cette fameuse chronologie arrangée à ma guise à partir de ce que j'avais retenu de l'article se mit à me trotter dans la tête et bientôt, encore une manie que j'ai attrapée ces derniers temps, je fus pris d'inquiétude : n'avais-je pas omis quelque chose en lisant ? Ou des choses qui n'étaient pas écrites ne s'étaient-elles pas ajoutées entre-temps ? Ma mémoire des dates n'était-elle pas en train de se dérégler totalement ? Je quittai mon bureau pour aller rouvrir le journal au séjour.

Le fils se droguait au solvant depuis dix ans. Cela ne m'avait pas échappé, mais ça ne s'était pas bien ancré dans ma tête. Dix ans, qui nous ramenaient donc avant l'installation du père et du fils aux États-Unis. Il devait être encore au collège. Le père avait fait ses débuts dans l'entreprise un an avant la fin de mes études à l'université. Un de mes anciens amis, du même âge que moi, était entré dans la même entreprise l'année suivante. Il avait été déçu de se retrouver à la comptabilité alors qu'il voulait être affecté au service commercial ; mais on demandait aux jeunes équipes de travailler à l'introduction massive de l'ordinateur, terrain d'étude passionnant, m'avait-il dit à l'époque. Pour tous deux, c'était le début des années 60.

Le père est muté dans un pays d'Asie du Sud-Est onze ans après son entrée en fonctions, il y reste quatre ans. Entre le retour au pays et sa mutation aux États-Unis, onze autres années s'écoulent. L'article n'aborde ni l'une ni l'autre période. C'est normal. Cela n'entre pas dans les sujets à aborder. Dans ma chronologie intérieure, elles apparaissent comme des périodes de transition ou, si l'on préfère, deux lacunes de onze ans, au milieu de la vie à l'étranger ; mais ce n'était certainement pas ça. Ce n'est qu'une lacune de mon imagination, ici et maintenant. Par moments, dans ce vide, je me demande si ce fils n'est pas né l'année où le père a été muté à l'étranger et je refais en tâtonnant le compte des années, le garçonnet qui trottine autour du père qui réfléchit, tantôt ici, tantôt là (il n'en a jamais fini de trottiner, encore et encore), parfois le bruit s'interrompt et l'on se retourne alors : accroupi sur le sol, indifférent au reste du monde, il joue avec les cailloux, chaque fois un peu plus grand – un vent de tristesse a soufflé, mais le vide est toujours du vide…

Du vide, c'est vite dit ! Si je regarde ma propre histoire, avec les yeux de Sugaïke par exemple, vingt-quatre années de vie depuis que ce père est parti pour l'Asie du Sud-Est, vingt-quatre années à rester assis chez soi (même si dans l'intervalle nous nous étions rencontrés quelquefois), je ne verrai peut-être aussi que du vide.

Mais le lendemain, vers minuit, j'étais déjà au lit quand l'affaire recommença à me préoccuper, il me sembla que j'avais fait une erreur de lecture – une erreur grave qui concernait le décompte des années – et je m'échappai des draps sous prétexte de pisser encore un coup, puis de prendre un dernier verre avant de m'endormir. Parmi les vieux journaux rangés dans le placard à côté de la salle de bains je retrouvai l'article, que je relus debout, il était simple et clair, comment aurais-je pu me tromper ? Je fis un tour aux cabinets, sifflai en passant à la cuisine un fond de whisky qui me remplit la bouche d'une douceur étrange et je me reprochai de m'être laissé aller à la mélancolie ces derniers jours. Mais plus je m'habituais à la mélancolie, plus le cerisier du petit étang paraissait florissant. Ainsi, aujourd'hui, orné qu'il était au-dessus de lui des longues pendeloques d'un jeune arbre aux branches pendantes précocement fleuri, bas sur l'eau, il voltigeait malgré ses ailes rognées, et demain tout ça, cette masse nuageuse, se disperserait à la surface de l'eau.

N'était-ce pas réjouissant ? avait dit Sugaïke en grommelant. *Oui, n'était-ce pas réjouissant ?* avais-je répondu de même sur un ton désabusé. Qu'avions-nous gagné à organiser ce genre de repas ? Nous vivions si loin les uns des autres, nous n'aurions rien à nous dire, spécialement à trois, nous ne ferions que chercher à repousser un silence désertique, devançant un sentiment de peine perdue je m'en mordais les doigts et pourtant, pendant ces quinze jours, peu à peu, j'avais commencé de me réjouir.

Avoir le cœur réjoui, à notre âge, peut-être est-ce aller à la mélancolie… Convaincu sans être convaincu, je retournai me coucher.

Dimanche, il faisait très beau. Je me levai alors que le soleil était déjà haut et je me mis devant la baie vitrée du séjour, le cerisier juste en face était à présent dans le plus fort de la chute des fleurs ; pendant que je le regardais, franchement, je regrettais d'avoir à sortir par un tel après-midi. Mais le rendez-vous était à cinq heures : au moins jusqu'à trois heures, l'impression de n'avoir à sortir nulle part, je pouvais rester sans rien faire, me laisser teindre un peu par la couleur des fleurs emportées au vent. Même en me préparant à sortir peu après les courses à la télévision j'avais assez de temps, ce n'était pas loin me disais-je, quand Fujisato me téléphona ; il m'invitait, si je voulais bien, à sortir plus tôt puisqu'il faisait bon.

Sugaïke venait d'appeler Fujisato : pour profiter du jour de congé, il se préparait tout doucement, après le déjeuner il irait au hasard en passant par un parc où il resterait des fleurs, il pensait venir à pied autant que possible, il avait bien compris les explications pour aller chez lui à pied depuis la gare mais si jamais il devait attraper un taxi, quel repère faudrait-il donner au chauffeur ? C'est ce qu'il lui avait demandé, mais d'après les explications il arriverait en avance, dans ce cas, rendez-vous fixé vers trois heures, dans le parc que nous connaissions, celui du micocoulier.

– Je me promènerai du côté du parc autour de trois heures, tu pourras venir quand bon te semble, disait Fujisato, c'est plus facile de se retrouver au parc que chez moi.

– Ça m'arrange aussi, répondis-je, depuis quelque temps j'ai beaucoup de mal à me repérer, quand je vais dans un endroit nouveau. Je crois avoir transmis correctement les explications à Sugaïke (mais à vrai dire je n'étais plus très sûr de moi).

Ça signifiait que je ne verrais pas les chevaux courir aujourd'hui ? pensais-je après avoir raccroché. La dernière fois que j'étais allé exprès dans le Kansai pour suivre cette course, c'était il y a plus de vingt ans, mais pas une seule fois depuis je n'avais manqué sa retransmission à la télé. L'année dernière, à la fin de la course, j'avais éteint la télé et peu de temps après le téléphone sonnait dans le séjour, j'entendis la voix étrangement joyeuse de mon aînée, elle m'appelait de Tatebayashi, la descente en parachute s'était bien déroulée, sauf qu'elle avait raté sa réception au sol et s'était cassé la cheville, les premiers soins lui avaient été donnés sur place à l'hôpital, un camarade allait la raccompagner en voiture, pour le reste il n'y avait pas de souci à se faire : elle était entière, conclut-elle en riant. Et elle était rentrée effectivement le soir à la maison, rieuse, entière, mais tout de même avec une fracture multiple qu'on opéra quelques jours après. Les boulons qu'on lui avait vissés dans l'os pour la circonstance venaient tout juste, après une nouvelle hospitalisation sans histoire, de lui être retirés au début du printemps. Or je ne m'apercevais qu'à l'instant de ceci : ce même dimanche, il y a un an, dans le parc du micocoulier, j'avais revu Fujisato pour la première fois depuis quarante ans. J'étais conscient que ce devait être à la même époque. Je n'avais pas oublié non plus que c'était le moment où les fleurs se dispersent. Pourtant j'étais persuadé qu'il y avait une semaine de décalage ; même les courses n'avaient pas fait le lien entre les deux.

Allons, marmonnai-je, comme s'il fallait se préparer toute de suite, alors qu'il n'était pas encore l'heure de déjeuner.

J'emportai une bouteille de saké en suivant le chemin de l'ancien canal, un chemin où je n'étais pas venu une seule fois ce printemps, occupé que j'étais par le cerisier du petit étang ; les cerisiers de l'allée dont les fleurs se dispersaient sans hâte en attendant le vent semblaient avoir grandi. Le vent était encore frisquet mais je sentais les rayons du soleil sur ma nuque et mon dos, à mesure que j'avançais. J'éprouvais la tiédeur du soleil en pensant à la mauvaise conscience qu'on peut traîner ensuite, même pour un rien, pour une faiblesse de mémoire qu'on découvre…

J'avais quitté la maison doucement, j'avais cru marcher doucement mais j'arrivai au dernier coin de rue devant le parc bien avant trois heures, devant moi au bout j'aperçus le micocoulier et derrière lui les arbres qui le surplombaient faisaient quelque chose de vaporeux qu'il semblait porter sur son dos, il paraissait en plein bourgeonnement. Cette illusion de grand arbre, jusqu'où pouvait-elle tenir ? À mesure que je m'approchais, plissant les yeux et ralentissant le pas, il avait été, un moment durant, de plus en plus robuste et touffu, puis il avait commencé de prendre au grand jour la texture d'une illusion suspecte, révélant alors d'un coup sa vraie nature d'arbre pourri coupé en son milieu. C'était drôle et on sentait en même temps une passivité navrante, je pressai le pas, je marchai droit sur lui levant les yeux vers le tronc comme pour intervenir en sa faveur, puis, à l'écorce affreusement desséchée, j'associai l'idée d'un réseau de vaisseaux violacés qui gonflaient et s'étendaient d'un instant à l'autre, sans pour autant ressembler du tout à l'écorce ; je fronçai les sourcils en imaginant cela – à ce moment-là une impression de musique imperceptible se fit entendre alentour, il me sembla que le souffle de quelqu'un avait tremblé dans la lumière du soleil et quand je me retournai, sur le banc où un jour j'avais trouvé un clochard grassouillet d'âge moyen vêtu de chaud et de plus enfoui dans un sac de couchage aux couleurs voyantes, qui lisait, couché sur le dos, une revue de bandes dessinées, je vis Fujisato et Sugaïke assis côte à côte et qui paraissaient pudiquement embarrassés.

– Je suis venu à pied depuis chez moi, finalement. C'est ce qu'on appelle des bonnes jambes de vieux, dit Sugaïke en guise d'accueil.

– Je suis arrivé il y a une demi-heure et j'étais tout surpris de le voir assis là. Il faisait la tête de quelqu'un qui est là depuis toujours, dit Fujisato comme pour se plaindre.

– Vous me faites une petite place, que je me chauffe avec vous au soleil ?

Je m'assis à côté d'eux, et tous trois nous fûmes ensemble.

À mon oreille cependant l'ombre de cette musique persistait. Ça paraissait un bourdonnement d'abeilles qui volent dans le ciel, parfois un choral d'orgue, c'était la seule chose qui me troublait, je cherchais des yeux tout autour du parc quand Sugaïke, qui était assis à l'autre bout du banc, sortit une petite radiocassette et me la montra comme s'il avait deviné ce qui me préoccupait.

– J'avais mis trop bas, j'ai oublié. Je l'avais préparée en sortant, je pensais l'écouter allongé dans un parc. Mais quand je l'ai appelé à tout hasard, on a décidé d'avancer l'heure. J'ai d'abord pensé que je n'en aurais plus besoin et je l'ai reposée, puis je me suis souvenu qu'il t'avait invité toi aussi à venir plus tôt, et je suis retourné la prendre dans l'entrée. Un jour de grande course comme aujourd'hui, c'est quelque chose de sortir dans l'après-midi.

– Je ne m'en étais pas rendu compte, s'excusa Fujisato.

– Les courses à la radio, en regardant les fleurs, c'est très bien aussi. Mais laisse encore un peu la cassette, répondis-je.

Ce qui chantait tout bas, c'était en effet un choral, apparemment, et quelquefois dans de petites villes d'Europe, autour de midi, lorsqu'on entend jouer de l'orgue dans les églises, j'en avais vu de ces hommes d'affaires japonais âgés qui, semble-t-il, sont venus s'asseoir en profitant d'une pause dans le travail, attirés par la musique, tout petits au bout d'un banc de l'église, les yeux clos avec ferveur, ou peut-être à moitié endormis.

Tandis que nous commentions la démission toute récente du Premier ministre (« s'ils ont changé cette tête-là, c'est que ça n'était plus une poupée ; la prochaine fois, ils voudront peut-être y mettre un chat »), ce fut l'heure du départ de la course, Sugaïke s'en aperçut le premier et il appuya sur le bouton.

Nous écoutions tous trois avec un léger sourire sur les lèvres. Aux yeux d'autrui nous semblions peut-être un groupe de vieux qui se chauffent au soleil et sourient de bien-être sans raison apparente.

– C'est bon. C'est comme je pensais.

– Gagné ?

– Non, je n'ai pas parié.

– Ça semblait pourtant te passionner.

– Je t'aurai empêché de voir ça cette année, se lamentait à nouveau Fujisato.

Mais non, allais-je lui répondre, quand soudain il se tourna vers la droite, ses yeux s'arrêtèrent sur quelque chose et comme il continuait d'observer nous suivîmes son regard : à l'autre bout du parc se tenait une jeune femme à la silhouette élancée qui nous faisait face, le visage tendu, avec un air interrogateur ; lorsque Fujisato fit un signe de la tête, ce visage parut s'épanouir, puis à nouveau il n'était plus qu'attention inquiète, et lorsque à bout de forces il allait s'incliner vers le bas, il déploya, encouragé de nouveau par le sourire de Fujisato, les mains accompagnant le mouvement dans l'air, un sourire fragile qui semblait avoir fait un long chemin – elle en oubliait même de saluer les invités.

– Ne te fais pas de souci, je les emmène bientôt à la maison, répondit le père avec un regard profond.

L'hôte du jardin

D'après ce que lui avait raconté son père, mort depuis, elle avait été bâtie en 1939-1940, c'était un militaire qui y habitait avant guerre, disait Fujisato en nous présentant la maison, pendant que nous nous installions tous trois dans le salon. La famille (ses parents, sa sœur et lui) avait emménagé ici neuf ans après la guerre : elle n'était pas si vieille, quand on y repense maintenant, mais Fujisato, qui était lycéen à l'époque, ne pouvait pas comprendre pourquoi son père avait tenu à racheter ce genre de maison à l'ancienne, alors que la société adoptait enfin un mode de vie plus simple ; tout ici suait la tristesse et lui faisait horreur. À la saison des pluies, la nuit, on aurait dit que des odeurs inconnues exsudaient des coins, c'était comme si ces odeurs prenaient le dessus pendant qu'ils dormaient, d'ailleurs on racontait que les précédents occupants avaient mené une vie déréglée, il y avait même une rumeur comme quoi le militaire aurait été condamné à mort à l'étranger… – il rit, et la façon dont il me regardait dans les yeux semblait une allusion au temps où, quand j'arrivais tôt le matin en classe, il était déjà là, assis seul près de la fenêtre, à regarder dehors.

Or, poursuivait Fujisato, sa mère était morte, son père était mort, lui-même avait passé cinquante ans ; depuis que son fils s'était mis en ménage et était parti à l'étranger, il tournait dans la maison quand il n'avait rien à faire, regardant partout, en venant à admirer à quel point tout avait été fabriqué à l'économie et en solide. Tout était fait pour qu'on ne s'y sente pas à l'aise : n'est-ce pas là le logement qui convient à la raideur d'un jeune militaire ? se demandait-il à la fin, et c'était bien ça le plus étrange, qu'est-ce que ça voulait dire, penser ça, après avoir vécu jusqu'à présent et depuis sa jeunesse avec l'idée que le laisser-aller régnait dans cette maison, cette bicoque délabrée pour laquelle, même si sa mère l'avait astiquée pendant des années, même si sa femme devait y mettre la même énergie, il n'y avait plus rien à faire ?

– Ça, c'est vraiment du solide.

Sugaïke jeta sur les linteaux un coup d'œil connaisseur. Pour ma part, j'avais trouvé l'entrée modeste par rapport à l'allure générale de la maison. Et le vestibule était tout en hauteur. À en juger par la finesse des piliers du mur de la pièce, ce n'était pas une maison de facture si ancienne. Pourtant, quand j'avais levé les yeux en faisant à l'instant un pas dans le couloir de la véranda, l'épaisseur des poutres rondes m'avait frappé ; il y avait aussi une bonne quantité de chevrons à l'appui de l'avant-toit.

– C'est une maison de plain-pied, dit Fujisato.

– Vous avez un corridor ? demanda Sugaïke.

– Un petit bout. Tu as un corridor chez toi ?

– Pour ce qui est de suer la tristesse. Mais les bombardements ont fait place nette, et justement, avant-hier…

– Qu'est-ce que ça fait, d'habiter au même endroit pendant quarante ans ? demandai-je.

– J'ai quand même vécu en tout huit ans à l'étranger.

À trois, maître de maison compris, nous regardions la pièce autour de nous comme pour mesurer les années.

– Ç'a été joliment arrangé, dit Sugaïke.

Cela pouvait s'entendre comme des condoléances discrètes. Il arrivait en peu de mots à évoquer le souvenir de la deuxième maîtresse de maison, me dis-je, admiratif, mais en même temps je me remettais à calculer – à l'époque où le maître des lieux voyait d'un œil neuf la maison de ses parents, la maîtresse de maison n'avait plus que quelques années à vivre. « Ah ! Voici ma fille », et à ces mots, nous retournant, nous vîmes près de la porte restée grande ouverte la fille de Fujisato qui attendait, agenouillée dans le couloir, depuis quand, on ne sait, portant à deux mains un plateau à thé.

– C'est gentil à vous d'être venu rendre visite à mon père.

Elle salua avec netteté.

– De nos jours, on rencontre encore des êtres paisibles, murmura tout bas Sugaïke, en jetant un coup d'œil vers le fond du couloir où la femme avait disparu.

– Hélas, si ce n'était que ça. C'est ce que je lui disais l'autre jour (et nous pensions, le voyant sourire amèrement, qu'il allait parler de la façon dont les jeunes femmes se comportent aujourd'hui) : arrête de marcher comme ça dans la maison sans faire de bruit, essaie de ne pas te retrouver plantée tout à coup dans un endroit où on ne t'attend pas, je lui dis, et elle, elle répond : est-ce que tu ne fais pas pareil, toi aussi, depuis quelque temps ? Elle avait raison, en effet. Nos mouvements sont devenus comme furtifs…

– J'ai entendu dire, déjà, qu'on se retrouve à parler tout seul à tout bout de champ, dit Sugaïke en l'interrompant légèrement, tête inclinée, l'air intrigué.

– Il paraît que ça m'arrive.

– Et voilà pourquoi tu es sourd aux pas d'une jeune femme !

Voulant lui venir en aide moi aussi, j'essayais de plaisanter, sans succès.

– Je vois qu'elle est là, et avant de lui adresser la parole il y a comme un temps mort, dit Fujisato brièvement.

Sugaïke et moi, nous nous tûmes ; nous regardions, au-delà du couloir où la femme était assise il y a encore un instant, le jardin sur lequel la nuit commençait à tomber enfin.

L'ensoleillement n'était peut-être pas très bon : la pelouse, où dominaient encore les couleurs de l'hiver près de la véranda, était de plus en plus pelée à mesure qu'elle se perdait au loin, sans qu'on voie de frontière, parmi toutes sortes de fleurs plantées, des fleurs de printemps qui avaient pour la plupart passé la pleine floraison et qui, en revanche, commençaient à montrer leur vigueur d'herbe, laquelle, sans plus de transition, se déployait à nouveau vers les mauvaises herbes alentour qui gardaient un air sauvage où se sentait pourtant la main de l'homme – tout cet élan arrêté par le mur de pierre mitoyen.

– Autrefois, c'était un jardin à l'occidentale, il y avait des parterres de fleurs après la pelouse, des roses entre autres, nous apprit Fujisato. Ma mère préférait les herbes aux fleurs dans ses dernières années, peut-être parce qu'elle n'était plus aussi patiente, et ç'avait donné ça je ne sais plus à partir de quelle époque, ma femme aussi s'y était mise en revenant de l'étranger, elle se procurait des fleurs des champs qu'elle replantait. Le printemps est paisible, mais à la saison des pluies ça pousse dans tous les sens. Avec une telle vitalité que la moitié de ce mur en est recouverte. Il n'empêche, on trouve toujours çà et là des fleurs qui poussent par touffes. Et l'automne, ah l'automne, c'est quelque chose aussi.

– Ça doit être délicat à entretenir. C'est sans doute ta demoiselle qui s'en occupe à présent ?

– Je m'en occupe aussi.

– Attends voir, je suppose que c'est par là qu'une main d'homme a passé.

On distinguait en effet, dans la direction indiquée par Sugaïke, sur l'espèce de petit monticule artificiel qui formait un massif à cet endroit, comme l'effet d'un effort obstiné, quelque chose de noueux, en dissonance avec la souplesse de l'ensemble.

– Tu as vu juste. Mon père aussi a bataillé de ce côté (Fujisato semblait un peu gêné).

– C'est un jardin de femmes, commenta Sugaïke d'un air impassible.

Il l'apercevait et, avant de lui adresser la parole, il y avait comme un temps mort – qu'est-ce que cela pouvait bien vouloir dire ? pensai-je à ce moment-là. Puisque le père avait l'impression qu'elle se trouvait tout à coup plantée devant lui, la fille devait avoir la même sensation en le voyant. Elle avait vingt-sept ans. La femme qui se tenait debout dans le parc nous avait paru tellement farouche, alors qu'elle se montrait au contraire si calme devant les invités. Elle ne restait pas enfermée à la maison, elle allait travailler, même si ce n'était pas à plein temps, quatre jours par semaine. Elle voyageait à l'étranger sans problème. « Ça doit être pesant d'être avec les invités de votre père », avait suggéré Sugaïke. « Mon père était très heureux que vous veniez le voir », avait-elle répondu. Comme elle allait se retirer après avoir demandé ce que nous voulions boire, Sugaïke l'interpella à nouveau : « Venez vite nous rejoindre ! » et je notai qu'elle répondait par une question – « Moi ? » – qui m'étonna un peu ; mais dès qu'il ajouta « J'ai trouvé du vin de Toscane, de Toscane ! » elle manifesta franchement sa joie : « De Toscane… c'est la fête ! » Cette femme semblait avoir le sens de la repartie, mais avant de répondre à une question, chaque fois, le temps d'une respiration, elle avait le regard de quelqu'un qui cherche ses mots au loin. Sa voix était douce et en même temps, pourrait-on dire, lucide ; par moments, comme si le souffle lui manquait, elle se voilait comme usée jusqu'à la corde, faisant éprouver à l'auditeur la crainte que soudain tout s'arrête – et elle franchissait l'obstacle d'un bond. Puis quand elle avait fini de répondre, même si elle continuait de sourire un instant, de nouveau elle avait ce visage de quelqu'un qui écoute au loin. L'oreille conservait après son départ cette atmosphère paisible.

– Moi, quand j'étais enfant, les invités de mon père m'ont toujours fait une sale impression. Alors forcément, je m'inquiétais aujourd'hui, disait Sugaïke.

– Tu as des enfants ? demandait Fujisato.

J'appris ainsi que chez Sugaïke le premier enfant était un garçon et le deuxième, une fille. L'un et l'autre gagnaient leur vie depuis quelque temps déjà, bien que l'idée de se caser ne les effleurât pas.

– L'aîné loue une chambre sous prétexte qu'il travaille tard le soir. L'autre jour il a eu le culot de me dire que je devrais venir de temps en temps passer la nuit chez lui.

On me fit la même question et je répondis que j'avais deux filles, mais qu'il n'y avait pas non plus de mariage en vue chez nous. « Une fois de plus nous sommes pareils » – Fujisato fit une pause, tandis que Sugaïke, faisant celui qui ne comprend rien : « On ne peut pas prendre l'habit de moine tant qu'on a une fille à marier… je connais ce genre de jérémiades » ; à nouveau, tous les trois, nous tournions nos regards vers le jardin. On sentait que les bonheurs de contempler ce jardin toujours doux au regard confluaient sans effort et, fendant les herbes depuis la gauche de la pelouse, l'ombre imperceptible d'une trace de piétinement se poursuivait vers le mur mitoyen.

Nous avions commencé de boire et quand la lumière du jardin ne fut plus qu'une lueur pâle Sugaïke tendit le cou, comme s'il venait lui aussi de remarquer cette trace, demandant avec un geste de la main qui tâtonnait par là-bas :

– Ce sentier, c'est un passage pour les chats ? On dirait pourtant qu'il se dirige vers la petite porte dans le mur mitoyen.

De l'endroit où il était assis, Sugaïke voyait donc une petite porte. À mesure que le jour tombait, la ligne du chemin se dessinait elle aussi plus nettement.

– Ah, tu veux dire… cette trace, là-bas ? Elle ne s'est pas encore effacée ? Eh bien, oui. L'été, il y a deux ans, quelqu'un venait de là-bas toutes les nuits, répondit Fujisato, et avec la nuit la rosée se dépose, forcément. Je ne voulais pas qu'il soit mouillé, alors j'ai fauché l'herbe sur son passage. À l'origine, il y avait d'ailleurs un chemin...

– On n'est pas encore à la saison des histoires de fantômes !

Nous protestions ; nous étions tout ouïe.

C'était le vieux de quatre-vingt-quatre ans, de la maison voisine. Un soir, il était plus de onze heures, c'est comme ça que ç'avait commencé, par une nuit torride, incapable de trouver le sommeil Fujisato s'était réfugié dans le couloir de la véranda, portes vitrées grandes ouvertes, un serpentin d'encens à moustiques brûlant près de lui : il était apparu sur la pelouse du jardin dans son kimono de coton. Fujisato était perdu dans ses pensées, il ne s'était pas aperçu que le vieillard approchait. Quand il avait surgi devant lui, bizarrement, il n'en avait pas été surpris. « Bonsoir », lui avait-il dit en lui proposant la natte sur laquelle il était assis ; le vieillard s'était avancé, il avait posé les pieds sur la pierre plate où l'on se déchausse et était resté assis sur le bord de la véranda, se plaignant que ces derniers temps l'air des nuits d'été devenait irrespirable, c'était à cause de tous ces climatiseurs qui tournaient constamment, si bien que vers minuit au lieu de la fraîcheur on se retrouvait de nouveau dans un bain de vapeur étouffant. Et, de fait, une brume blanche enveloppait le jardin.

La brume blanche était aussi dans les yeux du vieillard. Ses pupilles étaient d'une couleur plus pâle sur le pourtour. Jusqu'à l'année dernière, il avait l'air plein d'allant quand il se promenait dehors. Quand leurs yeux se croisaient, il reconnaissait Fujisato, le voyant sans doute encore comme le fils de la maison car il s'adressait à lui sur un ton sermonneur. Dans son discours le temps du vivant du père de Fujisato s'éloignait et se rapprochait tour à tour. Mais pour quelqu'un de plus de quatre-vingts ans il conservait un regard vif. Or ce regard, à partir de l'automne de l'an dernier, était devenu simplement fixe et béant, même l'expression de son visage avait quelque chose de simiesque ; il pouvait passer près de lui maintenant sans lui manifester le moindre intérêt. Puis, au printemps, le déclin semblait s'être accentué, ses mouvements n'étaient pas si embarrassés mais on disait qu'il se perdait chaque fois qu'il partait se promener et quelqu'un, un agent de police, devait le ramener chez lui.

Les voisins s'étaient installés là avant guerre ; lorsque les Fujisato étaient arrivés il y avait déjà une petite porte en bois cachée dans le mur de pierre qui séparait les deux maisons, ou plutôt qu'une porte de bois, un panneau peint en bleu à l'occidentale, mais c'était alors une voie de passage nettement tracée. Le maître de la maison voisine était employé dans l'industrie de guerre contrôlée par les *zaibatsu*, de ce côté-ci c'était un militaire – si bien qu'il pouvait y avoir entre eux à tout moment des pourparlers secrets, plaisantait le père de Fujisato, et les précédents occupants aussi, avant les Fujisato, devaient, à voir ce chemin, communiquer avec ce voisin en passant par l'arrière. Même la mère de Fujisato s'était liée avec la maîtresse de maison voisine qui était décédée maintenant depuis longtemps. Le père croisait souvent le voisin lors de ses promenades du dimanche, semble-t-il. Fujisato ne savait pas à quel moment on avait remplacé le vieux panneau pourri, mais aujourd'hui comme autrefois il n'y avait toujours pas de serrure, d'un côté comme de l'autre. Une fois ou deux, cela avait servi de passage pour les voleurs, il n'y avait eu de dégâts dans aucune des deux maisons, de sorte que la façade s'était durcie sévèrement mais par-derrière c'était toujours allez-y passez donc, et on ne s'en souciait pas.

Le vieillard parlait des nuits d'été quand ce quartier était encore entièrement dans les champs. Il n'y avait guère de maisons en dehors des fermes, ce qui remontait donc à avant l'arrivée des Fujisato. De toute façon, c'étaient des histoires d'autrefois comme en racontent les vieux, mais sans détours et avec peu de redites ; elles avaient plus de naturel, moins d'insistance que lorsqu'il vous attrapait dans la rue pour vous faire la conversation, et si l'on prêtait attention seulement à sa voix tranquille, il semblait plutôt avoir rajeuni. La nuit avançant, une odeur d'eau fraîche arrivait portée par le vent, le sommeil venait plus facilement. On parle d'autrefois mais ce n'était pas il y a cinquante ou soixante ans, plutôt une dizaine ou une vingtaine d'années, dirais-je, je ne sais pas ce que vous en pensez ; il prenait un ton de voix qui en appelait à la mémoire de celui qui écoutait, ensuite il se mettait à pleurnicher comme s'il regrettait pour l'un et pour l'autre les inconvénients que la femme soit partie la première de sorte que, si ça se trouvait, il croyait peut-être parler avec le père de Fujisato dans ses dernières années, Fujisato commençait à avoir des doutes mais le vieillard, baissant la voix : « Tout ce coin-ci, votre maison et la mienne comprises, formait paraît-il un seul champ, et un devin m'a dit que c'est une terre où les hommes vivent plus longtemps que les femmes… mon fils aussi reste les bras croisés », il disait cela en le regardant droit dans les yeux. Alors Fujisato interpellé par une voix se retourna, sa fille qui était supposée dormir à cette heure leur présentait sur un plateau de la tisane et des biscuits, avec le même visage qu'elle faisait quand des visiteurs passaient à l'improviste – c'est ce qui étonna le plus Fujisato. Le vieillard était un peu honteux.

Entre-temps, par-dessus le mur, il semblait qu'une lumière s'était allumée à une fenêtre à l'arrière de la maison voisine : il avait fait signe à sa fille de téléphoner (la maîtresse de maison se montra surprise et terriblement gênée, d'après ce que disait sa fille), peu après un jeune homme, sans doute le petit-fils, était venu chercher le vieillard en passant par l'entrée principale. À la façon insouciante dont il prenait les choses Fujisato avait ressenti d'autant plus l'embarras que ce devait être, chaque jour, chaque soir. La seconde fois que sa fille avait téléphoné, la voisine avait fini par fondre en larmes : « Je n'en peux plus, je suis fatiguée », ensuite elle s'était répandue en excuses. Depuis, ça n'était pas vraiment toutes les nuits, mais quand Fujisato ne trouvait pas le sommeil et qu'il sortait prendre le frais dans la véranda aux alentours de minuit, on aurait dit que quelque part dans la maison voisine quelqu'un le voyait, et bientôt la petite porte s'ouvrait de ce côté-ci en grinçant.

– C'est curieux. Sitôt que quelqu'un se trouve derrière, cette porte se détache en blanc dans l'obscurité.

Fujisato concentrait son regard sur la petite porte qui disparaissait dans la nuit.

Il lui fallait un certain temps pour arriver jusqu'à la pelouse en écartant les herbes, mais Fujisato attendait sans lui adresser la parole, il lui semblait que cela aurait paralysé le vieillard. Il finissait par approcher comme en se suspendant au regard encourageant de Fujisato, les pieds posés sur la pierre plate il s'asseyait au bord de la véranda, en dehors du fait que ses visites tardives en passant par-derrière lui semblaient aller de soi, il n'y avait pas spécialement de signes de gâtisme dans ce qu'il disait. Il s'installait confortablement et commençait à parler du monde. La voix était plaintive, mais sans aller jusqu'à la colère ou l'indignation. Pendant qu'il l'écoutait, Fujisato comprenait que le présent dans le discours du vieillard datait d'au moins un an, cela rendait l'histoire plus facile à suivre. Le temps du monde semblait s'être arrêté pour lui à l'été dernier. Pourtant ce qui rendait le vieillard anxieux correspondait en gros à l'état actuel du monde ; cela pouvait même passer approximativement pour une prophétie. Fujisato, sur ce point, était partagé entre une admiration secrète et un reste d'incrédulité, il avait tenté de l'interroger de plusieurs manières mais rien n'y faisait, le monde de l'année en cours ne semblait pas exister à l'intérieur du vieillard.

Une nuit, parce qu'il avait plu en début de soirée et que la chaleur étouffante était ensuite revenue, le bas du kimono du vieil homme lorsqu'il parvint à la véranda était tout trempé de rosée, Fujisato avait fait donner une serviette : « On dirait que j'ai fait un long chemin », avait dit le vieil homme en s'essuyant soigneusement les pieds. Fujisato, voyant cela, s'était demandé s'il ne prendrait pas une demi-journée ce samedi pour lui faucher carrément toute l'herbe jusqu'à la porte – rentré le lendemain à la tombée de la nuit, il trouva le chemin parfaitement dégagé. Ce grand-père, la façon dont il s'essuyait les pieds, on aurait vraiment dit qu'il venait de loin, répondit sa fille, et elle avait pensé après coup qu'elle aurait dû descendre au jardin pour les lui essuyer elle-même. Grâce à l'ancien chemin les racines n'étaient pas très profondes, elle n'avait pas eu de mal à arracher les herbes ; c'est ce qu'elle disait, mais ses mains étaient écorchées. Le vieil homme ne semblait pas s'être aperçu du fait que le chemin était devenu plus facile. Or il mourut à la fin de l'année : pour la veillée funèbre, Fujisato fit le tour par la porte principale, prenant pour se rendre chez les voisins, giflé par un vent froid, le même chemin que ce jeune homme durant l'été (le même chemin, on ne sait pourquoi, peut-être parce qu'il se serait senti gêné de passer lui aussi par la petite porte de bois quand il accourait et repartait avec le vieillard) et la maîtresse de maison qui s'était approchée tout exprès après qu'il eut fait brûler de l'encens, après l'avoir remercié et s'être excusée tout ensemble d'avoir causé tant de dérangement cet été, lui dit que jusqu'à sa dernière heure il lui avait répété combien il était reconnaissant à la demoiselle de lui avoir coupé les herbes du chemin, et elle racontait cela en larmes. Dans la journée, le vieil homme était sans doute quelque part en train d'observer sa fille pendant qu'elle coupait l'herbe.

– Moi j'ai une interprétation différente, intervint Sugaïke, c'est que le père est un étourdi. Ça se passe en plein été, il est près de minuit, les gens sont couchés, c'est le moment où les odeurs des choses sont accusées. Un vieillard peut bien comprendre à ce qui flotte au-dessus du sol si c'est la trace, ou non, d'une jeune femme qui a coupé l'herbe.

L'alcool commençait à faire son effet mais je regardais le visage de Sugaïke : il savait donc sentir ces choses-là ?

– Est-ce que le maître de maison n'attendait pas lui aussi son visiteur nocturne, en observant la petite porte ? demandai-je cependant.

– Sur le moment, c'est vrai, ma fille me l'a bien reproché, répondit Fujisato.

N'était-ce pas parce que le père était assis dans la véranda à regarder le jardin à cette heure et de cette façon que le vieil homme était attiré ? lui avait dit sa fille. Peut-être, pensa Fujisato. Et il veilla autant que possible à ne pas se montrer dans la véranda en pleine nuit, mais il y a des nuits où on n'arrive vraiment pas à dormir. D'ailleurs le vieillard ne venait pas à tous les coups ces nuits-là. Simplement, il avait parfois une hésitation au moment de rentrer à l'intérieur : ces dernières années, ils laissaient les volets ouverts en été, mais ils fermaient les portes vitrées et ça lui faisait de la peine pour le vieillard, quand il l'imaginait dehors, rideaux tirés, seul dans ce jardin noir. Alors, et là on pouvait dire que c'était à tous les coups, la petite porte finissait par s'ouvrir.

– En tout cas, ça ne me dérangeait pas du tout, dit Fujisato comme une excuse. Le vieil homme ne montrait aucun affreux gâtisme encore que, lorsqu'il perdait le fil de ce qu'il disait, il ne pouvait plus répondre aux questions les plus simples. Si l'on insistait, il regardait autour de lui le jardin d'un air apeuré, comme un enfant prêt à fondre en larmes.

Si bien que le rôle de Fujisato se limitait à recevoir ce discours comme on manie un objet fragile, mais avec ce vieillard c'était un bonheur étrange d'acquiescer tranquillement en se contentant de placer, pour accompagner le fil du discours, des mots qui équivalaient à le répéter. Le vieillard ne se laissait jamais emporter même quand on entrait dans son jeu. Le ton était plaintif, mais il n'exprimait de ressentiment envers personne. C'est peut-être cela qui était agréable pour celui qui écoutait, cette façon de parler où l'on aurait dit qu'il ne restait, après que le contenu du sentiment avait été on ne sait comment rangé de côté depuis longtemps, plus rien que ce ton affligé.

Chaque fois que le vieillard se plaignait de mal dormir, il décrivait au sujet de l'air de la nuit profonde des variations subtiles de la respiration, qui d'un moment à l'autre est plus lourde puis plus libre.

Fujisato prêtait l'oreille à cela, il y avait beaucoup de choses cet été-là qui le convainquaient – même si, en y repensant maintenant, il ne se souvenait plus très bien de quelle manière il était convaincu, ni par quel genre de subtilité. La conversation pouvait passer sans transition de l'air de la nuit aux affaires du monde, il l'accueillait sans autre effort.

On touchait à la fin du mois d'août ; une nuit, quand l'appel étrangement joyeux du jeune homme (celui qui venait toujours le chercher) résonna du côté de la porte de service au coin de la maison, le vieillard se leva : « C'est peut-être la dernière fois que je viens ici », dit-il en s'éloignant de la véranda. Mais trois jours après, venu plus tôt que d'habitude, ses yeux croisèrent depuis le jardin les yeux de Fujisato qui était dans sa chambre. Il parla cette nuit-là en poussant de profonds soupirs, disant que l'air était extraordinairement léger – Fujisato pensait que c'était peut-être le soulagement de voir approcher la fin de l'été et il acquiesçait bien volontiers – « Que la respiration me soit devenue si facile, c'est probablement que je n'en ai plus pour longtemps », dit-il encore devant un Fujisato incapable de réagir et, se relevant alors qu'il venait à peine de s'asseoir, il descendit dans le jardin et marcha vers la petite porte. Il s'éloigna tout droit d'un pas vigoureux, se courba lentement devant la porte et disparut. On entendit le bruit de la porte de bois très gauchie tirée avec résolution de l'intérieur. Il n'était plus jamais revenu. Au début de septembre, sa fille avait téléphoné pour demander des nouvelles ; on avait répondu qu'il n'y avait rien de nouveau.

– Qu'est-ce qui peut bien se passer quand la respiration devient plus facile ? dit Fujisato.

– Peut-être que les parois se distendent, quelque chose comme ça ? Je cherchais dans mes propres expériences de malade.

– Attention, il arrive… (Sugaïke scrutait l'obscurité du jardin) c'est le chemin des chats… Mais il vient de changer de direction ! Il traverse sans nous voir.

Nous tendions le cou vers l'herbe tous les trois, nous suivions des yeux la silhouette qui coupait le bout de la pelouse comme en fendant les demi-ténèbres.

– Il y va avec ferveur. Qu'est-ce qu'il peut bien regarder devant lui… murmura Sugaïke.

Il y avait un long évier recouvert de tôle sous la fenêtre à barreaux ; l'arrivée d'eau était fixée à une extrémité. Le robinet était d'une forme archaïque, mais autrefois il y aurait eu un bassin de pierre, ou bien (comment appelle-t-on ça ?) l'un de ces récipients ventrus remplis d'eau qui servaient aux ablutions.

Il me semblait que je me voyais moi-même me lavant les mains furtivement. Et le geste instinctif de garder un œil sur le plafond, au-dessus de la fenêtre, me rappelait aussi quelque chose. Cette maison était de fabrication solide jusque dans les cabinets – mais dans la vieille maison d'avant le tremblement de terre de 1923, où ma famille louait une chambre il y a quarante-cinq ans, au fond du corridor intérieur, au-dessus de la petite fenêtre du lavabo, les poutres penchaient à l'œil nu. Chaque fois que je tirais de l'eau en sortant des cabinets, je les regardais. J'étais tourmenté même enfant par ce qui se répétait là. La sensation de déformation du bâtiment se transmettait également par le plancher du couloir, c'était comme si les endroits où poser le pied se réduisaient de plus en plus.

Je ne perds jamais aussi soudainement conscience du lieu où je me trouve que lorsque, ivre chez des gens, je quitte un moment l'assemblée pour aller pisser. Il était un peu plus de huit heures. Cela faisait donc au moins quatre heures que j'étais dans cette maison. Les toilettes se trouvaient dans un coude du corridor juste après le salon ; la conversation des deux autres me parvenait à voix basse à travers le couloir.

À un moment, cette vie quotidienne que je menais depuis plus de vingt-cinq ans avait attiré leur curiosité. Cela avait commencé par une question, ils voulaient savoir si j'étais du jour ou de la nuit – du jour, avais-je répondu, ce n'était pas du tout régulier car je me lève et je me couche tard, mais en tout cas je limite mon temps de travail entre l'après-midi et la tombée de la nuit, avais-je complété ; je jugeais habituellement que ce n'était pas une chose à dire aux gens, que ça ne méritait pas qu'on en parle de sorte que je croyais en avoir fini, mais j'avais devant moi leurs visages qui attendaient une suite, et laissai échapper sans y penser que malgré tout, le matin, je me promenais une petite heure dans le quartier au moment où les gens terminent leur matinée de travail, moment qui pour moi est le moment lourd de l'avant-travail. J'avais ce sentiment bizarre, un jour venant après un autre jour, de vivre sans rien faire et même encore maintenant je ne pouvais pas m'y habituer. C'est vraiment comme ça chaque jour ? m'avaient-ils demandé. Il y a des interruptions mais en moyenne c'est quelque chose de ce genre chaque jour, répondis-je. Et pendant plus de vingt ans, continûment ? m'avaient-ils à nouveau demandé. Continûment, c'était finalement, même si elle me semblait bien remplie, une vie stéréotypée – sinon on ne tient pas la distance, répondis-je à nouveau dans une sorte de fuite mais, fronçant les sourcils tous deux, ils s'étaient tus.

– Tu dois vraiment vivre au calme, dit Fujisato après un moment. Mais oui, même quand les autres se taisent, toi tu restes naturel.

– Pas du tout ! Rien ne va comme il faut, répliquai-je immédiatement, je fais les choses à moitié, je m'agite. Que je reste muet ou pas la moitié du jour, ça ne change rien à l'affaire.

– Tu n'as pas l'impression parfois de devenir fou à rester comme ça chez toi, jour après jour ? demanda Sugaïke, mais peut-être y es-tu habitué depuis longtemps ?

– Au fond je ne m'habitue à rien. Ça aussi chaque jour, peu à peu, ça s'aplatit et ça fait une moyenne, c'est tout.

– Je ne m'attendais pas à celle-là ! Nous qui comptions sur toi, le vétéran de l'oisiveté, pour nous faire un tableau idyllique de l'avenir ! rit Sugaïke en jetant à Fujisato un regard complice.

– C'est un peu comme si on se faisait gronder par un expert en assurance-vie, qui vous expliquerait que l'assurance que vous avez prise en cachette ne sert à rien une fois devenu vieux, plaisanta Fujisato de façon imprévue.

– Je vous assure que même en restant chez soi on n'est pas dans l'oisiveté, ripostai-je brièvement, et le temps libre, c'est plutôt du tumulte en plus.

C'est alors que Fujisato nous confia qu'il pensait prendre sa retraite avant cet été. C'était dit d'un ton très faible et même Sugaïke ne posa pas de question, il semblait que la conversation allait glisser vers un autre sujet. J'imaginais que les gens étaient sans doute peu loquaces sur la conduite à tenir aux environs de la retraite. Et les conditions étaient complètement différentes pour Fujisato et pour Sugaïke.

– Vous vous souvenez, il y a eu un été très chaud il y a quatre ans, commença Fujisato sans qu'on sût si c'était la suite de ce qui précédait. Cet été-là, je restais assis à peu près une nuit sur trois à regarder le jardin. Jusqu'à ce que le jardin blanchisse. Il faut dire aussi que je rentrais tard le soir.

– Il a fait chaud cet été-là, répondit Sugaïke.

J'eus l'impression que sur ce point au moins il y avait un accord entre eux.

– Comment la vue du jardin pouvait-elle être tellement différente après la mort de ma femme ? Malgré tout il y avait là quelque chose d'inexplicable, pour un jardin auquel je m'étais habitué bien longtemps avant de la connaître, elle. Je le regardais, et l'impression de le connaître diminuait chaque fois. Dès que je le voyais, répétitivement, l'impression de connu chutait. De toute manière ce n'est pas un bien grand jardin. En pleine nuit, on ne voit guère que jusqu'au bout de la pelouse. Eh bien, même l'intérieur de cette étendue restreinte, une fois que ça prend un air bizarre, on ne peut plus le ressaisir comme un tout, dans une impression de connu complète. Je me suis dit d'abord que c'était une punition pour avoir été longtemps sans me préoccuper de la vie domestique. C'est possible après tout. Mais, petit à petit, j'ai compris que c'était le signe que mes propres forces physiques et mentales commençaient à s'épuiser. Mon potentiel avait baissé, de sorte que les fonctions par lesquelles on saisit l'espace faiblissaient, en quelque sorte. Et puis, pendant ces longues années, le jardin avait tout de même beaucoup changé. Naturellement, je l'avais toujours vu comme un morceau, même infime, de notre histoire. Sinon il ne se livrerait pas dans une impression de connu, n'est-ce pas ? Or, dès que j'essayais de mettre ces souvenirs en ordre, mon mental et mon physique n'obéissaient plus. À la fin les yeux se fatiguaient aussi, je ne voulais plus le voir, ce jardin, je lui confiais seulement mes oreilles. Même quand il souffle un vent imperceptible on entend frissonner herbes et arbres tour à tour, non ? C'est plutôt là que se trouvaient mes souvenirs. Bientôt les feuilles apparaissaient, le jardin blanchissait, dessiné comme un creux doux. Voyant cela, je me glissais dans mon lit avant qu'il fasse plus clair. Je dormais comme une bûche trois ou quatre heures et quand je me réveillais, ces jours-là seulement, tout me paraissait limpide.

– Ce que tu appelles limpidité, je comprends. (Sugaïke reprit ce dernier mot et sourit radieusement.) Les objets se détachent nettement, c'est ça ? Les choses peuvent se lire aussi directement qu'il est possible. Et le jugement est rapide et certain dans la même mesure.

Mais c'est le signe que le réservoir est presque vide. Après ça, évidemment, on doute soi-même que ça puisse encore marcher. On contrôle craintivement et c'est rare qu'on se soit réellement trompé. Pourtant on comprend que c'était une limpidité provenant de l'épuisement des forces physiques et mentales.

– Si tu fais un pas de plus, là, tu es en danger…

– C'est déjà dangereux, même sans aller plus loin ! Mais pour ma part j'ai toujours fait comme ça et ce n'était pas si terrible, j'ai quand même surmonté les moments difficiles. Les gens croient qu'on va jusqu'au bout, en crachant le feu par tous les trous de la tête. Moi aussi je crois ça, en général. En réalité, ça n'est pas vrai. On a un seul point clair en tête et on se décoince des passages étroits comme on peut.

– J'en ai vu plusieurs, à force de répéter cela la folie produite était devenue irrémédiable.

– Tant que nous étions jeunes, en tout cas, nous manquions de prudence, tu ne penses pas ? Il doit y avoir un temps de répit, juste avant que ça ne devienne vraiment sérieux. Au départ on ne voit pas si bien les choses et avec une lucidité provisoire on ne peut pas aller bien loin, alors quand ça se complique, quand on sent qu'on va entrer dans l'excitation, il faut se tenir à petite distance de soi-même et se faire un clin d'œil. Et il arrive, n'est-ce pas, que nos yeux se croisent et qu'on se surprenne les uns les autres à faire des têtes de gens acculés, qui nous font éclater de rire, non ?

– Il est possible que j'aie mis le bout d'un pied dedans, juste avant. Mais non, je crois bien au contraire qu'avant cela je me suis cabré des deux pieds. Avant d'en arriver là, pendant trois ans la tension a continué. Puis encore pendant deux ans il a fallu endurer, les conditions dans lesquelles j'étais placé me semblaient paradoxalement de plus en plus faciles à supporter, alors que la suite s'annonçait de plus en plus terrible. J'ai sans doute eu de la chance de comprendre que je touchais là ma limite.

– Pendant combien d'années pleines en tout dans sa vie un homme peut-il résister à la tension ? (Sugaïke prit un air songeur.) Ça doit avoir été calculé.

– Sentir qu'on est arrivé à la limite en regardant son jardin, c'est une histoire qu'on pourrait dire sans queue ni tête. C'est pourtant bien, précédant toute réflexion, ce que j'avais ressenti très nettement.

– Un homme qui a son propre jardin depuis de longues années est un homme heureux.

– Parce que ce jardin qu'il avait depuis de longues années lui semblait un jardin inconnu ?

– Même comme ça.

– Au bout de deux ans, on m'a libéré de mes responsabilités : je suis resté dix jours enfermé à la maison, et c'était tumultueux, en effet. Tard dans la nuit je m'asseyais enfin au calme dans la véranda, je ne pensais ni d'où je venais ni où j'allais, seulement à ce que je pouvais faire de ce jardin. Si je ne faisais rien, c'est là qu'il deviendrait pour le coup un jardin inconnu à l'abandon. Ce serait peut-être mieux ainsi, me disais-je. Mais à mesure qu'il devenait jardin abandonné, il me semblait aussi que la maison elle-même se mettait à pourrir. En réalité, je me contentais de regarder, je n'avais ni l'énergie ni la force d'y faire quoi que ce soit. Mon fils et sa femme auraient bientôt un enfant, ils reviendraient ici pour tout détruire ou tout vendre, et si c'était ça leur idée, pourquoi pas, me disais-je à la fin. J'imaginais les bulldozers entrant… C'est une chose que nous avons largement pratiquée de notre temps. Et quand je laissais faire en pensant « bien fait pour toi ! » – ça aussi peut-être, c'est une de nos vieilles habitudes –, je commençais à m'exciter bizarrement, alors qu'il s'agissait de moi. J'avais même envie de leur donner un coup de main. C'est alors que le vieux d'à côté est entré.

Ils rirent franchement. Moi qui en étais resté à l'inquiétude de savoir ce qu'il ferait après avoir quitté son emploi (une inquiétude non fondée, venant de quelqu'un qui n'était pas concerné) et qui étais suspendu à leur conversation tandis que sans se soucier de cela elle déviait dans une direction curieuse, bien que laissé de côté par leur rire, je me sentis soulagé.

– Bon, c'est comme ça (Sugaïke écourta la conversation sur ce sujet et reprit l'initiative), nous allons avoir tous trois cinquante-sept ans. Si nous parlions résolument avec optimisme, carrément avec optimisme, de ce que nous allons faire à partir de maintenant ?

Le premier interrogé, Fujisato, répondit qu'il voulait autant que possible ne rien faire pendant au moins deux ans. Il ne voyait pas encore ce qui se passerait plus tard, mais il pensait qu'il y aurait beaucoup de changements en lui entre-temps ; c'était, pour lui, à son âge, ce qu'il imaginait de plus heureux. Mais avant cela – m'occuper de ma fille, dit-il avec un sourire forcé. Il y a des cas où, pour marier sa fille, un père prend sa retraite, ajouta-t-il étrangement, sans quoi ce père lui-même ne peut pas prendre son « indépendance ».

Le deuxième interrogé, Sugaïke, répondit qu'il se retirait par étapes, que ça faisait déjà une dizaine d'années qu'il laissait les choses se régler peu à peu d'elles-mêmes, de sorte qu'il avait pas mal appris sur les différentes façons de se tirer d'affaire, il changerait sans doute encore quelques fois d'emploi et, tout en allant à petits pas vers la fin, il serait peut-être encore au travail à soixante-dix ans passés, que c'était ce qu'il pouvait imaginer de mieux.

Le dernier vers qui les yeux se tournèrent répondit : « Moi, le mieux, c'est content comme ça un jour après l'autre. » Ils en étaient pliés de rire, et tout en riant avec eux, je saisis l'occasion pour aller aux toilettes.

Quand on se retrouve seul chez des gens et que l'oreille s'en va d'elle-même vers les voix du fond, on éprouve un sentiment de vide, qui peut même aller jusqu'au dégoût. Je fermai le robinet et quand l'eau finit de s'écouler de l'évier une voix qui semblait se cacher du côté du salon devint tout à coup distincte.

– Là-bas, c'est pratiquement la faillite depuis trois ans, la société est alors passée sous le contrôle de gens douteux. Immédiatement après, les procédures sont devenues brutales.

Le ton était entièrement différent de jusqu'à présent, mais c'était la voix de Fujisato.

– Ah, c'était donc ça (Sugaïke acquiesçait apparemment), cet air forcé. Ce n'était plus simplement une façon de se débattre quand on est en danger : je me disais qu'ils en faisaient trop.

– Quand ils sont acculés sous la menace, le poids de l'argent, la violence, les gens ne sont plus dans leur état normal. Jusque dans les moindres détails. Ils n'ont plus eux-mêmes le temps de réfléchir. On dirait qu'ils ne sont même plus conscients d'être manipulés. Les visages finissent par tous se ressembler. C'est au point qu'on comprend en gros ce qui se passe rien qu'à les voir.

– Et alors, ta demoiselle… demanda Sugaïke.

– Oui, elle avait deviné. Un soir, elle m'a fait passer un interrogatoire. Je n'ai pas pu nier jusqu'au bout. Je l'avais blessée, je m'en suis voulu. Je n'avais rien vu venir. C'est parce que je n'avais plus ma femme. Comment pouvais-je imaginer qu'elle se faisait tant de souci pour son père… Il est vrai que je ne m'en faisais pas assez pour elle. Pourtant, quand j'y repense…

Alors, comme si la voix avait à nouveau baissé, ou peut-être parce que j'avais voulu donner le change en m'essuyant précipitamment les mains pour ne pas avoir l'air d'écouter aux portes, la conversation devint inaudible, puis je rangeai mon mouchoir et quand, m'éloignant des lavabos, je repassai par le coude du couloir, Sugaïke parlait de nouveau d'une voix paisible.

– Quand j'ai jeté un coup d'œil dehors, tout à coup, l'hélice était arrêtée. C'était un bimoteur, tu vois. Avec un engin aussi vieux, j'avais plutôt envie de me rassurer, de demander Tout va bien, non ? Qu'est-ce que vous en dites ? Je regardais autour de moi dans la carlingue la petite vingtaine de passagers, lorsque nos yeux se croisaient ils faisaient un visage qui disait Eh quoi, c'est maintenant que tu te réveilles ? À regarder en bas, on n'est pourtant pas des condors… nous étions en pleine cordillère des Andes ! Il restait une demi-heure avant l'atterrissage. Et comment crois-tu que j'ai passé ce temps-là ? J'ai dormi comme un bébé. Et qu'est-ce que tu crois que j'ai pensé avant de m'endormir ? Je me suis simplement répété *« Zis iz eu pèn' »*. Voilà, dans mon cas, tout l'effet que ça fait.

– Ça serait à peu près pareil pour moi, tu sais.

Au signal de cette voix de Fujisato je repassai le coude ; à l'autre bout du couloir, comme une fleur qui aurait éclos, la fille de Fujisato portant à deux mains un plateau de service des vins s'approchait comme en glissant et, me remarquant, les deux mains prises, elle souleva légèrement la poitrine sous son chemisier, inclina un peu le cou et me sourit.

Puis, avant de plier les genoux sur le seuil du salon, elle jeta un œil à l'intérieur, son profil devint solitaire et s'immobilisa comme s'il était à l'affût depuis un moment.

Elle regardait le visage de son père, semblait-il.

Lendemain de festin

Dans le sommeil du matin, je regardais un escalier de pierre étroit qui grimpait vers le haut de la montagne. Éclairées par un couchant pâle, sur chaque marche de pierre à demi enfouie dans le sol, je voyais les ombres douces accumulées dans les creux laissés par les marques de pas qui semblaient s'étager en sinuant souplement, formant une seule ligne au loin. Je n'aurais pas su dire où, mais c'était en tout cas un lieu qui m'était familier, un chemin que j'avais parcouru à fond bien des fois, soupirais-je en m'éveillant. Je restais couché, les genoux accablés d'une profonde fatigue.

Croyez-moi, mon âme est aussi jeune que quand elle fut créée ; elle est même encore bien plus jeune ! Et croyez-moi, je ne serais pas étonné si demain elle était plus jeune encore qu'aujourd'hui ![1]

Fujisato ne disait-il pas quelque chose de semblable ? Mes yeux se sont arrêtés sur ces phrases pendant que je lisais de vieilles choses. Je n'avais plus eu de nouvelles ni de Fujisato ni de Sugaïke. J'avais pensé de mon côté envoyer un mot de remerciement aux Fujisato, mais quelque chose m'avait arrêté ; la négligence avait fait le reste. Même téléphoner à Sugaïke aurait pu passer pour un mouvement de curiosité superficielle : hésitant, je laissai échapper l'occasion. En revenir ainsi à l'éloignement premier me semblait pour les uns et les autres pendant un certain temps raisonnable.

Ce soir-là, nous avions avec la fille de Fujisato vidé la bouteille de vin apportée par Sugaïke et, dans la foulée, deux autres bouteilles prélevées sur la réserve de Fujisato ; nous avions clos le festin d'excellente humeur. Raccompagnant ensuite jusqu'à une station de taxis

1. Sermon de Maître Eckhart, « De l'éternelle jeunesse de notre âme », *Traités et Sermons*, traduits par Alain de Libera, GF-Flammarion, 1993, p. 339.

Sugaïke qui ne tarissait pas d'éloges sur la demoiselle, Fujisato et moi avions rebroussé chemin jusqu'aux alentours du parc du micocoulier, puis au moment où nous allions repartir chacun de droite et de gauche, il était entré dans le parc comme si son regard soudain avait été attiré par quelque chose et, comme il se dirigeait vers un banc, je le suivis en pensant qu'il avait quelque chose à me dire. Il y avait une ombre dodue étendue sur le banc, appelant à voix basse « Bodhisattvaaa » (c'est ce que je crus entendre). Fujisato s'arrêta. « Te revoilà, ça faisait longtemps, dis-moi », s'adressa-t-il à la voix. L'extrémité d'un bras plus ou moins blanc sortit de la tête du sac de couchage et sautilla, trois fois, en nous faisant des petits signes. Étendue là sans bouger, une face mangée par la barbe sourit d'un air pudique – « Bonne nuiiit ! » chantonna-t-elle en étirant la finale – et aussitôt des ronflements s'élevèrent.

– C'est un ami. Je te raccompagne un bout, dit Fujisato en passant devant moi.

Il y a tout juste trois ans, une nuit où il faisait encore froid, il allait rentrer tard chez lui en coupant par le parc, cet homme était assis, affalé sous le micocoulier, il appelait à l'aide. Il avait bu quelque chose qui ne passait pas et il ne tenait plus debout, il demandait qu'on lui prête l'épaule pour aller jusqu'à ce banc. Alors, supportant l'épouvantable puanteur, il l'avait transporté jusqu'à ce banc. Toujours à sa demande, il avait aussi ramassé ses bagages et sorti le sac de couchage pour l'étendre sur le banc, il avait aidé ce gros corps à se glisser dedans en rampant sur le derrière, était allé jusqu'à remonter la fermeture éclair, quand avec son visage de colosse, le plus sérieusement du monde, il lui demanda, s'excusant, de bien vouloir lui donner trois gentils coups *tap tap tap* sur l'épaule, ce qu'il fit, et l'autre s'endormit.

– J'ai cru qu'il t'avait appelé Bodhisattva.

– Bodhisattva, je t'invoque, ho ! Bodhisattva, c'est comme ça qu'il m'avait interpellé la première fois ; maintenant qu'il a pris le pli, il continue sans se gêner.

Depuis, chaque fois qu'il passait par ici tard dans la nuit, il l'appelait du dedans de son sac de couchage, au début il lui répondait et poursuivait son chemin, mais bientôt Fujisato prit lui aussi l'habitude de s'arrêter une fois sur trois. Aujourd'hui il avait eu du bon, une autre fois il avait préféré ne rien manger, il y avait une femme qui l'embêtait à s'accrocher à lui… toutes ses histoires se ressemblaient.

Mais l'homme, quelle que soit la chose, en parlait avec une certaine sévérité et cela avait en soi-même du charme. Fujisato s'était-il pris d'affection pour lui ? C'était un moment où déjà il se sentait plus gai ; les jours où il prévoyait qu'il rentrerait à nouveau très tard en passant par le parc, il achetait de l'alcool s'il pouvait en fin d'après-midi, c'était un cadeau qu'il lui préparait. Il lui arrivait, lors de réunions ou d'entretiens importants, d'avoir une bouteille d'eau-de-vie cachée au fond de son sac. Le parfait alcoolique. Il avait eu une période comme ça.

Quand il lui avait demandé son âge, l'homme avait répondu quarante ans. Toutefois, s'il le lui demandait dans dix ans, à condition qu'il soit encore en vie, ce serait quarante ans, et s'il le lui avait demandé il y a dix ans, date à laquelle il était en principe bien vivant, ç'aurait été quarante ans – c'était sa façon à lui de s'exprimer. Un soir, il faisait déjà chaud, il était étendu de tout son long sur le sac de couchage en tee-shirt, caleçon court et ceinture de flanelle, il avait observé longuement le visage de Fujisato déclarant : Bodhisattva, les présages de malheur se sont effacés de ton visage, et comme Fujisato lui demandait s'il pouvait arriver malheur aussi à un bodhisattva, il avait répondu d'un air impassible que c'était une des épreuves pour devenir bodhisattva que d'être poignardé et puis, s'adoucissant, il avait ajouté qu'en revanche, et ça ne voulait pas dire qu'il aurait des ennuis avec les dames, on voyait transparaître une physionomie de femme, oui, ça n'était pas mauvais, un souvenir de sa maman, peut-être – mais l'idée que ça n'est pas mauvais, c'est moi qui l'ai inventée, dit-il, en se réjouissant tout seul de cette remarque absurde.

– Un clochard devin par lecture du visage et qui t'appelle Bodhisattva, le vieux d'à côté qui te rend visite toutes les nuits, c'était une époque plutôt joyeuse, non ?

– Joyeuse… si tu veux. C'était peut-être bien joyeux, en effet.

Nous étions revenus au coin de rue de l'autre fois, les dernières fleurs des jeunes arbres n'étaient pas encore toutes dispersées.

Je suppose que nous nous disions tout cela en riant. Or il semble que des dérèglements de la mémoire peuvent se produire même dans un bref espace de temps : à mesure que le temps passait, chaque fois que je me rappelais cette scène, j'entendais d'abord la voix de Fujisato, puis ma voix qui lui répondait, comme si dans tous leurs replis elles passaient du rire à l'abattement. Exactement le contraire de ce qui se passait, près d'un an plus tôt, quand nous marchions côte à côte sur le chemin de l'ancien canal et que la voix de Fujisato sonnait d'autant plus claire qu'elle s'enfonçait dans des sujets mélancoliques. C'était à ce moment-là une histoire de suicidé vieille de quarante ans. N'était-ce pas comme si le creux d'une caisse de résonance faisait sonner la voix plus clair, au bout de trois ou quatre ans ?

Fujisato avait été réellement en danger pendant un temps, semblait-il. J'étais trop ignorant de la marche des affaires pour deviner quelles étaient les circonstances, ni bien sûr quel genre de danger, et de quelle ampleur. Sugaïke avait cité en exemple sa propre expérience d'être resté une demi-heure dans le vide à bord d'un bimoteur qui n'avait plus qu'une hélice ; il tentait ainsi d'entrer en médiateur dans le cœur de Fujisato à cette époque mais, si l'on essayait ensuite de deviner l'ampleur du danger, on pouvait aussi bien le prendre à la légère ou au tragique. Pourtant, un homme qui se sent en danger, même s'il est calme, même s'il a presque tout oublié, doit être différent des gens normaux par son visage et jusque dans son allure. Un vagabond qui est descendu du train des relations humaines flaire peut-être cela. Ou peut-être est-ce une de ces choses qui deviennent visibles au moment même où elles disparaissent. Souvent la vérité habite des paroles lancées en l'air.

Une physionomie de femme transparaissait, en revanche. Est-ce que ça voulait dire que sur le visage d'un homme, à l'instant où le danger semble être passé, il y avait réellement des traits de femme qui se dessinaient ? On pouvait aussi, si on le désirait, y voir un coup de pouce de ce vagabond, un tour à sa façon. D'après ce que m'avait raconté Fujisato, d'après ce que j'avais moi-même entrevu, c'était un homme en qui l'attachement du petit enfant envers la mère semblait s'être enraciné et durci. Ce qu'il appelait un souvenir de sa maman, n'était-ce pas une projection de cet homme ? Ou peut-être un cadeau fait en retour à ce Fujisato bodhisattva d'occasion ? Il y a aussi des histoires où c'est le mendiant qui fait l'aumône d'un bol de nouilles. Et si Fujisato, dans ce que cet homme lui disait, avait aussitôt senti que le visage de sa fille apparaissait sur son propre visage et, plus encore, qu'à travers le visage de la fille c'était le visage de l'épouse morte qui apparaissait ? Et plus encore, si tout cela était arrivé pendant que le danger continuait, à un moment où l'esprit de Fujisato était en train de se préoccuper plus du danger pour sa fille que de lui-même ?

– C'était joyeux en effet, avait murmuré Fujisato comme si ces mots, il les avait appris de moi.

Cette voix-là était sombre.

C'était joyeux, et pourtant, alors que j'attendais à nouveau que cela se dissipe dans un rire, il demeurait silencieux et regardait autour de lui. Nous étions à l'endroit de la petite fourche, mais à la manière dont il promenait les yeux on aurait dit qu'il regardait devant lui un espace plus vaste. Et ses yeux n'avaient pas cet éclat perçant comme lorsqu'on devine une présence suspecte. Non : l'impression soudaine qu'une foule d'ombres se mettait à grouiller dans le noir, c'est moi qui l'avais éprouvée, gagné par le regard de Fujisato qui s'enfermait à l'intérieur de lui-même.

La fille de Fujisato nous avait rejoints et l'on s'était retrouvé dans une géométrie telle que Sugaïke avait mené la conversation.

– J'ai la manie de parler en dormant, avait-il dit d'entrée de jeu. Et votre père, il paraît qu'il parle seul quand il est à la maison ? demandait-il.

– Comment dire… (la fille de Fujisato avait à nouveau ce regard qui semblait chercher les mots au loin) il bavarde paisiblement, semble y prendre plaisir. Si je vais le voir, je le trouve en train de lire en silence. Il me regarde d'un air étonné.

– Je ne me rends pas compte (le père riait), quand on me le dit, je commence à avoir l'impression que je parlais. Ce genre de choses quand c'est une femme qui me le fait remarquer, j'ai cette habitude, déjà ancienne, de me dire ah oui.

– Et alors vous vous éloignez et vous l'entendez de nouveau ? intervint Sugaïke.

– Il ne manquerait plus que ça !

La fille se redressa, son dos étroit légèrement cambré en arrière.

– Et vous-même, en dormant, vous parlez à voix haute ? répliqua-t-elle.

– Pas très haute mais elle porte, il paraît que c'est net, la voix, le ton, plus que quand je suis éveillé. Seulement on ne comprend rien de ce que je dis. Ma fille dit qu'on ne résiste pas à l'envie d'écouter attentivement ce que le paternel déclare en dormant. Il paraît que ça fait un drôle d'effet, quand on se rend compte que tout ça n'a aucun sens. Il ne faut pas croire que ça s'entende jusque dans la chambre de ma fille…

– Ce ne sont pas des propos de sommeil qui pourraient inquiéter votre famille, n'est-ce pas ? dit la fille.

Sugaïke écarquilla un peu les yeux d'un air de dire « redoutable adversaire » et se tournant vers moi : « Et toi ? » demanda-t-il.

– Même si je ne dis presque rien pendant la moitié de la journée, j'ai parfois le sentiment d'avoir passé mon temps à pousser des cris sauvages, répondis-je.

Le père et la fille rirent ensemble de bon cœur ; pendant un moment, leurs visages furent identiques l'un à l'autre.

Sugaïke tendait le cou du côté de la véranda et il commença à poser des questions sur ce jardin. Il désignait chaque plante et chaque arbre invisibles dans le jardin déjà noir, comme s'il les avait appris par cœur, ses questions semblaient précises, la fille entrant dans son jeu se mit à expliquer par le menu comment on les avait plantés et bientôt se penchant vers le jardin ils entrèrent dans une conversation à deux, bien qu'ils fussent à distance l'un de l'autre. À mesure qu'elle expliquait avec passion, sa voix avait tendance à baisser, s'arrondissant doucement dans toutes ses harmonies, et à la fin elle s'éteignit, laissant flotter toujours le même sourire lointain. Elle savait comment se mettre à l'unisson de la curiosité masculine, pensais-je en l'écoutant.

– Il semble que votre père voyait le jardin complètement à l'abandon, mais en réalité vous n'avez pas cessé de vous en occuper, n'est-ce pas ? demanda Sugaïke en se redressant.

– Oui, répondit la fille, et elle rougit. Quand ma mère était à l'hôpital, quelqu'un m'avait dit que ce n'était pas très bon pour un malade qu'on laisse son jardin s'abîmer. Ç'a été le début et l'habitude m'en est restée. Il était tout juste assez abandonné pour que je puisse m'en occuper moi-même.

– Pourtant il y a quelque chose de vous dans la forme de ce jardin, dit Sugaïke, et sans attendre de réponse il laissa ses yeux errer de place en place.

– Les herbes sont tellement fortes, je suis vite dépassée.

La fille baissa les yeux : c'était donc bien une question à laquelle elle ne pouvait répondre, pensai-je, et voici qu'en relevant du bout des doigts ses cheveux sur son front elle dit une chose qui ressemblait à ce que son père avait dit en début de soirée.

– Je suis née dans cette maison, j'ai aussi vécu à l'étranger mais c'est dans cette maison que j'ai grandi, c'est pourquoi je n'avais jamais vraiment vu ce jardin. Et puis voilà que je me retrouve au milieu des herbes et que je ne comprends pas ce qu'il doit devenir. Je repère des traces de la main de ma mère, je ne fais que les suivre, mais il y a des endroits qui sont complètement dégradés et qui datent de l'époque où elle allait plus mal et ne sortait plus de sa chambre. C'est encore tout récent. Mais ce tout récent-là, je n'arrive pas à m'en souvenir, malgré tous mes efforts ça devient pour moi comme un jardin inconnu. Souvent, debout au milieu des herbes, j'ai regardé la véranda en rêvant. Je faisais ça dans la journée quand il n'y avait personne. Ma mère aussi de temps en temps faisait ça : du jardin, elle regardait la véranda vide d'un air intrigué. Pourtant ma mère n'est pas née et n'a pas grandi ici.

Les dernières paroles sonnèrent stridentes à l'oreille des invités. Le père ajouta ceci :

– Un jour, ma femme était dans le jardin, elle demandait à mon père debout dans la véranda comment c'était ici, avant. Son mari ne lui faisait que des réponses évasives, il n'y avait rien à en tirer. Mais mon père se demandait bien, lui aussi, ce qu'il aurait pu répondre. À la mort de maman, aussi, le jardin était resté un temps délaissé.

– Votre père regardait souvent le jardin la nuit, assis dans la véranda, n'est-ce pas ? demandait Sugaïke.

Cette fois, la fille sourit et ne répondit pas.

– Vous saviez, n'est-ce pas ?

Interrogée de nouveau, elle acquiesça en silence.

– À partir du moment où vous avez commencé à vous occuper du jardin, le visage de votre père bien-aimé s'est adouci, je suppose ?

Sous les questions, elle fixa les yeux de Sugaïke, on aurait dit qu'elle était seule tout en regardant quelqu'un, qu'elle s'oubliait elle-même, quand soudain :

– Disons que je n'étais pas sans savoir. Jusqu'à ce que se présente le visiteur, notre voisin.

Et elle s'épanouit dans un sourire.

– Bien sûr, elle s'est aperçue de tout petit à petit, dit le père comme une excuse.

– Vous réfléchissiez à ce qui pourrait être un réconfort dans ce jardin pour l'homme qui n'arrive pas à dormir (ici, Sugaïke frappa légèrement la table du plat de la main), eh bien, offrez-nous maintenant une bouteille de la réserve de votre vénéré père !

La fille se leva avec grâce.

Sugaïke avait compris. Cet homme avait deviné très vite les raisons d'une invitation qui était un peu mystérieuse, il ne savait pas quel rôle de médiateur il exerçait auprès du père et de la fille, mais il avait en tout cas accompli son devoir d'hôte. Moi, je l'avais suivi sans bien comprendre de quoi il retournait ; mon rôle sans doute était de garantir la tranquillité présente de cette maison. Des visiteurs viennent, se comportent étourdiment, et il y a là un repos domestique qu'il faut assurer.

Fujisato leva son verre en disant « Merci pour cette bonne soirée ! ». Sa fille inclina la tête : « Vraiment, nous vous remercions. » On sentait plus de reconnaissance dans ces mots que dans les formules convenues des maîtres de maison. Sugaïke et moi sommes bons buveurs, la bouteille commençait à se vider : « Lequel allons-nous essayer cette fois ? » demanda Fujisato à sa fille, et tous deux discutèrent gaiement.

C'était joyeux : quand il regardait autour de lui le carrefour désert, Fujisato pensait-il à la scène de banquet de tout à l'heure ? N'ayant plus rien à ajouter, il m'avait dit au revoir en riant, « Réunissons-nous encore une prochaine fois ! » – et pourtant, en marchant dans la nuit, j'éprouvais du remords. À y repenser, Sugaïke et moi étions pour Fujisato des hôtes aussi étrangers que ce vagabond ou bien le vieillard d'à côté, et peut-être plus étrangers encore. C'est parce que nous étions des étrangers qu'il nous avait invités. Il voulait que des étrangers viennent chez lui et s'y sentent comme chez eux. Comme Sugaïke avait compris cela mieux que moi, et alors qu'il était dans une position telle qu'il risquait d'y avoir des accrocs avec Fujisato, il s'était comporté comme un vieil ami qui rend visite après une longue absence. En comparaison de cela, que j'avais été maladroit, manifestant une retenue mal placée ; mais dans la mesure où je m'étais finalement détendu, j'avais, à ma façon, répondu à cette généreuse hospitalité. Le dîner avait été animé.

Le lendemain, l'image de Fujisato rentrant chez lui et regardant curieusement, après avoir remercié sa fille pour le mal qu'elle s'était donné, cette pièce autour de lui où s'étaient tenus les invités – mais qui était-ce au juste ? – restait accrochée dans mon esprit. Sa fille venue débarrasser la table l'observait à nouveau depuis le seuil.

Mais en prenant de l'âge, malgré tout, hier ne semble plus aussi proche qu'avant. Et en revanche, quinze jours après ce dimanche où Fujisato nous avait invités, les paroles prononcées par lui un an plus tôt me semblaient dater d'hier. *C'était fait* – la sensation que *c'était fait*, disait-il, se répandait équitablement sur tout. Comme tombée du ciel, elle recouvrait uniformément la surface des choses. C'était dans une salle de classe au tout début de la journée, il y a quarante ans. Fujisato regardait le rebord en saillie sous le parapet de la terrasse, d'où quelqu'un s'était jeté dans le vide tôt le matin à la saison des pluies. Chaque fois que nous avions cours de mathématiques dans cette salle en première heure le matin, il arrivait en avance, il s'asseyait dans la salle vide au premier rang près de la fenêtre et il regardait, jusqu'à ce que l'élan de la chute pénètre en lui par le sol à ses pieds et que ses cheveux se dressent sur sa tête. Cette histoire, je l'avais apprise l'an dernier par Fujisato et je m'étais représenté le dessus de la saillie où se tenait le suicidé, comme si je le voyais de biais (l'œil d'un souvenir vieux de quarante ans a de lui-même la qualité d'une vue à vol d'oiseau, apparemment). S'agissant d'une fenêtre au deuxième étage, la saillie du bord de la terrasse ne pouvait qu'être vue par en bas. Oui, c'était bien le mur qu'il regardait, à l'endroit où le suicidé foulait déjà le vide.

Il voyait superposée à l'imminence de l'écrasement la silhouette du suicidé tête levée, trois jours plus tôt, vers la cime du grand ginkgo de la cour. C'est alors que j'étais entré. Puis je m'étais assis près de la porte du fond, au dernier rang du côté du couloir. Nous étions assis aux deux bouts d'une diagonale, se souvenait Fujisato. La diagonale, je l'avais perçue, adolescent ; c'est une sensation tendue d'elle-même qui est bien de l'adolescence. Il évoquait un matin avec ce froid particulier à la saison des pluies et je ne me souvenais, moi, que du froid et de l'obscurité. Sitôt qu'il avait eu quelqu'un assis derrière lui à l'autre bout de la classe, les deux regards, pour Fujisato, s'étaient unis en une seule ligne droite et la vision du mur avait changé. L'impression qu'il n'y avait personne, là, s'était brusquement renforcée et l'aspirait. Quand il disait qu'il n'y avait plus personne là, c'est peut-être que lui aussi, à ce moment-là, regardait l'endroit où s'était tenu le suicidé, que pourtant il ne pouvait pas voir réellement de la fenêtre du deuxième étage. Et, par-derrière, il sentait mon regard le pousser.

Ensuite, Fujisato s'était aperçu que j'avais changé de collège, que je n'étais donc pas là au moment des faits. Et tandis qu'il regardait le mur, soulagé, sa vision de nouveau n'était plus la même. On ne peut pas assurer qu'elle s'était pour autant apaisée. C'était maintenant qu'il ressentait l'effroi. La silhouette du suicidé allait tombant encore les yeux levés vers la cime. Et dans le paysage par la fenêtre le danger se percevait aussi, près d'éclater. Dans sa tête tourbillonnait lentement quelque chose de désertique, avec une sensation de vide comme si lui-même n'était plus là. Sous cette lenteur où même le temps semblait disparaître, un sentiment d'urgence se cachait. Mais, sur tout cela, le sentiment que *c'était fait* tombait.

Il tombait aussi sur un mystère : car ce drame n'avait pas eu lieu pour celui qui se trouvait derrière lui à l'autre bout de la salle, disait-il.

Si l'on se mettait à la place de Fujisato à cette époque, la présence d'un être qui ne connaissait pas ce drame était étrange, évidemment. De celui qui ne sait rien de la chose à celui qui est tourmenté par elle, s'exerce toute la force d'un savoir bizarrement renversé. Tantôt il inclinera vers la haine, tantôt il incitera à la paix. L'étonnement que pour celui-là il ne se soit rien passé se rabattit bientôt sur lui, donnant au soulagement tout son espace : *c'était fait*. En était-ce fait aussi de moi, qui pendant ce temps peinais à résoudre mes problèmes de maths ?

Par la suite, chaque fois que nous nous retrouvions dans la salle de classe, tôt le matin, le sentiment que *c'était fait* s'approfondissait tandis qu'il regardait le mur. Mieux, pendant les vingt ou trente années qui suivirent, chaque fois qu'il était acculé dans une impasse, il faisait appel à ce sentiment que *c'était fait*, il se serrait contre lui. Prenant appui sur cette perception profonde du silence, quand c'en est fait de tout, il se battait obstinément avec la réalité. Apparemment, c'était un sacré débrouillard. Il y avait gagné pour finir la réputation d'être devenu fou. Et une autre réputation se raccrochait à la première : il serait en réalité un simulateur. Même en admettant que ce silence eût changé au fil des années, il gardait sans doute au fond de lui un silence exclusif – le silence produit par la trace du garçon qui s'était jeté dans le vide. Faut-il croire que mon absence, à cette époque, était elle aussi (si peu que ce fût) comprise là-dedans ? Était-ce de la même manière une absence absolue ?

Jusque vers quarante ans, il s'y cramponnait encore ; mais à partir de cinquante ans, de plus en plus serein, il s'y appuyait simplement, et ces derniers temps il était sur le point de tout voir comme si *c'était fait*. Cela aussi je l'avais appris un an plus tôt de la bouche de Fujisato. Je ne savais rien, alors, de cette rumeur disant qu'il était fou. Je n'avais aucun moyen de le savoir. Et quand j'en avais entendu parler, c'était en voyage dans une ville étrangère, par l'intermédiaire de Sugaïke, juste avant de quitter le restaurant où nous venions de déjeuner, de sorte que j'avais manqué l'occasion de l'interroger tout de suite et au bout d'un moment, après avoir marché côté à côte, « Vraiment, il est devenu fou ? » : dans la voix qui revenait sur ce sujet il y avait comme une supplication. Sugaïke avait alors mis sur le tapis l'autre rumeur, celle qui disait qu'il était un simulateur, et dans un cas comme dans l'autre il s'agissait d'endosser les reproches des gens, parce que telle était sa fonction : cela paraît impensable de nos jours (disait-il en riant), mais les rumeurs ont sans doute leur vie à elles ; il avait assez nonchalamment laissé la question en suspens. Que l'existence soit reconnue au personnage de la rumeur indépendamment de la vérité de la vraie personne, c'était pour moi un espace imaginaire qui n'était pas désagréable. Il suffit à me convaincre. Mais après mon retour de voyage, le sentiment que ça n'était pas permis, que cet homme ne pouvait pas être fou, fronçait les sourcils sitôt que je me représentais le visage de Fujisato, au point que je trouvais cela suspect, n'aurait-on pas dit que je souffrais de cette rumeur comme d'un affront, alors que nous n'étions pas si profondément liés ? D'un autre côté, j'avais en moi l'ombre d'un souvenir comme quoi j'aurais moi aussi, avec un profond sentiment de soulagement, approuvé d'un signe de tête Fujisato lorsqu'il m'avait annoncé calmement qu'il avait été fou quelques années plus tôt. Je comprenais que c'était un faux souvenir, mais si cet homme avait été fou, ç'aurait été plutôt quelque chose d'équivalent à revenir à la raison lentement et de manière quelque peu extatique, pensais-je à peu près.

Que Fujisato ait été en danger, je ne l'imaginais même pas.

Qui donc avait parlé de danger ? me suis-je demandé quelques jours après. D'après ce que j'avais entendu derrière le coude du corridor, ni

Fujisato ni Sugaïke n'avaient prononcé ce mot-là. Il me semblait qu'à l'intérieur de moi, même au moment où je les avais entendus échanger tous deux au sujet de la fille de Fujisato des propos qui paraissaient obscurs, rien ne bougeait plus fort que l'embarras d'avoir eu à l'oreille quelque chose que je ne devais pas écouter. Ensuite, les voix s'étaient un moment dissipées et, quand j'avais entendu Sugaïke parler de son aventure à bord d'un bimoteur dont une hélice s'était arrêtée, il m'avait semblé seulement que le sujet de la conversation avait changé. « Voilà, dans mon cas, tout l'effet que ça fait », concluait Sugaïke. « Ça serait à peu près pareil pour moi, tu sais », répondait Fujisato. À ce moment-là, je crois, le mot danger avait clignoté en moi ; on aurait dit qu'il éclairait tout ce qui précédait. J'avais repassé le coude et juste au même moment, à l'autre bout du couloir, la fille de Fujisato approchait ayant tout arrangé pour le service des vins, elle avait l'allure d'une fleur blanche fraîche éclose.

Ce jour-là, j'admirai le ton familier que Sugaïke et Fujisato adoptaient et qui faisait penser à une camaraderie d'adolescents de dix-sept ou dix-huit ans. Ils s'étaient connus au travail au milieu de la quarantaine, après quoi il n'y avait plus eu de véritables échanges entre eux, d'après ce que je savais. Sugaïke accordait-il son ton au nôtre en tenant compte du fait que l'hôte du jour et moi-même étions d'anciens camarades de classe ? C'est ce qu'il m'avait semblé, mais dès l'instant où je revins des lavabos vers le salon, les choses m'apparurent autrement. Pour l'un comme pour l'autre, c'était en fait un ton de soulagement. L'invité considérait tranquillement le danger passé pour l'hôte et l'hôte se laissait apaiser. Ils commençaient à s'égayer et devenaient moroses, devenaient moroses et s'égayaient à nouveau... À un moment, je me joignis à eux et tous trois nous fabriquions une ambiance bizarre : on aurait dit que nous nous amusions comme des petits fous ; on aurait dit aussi que nous étions abattus. Mais, au fur et à mesure, le sourire de la fille de Fujisato s'épanouissait. Voyant cela, Sugaïke paraissait satisfait malgré une légère trace de fatigue sur son visage.

Je pouvais admettre maintenant que Fujisato avait peut-être bien été fou ces dernières années. Cela se devinait à ce que lui-même disait, et plus encore à ce que racontait la silhouette de sa fille. Pourtant, même en admettant qu'il eût été fou, il ne s'agissait pas de savoir à quelle époque ni à peu près combien de temps – car sans doute avait-il été fou en sourdine pendant plusieurs années. À l'époque, les gens ne voyaient rien, je pense. Si j'essayais de suivre à ma manière ces rumeurs du monde des affaires que j'avais entendues par Sugaïke, Fujisato s'était retiré de ses fonctions, soit qu'il fût devenu fou, soit qu'il fît semblant de l'être, un an ou peu s'en faut après le moment où il était devenu évident que la prospérité excessive du monde avait capoté. La rumeur, apparemment, disait encore qu'il avait à ce moment-là pris un congé de six mois ; mais si cela avait été le cas, vu l'ambiance qu'il y avait entre nous trois ce soir-là, Fujisato nous en aurait parlé. D'après ses propres dires il avait été libéré de ses fonctions deux ans plus tôt, soit l'année où le vieillard était apparu en plein été. Il disait avoir obtenu un congé de dix jours. Cela avait probablement été le point de départ de la rumeur sur sa folie. À cette époque, Fujisato lui-même allait beaucoup mieux, semblait-il. Puis, au printemps de l'année dernière, nous étions tombés nez à nez dans le parc du micocoulier, quelque quarante ans après notre dernière rencontre. Cette fois-là aussi, quand j'y repense, il avait un visage apaisé.

Il y a environ trois ans, le vagabond du parc lui avait dit que les présages de malheur s'étaient effacés : c'était donc un an avant l'été où le vieillard était apparu. L'été qu'il disait chaud remontait à encore un an avant cela. Le jardin qu'il connaissait depuis son enfance lui faisait une impression de jardin inconnu, c'est alors qu'il avait compris qu'il touchait sa limite, si bien que les deux années qui avaient suivi étaient devenues d'autant plus faciles à supporter, alors même que les conditions dans lesquelles il était placé étaient de plus en plus mauvaises. Pendant les trois années qui avaient précédé, la tension, disait-il, avait été continue.

Arrivé là, je réfléchissais, l'épouse de Fujisato est pourtant bien morte il y a cinq ans, c'est-à-dire l'année qui précédait immédiatement cet été chaud, je refaisais les comptes et j'étais stupéfait. Une incompréhensible erreur s'y était donc glissée à un moment. Quand Fujisato avait commencé à parler de cet été-là j'entendais en effet son état d'âme l'année d'après la mort de son épouse, j'acquiesçais à ses paroles, oui, la vue du jardin devait évidemment changer. Pendant un court instant, quand Fujisato avait avoué presque incidemment que c'était le terme d'une tension de trois ans, la mort de son épouse avait été repoussée en moi vers le commencement de ces trois années. Même sans cela, si on m'avait raconté une histoire laissant entrevoir les conditions dans lesquelles il était allé, dans son travail, jusqu'à l'extrême limite du danger, j'aurais finalement réglé la question en interprétant cela comme un affaiblissement psychique qui aurait atteint son plus haut un an après la perte de son épouse. Mais Sugaïke lui-même, qui était en principe celui qui apaise les choses, avait déplacé la conversation vers le danger de se laisser guider par une lucidité venue de l'épuisement des forces physiques et morales. Dans le récit du jardin qu'il ne reconnaissait plus, il y avait l'émotion de Fujisato lui-même (comment la vue du jardin pouvait-elle être tellement différente maintenant que sa compagne était partie la première ?) mais on sentait qu'il y avait encore autre chose.

Il disait que la tension avait été continue pendant trois ans, pourtant c'est un an après la mort de son épouse que Fujisato s'était de lui-même sacrifié professionnellement en se mettant dans une impasse ; le fait qu'après cela il ne reconnaissait plus son propre jardin, n'était-ce pas là le véritable danger ? Ses forces physiques et morales commençaient à s'épuiser au point qu'il ne pouvait plus ressaisir dans une sensation de déjà-su un jardin qui était le sien depuis de longues années, disait-il. Au point que l'ombre du danger qui n'était plus maintenant contenue par la volonté apparaissait aussi à l'intérieur de la vision du jardin. Mais d'après le ton de Fujisato faisant retour sur soi, il semblait que dans le cœur qui regardait le jardin avec stupéfaction il y avait déjà en germe du soulagement. Le danger serait-il devenu visible comme atmosphère au moment où, en quelque sorte, il était en train de passer ? Connaissant cet homme, je supposais qu'il avait jusque-là, sans se troubler ni se raidir, fait face au danger avec une longue attention, un certain degré de douceur. Il y a des cas où même la terreur prend une sorte de douceur. Mais sur cette prudence et sur cette terreur et sur ce qui serait une forme de résignation, le silence du *c'est fait* tombait, tombait avec la mort de l'épouse, de plus en plus profond. Sa folie, ne serait-ce pas ce silence ?

Le danger s'était révélé sous ses yeux en devenant la vision d'un jardin inconnu. Le silence du *c'est fait* était passé, lui aussi, en laissant traîner après lui une vibration comme s'il s'était agi d'une tension anormale. À cela, son corps et son esprit n'opposaient pas la moindre résistance. Il n'essayait même pas de l'arrêter. Même si une ombre s'était levée maintenant d'entre les herbes, même si on imaginait qu'il la recevrait encore comme une réalité, tout, jusqu'au sentiment de terreur, continuait de se recroqueviller dans la certitude qu'il avait atteint sa limite. Tandis qu'il observait simplement cela au-dedans et au-dehors, s'il pensait que peut-être c'était le présage de sa propre perte, étrangement le sentiment de revenir à la vie commençait à suinter, en sourdine, du fond qu'il avait touché.

Pendant ce temps, dans la maison, ses yeux s'arrêtaient à la moindre occasion sur la silhouette de sa fille, il s'étonnait chaque fois de la tension de son profil quand elle sentait le regard du père ; il comprenait qu'à l'inverse c'était lui-même qui avait été observé et deviné, pendant longtemps, par ce regard réfléchi. Et il avait peur, rétrospectivement : que lui était-il arrivé pour être à ce point impassible ? – et dans cette peur aussi, est-ce qu'il y avait du soulagement ?

– J'ai eu vent de loin de certains bruits disant que tu aurais été mal en point, un temps ; mais dis-moi, même si c'est une rumeur, quand était-ce ?

Juste avant d'interrompre une rêverie qui commençait à tourner en rond – peut-être aurais-je l'occasion de le demander à Fujisato un jour, peut-être ne pourrais-je plus jamais lui en parler – voilà que le silence à peine entrouvert s'était de nouveau refermé : j'éprouvais une suffocation qui me semblait devoir durer toute la vie.

– C'était l'année avant cet été chaud. Personne ne s'en était aperçu. Je ne m'étais pas aperçu que ma fille s'en était aperçue.

Il me semblait que Fujisato avait acquiescé. Mais ensuite :

– Non, peut-être que je me trompe. Peut-être que la folie est venue après. Peut-être que j'étais encore fou quand je t'ai rencontré au printemps dernier. Sans quoi je n'aurais pas pu te reconnaître, hein ? Même si je t'avais reconnu, je ne serais pas allé droit vers toi sans même me souvenir de ton nom. Hein ?

Et disant cela, il semblait qu'il riait joyeusement.

Imite, oh, le coucou

– Mais dites-moi, ça fait trois mois…

J'ai jeté un coup d'œil au mur, face à ma table de travail. Il n'y a pas de calendrier accroché à ce mur. Deux ans ont passé depuis qu'un jour, je commençais de m'en lasser, je l'ai chassé vers la bibliothèque derrière moi. Même les vieilles habitudes, il arrive qu'on les rejette et qu'on n'y revienne plus.

– Vous êtes rentré plus tôt, ce soir ? demandai-je.

Ah oui ! ça me revenait maintenant, c'était jour de congé : l'anniversaire de l'empereur si je ne me trompe ? Et Yamakoshi, en mettant du rire dans sa voix :

– le Jour vert[1] !

« Au moment des fleurs, j'avais trouvé un jardin avec de beaux cerisiers, où j'ai pensé vous inviter dès le lendemain, et subitement, emporté par un tourbillon…

Il s'excusait de son long silence sur un ton qui semblait toujours aussi démodé, si peu accordé à son âge.

– Un jardin en fleurs ? C'est bien dommage, répondis-je.

Je commençais à ne plus trop savoir d'où me venait cet appel. Alors, Yamakoshi fit allusion à une certaine dame à l'hôpital. Il ajouta le prénom au nom de famille : elle disait qu'elle avait soixante-six ans, mais est-ce que vous saviez qu'elle avait été hospitalisée pour une fracture ? Je n'en avais probablement jamais entendu parler mais c'était un nom aux consonances assez rares, si bien que ça me disait quelque chose, en effet, et sans attendre de réponse tandis que je continuais de chercher péniblement, il m'annonça que cette personne

1. Le 29 avril, jour anniversaire de l'empereur de Shôwa (Hirohito), férié depuis 1948, a été ainsi rebaptisé après sa mort.

était décédée. Il avait lu cela dans le journal, le même nom et le même prénom figuraient dans la liste des victimes de l'Airbus qui s'était écrasé l'autre jour à l'aéroport de Nagoya en ratant son atterrissage. L'âge aussi concordait, soixante-neuf ans. Il avait entendu dire qu'elle était de Gifu. Apparemment, c'est pendant qu'elle était chez son fils, à Tokyo, qu'elle s'était cassé la jambe en tombant quelque part, elle avait été transportée dans cet hôpital en ambulance – mais la blessure n'était pas bien grave, et elle avait maintenant largement de quoi vivre, dès qu'elle serait remise sur pied elle avait l'intention de s'inscrire dans un voyage organisé et de profiter encore un peu des séjours à l'étranger, elle disait justement qu'elle n'était pas encore allée à Taïwan : il n'y a donc pas d'erreur, c'est bien elle.

L'avion était parti de Taïpei. Il semble qu'il y avait à son bord de nombreux passagers très âgés qui voyageaient en groupe.

– C'était la semaine dernière, non ?

– Pas du tout, c'était il y a trois jours !

Déçue, la voix devenait plus jeune. Les journées passent tout d'un bloc… Qu'est-ce que j'ai à m'affairer comme ça ? me disais-je en fronçant les sourcils.

– Vous vous fréquentiez à l'hôpital ?

– Il m'est arrivé de lui prêter la main quelquefois, répondit Yamakoshi de la même voix. Ceci dit, nous étions tous les deux en chaise roulante. De nous deux, c'était moi qui avais le moins d'énergie, elle me houspillait. À midi, si je me plaignais de ne pas avoir d'appétit, elle me disait Fais-toi un cœur qui regarde le soleil tout là-haut, et dis-toi Ah, aujourd'hui j'ai bien travaillé depuis tôt le matin, parce que nous autres malades, il ne faut pas croire, nous sommes au travail dès le matin. C'était un jour où il pleuvait à verse.

– Elle avait raison, les jours de pluie les malades sont à la peine dès le matin ! dis-je en riant.

Je me souvenais, une dizaine d'années auparavant, dans un train, il y avait un groupe de gens de Hong Kong fort bruyant qui voyageait en famille, ça jacassait de tous côtés, devant, derrière et en travers, et là-dedans j'étais attiré par un jeune homme avec un beau visage de vingt ans tout au plus et une grosse femme rougeaude dans les cinquante ans, qui parlaient avec animation les yeux dans les yeux ; mon compagnon de voyage qui comprenait le chinois m'avait alors glissé à l'oreille : ils causent cuisine, la cuisine qu'ils mangeront ce soir.

– Il m'est arrivé de lui vider son bassin en pleine nuit, dit Yamakoshi sans participer à mon rire, je le lui ai rapporté lavé, c'est tout. J'avais la même chose à faire pour moi.

L'ombre de la morte inconnue s'épaissit instantanément ; le long couloir de l'hôpital de nuit se dessina sous mes yeux. Chaque fois que j'ouvrais les yeux, ces nuits où l'on dort mal, il y avait bientôt quelqu'un qui s'en allait là-bas. J'entendais un bruit d'eau qui coule. Parfois aussi il me semblait, même en tendant l'oreille, que la personne ne revenait pas. Je ne sais jusqu'à quel point ces bruits étaient réels.

– Rassurez-moi, vous ne partagiez tout de même pas la même chambre…

– Je passais dans le couloir en chaise roulante, lorsqu'on m'a appelé, ça venait d'une chambre. On criait mon nom d'une voix faible, dans mon dos. J'ai continué d'avancer et d'un seul coup je me suis dit oh là, et j'ai rebroussé chemin. Les portes des chambres restent ouvertes même la nuit, vous vous souvenez ? Elle m'avait vu passer de son lit et m'avait attrapé au vol, disait-elle en riant.

Les toilettes et l'endroit où l'on vide les bassins se trouvaient à droite au milieu du couloir, la buanderie était un peu avant et les toilettes pour les chaises roulantes, à l'autre bout, tout au fond. Chaque fois que je m'éveillais en plein cauchemar, ce long espace se prolongeait dans ma tête comme une extension tranquille de la douleur de mon propre corps. Ce silence s'inclinait en avant et se chargeait d'un sentiment d'urgence.

– Oui, j'imagine que vous vous étiez attaché à elle, murmurais-je.

– Il y a de ça aussi, mais (Yamakoshi baissa la voix), je ne sais plus quand, un jour, dans le parloir après l'extinction des lumières, vous aviez parlé de ce fameux crash qui à cette époque remontait à six ans déjà, ce jumbo-jet qui était tombé avec son empennage arraché, vous disiez qu'on ne pouvait pas se débarrasser d'un doute dans l'élucidation des causes, et vous expliquiez précisément pourquoi, je me suis souvenu de ça.

– Qui ?… Moi ?…

Je n'en gardais pas souvenir. Il est vrai que j'avais depuis longtemps des soupçons sur les causes de cet accident, à un moment cela m'avait presque obsédé, mais je pensais avoir tout oublié pendant ma maladie. Dire que j'avais ressorti cette histoire alors que je n'étais pas encore remis des suites de l'opération, et en plus devant un interlocuteur blessé plus gravement que moi.

– On dirait que je n'ai pas pu m'empêcher de faire le pédant et l'importun.

– Mais non, j'ai admiré la façon dont vous analysiez instant par instant les quelques dizaines de secondes, avant et après l'explosion de la paroi qui était considérée comme l'origine de l'accident, les suivant comme si vous les caressiez, tout en vous tenant dans les strictes limites du bon sens.

– J'ai paradé d'une manière ridicule, sans me soucier des circonstances. J'espère au moins que je n'étais pas surexcité.

– Mais non, vous parliez calmement, un peu comme si vous vous lamentiez.

– C'est encore pire que je ne pensais.

Mon comportement était d'autant plus indélicat qu'il s'insérait, si je me souviens bien, dans une suite de confidences où je venais d'apprendre que l'année de cet accident coïncidait aussi, pour Yamakoshi, avec le malheur d'avoir perdu sa sœur dans un accident de la route.

– Les malades réchappés de justesse ont envie de parler de ces choses, parce qu'ils ont encore peur. Quand même, quand je pense que c'était juste avant votre seconde opération.

– Vous fronciez les sourcils en disant à propos de la boîte noire et de l'enregistrement des voix qu'il y avait là quelque chose de terrifiant : être en position de suivre, instant par instant, chez soi, la situation d'impasse dramatique dans laquelle se trouvaient ces gens. Les morts font silence, disiez-vous, de sorte que si nous nous fixons sur ce silence, c'est nous qui tombons aussitôt.

– Je ferais parfois mieux de me taire.

– Avec l'accident qui venait de se produire, j'ai eu moi aussi des doutes au sujet du déroulement des faits entre le moment où ils se préparaient à atterrir tranquillement et l'irréversible, je regardais chaque jour les documents qui avaient été publiés, et il vient un moment où on se trouve réellement impliqué, instant après instant, et même à la seconde près, n'est-ce pas ? J'étais bizarrement excité. C'était un sentiment proche de la fureur. Souvenez-vous, lors de l'accident il y a neuf ans, la courbe du graphe qui montrait le changement des valeurs numériques enregistrées dans la boîte noire : dans le journal on l'avait mise en gras et voyant cela vous étiez entré dans une rage folle – ils se mêlaient d'écraser les secondes sous un badigeon ! –, la violence de votre réaction vous effrayait vous-même, c'est ce que vous me racontiez en riant dans le parloir de l'hôpital et en me souvenant de cela, tout à l'heure, j'ai eu envie de vous appeler.

– Le chemin s'est ouvert à un endroit bizarre, on dirait…

Troublé, je m'informai des dernières nouvelles et la conversation se détourna enfin des crashs : Yamakoshi répondit qu'il n'y avait rien de nouveau. Il menait une petite vie tranquille. Pendant un moment nous avions parlé du monde, il ne semblait pas avoir eu d'autre raison de m'appeler. Il disait aussi qu'il avait envie de partir cet été quelque part au loin.

On est excité les premiers temps mais, avec dix ans de plus, même les tragédies du monde on ne les regarde plus, bientôt, sans une réaction d'évitement ou de refus qui s'interpose en secret, me disais-je après son appel et je pensais à la faible adhérence de l'intérêt que j'avais manifesté moi-même devant cet accident.

Quelques jours après, il y eut dans les journaux une photo des passagers prise à bord de l'avion avant l'accident. La bobine avait été récupérée intacte, apparemment, dans un appareil photo. On voyait en effet parmi eux un bon nombre de femmes âgées. D'après le soulagement qui se lisait sur tous les visages – on a beau être habitué aux voyages, l'âge aussi a ses habitudes – il semblait que la photo avait été prise après l'entrée dans l'espace aérien japonais. Peut-être y trouverais-je un visage connu ? Je concentrais mon regard, le long couloir où se réunissaient les insomnies des malades commençait à se dessiner mais sur la photo elles me souriaient toutes, je détournai les yeux sans aller jusqu'au bout.

Admettons qu'elles aient eu soixante-dix ans : elles en avaient donc vingt et un l'année de la défaite, comptai-je laborieusement.

Un beau dimanche matin, début juin, avant l'entrée dans la saison des pluies, jetant un coup d'œil dans la tente des bouquinistes à la foire à la brocante qui se tenait face au parc, dans l'allée des ormes rehaussée maintenant d'une touche de vert profond, j'avais pris en main un volume d'une collection de littérature du monde entier qui avait fait l'objet d'une grande promotion il y a près de trente ans (moi-même, je devais en posséder quelques volumes) et je le regardais quand, de derrière, on me tapa sur l'épaule, quelqu'un de très grand d'après mon sentiment ; je me retournai et vis devant moi Yamakoshi qui me souriait.

– Que vous êtes grand !

– Je ne fais pas plus d'un mètre soixante-dix-sept.

– C'est déjà grand.

– N'est-ce pas parce que vous vous teniez la tête baissée ?

Et donc, comme je m'en doutais, mon interlocuteur aussi m'avait trouvé petit. Pourtant je fais un mètre soixante et onze. Je me rappelai, quand j'étais enfant, un jour particulièrement pluvieux en pleine saison des pluies, on ne sait toujours pas aujourd'hui s'il s'agissait d'une affaire louche ou d'un suicide mais on avait découvert sur le talus du chemin de fer le corps, écrasé, d'un personnage important, et dans un article qui suivait sa piste dans les jours précédents il était écrit si je ne me trompe qu'il mesurait cinq pieds sept pouces. Cet homme était-il également quinquagénaire ?

Dans l'allée, en ce début d'été ensoleillé, une odeur de moisi qui fluait çà et là en venant des diverses tentes, la même que lorsqu'on déménage une vieille maison, flottait sans être balayée par les courants d'air. En fait de brocante, c'était un alignement de meubles et d'autres objets bons pour les encombrants qu'on avait simplement rafistolés, aucun n'était vraiment ancien, on apercevait des appareils électriques, des minichaînes, des guitares électriques et divers instruments de musique, mais dans l'ensemble rien ne semblait échapper au règne de la moisissure. Une sorte de braderie estivale, imitée du vieux marché aux fripes qui non loin de là, pour les fêtes de fin d'année et du nouvel an, rassemblait autrefois les paysans des alentours (dit-on) et qui attirait depuis quelques années des clients venus de loin, avec un succès grandissant. Les étudiants de l'université toute proche avaient pris les choses en main : vêtus de vestes traditionnelles teintes en rose, les mêmes pour tout le monde, ils tournaient et s'affairaient avec une belle énergie, scène qui devenait rare ces derniers temps. À en juger par les marques apposées un peu partout sur les meubles et les autres objets, tout cela semblait très bien se vendre.

Je devais regarder ce livre avec une attention particulière puisqu'un étudiant en veste rose s'approcha et offrit généreusement le prix de « deux cents yens », de sorte que je décidai d'aligner mes deux pièces de cent. Le volume comprenait deux auteurs dont l'un était un écrivain autrichien du XIXe siècle auquel je suis attaché depuis longtemps, un homme qui écrivait une prose douce et puissante et qui s'est suicidé, ne pouvant supporter les tourments de la maladie dans ses dernières années. Quoi qu'il en soit de l'original, cette traduction qui était claire comme le voulait le nouveau style défendu au milieu des années 60 ne m'avait pas beaucoup charmé, quand j'étais dans mes vingt ans.

– C'est peut-être un livre que j'ai moi-même vendu, je ne sais plus trop quand.

– Alors, quoi de neuf ?

– Rien de neuf !

Épaule contre épaule, à travers la foule, nous nous dirigions spontanément vers le parc. En réalité, le père de ma femme avait été hospitalisé au milieu du mois de mai. Il avait quatre-vingt-cinq ans ; outre des problèmes cardiaques déjà anciens, il avait été amené là à la suite d'une légère pneumonie. Il était apparemment très affaibli physiquement et moralement. De temps en temps, il ne comprenait plus où il se trouvait, il demandait si c'était un débarras, ici, ou peut-être un bureau de l'administration ? Ma femme est originaire de Fukushima dans le Tôhoku, comme sa mère était seule à la maison les brus et les filles venaient à tour de rôle de Tokyo passer quelques jours avec elle, mes filles aussi allaient l'aider. Une semaine après son admission, j'étais parti le voir à l'hôpital de Fukushima en faisant l'aller-retour dans la journée. Le malade avait aussitôt reconnu mon visage alors que cela faisait trois ans qu'on ne s'était pas vus, il avait prononcé clairement et fortement mon nom et mon prénom comme quand on fait l'appel, mais dès que son esprit se relâchait il semblait s'enfoncer à la frontière entre veille et sommeil. Les tuyaux passés dans ses narines le gênaient. Même sans cela, avec son cœur et ses poumons affaiblis, sa voix ne sortait plus comme il aurait voulu. Il avait des visions. Ce matin même, me dit-on, il racontait qu'il se trouvait dans une cabine de bateau. L'hôpital avait été construit trente ans plus tôt environ : comme toutes les constructions récentes, il vieillissait mal, on se serait cru à bord d'un navire érodé par le vent marin. Et quand il parlait de bureau de l'administration, il n'y avait qu'à regarder autour de soi ces chambres d'hôpital aux canalisations neuves qui circulaient à nu, pour moi qui avais travaillé pendant un temps dans un lieu qui ressemblait à un très vieux bâtiment administratif, cela paraissait évident. D'après la mère de ma femme, sa santé s'était stabilisée depuis, mais dans les premiers temps de son arrivée à l'hôpital, il était dans un état presque critique.

Je quittai la chambre pour griller une cigarette dans le coin réservé aux fumeurs ; de la fenêtre on voyait une large terrasse, un étage plus bas, qui servait aussi à faire sécher le linge, de sorte que j'eus envie d'y descendre et je découvris alors devant moi les pistes d'un hippodrome désert. J'aurais pu les prendre toutes dans ma main, elles étaient devant moi si distinctes que je restai ahuri pendant un moment. Je me tenais déjà du côté des morts et j'observais, les yeux grands ouverts, un spectacle auquel j'avais assisté de mon vivant.

– Le paysage n'est évidemment pas le même que lorsque nous étions à l'hôpital, n'est-ce pas ?

Je fus surpris par les paroles de Yamakoshi comme s'il venait de lire en moi. Ses yeux allaient au-delà de la carrière de dressage avec sa pelouse dont la couleur était devenue plus intense, vers le taillis de début d'été qui s'épanouissait à en paraître touffu. Nous étions arrivés en face du champ de courses et nous avions allumé nos cigarettes, puis nous avions grimpé sur les gradins proches ; Yamakoshi s'était assis sur un banc en plein soleil, loin de l'ombre du toit, quelle jeunesse ! me disais-je en m'asseyant près de lui.

– Du parloir qui se trouve dans ce bâtiment là-bas nous avions un panorama ouvert à cent quatre-vingts degrés, bien sûr, puisque nous étions au sixième étage et plus haut que la butte. Chaque jour, je m'approchais plusieurs fois de la fenêtre et pourtant j'avais beau regarder, j'avais beau me dire que nous avions là une vue superbe, je ne parvenais pas à m'ouvrir à ce spectacle. Je pensais que c'était peut-être parce que j'en étais séparé par une vitre, mais même après, quand j'ai commencé à me promener dehors avec une canne, il m'a semblé pendant quelque temps que tout ce que je voyais autour de moi était séparé de moi par une vitre. Tant qu'il y a de la douleur, on reste enfermé dans la douleur, non ?

– Nous avions le soir, en face de nous, le mont Fuji rougeoyant qui s'offrait à notre vue, et nous le regardions avec le sentiment que nous n'avions rien à en faire (je ressentais moi aussi, maintenant, une sensation d'étouffement), à plus forte raison vous, qui êtes resté trois fois plus longtemps que moi.

C'est vrai, avant même que nous commencions à nous parler, Yamakoshi m'avait frappé par la façon dont il observait le paysage extérieur en rapprochant sa chaise roulante de la fenêtre du parloir, le visage tendu vers le bas. Des personnes qui regardaient au dehors de la fenêtre du parloir, il y en avait parmi les malades, leurs familles ou les visiteurs, ils avaient l'air nombreux, en fait ils étaient rares. Il y en avait une autre, une femme qui semblait avoir dépassé les quatre-vingts ans et qui elle aussi approchait souvent sa chaise roulante de la fenêtre. Son état était grave, on pouvait penser qu'elle ne se relèverait plus et pourtant, à un moment, elle avait surgi dans le couloir en ramant de toutes ses forces sur sa chaise roulante. Un couple entre deux âges dont on n'aurait pas pensé à les entendre qu'il s'agissait du fils de la vieille dame et de son épouse était venu au parloir et lui répétait des mots obséquieux, disant qu'ils la prendraient en charge à tout moment avec plaisir et qu'ils voulaient qu'elle vienne chez eux la tête haute – mais la vieille dame esquivait, sans même se donner la peine de refuser ou d'approuver à aucun moment, alors que l'affaire était sérieuse. On voyait qu'elle avait la volonté de continuer à vivre seule et malgré cela il semblait qu'elle ne pourrait jamais plus quitter sa chaise roulante. Or, quelques jours après, accrochée à sa canne, le dos tout courbé, elle s'était pourtant relevée. Puis jour après jour, s'appliquant sans se laisser détourner par rien, la distance qu'elle parcourait en s'entraînant s'était peu à peu allongée. Même quand elle put marcher convenablement, elle s'approchait encore de la fenêtre et regardait dehors avec un regard de gamine tourmentée.

– Tout récemment, j'ai eu à faire du côté d'Akasaka en début de soirée… (c'est ainsi que Yamakoshi déplaça la conversation) j'ai contourné le bas du sanctuaire de Sannô pour couper en direction de la vallée de Nagatachô : elle était là, telle quelle, cette carcasse incendiée.

Je compris qu'il parlait de l'hôtel où une trentaine de personnes étaient mortes brûlées vives. Il y a quelques années, moi aussi, j'étais passé à côté, un jour d'automne, et je m'étais rassuré en calculant que tout cela remontait à 1982. C'était aussi l'année où le père de Yamakoshi était mort d'un cancer avant ses cinquante ans. Je l'avais appris de la bouche de Yamakoshi pendant mon hospitalisation. On s'en serait douté, la conversation ne s'éloignait pas de l'hôpital.

– Je suis entré à l'université la même année. Et il est encore là, comme s'il avait brûlé le mois dernier. Il m'a semblé qu'il y avait encore une odeur de fumée qui flottait par là. Comment a-t-on pu laisser les choses en l'état pendant douze ans ? Il paraît que la mise en vente aux enchères n'a toujours pas abouti. Le procès traîne, les prix des terrains ont trop monté au plus fort de la bulle, ils ont trop baissé quand la bulle a éclaté et le coût du démantèlement est sans doute effrayant, mais il aurait fallu transformer ça en terrain vague et laisser dormir quelque temps, sinon, qui voudrait mettre une fortune sur la table pour récupérer un endroit d'aussi mauvais augure ? La démolition était un préalable. Je me suis dit qu'il y avait là un entêtement formidable. Entêtement de qui, je ne sais pas. Dans ce monde où céder est la règle générale sitôt qu'un profit est en vue, un entêtement impersonnel, sans sujet en quelque sorte, pouvait donc se révéler lorsque les conditions étaient réunies, et pendant que je regardais ces fenêtres noircies par le feu j'étais pris d'angoisse. Il faut dire que je m'étais arrêté là, en pleine rue, dans le noir.

– Les terrains dont le prix a baissé vertigineusement sont en eux-mêmes des espèces de fantômes. De nos jours, le génie du lieu, c'est peut-être le prix du terrain.

Je m'échappai par une plaisanterie. Quand Yamakoshi parlait d'entêtement, je me sentais plus ou moins coupable, comme si ce mot était dirigé contre les gens de ma génération. Non pas que nous soyons généralement têtus, mais nous avons peut-être laissé quelque part une trace de notre obstination à continuer dans le désert. En fait, le lycée où j'allais quand j'étais adolescent se trouve dos à dos, terrain contre terrain, avec cet hôtel incendié, l'école sur la butte, l'hôtel sous la falaise. L'élève de classe supérieure dont le suicide avait fait souffrir Fujisato s'était jeté du toit d'un bâtiment construit en haut de la falaise, non pas du côté de la falaise mais dans la cour intérieure. À cette époque, il n'y avait pas d'hôtel. Les bâtiments de l'école ont été rénovés depuis, ça fait un bout de temps. Je me suis marié dans cet hôtel.

– Il y a eu une époque aussi où c'était devenu, avec la montée des prix, des fantômes arrogants et tapageurs, souvenez-vous, il n'y a pas si longtemps.

– J'ai commencé à avoir des frissons comme s'il y avait quelqu'un qui me regardait de ces fenêtres tout là-haut (Yamakoshi décidément ne se laissait pas détourner), comme si pendant douze ans, tout le temps, quelqu'un regardait de là-haut.

Je calculai, comme si tout avait été perdu d'avance, que cela se passait au début du mois de février et que le lendemain un commandant de bord pris de folie actionnait l'inverseur de poussée juste devant l'aéroport de Haneda et faisait plonger l'appareil dans la mer, il y avait eu vingt et quelques morts. Deux jours avant l'incendie de l'hôtel j'étais en voyage à Izu avec un camarade, nous nous étions arrêtés dans une auberge construite au bas de la falaise : vers minuit, il y avait eu un tremblement de terre assez fort. Le père de Yamakoshi à cette époque suivait encore son traitement, en restant enfermé à la maison, il avait regardé en silence tous les reportages télévisés concernant ces deux catastrophes – cela aussi, Yamakoshi me l'avait raconté à l'hôpital. Il n'avait pas émis d'avis. Il était mort avant l'été. Il avait quelques années de plus que moi, mais il semble que depuis sa jeunesse il maudissait le délabrement de la société. On aurait dit qu'il considérait son épouse soumise et les enfants qu'il avait faits avec elle en même temps avec des sentiments de compassion et comme quelque chose de ce monde qu'il fallait maudire. Il avait perdu de son vivant son premier fils encore enfant et, après sa mort, sa première fille sortie de l'université, l'un et l'autre dans un accident de la route. Le malheur de son fils aîné avait coïncidé avec le point maximal d'accélération de la croissance économique de ce pays, l'accident de sa fille aînée coïncidait avec le moment où la croissance avait atteint son plafond : dans l'un et l'autre cas, la même année, s'était produit comme il va de soi un grand crash.

– Si je ne me trompe, vous aviez un ami qui avait perdu son père la même année dans l'accident d'avion du golfe de Haneda, le fameux « *Iné iné* » ? L'année dernière il était dans cet hôpital près d'ici, vous étiez passé me voir en sortant après lui avoir rendu visite (j'avais trouvé un chemin pour sortir du silence)… Vous savez, celui qui se sentait responsable de la chute des gens pendant qu'il était couché dans son lit. Est-ce qu'il s'est rétabli ?

– Il s'est suicidé, cet homme, répondit Yamakoshi, après être sorti de l'hôpital et alors qu'il était devenu joyeux finalement.

Il n'alla pas plus loin. La lumière du soleil devenait brusquement plus forte, le bois, de l'autre côté de la pelouse, était déjà comme en plein été, çà et là dans les ramures le vert intense brillait d'une lumière dorée, on aurait même dit qu'il flambait à blanc. L'été de l'année avant que je tombe malade, cet été chaud dont Fujisato et Sugaïke parlaient comme si c'était un mot de passe entre eux, les ramures m'avaient semblé réellement d'une blancheur très agitée. Peut-être cela produisait-il un léger dérèglement dans les réflexes de mes prunelles. J'étais à mille lieues d'imaginer que dans mes vertèbres cervicales la moelle épinière commençait à s'étrangler. Le médecin disait que cela avait progressé petit à petit des années durant.

– Je me suis demandé s'il n'y aurait pas, encore maintenant, des gaz néfastes qui circulent venant de là-bas.

Yamakoshi regardait du côté du bois. Il parlait apparemment de ces fenêtres carbonisées sur la carcasse de l'hôtel.

– Est-ce qu'il ne pourrait pas se produire maintenant, à l'intérieur de ça, une transmutation chimique bizarre ? Par l'action de micro-organismes ou bien de gaz rejetés qui auraient stagné là après être montés de la surface du sol... Si quelqu'un s'introduisait en cachette, ça ferait des dégâts.

– Non, c'est le regard de l'homme qui se tient à la fenêtre depuis des années, qui a accumulé le poison d'année en année et qui l'a distillé d'année en année, et ce poison maintenant, tout naturellement, tranquillement, a commencé à se répandre dans l'atmosphère, on dirait. Un poison invisible et inodore dont même la haine et la rancœur ont été filtrées, un poison pareil à la pitié.

– Ça doit peser plus lourd que l'air. Est-ce qu'il serait en train de couler et de s'étendre partout au ras du sol ? On imagine les effets. Mais il doit y avoir encore plus de gens pour lesquels cela n'a aucun effet.

– Ça, c'est vrai que ça ne leur fait aucun effet ! (Et Yamakoshi se mit à rire.) L'homme qui s'est suicidé, il avait entendu en rêve quelqu'un lui raconter l'histoire suivante, apparemment un vieux conte populaire, d'on ne sait quel pays. Après minuit, les gens de la ville quittent leur lit et viennent à la queue leu leu se rassembler sur la place. Là, ils se mettent à tomber comme des mouches au contact de l'air, l'air du ciel ! En un rien de temps les cadavres s'amoncellent, mais voilà qu'au premier chant du coq ils se redressent un à un et s'en retournent chez eux, toujours à la queue leu leu. Le jour se lève et quand ils ouvrent les yeux dans leur lit ils ne savent plus rien. Ça se répète nuit après nuit. Cet homme s'est demandé ce que c'était, un effet de la colère du ciel ou une bénédiction ? Et pendant qu'il réfléchissait, ses yeux se sont ouverts : il n'avait pas eu le temps de poser sa question. Je lui ai demandé Et les gens, quand ils entendaient le coq chanter, qu'est-ce qu'ils faisaient comme tête, ils n'avaient pas l'air embarrassés ? Alors cet homme a ri en se tenant les côtes. Et là-dessus, il meurt. C'était il y a quinze jours.

Les jeunes ont décidément une vitalité étonnante, me disais-je admiratif, en sentant une odeur de sueur qui se répandait sans le céder à l'acuité des rayons du soleil de midi qui tombaient droit sur le banc. Je sentis bientôt que s'y mêlait une autre odeur, un obscur parfum fruité.

– Est-ce que la vie a retrouvé son cours maintenant ? demandai-je, comme s'il s'agissait de la disparition d'un parent proche.

– Oui, il y avait un lien profond entre nous. Je suis allé à la police, j'ai dormi dans le temple près de lui, pour ça j'ai pris deux jours de congé. Toritsuka est venue au temple avec moi, elle s'est occupée de toutes sortes de choses.

– Comment va-t-elle ?

Voilà que je posais exactement la même question que je ne sais plus quand.

– Eh bien, enfin, elle est prête à avoir un enfant, répondit Yamakoshi.

Quelques jours après l'entrée dans la saison des pluies, invité par une connaissance de Chichibu qui a une maison à la montagne, j'ai eu l'occasion d'entendre le chant du coucou. Un seul oiseau apparemment, qui tout en changeant petit à petit de place avait son territoire là, sur une crête secondaire qui descend doucement vers un creux, et qui chantait assez longuement au crépuscule et le matin. Ça faisait dix ans, ou plutôt bien plus de dix ans, que je n'avais pas entendu son chant. Si c'était il y a douze ans, alors c'était une durée égale au temps écoulé depuis que l'hôtel dont nous parlions avait brûlé, c'était une durée égale au temps écoulé depuis la mort du père de Yamakoshi qui avait deux ans de plus que moi – et en faisant tous ces calculs je me suis aperçu que mon père à moi était mort la même année. Pas une seule fois en écoutant Yamakoshi me raconter ses histoires je n'avais calculé l'année de la mort de mon père. Même sans cela, l'année de sa disparition restait mobile dans ma mémoire. À la moindre occasion elle pouvait avancer ou reculer de plusieurs années.

On dirait que les morts très âgés sont libérés de la frontière qui marque l'année de leur propre disparition, à mesure que s'écoule le temps pour les vivants qui entrent eux aussi dans le grand âge, me disais-je, songeant puis écoutant, tour à tour, les appels espacés de l'oiseau. Entre-temps, ma sœur et mon frère étaient morts. Mon père avait quatre-vingts ans, mais ma sœur et mon frère étaient encore l'un et l'autre dans la cinquantaine, c'est bien tôt pour mourir de nos jours. Ma sœur aînée était maintenant plus jeune que moi. Entre-temps, comme si je m'étais moi aussi affaibli, je mesurais chaque fois que le chant de l'oiseau montait l'engourdissement dans mes genoux pendant que je foulais la terre de la montagne après la pluie – mais l'espèce de faiblesse physique et mentale particulière à l'instant où le cri de l'oiseau retentit, et aussi bien à l'instant où il s'interrompt, semblait être la même qu'autrefois. Ce cri toujours le même, qu'il s'élève ou qu'il s'efface. Chaque fois il fait disparaître les frontières du temps. Le *c'est fait* dont parlait Fujisato, était-ce quelque chose comme ça ? Le cri aussi chaque fois : *c'est fait*, et celui qui l'entend aussi chaque fois : *c'est fait*, et celui pour qui *c'est fait* et qui, soulagé, devenu vide, voudrait lui faire écho…

l'enfant accroché à mon dos
imite, oh
le coucou

Un vieux haïku s'est levé comme un souvenir incertain qui reprend vie. Le petit enfant a tendu ses deux bras comme s'il se laissait porter par l'air. Il a essayé d'imiter un cri. C'était assez ressemblant.

Au milieu du mois de juin, le père de ma femme n'avait plus assez de forces pour avaler la nourriture.

Puis à la fin de juin, dans la nuit, après une journée d'été où la température avait dépassé les trente degrés, alors qu'il était onze heures passées, le téléphone à côté de ma table de travail a sonné. Après avoir mis un peu d'ordre dans ma respiration, j'ai pris le combiné :

– C'est Yamakoshi. Il est arrivé quelque chose d'étrange, vous avez vu ? commença-t-il en sautant les salutations.

Ce soir-là, nous avions laissé la télévision éteinte depuis l'après-midi. En entendant le mot de gaz toxique je sentais avec un calme étrange l'odeur de caoutchouc mouillé des masques à gaz que nous tenions prêts pendant la guerre, dans chaque maison, à l'intérieur de leurs étuis ronds. Et même quand je sus qu'il y avait eu des morts et des blessés graves, les choses ne se reliaient toujours pas entre elles. À mesure que des quartiers étaient réduits en cendres ici et là par le feu venu du ciel, nous traitions ces masques comme des objets inutiles, je crois bien qu'ils étaient abandonnés dans un coin des abris souterrains, quand nous nous étions enfuis sous les flammes ils n'existaient même plus dans un coin de notre esprit. De toute manière, à un par logement, qui le porterait en cas de nécessité ? Et je repensais au sentiment d'impuissance que nous avions à l'époque. Yamakoshi semblait sidéré que je ne sois au courant de rien, sa voix s'était calmée et après m'avoir transmis le détail des événements, ou du moins ce qu'on en savait à cette heure, il fit cette étrange déclaration :

– En fait, sitôt que j'ai entendu cette nouvelle, j'ai eu l'impression que j'avais entendu quelque part une rumeur, depuis un certain temps, comme quoi ce genre d'événement allait se produire. Où ? Je n'en ai aucune idée. Il n'y avait aucune raison que j'entende une rumeur comme celle-là.

Le ton était celui de qui cherche à faire la lumière.

– Bon sang, ça ne peut pas être des émanations toxiques qui viendraient des ruines de l'hôtel !

– Ça serait quand même un saut un peu trop grand.

– Vous ne vous souvenez pas de son visage ?

– De quel visage ?

– Dans ce genre d'affaire, c'est bien de se souvenir vaguement d'une expression qui racontait cela.

– Non, rien qui me revienne, c'est une histoire sans visage.

– Même une voix ?

– Je n'entends pas de voix non plus.

– Ça ne serait pas votre ami qui est mort ?

– Cet homme-là ? Il n'était pas si sombre.

– Pourquoi me posez-vous cette question à moi ?

– Dans ce genre d'affaire, quand on s'adresse à un proche, on risque tout de suite une contamination des esprits, vous demandez à l'autre s'il est au courant et vous risquez de vous entendre répondre qu'il a bien l'impression en effet d'avoir entendu cela quelque part, alors mieux vaut chercher la réponse plus loin.

Plus loin. Ce cri du cœur me fit sourire amèrement. Je pouvais fort bien à mon âge deviner de travers mais j'essayais en tout cas de calmer le jeu.

– Ce sont des choses qui arrivent, apparemment.

– Qu'après coup on ait l'impression d'avoir entendu parler avant de ce qui est arrivé après ?

– Un événement terrible, vous savez, ça peut détruire la frontière entre l'avant et l'après.

– Est-ce que les prophéties, ça serait quelque chose qui arrive après ? Mais, même si ça arrive après, j'ai vraiment eu le sentiment cette fois que ça existait. Quand j'ai eu l'impression de me souvenir d'une rumeur, ç'a été, une seconde, une quasi-certitude.

– Sans doute parce que de tout temps nous avons, sans le savoir, toutes sortes de voix qui se mêlent en nous.

– S'il y avait une loi qui dise que les prophéties arrivent toujours après l'événement, ce serait plutôt rassurant.

– Cette loi se tiendrait dans l'ensemble. Seulement…

Arrivé là, j'hésitais à aligner d'autres remarques inutiles devant un jeune homme intelligent, alors que moi-même je ne devinais pas grand-chose encore de la tragédie de ce soir ; mais je continuai. Je me sentais piégé dans une sorte d'enquête. L'année de la défaite il y avait près de chez nous un homme d'âge mûr qui répétait avec insistance depuis bientôt un mois que, après le 20 mai, ce quartier subirait à coup sûr une grosse attaque aérienne. Il disait même que ce serait la première nuit bien dégagée après le 20 de ce mois. Et, de fait, tout s'est passé comme il le disait. Or, un an environ après la fin de la guerre, cet homme avait retrouvé notre trace et nous avait rendu visite, mes parents étaient contents de le revoir, ils l'avaient même félicité pour cette fameuse prophétie, et voilà qu'il ouvrait de grands yeux. Il ne se souvenait de rien. Puis, comme on lui racontait en détail telle ou telle autre chose qu'il avait dite alors, il s'était souvenu peu à peu et il avait eu affreusement honte. Il s'était embarqué dans des faux bruits et n'avait dit que des sottises.

– Il avait pourtant mis dans le mille, non ?

– C'est vrai. Bien des années plus tard, quand j'ai vérifié les dates des attaques aériennes qui avaient touché Tokyo, je me suis rendu compte que ce n'était pas si impossible à prévoir.

– Et malgré tout il avait honte ?

– Son visage était devenu rouge, presque noir.

– Un homme dont la prophétie serait tombée à côté aurait honte, sans doute.

– Non, le plus honteux c'est d'être tombé juste.

Je m'étonnais moi-même d'être aussi affirmatif.

– On aurait dit un homme qui s'est fait prendre la main dans le sac. Il était tout replié sur lui-même, vous voyez, ça ne sentait pas bon. De temps à autre il levait les yeux en hésitant, il regardait par-dessus son épaule avec un air frileux, dans cette chambre en plein midi de plein été. Il avait fait une énorme bêtise, c'était indigne, marmonnait-il…

– Allô, allô ?

Yamakoshi se rappelait à moi.

Un jour après, le gouvernement changeait à nouveau. Chaque fois que je voyais la tête du nouveau Premier ministre à la télé ou en photo je m'interrogeais sur les jugements de l'opinion publique qui voyait en lui un brave homme, même si par ailleurs… Est-ce ainsi que les gens se font une idée ? Juste après la défaite, on n'en sort pas, quelqu'un était venu frapper doucement à la fenêtre alors qu'il commençait à faire nuit, nous lui avions ouvert : un vieillard caché dans l'ombre de la haie regardait autour de lui d'un air effarouché. C'était un vieux marchand ambulant qui arrivait des environs de Bôsô avec des quenelles et d'autres pâtés de poisson, acte que réprimait bien sûr la loi sur le commerce illicite des denrées alimentaires, mais il avait quand même une drôle de manière d'être sur le qui-vive, constamment apeuré. Nous, on n'a rien à voir avec le marché noir, disait-il en s'excusant et de nouveau il jetait des coups d'œil autour de lui. Il a beau avoir l'air honnête, ses prix sont élevés, avait dit ma mère.

En été, ma chambre qui est orientée à l'est atteint dès le lever du jour des températures supérieures à trente degrés, je suis réveillé à chaque fois. Nous étions en juillet et vers quatre heures du matin, le deuxième jour du mois, je m'étais éveillé comme d'habitude en nage, le téléphone sonnait du côté du séjour. C'était la mère de ma femme qui m'apprit, sur un ton qui hésitait encore à annoncer la nouvelle, que le malade n'allait pas très bien. Les femmes se réunirent et discutèrent en chemise de nuit de la façon dont elles allaient arranger leur emploi du temps, puis ma femme partit.

La canicule continuait. Après quatre jours, ma femme fut de retour temporairement. Le malade souffrait, gêné par les glaires qui encombraient sa gorge, quand on le soignait c'était paraît-il insupportable à voir. L'allure que vous avez quand on vous enlève les glaires, j'avais vu ça avec mon père. Dans le cas de ma mère, nous n'avions même pas eu le temps de prendre ce genre de mesure. Et pour ma sœur, on nous avait fait sortir de la chambre dans le couloir, nous les hommes. Le malade souffrait aussi d'insuffisance rénale. À peu près une semaine, avaient dit les médecins : pour ma femme commença une vie dans l'attente, sans défaire ses bagages.

Trois jours plus tard, peu après midi, on nous fit savoir que ce matin la tension du malade avait baissé mais qu'il commençait à reprendre des forces ; ma fille aînée partit le soir même.

Le lendemain, j'étais allé me promener le matin dans le parc, je m'étais arrêté un moment pour regarder sur l'étang un couple de canards qui nageaient et juste devant eux, séparé par un grillage, un chat avec un pelage de trois couleurs était couché là, endormi. Puis, un peu après une heure, j'avais eu coup sur coup un appel de ma fille et un autre du frère cadet de ma femme disant que d'après les médecins ça se jouerait entre cette nuit et demain matin. Ma femme venait juste de sortir en profitant d'un moment de calme pour aller chez le coiffeur. Elle était rentrée vers deux heures et demie, pendant que je l'attendais, et avait fait aussitôt ses bagages, lorsque retentit la sonnette de l'interphone, c'était une livraison de colis réfrigéré. Un poissonnier du centre chez qui nous avions nos habitudes nous envoyait au cœur de l'été, ayant reçu bon arrivage et n'en disant pas plus, ce présent – la moitié d'une dorade et sa tête remarquablement fraîches. Ma femme prépara le poisson, se lava les mains et partit en courant. Plus elle se pressait et plus on aurait dit que ses gestes devenaient lents.

Le lendemain il faisait chaud à nouveau. Ma fille aînée appela avant sept heures du matin, elle m'apprit d'une voix où il restait encore des larmes que le grand-père venait de rendre son dernier soupir, peu après six heures. Ma femme appela environ une heure après. La veille, elle était rentrée tard et s'était réveillée vers quatre heures et demie sans pouvoir se rendormir, elle s'était échappée de la maison seule et était allée à pied par un long chemin jusqu'à l'hôpital, où elle avait pu assister à ses derniers instants.

Avant midi

Ce fut un été chaud. Fin juillet, je reçus une carte de Fujisato m'annonçant qu'il quittait son travail. J'aurai tenu jusqu'à cinquante-sept ans, l'ancien âge de la retraite, écrivait-il. Ça lui faisait trente-quatre ans et trois mois de service. On remarquait les mots « congé complet d'un an ». En avril dernier, il disait qu'il avait l'intention de ne rien faire pendant deux ans si c'était possible, sans doute aurait-il été gêné de crier sur les toits qu'il se mettait en repos illimité. Il n'avait d'ailleurs lui-même aucune certitude au sujet de l'avenir.

Une feuille de papier à lettres griffonnée à la va-vite était jointe. Restant toutes ses journées chez lui, il pouvait enfin se mettre à l'école de son aîné, et cette fois ce sera à mon tour, écrivait-il, de regarder ton dos depuis l'autre bout de la classe.

Ces derniers temps, je ne sais pas pourquoi mais je ne parviens pas à lire d'un trait les lettres qui touchent aux affaires privées, même quand elles ont la longueur d'une carte postale. J'ai relu le faire-part : il voulait pour l'instant s'occuper seulement de ce qui se passait dans sa maison qu'il avait négligée trop longtemps ; quand il aurait mis un peu d'ordre dans sa vie, il avait l'intention de se remettre au rang des « nouveaux » et de préparer son retour. C'est le passage que j'avais noté en premier. Le contenu s'autorisait une certaine liberté, sans pour autant s'écarter dans l'ensemble des règles habituelles à ce genre de faire-part. C'était aussi le seul endroit où il laissait entrevoir quelque chose de personnel. Tout de même, se voir comme un « nouveau », je ne sais si c'était à cause de ce pic de chaleur, mais l'idée me semblait téméraire. Et plus encore, cette expression « mettre de l'ordre dans ma vie » : cela dépendrait des lecteurs, mais ne risquait-elle pas de les heurter légèrement et de les rendre vaguement envieux peut-être ?

Dans la lettre griffonnée il disait Voilà encore un été chaud ; il se souvenait à ce propos que la cinquième année depuis ses débuts dans l'entreprise, ça devait être en 1964, on parlait de désert à Tokyo, c'était un été caniculaire et cet été-là il avait presque pris la décision de démissionner, puis tout ce temps écoulé, concluait-il à la fin.

J'ai relu encore une fois le faire-part, et le passage de tout à l'heure ne me donnait plus aucune impression d'étrangeté. Pour les hommes de cette génération, les affaires privées sont probablement recouvertes par un voile d'émotions plus banales. Les mots « mettre de l'ordre dans ma vie » renvoyaient sans doute à sa fille qui n'était pas encore casée, à la famille de son fils qui rentrerait bientôt de l'étranger, et est-ce qu'ils habiteraient ensemble, séparément, que deviendrait la maison qui commençait à devenir vieille… – réflexions qui pouvaient rendre mélancolique mais n'étaient pas de ces choses qu'il eût fallu tenir secrètes. Simplement, l'impression restait encore intense en moi de ce que j'avais vu de leur vie à deux, en avril, ce soir où ils nous avaient invités chez eux : enfermés provisoirement dans le soulagement d'avoir surmonté la crise, on eût dit qu'ils ne pouvaient plus bouger l'un par rapport à l'autre. Là, l'expression « se remettre au rang des nouveaux » prenait une nuance étrange, puis faisait résonner quelque chose comme une splendeur fugitive.

Chez les Fujisato tout était parfaitement rangé, et cela induisait, par petites touches, une contrainte sur les mouvements du visiteur comme si l'équilibre apaisé entre le père et la fille dépendait de la place déterminée de chaque chose, tandis que chez moi, pendant toute la période avant et après la disparition du père de ma femme, les trois femmes (mère et filles) avaient arrangé leurs journées pour partir à tour de rôle passer quelques jours dans la maison de famille, de sorte que cela n'inclinait pas vraiment au désordre, mais il y avait qu'on le veuille ou non une ambiance d'imprévu. On voyait toujours des préparatifs de voyage en cours, même quand elles rentraient il ne se passait pas longtemps avant qu'elles repartent, les bagages n'étaient déballés qu'à moitié, le contenu posé à côté des sacs au lieu d'être rangé, tout cela bien ordonné mais répandant tout de même une odeur de branle-bas. Parfois la machine à laver tournait en pleine nuit. Fatiguées, les femmes continuaient de discuter jusqu'à tomber de sommeil. La canicule durait depuis plus d'un mois, depuis que le malade avait commencé de s'affaiblir.

Chez les survivants aussi, lorsqu'ils perdent quelqu'un qui leur était proche, il y a une frontière qui ressemble à un entre-deux même si le plus souvent il ne dure probablement pas quarante-neuf jours[1], et il m'arrivait en pensant cela d'observer ces femmes liées au défunt par le sang. Si, pour le mort, cette période intermédiaire était entre cette vie et la prochaine, pour les vivants c'était entre cette vie et cette vie – toujours entre la vie et la vie. Ils ne risquaient pas de se perdre hors de l'ici-bas. Loin de se perdre, ils étaient de plus en plus enfermés dans les occupations de ce monde. Les tracas sont en réalité le plus haut degré du quotidien, comme si la vie ici s'était épaissie à la cuisson. Pourtant on se demande : où est-ce donc, ici ? C'est le corps qui pense ainsi, pas la tête. Et cela, sans cesser une seconde de s'affairer. On ne peut penser qu'en s'affairant. Traqué et traquant les choses à faire. Et pendant qu'on les règle une à une, il semble au fur et à mesure que les besoins deviennent illimités, alors qu'en réalité on aperçoit déjà devant soi le moment où il n'y aura plus rien. Et s'il n'y a plus rien à faire, alors on ne comprend plus non plus soi-même ce que c'est que cet « ici ».

Quand tout est bien rangé dans la maison, une sorte de sérieux s'installe dans le corps de la femme qui a commencé sans y penser à refaire ses bagages, faire entrer et ressortir le contenu devient plus violent, les choses débordent alentour. Dans ces moments on voit apparaître un attachement de petite fille envers ces choses qui n'ont pas d'importance. Enfin elle a fini de bourrer, elle essaie de soulever, c'est tellement lourd qu'elle ne peut faire un pas. De nouveau elle déballe la moitié du sac, l'étend sur ses genoux, recommence à sortir et rentrer les choses et les mouvements de ses mains quand on croit qu'ils s'accélèrent deviennent affreusement lents, la pensée aussi s'épuise, on dirait qu'elle s'attriste : que sont au fond les objets personnels ?

De mon côté je me douchais plusieurs fois par jour dans la salle de bains, pour raffermir un corps amolli par la chaleur. C'est au début

1. L'« entre-deux », dans le bouddhisme : période de sept fois sept jours ponctuée de services religieux, pendant laquelle le mort ne sait pas encore quelle sera sa prochaine vie.

des longues absences de ma femme que je m'étais aperçu de la lenteur extrême de l'évacuation des eaux usées dans cette salle de bains. Si je laissais aller les choses la situation deviendrait incontrôlable : avant de commencer mon travail de la journée je soulevai la grille de la bouche d'évacuation, détachai le collecteur en forme de cloche et, enfonçant la main en fouillant dans le tuyau des égouts aussi loin que je le pouvais, je ramenai des pincées de cheveux, croyant en avoir fini ; mais en tirant de l'eau je vis que cela ne changeait pas grand-chose au problème d'écoulement. Renonçant avant de m'énerver, je me rendis dans la loge du gardien, demandai qu'on fasse venir quelqu'un de l'entreprise de plomberie chargée de la maintenance, un jour plus tard j'en vis arriver trois, ils contrôlèrent l'écoulement, disant que ça ne devait pas être un dérangement bien grave, tapèrent de-ci de-là sur les tuyaux d'égout – ça ne passait pas. À la fin ils introduisirent un câble métallique, ils poussèrent, tirèrent un peu, le poussèrent encore plus profondément tout en hochant la tête et enfin, comme s'ils avaient rencontré une résistance, ils le ramenèrent à eux en l'enroulant plusieurs fois : à l'extrémité du câble quelque chose de noir et de brillant était accroché. C'était une boule de cheveux de la grosseur d'un concombre de mer.

Ce soir-là, tard dans la nuit, j'eus un appel de Sugaïke. Rien de neuf ? lui demandai-je. Rien, sauf que par ces chaleurs il était allé faire un tour à Kanazawa, dit-il soudain. Il fait chaud aussi là-bas en été, est-ce qu'il y était allé pour son travail ? Non, Kanazawa était sous la neige fondue, répondit-il bizarrement, et il me rassura : il parlait seulement d'une conversation qu'il avait eue. Dans l'après-midi, comme il s'était trouvé avec un temps mort au milieu de sa tournée des clients, il était allé voir à l'hôpital une connaissance qui lui donnait du souci depuis quelque temps, le malade lui avait alors proposé d'aller faire un tour ensemble à Kanazawa en novembre et, tandis qu'il se prêtait au jeu, disant que ce serait une bonne idée, il avait été retenu jusqu'à l'heure du repas d'hôpital. Novembre, c'était parce que le malade avait passé quelques jours à Kanazawa une seule fois il y avait plus de dix ans à cette saison-là, et il semblait en avoir gardé des souvenirs très agréables. Plus il racontait, plus les détails devenaient précis, les petites ruelles qu'on rencontre çà et là, il en parlait avec minutie. Sugaïke, bien sûr, avait fait tous les bars de cette ville avec moi quand nous étions jeunes et que nous trompions ainsi notre ennui, et même ensuite il s'y était promené plusieurs fois en profitant d'un déplacement, de sorte qu'il pouvait facilement lui donner la réplique. Mais tout de même, chaque fois qu'il ajoutait à la demande du malade un nouveau détail racontant comment c'était autrefois, le malade se rappelait telle ou telle petite chose et l'interrogeait encore. Les mouvements du ciel pendant la journée à cette époque dans cette région, les éclaircies qui vous rendent encore plus mélancolique, tout cela, il le connaissait comme quelqu'un qui aurait vraiment vécu là. L'ambiance et les impressions de cette ville que le malade évoquait avaient d'ailleurs quelque chose de nostalgique pour Sugaïke lui aussi, on aurait pu penser pourtant, puisque le malade y était allé il y a dix ans, que c'était très différent d'autrefois. Il manifestait donc, à demi incrédule, son admiration devant des souvenirs si détaillés pour un séjour d'une seule fois, quand le malade lui avoua qu'il s'agissait en fait de ce genre d'histoire passée de mode depuis bien longtemps, oui, une histoire d'amants qui s'enfuient. Et Sugaïke se rappela en effet la rumeur attrapée au vol une dizaine d'années plus tôt qui attribuait à cet homme un scandale de cette sorte. La femme, voyant apparemment comment les choses allaient tourner, était rentrée seule après le petit déjeuner du quatrième jour. L'homme était resté encore trois journées entières, à marcher jour et nuit au hasard des rues. Il avait parcouru la vieille ville dans ses moindres recoins. Le spectacle de chaque ruelle était encore tout frais dans sa mémoire, mais dès cette époque, semble-t-il, il s'en fichait de faire le lien entre l'avant et l'après : il faisait beau et d'un seul coup la pluie vous enveloppait, le tonnerre grondait et les grêlons éclataient blancs sur la chaussée, de nouveau le soleil brillait, on traversait un croisement – en dehors de ces choses il ne savait plus très bien maintenant d'où il venait ni comment il s'était trouvé là, ni quel jour telle chose était arrivée. À un coin de rue quelque part, il tenait un parapluie et s'entretenait avec une femme chaussée de socques de bois, mais de ce qu'ils avaient pu se dire il ne gardait plus aucun souvenir. Finalement, sa disparition s'étant terminée au bout d'une semaine à peine, à l'époque en tout cas tout était rentré dans l'ordre en un ou deux ans comme si rien ne s'était passé.

La chambre donnait à l'ouest, le soleil commençait de s'incliner mais les stores étaient efficaces et la climatisation aussi fonctionnait, on n'était ni aveuglé ni gêné par la chaleur. Et malgré tout dans cette chambre très claire, tout en faisant la conversation au malade, Sugaïke avait les yeux tournés vers la fenêtre d'été aux stores baissés et il imaginait là (on était pourtant au huitième étage) de la lessive suspendue à un avant-toit qui se reflétait dans la vitre de verre dépoli. Il l'avait suspendue au toit sous la pluie, il semblait que ça ne servirait à rien, mais si elle restait là toute la journée elle sécherait bien un peu. C'était à l'époque où les machines à laver n'étaient pas encore équipées d'un système d'essorage. Les jours de congé quand il pleuvait, même sortir donnait le cafard ; dans l'après-midi au premier étage de la pension il ressortait matelas et couvertures, faisait son lit et se couchait, au plus fort de l'ennui il finissait par se précipiter dehors, il rêvait qu'il allait sans but marchant à grands pas dans les ruelles obscures, il se souvenait de cela, et qu'il était encore plus tourmenté par un sentiment de peine perdue mélancolique que s'il avait été réellement en train de marcher. Et alors, il se trouvait devant un malade, mais quelque chose en lui comme une émotion exagérée, de penser qu'il avait eu lui aussi dans sa vie une période aussi désœuvrée, se poussait en avant malgré lui et le mettait dans l'embarras. Le malade avait un cancer. Lui-même connaissait son état. Il y avait des métastases, d'après ce que Sugaïke avait entendu dire par ailleurs, mais on ne savait pas ce qu'il en était réellement. Il était amaigri sans présenter pour autant un visage creusé. Même s'il en était à parler de ces choses qu'il aimerait faire, on sait qu'il y en a qui guérissent…

– C'était un après-midi étrange. Au fait, il paraît que Fujisato a quitté son travail. Tu l'as trouvée comment, sa carte ?

– Que veux-tu que je te dise, plutôt à l'aise, non ? D'ailleurs, à notre âge, nous en sommes à peu près tous au même point.

– Il parlait de se remettre au rang des nouveaux.

– Ça t'a arrêté toi aussi ? Trop audacieux, peut-être.

– C'est pourtant bien son genre de dire ça. Dans un discours d'adieu, par exemple. Mais ça doit avoir un sens un peu différent, je pense.

– Il disait en avril qu'il changerait sans doute. Il comptait là-dessus, c'était sa forme d'optimisme à lui.

– Il va peut-être bien vraiment le faire, cet homme-là.

« Le faire ». Ces mots se mirent entre nous comme une chose qu'on n'arrive pas à faire passer.

– Il doit vraiment le penser, rectifia Sugaïke.

– La situation de sa fille est ce qui lui importe avant tout, il me semble.

On aurait dit que je me trompais d'interlocuteur, je me faisais donneur de leçons faciles et m'apercevais en même temps que cela me servait à conjurer quelque chose. Je ne démêlais pas si c'était une chose de bon ou de mauvais augure. En tout cas, vouloir changer à cet âge m'était apparu soudain comme un plan vaguement inquiétant, semblait-il. Ça n'avait pourtant certainement pas été conçu comme un plan.

– Cette fille-là, elle va devenir plus jolie, tu vas voir (Sugaïke rit). Ça prendra encore quelque temps avant qu'elle se case vraiment. De toute façon, cette situation d'être une seule âme un seul corps avec le père n'a déjà que trop duré.

La voix semblait s'amuser.

– Il y a donc eu un moment où Fujisato s'est trouvé physiquement en danger ? demandai-je. Oui, tu te souviens, quand je suis allé aux toilettes chez Fujisato, avant que le vin arrive, j'étais dans le coude du couloir et sans le vouloir je vous ai entendus parler tous les deux.

– Il a été en danger, répondit Sugaïke.

Il avait tranché, il ne dit rien de plus. Un silence s'installa comme une île impénétrable au monde extérieur.

– Ce soir-là, après t'avoir raccompagné, Fujisato lui-même m'a parlé de quelque chose comme ça.

Je me cherchais des excuses.

– On l'avait chargé d'une liquidation assez périlleuse, je crois (et la langue de Sugaïke se délia) : il doit y avoir eu des interventions de toute sorte. Je ne suis pas, moi, en position de connaître le fond de l'affaire. Il me serait difficile de bien saisir la situation d'après ce qu'on m'en a dit. Savoir ensuite si c'est pertinent ou non d'employer ce mot de danger physique…

– J'imagine que tout cela, maintenant, c'est du passé.

– Il disait que c'est vers le printemps de l'an dernier qu'il avait relâché sa vigilance. Je pense que cela faisait déjà un bon moment qu'il avait pris ses distances, mais quand on est sur ses gardes, c'est une autre affaire. Moi, je n'ai jamais été vigilant au point de pouvoir dire que j'ai baissé la garde.

– Ça doit être éprouvant.

– On serait seul en cause, on pourrait s'en moquer. On s'habitue à peu près à tout. Mais même si la famille ne sait rien il y a une pression qui est pénible. Chez Fujisato, la famille c'est sa fille. Dans cette grande maison-là. Pour ne pas s'apercevoir qu'elle s'en était aperçue, il faut avoir été sacrément étourdi, mais il n'y pouvait peut-être pas grand-chose. S'il restait assis dans la véranda pendant ces nuits d'été, c'est sans doute aussi qu'il n'arrivait pas à dormir ; je crois surtout qu'il était décidé à se taire et à tenir bon tout seul. Il se donnait du mal pour rien, puisque c'était elle plutôt qui le ménageait à chaque instant. Quand il a compris ça, il s'est paraît-il pour la première fois affolé. Bref, il a quand même fini par comprendre.

J'étais tenté de demander par la même occasion à quel moment Fujisato était devenu fou, à quel moment les gens avaient cru qu'il était fou, vers quelle époque c'était – Sugaïke devait avoir son idée là-dessus mais je prévoyais qu'il lui serait difficile de répondre et je m'en tins à la conversation sur l'annonce de départ.

– Démissionner avant l'âge de la retraite sans avoir l'intention de reprendre un nouvel emploi avant quelque temps, il faut sans doute des précautions pour annoncer cela aux gens.

– De ce point de vue, c'était plutôt bien rédigé. Quand on respecte uniquement les formes, on dévoile parfois plus qu'on ne voudrait.

– Est-ce que c'est plus lisible quand on ne fait qu'effleurer la question familiale ?

– Parler comme il l'a fait de sa maison trop longtemps négligée, ça nous amène à nous retourner sur nous-mêmes et on est tout de suite convaincu.

– Est-ce que ça ne risque pas de faire des jaloux ?

– Il y a sans doute aussi des gens que ça rassurera, je pense. Ça n'est pas une mauvaise chose de rassurer les gens.

– C'était donc quelqu'un de si redoutable ?

– Non, ce n'était pas un type redoutable en lui-même. Seulement, c'était quelqu'un sur le compte de qui pouvaient courir des rumeurs d'un autre temps, quelqu'un qui se serait mis à l'écart en prenant sur lui le ressentiment des gens et qui aurait fait semblant d'être devenu fou, par exemple.

– Je suppose que les rumeurs se sont calmées depuis longtemps.

– C'est ça qui est drôle. Il y a de nouveau des rumeurs qui naissent maintenant. En plus ce sont exactement les mêmes qu'il y a quelques années. Fujisato avait toujours une fonction importante jusqu'à il y a peu. On dit qu'en endossant les reproches muets des gens qui s'étaient accumulés tout au long de la crise, peut-être faisait-il semblant, peut-être qu'à la longue ça l'avait vraiment rendu bizarre, le fait est qu'il a fini par démissionner.

– La même rumeur a donc ressuscité en se contentant de mettre les dates à jour.

– Sans doute peut-on dire qu'elle a ressuscité, mais les personnes qui murmuraient avant la même rumeur sont les mêmes qui s'étonnent maintenant et qui murmurent de nouveau ce qu'elles croient entendre pour la première fois ! De toute manière Fujisato n'est plus là, c'est donc bien qu'il s'est enfui pour ne pas être rattrapé, en leur jetant bien sûr cette rumeur en pâture. Parler de se remettre au rang des nouveaux quand il aura mis de l'ordre dans sa vie, tu ne trouves pas que ça fait un peu froid ?

– Ah ! un peu de froid, par ce pic de chaleur.

– À vrai dire, quand nous sommes allés chez Fujisato en avril, je l'avais déjà rencontré par hasard quinze jours plus tôt et nous avions parlé de nous réunir tous les trois, eh bien, j'ai été étonné de voir combien cet homme avait rajeuni pendant ces quinze jours. Au point qu'il me semblait plus jeune encore que lorsque je l'ai rencontré la première fois il y a plus de dix ans. Et je ne sais pas comment il était avant. Même sans parler des rumeurs, il en aura vu des vertes et des pas mûres. Il me paraît assez solide pour prendre son parti de tout cela et advienne que pourra.

La voix de Sugaïke ne perdait pas son ton joyeux. Une légère ironie et le plaisir de se moquer s'y mêlaient, mais la sympathie l'emportait : Fujisato s'était retiré sans dommage et Sugaïke était content pour lui. Et moi je me disais que je ne comprendrais jamais tout à fait ce qui se passait là.

– C'est quoi, ce bruit ? Des travaux ? À cette heure de la nuit ? demanda Sugaïke après un moment.

– Oui, c'est comme ça. Depuis qu'il fait chaud, chaque soir ils défoncent la chaussée dans le quartier.

– On dirait de temps en temps une bête qui crie. Oui, un oiseau énorme avec un long cou…

– Ils continuent comme ça jusqu'à l'aube. Je me réveille en nage, je les écoute.

– C'est l'enfer. Je parie que ça sent l'huile et le soufre. Moi aussi, un été, j'ai eu à subir ça.

– Je ne sais pas vraiment pourquoi mais je les écoute simplement en me disant qu'il fait chaud, ça ne me gêne pas plus que ça.

– Tu te réveilles et tu te rendors aussi vite.

– En plus, avec les jours qui passent, ils s'en vont de plus en plus loin.

En répondant ainsi je tendais à nouveau l'oreille au bruit des travaux, j'essayais de me rappeler les premiers temps quand ils creusaient en profondeur juste sous ma fenêtre, et ça me semblait déjà très loin alors qu'il s'agissait du même été.

Dans le taillis silencieux sous le soleil brûlant d'avant midi, à un endroit dans l'alignement des ramures, les feuilles oscillent rythmiquement. On dirait que ce qui semble frémir à peine pourrait, par la seule force du soleil, commencer à s'agiter au bout des branches. Tandis que j'observe cette scène comme un spectacle étrange et lointain, le vent souffle autour de moi avec un temps de retard. Il souffle de plus en plus fort. Les bandes de libellules rouges voltigeant au-dessus du gazon de la carrière d'obstacles qui s'étend devant le bois ne donnent pas autant l'impression d'être bousculées par le vent. Tout est à nouveau enfermé sous une chape de chaleur.

Il y avait autrefois une femme qui souffrait terriblement de la chaleur. C'était une grande travailleuse. Tout le matin elle travaillait comme une forcenée en retenant sa respiration. Puis quand elle avait fini de ranger après le déjeuner, elle se mettait dans un coin de la cuisine pour avaler un reste de légumes en saumure sur du riz froid arrosé d'eau et elle devenait livide de la tête aux pieds. La vieille propriétaire riait en disant que madame Untel, passé midi, était comme un fantôme. Bientôt elle s'enfermait dans sa chambrette. En passant dans la cour, quand on jetait un coup d'œil par la fenêtre discrètement entrebâillée, on apercevait à l'opposé de cet entrebâillement l'ouverture encore plus mince de la porte coulissant sur le couloir et entre les deux, couché en chien de fusil le front contre la cloison, son corps qui cherchait à épouser le moindre souffle d'air. On la croyait endormie et elle se mettait à haleter bruyamment. Des veines bleues ressortaient sur les mollets étendus, seul endroit nu sur le tatami. Si un homme s'était introduit en cachette en venant du couloir pour se jeter sur elle et la prendre dans ses bras, ç'aurait été comme de subir simplement une autre chaleur étouffante, du moins l'imaginais-je ainsi, au moment où elle approchait elle aussi probablement de la vieillesse, et cela se superposait à mes souvenirs.

Quand le vent s'arrête après avoir soufflé un moment, la sueur commence à suinter, attirée par un semblant de vaine fraîcheur. Elle suinte à petits filets, mêlée à un sentiment de saturation, attendant qu'au loin quelque part dans les ramures ça se remette à frissonner. Et pourtant, cet été, je pouvais encore me dire que je suais sans peine. Il y avait eu un temps où pendant la journée ça picotait autour des pores, je regardais mes bras : la sueur jaillissante faisait comme de minuscules éclats de verre. C'était lors de la canicule d'il y a quatre ans. La nuit ça n'allait guère mieux : dès que je me mettais au lit et commençais à somnoler, une douleur, comme de légères piqûres de pointe d'aiguille, s'étendait dans mes jambes légèrement fléchies, bientôt elles étaient mouillées et glacées des chevilles jusqu'aux genoux. Un imperceptible courant d'air qui circulait dans la chambre totalement close me caressait désagréablement les jambes. Tourmenté à la fois par le froid et le chaud, j'attendais que la sueur ait fini de jaillir et qu'elle devienne visqueuse. Alors je me levais et je prenais une douche. C'était au point que je devais parfois me changer. J'étais en nage et j'avais les jambes blanchâtres. Il semble que les nerfs étaient déjà touchés. Avec l'hiver, au contraire, quand les troubles moteurs avaient fait leur apparition, tout mon corps s'était mis à brûler soudain les nuits où il faisait un froid pénétrant et pourtant je ne transpirais pas. Je me frottais les jambes, elles n'étaient même pas moites. Lorsque je fus hospitalisé au début du printemps, chaque fois que mon corps brûlait, la peau de mes bras et jambes était sèche, on aurait dit la peau d'un vieillard. Parfois même elle était d'un brillant inquiétant, d'un brun tirant très légèrement sur le violet. Pendant les trois années qui avaient suivi, heureusement, nous n'avions eu que des étés frais.

Ainsi, ces derniers temps, chaque jour au milieu de mes promenades d'avant midi, je grimpe sur les gradins et je m'assieds sur un banc à l'ombre en observant, par-delà le vert de la pelouse de l'hippodrome, le taillis silencieux inondé par le soleil de plein été. Je faisais cela souvent l'été d'il y a quatre ans. Sans doute parce que, arrivé jusqu'ici, et même si je ne le ressentais pas moi-même, j'avais les jambes plus lourdes à porter. Ces derniers temps, c'était plutôt délibérément semble-t-il, comme si je voulais comparer mon corps à celui d'un homme désœuvré. Et de fait, quand j'attends que le vent réagisse autour de moi aux mouvements imperceptibles des ramures lointaines, j'ai l'apparence d'un homme désœuvré. Je suis aussi dans les sentiments du malade qui n'a plus qu'un souffle de vie. Mais je ne reste pas plus de cinq minutes assis. Après midi, le travail avec lequel on n'en finit jamais jour après jour m'attend. Cela ne dure qu'un tout petit instant mais, tandis que je mesure le flux et le reflux du vent dans le mouvement des ramures, de l'intérieur de la concentration sort un murmure mêlé de soupirs : aujourd'hui je n'ai rien à faire, plus rien à faire, enfin, plus rien depuis longtemps déjà en réalité, il me semble que je pourrais rester comme ça, assis une demi-journée sans rien faire, que je pourrais même à la fin me confondre avec la respiration du bois, c'est comme un sentiment de délivrance qui s'empare de moi, et je me demande, quand j'hébergeais en moi la maladie sans le savoir, est-ce que je ne murmurais pas déjà la même chose ?

Les quelques hommes qui, à ce moment de l'été, regardaient fixement du côté du bois, assis dans la même posture que moi maintenant comme pour vérifier leur propre acuité visuelle, ces hommes qui n'étaient alors pas encore dans le grand âge n'étaient probablement déjà plus de ce monde. Près de vingt ans se sont écoulés depuis que mes yeux ont commencé à aller vers ces figures. Pour l'un de ces hommes, ça remonte aussi à environ dix ans, son visage, ses yeux sont maintenant encore dans ma mémoire. Il était tout juste retraité. Il était assis ici et suivait des yeux ma silhouette qui traversait en bas d'un pas rapide. Je m'en apercevais après être passé devant lui et je le saluais du regard en me retournant légèrement et, voyant qu'il me renvoyait mon salut en hâte, j'accélérais à nouveau le pas ; après avoir tourné à l'autre bout de l'hippodrome, la silhouette sur les gradins devenue toute petite, je remarquais à nouveau que pendant que je le trouvais tout propret et rajeuni avec ses cheveux fraîchement coupés, lui continuait de poursuivre d'un air de reproche, d'un œil soupçonneux, les ombres qui traversaient devant lui sans y penser, et je hochais la tête. Environ six mois plus tard cet homme était mort d'un cancer.

L'été d'il y a quatre ans aussi je m'étais souvenu de cet homme du haut de ces gradins. J'étais assis là et je pensais à cet homme qui me suivait du regard, et dans le même temps je regardais mon ombre passer devant moi juste en bas. Au fur et à mesure une sorte de rancune se mettait à bouger en moi aussi, elle y laissa sa marque un moment. J'en vins à plaindre cette ombre pressée qui s'éloignait, allant toujours de l'avant sans paraître souffrir sous le soleil pesant de l'avant-midi, et qui aurait pu être effacée soudain en plein jour qu'elle ne se serait rendu compte de rien. Bientôt je ne m'asseyais plus là, je me réjouissais d'avoir supporté tant bien que mal la canicule, à l'automne je faisais un long voyage d'un mois. Et jusqu'à l'hiver, la sensation de fraîcheur physique et morale s'était plutôt accrue.

– En tee-shirt et en short, imaginez un peu. Les pieds nus dans des sandales. Une casquette de base-ball en filet sur la tête et une paire de lunettes noires pour avoir les yeux au frais. Je fais le tour du parc près de chez moi, je rentre en nage, et tant que je ne me suis pas aspergé d'eau de la tête aux pieds la lourdeur de la nuit passée ne me quitte pas. Je me sens complètement idiot : enfin, je peux me rasseoir à ma table.

C'est ce que j'avais raconté un jour à quelqu'un qui m'appelait pour le travail, il avait cherché à me joindre une fois avant midi mais apparemment j'étais sorti : je me promenais, lui répondis-je, et comme il s'étonnait – par cette chaleur ! – je n'avais pu m'empêcher d'ajouter des détails moins flatteurs, comme cette tenue de promenade, certes pas toujours aussi légère, que j'adoptai résolument le lendemain en quittant la maison ; c'était bien agréable et j'atteignis réjoui le bord de l'hippodrome, m'apprêtant à suivre le vent en direction du bois lorsque, du haut des gradins, penché au-dessus des marches et m'observant, Fujisato m'apparut.

– Nous avons abusé de votre hospitalité l'autre soir.

Je m'arrêtai sous le soleil brûlant et on se fit impromptu des politesses.

– Tu t'es mis à l'aise, on dirait.

Fujisato continuait de m'observer. Ses pieds nus reposaient une marche plus bas, le bas de son pantalon était retroussé jusqu'aux mollets. En montant je m'approchais de lui, ses chaussures et ses chaussettes gisaient éparpillées, une serviette était jetée en boule dans un chapeau de paille qui avait roulé de côté, ses cheveux poivre et sel coupés court étaient mouillés. Après avoir fait un tour de parc, il n'avait pas pu résister en arrivant devant cette fontaine, il s'était aspergé le visage et dans sa lancée il avait mis la tête sous l'eau. Et c'était vrai, il avait l'air de sortir du bain.

– Une tortue… commença-t-il bizarrement quand je m'assis près de lui, une tortue qui dressait la tête hors de l'eau, tu vois, et avec ses deux nageoires, ou non, plutôt ses pattes de devant, mais bon, elle fendait, fendait l'eau sale en faisant la brasse comme avec des nageoires et s'approchait à toute vitesse. C'était attendrissant. Tu sais bien, tout là-bas, derrière ce bois.

Il levait un bras vague et long : ce qu'il m'indiquait du côté du bois n'allait pas dans la bonne direction, mais je compris qu'il parlait de l'étang qui se trouve au fond du parc. Quand quelqu'un se tenait sur le bord, la tortue s'avançait. Il y en avait plusieurs dans l'étang, des grandes et des petites, à la saison des pluies pendant les éclaircies, elles occupaient chacune une place sur les pierres qui émergent ici et là à la surface de l'eau et mon regard à moi aussi avait été attiré par leur façon de sécher leur carapace pensivement tout en tendant le cou dans la lumière du soleil, je ne savais pas qu'elles se prenaient d'affection pour les ombres du bord. Est-ce qu'elles venaient en groupe ? demandai-je bien que la chose fût difficilement imaginable – non, elle était toute seule, répondit Fujisato. Autour il n'y avait personne. Elle était seule et elle était venue d'assez loin en nageant avec ferveur. Parvenue à la rive, elle s'était collée contre une pierre à fleur d'eau et elle avait tendu encore un peu plus le cou vers lui. C'était un cou aux reflets irisés. Ils se tenaient l'un en face de l'autre et bientôt cela devint insupportable. Au même moment, il s'aperçut qu'une habitude stupide qu'il traînait depuis des années avait trouvé ici son usage. Disant cela, Fujisato glissa difficilement la main dans la poche de son pantalon pour en extraire enfin quelque chose qui ressemblait à deux petits morceaux plats, emballés ensemble, d'une sorte de pain de seigle façonné à l'huile. L'emballage était déchiré, l'une des tranches était largement entamée. Elles avaient un parfum qui se confondait avec l'odeur de sueur des humains.

Un peu avant quarante ans, dans une ville étrangère, tandis qu'il passait sur un pont pendant une pause entre deux rendez-vous, il avait aperçu du coin de l'œil l'eau qui brillait et aussitôt une faim anormale l'avait assailli ; Fujisato se mit à me raconter cette scène, qui semblait n'avoir aucun lien avec ce qui précédait : pris de vertige, suant beaucoup, les genoux tremblants, c'était de toute évidence une fringale nerveuse après une tension excessive, il comprenait que s'il essayait de boire ou de manger quelque chose son estomac ne l'accepterait pas. Alors, appuyé sur le parapet du pont, il se mit à fouiller dans ses poches machinalement et sa main tomba sur cette portion individuelle de pain de seigle. Une chose qu'il devait avoir prise, sans y penser, à la table de son auberge le matin. Il déchira l'emballage d'une main gagnée par l'engourdissement et, quand il approcha le pain de ses lèvres, heurté par son odeur lourde, la nausée commença à monter en lui. Au bout d'un moment il se domina et mordit du bout des dents un tout petit morceau de pain qu'il mit dans sa bouche, trompant ce qui voulait à nouveau remonter, et il mâcha lentement, mâcha jusqu'à en avoir les larmes aux yeux, se forçant à avaler petit à petit, le regard dans le vide, pensant que maintenant il ne vomirait pas. Il se disait : si je ne mange pas, je mourrai. Mais après deux ou trois premières bouchées avalées tant bien que mal, aux suivantes sa bouche ne bougeait plus – il les retirait avec ses doigts et les jetait dans la rivière. Et pendant qu'il refaisait ce geste plusieurs fois, une douceur mélancolique enfin se déploya sur sa langue, la nausée s'était à peu près calmée, il aperçut plusieurs mouettes qui volaient dans le ciel juste au-dessus du parapet. Quand il jetait le pain, elles étaient déjà prêtes et piquaient pour l'attraper au vol au moment où il tombait. En jetant alternativement une part aux oiseaux, une part pour lui, il arriva très vite au bout des deux tranches.

Six mois après son retour au Japon, il découvrit que le même produit était importé et se trouvait en magasin : il prit alors l'habitude, les jours où il risquait de sauter un repas, d'en avoir toujours un, caché dans son sac ou quelque part, généralement il le rapportait à la maison mais parfois aussi cela lui faisait un déjeuner, qu'il grignotait en solitaire. C'était d'une grande aide, en particulier les jours où l'appétit ne venait pas. Il suffisait de mordiller petit à petit, il suffisait de mâcher. S'il en mangeait une tranche et demie en prenant tout son temps, il pouvait tenir une demi-journée. Cela servait apparemment aussi à lui calmer les nerfs. Un aspect de soi qu'on évite de montrer aux gens. Même en pleine nuit, il gardait près de lui un morceau, qu'il déchirait en petites bouchées, pour accompagner le verre d'alcool qu'il prenait pour dormir. Ça l'aidait à trouver le sommeil. Pendant une période, il s'était pas mal raccroché à ça. C'était à un moment où prendre des repas, même ce peu, lui semblait trop compliqué. Cet amas noir insipide pétri de nécessité de manger et de tristesse de manger était à son goût, dans ces moments-là. Chaque fois, il s'étonnait seulement de ce que, à mesure qu'il mâchait, un goût épais se déployait comme dans un lieu désertique, et malgré cela, tant qu'il mâchait, il avait l'impression de réfléchir sans cesse. Il ne réfléchissait à rien et pourtant cela devenait un peu plus facile d'agir après.

Il ne savait plus quand, mais il avait proposé un jour une portion au vagabond du parc, ça pourrait peut-être accompagner l'alcool ; il avait aussitôt avalé les deux tranches d'un bloc. C'était un mouvement de mâchoires rafraîchissant à voir. Après avoir tout avalé, il avait dit : ce truc-là c'est exactement ce qu'il me fallait, il lui semblait avoir compris ce que c'est que manger, avec ça il pourrait dormir au moins trois jours.

Il y avait une chose qu'il s'était rappelée le matin même. L'élève du cours supérieur qui s'était jeté du haut de la terrasse de l'école, il avait paraît-il dans la poche de son pantalon un petit pain entamé, on en distribuait encore à l'époque. Comment avait-il pu oublier cela jusqu'à ce moment précis ? Il y avait réfléchi pendant le petit déjeuner. On ne sait pas ce que serait devenue son humeur s'il avait seulement mordu encore une fois dedans, et ce regret s'adressait à lui plutôt qu'au mort : les quarante années vécues depuis lui paraissaient vaines. Après que sa fille était sortie (elle avait à faire ce jour-là), il était resté seul un moment dans la maison et il avait eu envie d'aller lui aussi se promener. En sortant, il avait mis ce pain dans sa poche, trouvant lui-même que c'était un geste anormal puisque sa fille lui avait dit qu'elle rentrerait à une heure et qu'elle lui préparerait des pâtes en salade, s'il voulait bien attendre. Heureusement qu'il avait rencontré la tortue.

– Et ta demoiselle, comment va-t-elle depuis l'autre fois ? Sugaïke m'a appelé l'autre jour, à nouveau il ne tarissait pas d'éloges.

– Chaque jour elle va mieux. On croirait voir une jeune fille différente, maintenant elle marche dans le couloir d'un pas bien marqué. Et en chantant. Tout ça, c'est grâce à votre venue.

– Mais non… J'ai lu ta carte.

À un endroit où la tête noire d'un pin brisait discrètement l'alignement des frondaisons du petit bois, on voyait les aiguilles briller finement et s'agiter. Au-dessus de la pelouse de l'hippodrome, une bande de libellules rouges se leva d'une seule nuée, montant par paliers.

– J'ai été fou une fois, dit Fujisato.

Et cette voix qui avait toussé légèrement semblait faire éclore dans la lumière qui saturait les alentours un cercle blanc de plus, le vent souffla.

Le sonneur de cloche

La nuit s'approfondit et dans la maison les insectes chantent. Celui qui chante en solitaire, tchin tchin tchin, depuis l'enfance je l'appelle le sonneur de cloche – peut-être est-ce une de ces idées fausses qu'on traîne toute la vie.

Vers la fin du mois d'août, les insectes peuvent s'introduire jusque dans les maisons et chanter, il n'y aurait rien là d'étonnant. J'habite dans ce qu'on appelle un immeuble résidentiel, au premier étage toutefois, si bien qu'il entre parfois des grillons ou autres bêtes de cette espèce. Mais lui, le sonneur de cloche, chante dans un espace qui va des toilettes à la salle de bains, l'endroit le plus fermé au-dehors, à l'intérieur de ces compartiments qui n'ont ni devant ni fond. On croit l'entendre du côté du plafond, mais personne n'a jamais réussi à le voir.

Dans les plafonds des toilettes ou des salles de bains des constructions d'aujourd'hui il ne saurait y avoir d'ombre. Pas de cachette pour les insectes. Il y a bien une prise d'air dans chacune de ces pièces. Leurs tuyaux doivent se rejoindre quelque part à l'intérieur du plafond. Mais des ventilateurs gardent l'entrée, qui tournent continuellement. Un insecte irait-il se glisser là-dedans ?

Malgré tout, je ne vois pas dans quel autre endroit ils pourraient se cacher. Comme ce sont des ventilateurs faibles, il se peut que ça ne les gêne pas plus que ça. Il y a peut-être des insectes qui vivent, copulent, pondent et dont les petits éclosent tant bien que mal d'année en année au fond des prises d'air. Mais de temps à autre, passé minuit, je les entends aussi dans les recoins du plafond de mon bureau. Et bien sûr je ne vois rien. Il n'y a pas d'exemple qu'on ait jamais trouvé le matin des cadavres tombés par terre. Il n'y a pas de tuyaux communiquant avec la salle de bains par le plafond. Ce bâtiment a maintenant largement passé les vingt ans et il est entré dans son âge de décrépitude, de longues crevasses courent à l'intérieur du béton du plafond de la salle de bains jusqu'à ma chambre, des insectes pourraient s'en servir pour aller et venir et quand je pense à cela je suis presque effrayé, mais d'année en année je laisse aller, mon imagination continue de flotter. J'ai commencé à percevoir leur cri il y a à peu près cinq ans. Ce ne sont pas des hallucinations auditives ni des bourdonnements d'oreille. Leur chant est clair et net.

Cette année j'ai imaginé à nouveau de drôles de choses en entendant le cri des insectes. Il y en avait un d'abord qui chantait longuement, bien que de façon espacée, toujours dans le plafond qui relie les toilettes à la salle de bains. J'étais assis à ma table de travail. Il était plus de minuit. Le cri de cet insecte s'est éloigné progressivement en direction du séjour, bientôt je l'ai entendu qui venait du dehors. Quand je suis allé vérifier sur le balcon, c'était en effet un cri du dehors. Or quand je suis retourné à mon bureau et que je me suis assis sur la chaise, de nouveau, du côté de la salle de bains, il s'est mis à chanter d'une voix claire. Longuement et bien sûr de façon espacée, ça échangeait des cris à tour de rôle du dehors au dedans. Ils échangeaient leurs cris mais pour autant ils ne s'appelaient pas, car c'était entre mâle et mâle : même complètement séparés l'un de l'autre ils continuaient sans doute, puisqu'ils entendaient les cris, à proclamer chacun son territoire. L'étrange malgré tout, c'était que la voix du dehors ne changeait presque pas d'endroit, alors que la voix du dedans ne cessait de se déplacer peu à peu.

Ensuite, je me suis couché dans le lit préparé dans mon bureau, j'ai éteint la lampe de chevet et tandis que j'attendais que la sueur de contrecoup se retire et que le sommeil vienne, le cri, dans un coin du plafond, s'est détaché nettement. C'était exactement comme si l'on frappait tranquillement sur une cloche. Alors du dehors, assez loin de la fenêtre, ça a répondu faiblement. La voix du dedans a stoppé net, la voix du dehors a continué seule.

Et si en réalité les insectes n'étaient pas dans la maison, si c'était un endroit dans la maison qui parfois, par on ne sait quel concours de circonstances, résonnait de lui-même avec la voix qui chantait au-dehors ? me suis-je demandé à ce moment-là. Je suis allé jusqu'à imaginer qu'un espace clos séparé du dehors, comme les toilettes ou la salle de bains, serait précisément l'endroit qui résonne le mieux puisqu'il est sensible à la voix transmise en menues vibrations par le plafond ou le sol ou les murs de béton – mais qu'elle vienne d'entre les touffes où se cachent les insectes résonner jusqu'ici, non, même au premier étage : étant donné la distance, l'épaisseur du béton, cela semblait une impossible chimère. J'ai essayé encore une fois d'imaginer que peut-être la voix d'un seul insecte pourrait se propager partout au travers du béton ; cela a provoqué en moi une sorte de blocage.

– J'ai été fou une fois, dit Fujisato.

Il toussa légèrement mais cela ne traduisait aucune secousse intérieure, il plissait les yeux au vent qui soufflait et, une fois le vent passé, les alentours enfermés à nouveau dans la chaleur torride de midi, il regardait du côté du bois d'un air calme comme si rien n'avait été prononcé d'important. Je me tournais du même côté, je savais qu'il n'y avait pas en moi le désir de renouer la conversation. Le peu qui avait été dit me suffisait pour l'instant. On pouvait presque appeler cela une percée. Je suivais les traces des rares contacts que nous avions eus cette année et repensai, avant cela, à notre absence complète de relations pendant près de quarante ans. Et par-delà cette longue interruption, le fait que nos deux silhouettes soient là côte à côte me semblait plutôt étrange. Dans six mois il me raconterait la suite, par bribes sans doute, à nouveau.

– Et c'était quand, dis-moi ? avais-je pourtant demandé, à mon propre étonnement.

Le regard de Fujisato devint pensif. Il ne donnait pas l'impression d'être en train d'hésiter entre parler et se taire : il essayait vraiment de se rappeler quand c'était.

– Pas cet été d'il y a quatre ans où il avait fait chaud, répondit-il enfin, celui-là je l'ai traversé comme je te l'ai déjà raconté. Après, c'était beaucoup plus facile. C'est ensuite, plus de six mois après, au début du printemps de l'année suivante. Un jour, brusquement, je n'ai plus pu parler. Les mots avaient disparu.

C'était en pleine réunion. Il était rapporteur. Il s'agissait d'un rapport important mais la question était déjà réglée. Les participants avaient tous été jusque-là impliqués d'une manière ou d'une autre dans cette affaire, de sorte qu'ils étaient depuis longtemps au courant des grandes lignes. Si ça se trouvait, ils en savaient bien plus que le rapporteur. On en était donc à l'étape d'une mise en forme convaincante pour les uns et les autres. La décision était déjà officiellement prise en haut lieu, la persuasion et les consolations seraient pour plus tard. En tout cas, comme ce n'était plus à ce stade qu'une affaire de sentiments aux racines anciennes, les mots devaient être choisis avec soin. Pour autant, il n'était pas en position d'apaiser les gens, il lui était interdit de rechercher le consentement, le meilleur moyen pour tâcher de les convaincre était de se montrer précis dans son rapport. Mais, puisque l'ensemble de l'affaire reposait sur un équilibre instable, il fallait, pour faire preuve de précision au moment de reformuler cela, se montrer quelque peu funambule. Parler de choses que les gens connaissent bien, ça aussi c'est difficile. Il y a des façons de s'exprimer telles que même ceux qui savent ne s'y retrouvent plus.

Fujisato n'était pourtant pas trop tendu avant de commencer. Il connaissait parfaitement la difficulté et s'y était préparé depuis longtemps. Il était souhaitable, une fois posés les points importants sur lesquels il s'agissait d'être précis, de parler ensuite d'une façon plate et de préférence à la manière d'un novice sur un ton mal assuré. De fait, cela avait commencé ainsi, il avait poursuivi à peu près dans le même sens, avait laissé tomber, à mesure qu'il parlait, ses réflexions préalables devenues presque inutiles, et il s'était plutôt bien sorti des passages les plus critiques. Les expressions des auditeurs étaient paisibles, ils apportaient un soutien silencieux en suppléant d'eux-mêmes ce qui manquait là où le discours peinait. Allez, c'est bon, on les voyait aussi hocher la tête. Ainsi il ne restait plus que la descente en pente douce vers la conclusion. Il n'y avait plus de passage difficile, il fallait toutefois veiller à ne pas se précipiter. Si l'on abrégeait trop brutalement on donnerait l'impression de fuir. Il avait fait son rapport tant bien que mal jusque-là – mais quant à en tirer la conclusion, c'était au-dessus de ses forces, et pendant un moment il avait exposé aux yeux de tous son embarras. Sur les visages des auditeurs se dessinèrent différents sourires gênés. En voyant cela, ou était-ce à cause du soulagement d'avoir fini, il resta court. Derrière les fenêtres du quarante et unième étage, le soleil de ce début de printemps tombait déjà comme un voile de chaleur. Il pensa que cette lumière se déversait aussi sur le jardin de sa maison. Il vit la silhouette de sa fille accroupie dans le jardin. Quand il revint à lui, les mots avaient disparu.

Arrivé à ce point du récit, Fujisato laissa paraître un embarras tranquille, la main droite vaguement levée comme s'il priait d'une seule main, et pour me faire voir il l'agita doucement de gauche à droite devant sa bouche. Pendant un moment il continua ce geste en silence. Il ne s'ensuivait aucune impression d'étrangeté.

Cela s'était passé sans trouble ni panique. Le soleil printanier se déversait continuellement en pluie à l'intérieur de sa tête. Il avait envie d'implorer le monde autour de lui, mais si désespérée que fût cette situation sans parole, ce n'était pas comme d'être acculé. Ce qu'il voyait sur les visages des gens n'était pas non plus la manifestation d'un embarras. Chez tous, le pâle sourire gêné qu'ils avaient jusqu'alors se détendait maintenant et s'élargissait. Quand il s'était aperçu de cela, il avait eu un frisson de terreur bien sûr, mais cela aussi n'avait duré qu'un instant, cette terreur avait été aspirée dans l'impression d'être inondé de lumière. On n'alla pas jusqu'au point où les gens se mettent à murmurer et s'agiter. Il se tourna en suppliant vers le supérieur qui se trouvait près de lui et celui-ci réagit aussitôt : Fujisato était fatigué, pour qu'il puisse souffler un peu il allait lui-même entrer en lice, il fit rire les gens en reprenant l'affaire sur un ton bon enfant et la conduisit avec dextérité jusqu'à son terme.

Ça n'était pas mal que tu aies bloqué à cet endroit, lui avait dit ensuite son supérieur. Ça avait permis de mettre tout le monde d'accord. Il se doutait évidemment que ce n'était pas qu'une simple panne. À la fin de la réunion lorsqu'il s'était retrouvé seul avec son supérieur et jusqu'au moment où il lui avait dit merci, Fujisato n'avait pas pu sortir un mot. Jusque-là, il était resté à sa place et il avait incliné la tête en silence devant chacune des personnes qui quittaient la salle de réunion. Il avait gardé le sourire d'un bout à l'autre, d'après ce qu'on lui raconta plus tard.

Il ne s'agissait pas d'un trouble de la prise de parole. Il n'y avait eu aucun raidissement ni nerveux ni physique. Seulement, c'était comme un tableau noir soigneusement effacé, si vaste, si neuf : de tout ce qui pouvait y avoir été écrit, ni d'où, ni comment, rien ne semblait avoir de toute façon aucun sens…

– Mais ça ne veut pas dire que tu étais fou, dis-je.

Je ne cherchais pas à le consoler.

– Si, j'étais fou. Notoirement fou, répondit Fujisato, tous le voyaient. Il n'y a pas d'autre origine à la rumeur.

– Ça, c'est ce que les gens voient. Toi-même, qu'est-ce que tu voyais ?

– Je te l'ai dit, j'étais fou.

Fujisato prenait un certain plaisir à répéter ces mots.

Le jour de la réunion aussi il avait travaillé jusque tard, il ne s'en était pas trop mal tiré, il allait de nouveau rentrer chez lui tard dans la nuit en coupant à travers le parc quand, de son banc habituel, le vagabond l'avait interpellé et il s'était arrêté pour causer. Tu es un intellectuel, toi, lui disait-il en manifestant de l'admiration, Penses-tu ! je ne suis pas beaucoup allé à l'école, mais je suis doué pour imiter les gens qui savent, pour une revue que je ramasse je peux faire l'érudit pendant dix jours, j'ai aussi du flair pour ramasser les bons livres, c'était ce genre de conversation – et soudain, le moment où il avait complètement perdu les mots en pleine réunion et le moment, maintenant, où il discutait librement avec cet homme, se collèrent étroitement l'un contre l'autre. Non pas que les neuf ou dix heures qui s'étaient écoulées dans l'intervalle aient disparu. Il pourrait les reconstituer facilement s'il le fallait. Un peu comme on relierait par une corde deux points éloignés. La partie qui se trouve au milieu était maintenant morte et pendait. Non, ce n'était pas tout à fait ça. Elle n'était pas morte. Elle vivait. Elle était vigoureuse. Dans tout ce qu'il avait dit, il avait mis à chaque fois toute son ardeur. Mais, au même moment, il y avait lui-même qui regardait cela comme s'il était quelqu'un de déjà séparé. Quelque part en pleurs. Alors qu'il s'amusait à raconter des bêtises avec un vagabond…

– Il semble que ce soit assez fréquent. (Je voulais le contredire mais ma voix était rauque, cela devenait presque du monologue.)

– Tu as sans doute raison, reconnut Fujisato sans s'attarder.

Il semblait que nous allions en rester là.

– Mais tout de même, répondit-il après un temps, quand on a vécu de longues années dans un temps lié et que ça ne se relie plus bien, on ne peut pas porter de jugement sur les choses comme elles viennent. Parce que le jugement ne dépend pas seulement de l'enchaînement des choses. Il faut d'abord qu'il repose sur un sentiment de continuité du temps qui nous est propre, sinon ça ne marche pas.

– Ne disais-tu pas que tu t'étais appuyé sur le sentiment que *c'était fait* depuis longtemps, chaque fois que tu étais acculé dans une impasse ?

– C'est vrai, oui (Fujisato étira sa voix jusqu'au soupir admiratif, nuancé de nostalgie), quand on est dans cette situation où, quoi qu'on décide, tout n'est qu'arbitraire, tout n'est qu'abdication de soi. On s'abstient de juger et on attend dans le blanc complet, bien qu'on ne voie rien qui représente un espoir même à deux doigts de son propre nez. Ça ne garantit pas que pendant ce temps on peut rester seul et se taire. Même au milieu d'échanges assez tendus avec les gens on attend et à la fin, choisissant toujours le dernier moment, cette ambiance de *c'est fait* descend sur nous. Tout est déjà fait. Déjà fait depuis une éternité. Alors je ne sais pas comment mais on peut récupérer de nouveau un temps lié, ne serait-ce qu'un peu. Tu sais bien, quand une chose est finie et que c'est irrattrapable, c'est là qu'on se met à régler chaque chose une à une sans penser que ça ne sert à rien. Et pendant ce temps on sent, au fond de soi, le calme qu'il y a après le *c'est fait*, non ? Cette impression de calme radical qui accompagne chaque geste et nous procure quelque chose qui se substitue provisoirement à la nécessité… Ce serait à peu près ça.

– Cette fois aussi, c'était quelque chose comme ça, non ?

Ça bougeait en moi, on aurait dit que j'enviais Fujisato de pouvoir parler ainsi comme si tout était déjà fini.

– Et puis quelques jours après (Fujisato poursuivait en ignorant ma question, le ton était revenu à la gaieté au point que je ne savais plus bien, un moment, de quel « après » il s'agissait) je me suis réveillé un matin de bonne heure. Il faisait beau. Je me suis étiré dans mon lit, puis j'ai commencé à énumérer le programme de la journée. Je le confrontais à tout ce qui avait été décidé la veille dans la dernière réunion de coordination pour qu'il n'y ait pas d'erreur. Il m'a fallu un certain temps avant de me rendre compte qu'un jour de plus s'était intercalé. Et ça n'avait pourtant pas été une journée de tout repos.

– Le programme de la journée, c'est-à-dire de quel jour en fait ?

– Justement, le programme du jour que je m'étais refait la veille, après une demi-journée d'imbroglios.

– Et tu as pu le confronter à ce qui s'était passé l'avant-veille, bravo !

– Au début, les choses s'étaient recollées d'elles-mêmes. Il faut dire que je m'étais donné du mal pendant cette demi-journée pour que tout se mette en ordre. Si je m'étais fait un nouveau programme, c'est parce que ça collait mieux ainsi avec la façon dont ça s'était enchaîné jusqu'à l'avant-veille. Ce sont des choses qui arrivent. Donc, la veille je ne m'étais pas donné du mal en vain. N'empêche qu'en confrontant avec ce qui avait été décidé l'avant-veille, il y avait quand même un décalage qui se produisait. Et pourtant, je m'étais aperçu que j'avais sauté un jour avant que le décalage apparaisse. Soudain je me suis vu tout seul en train de ronger mon bout de pain de seigle. Il était plus de trois heures et demie et dans tout ce remue-ménage j'avais laissé passer l'heure du déjeuner.

Séduit par cette vision, je ne pus m'empêcher de rire.

– Qu'il est mignon ! Si j'étais une fille c'est ce que je crierais. C'est ce qu'elles crient paraît-il quand elles nous voient un de ces gestes de petit vieux.

– Je n'y peux rien, c'est vrai que c'est une manie enfantine.

– Mais tu t'en es rendu compte quand tu étais encore au lit. Heureusement que ça t'est revenu vite. Ç'aurait été autre chose, après t'être levé. À plus forte raison si ça t'était revenu au dernier moment, dans le train, ça doit faire un choc. C'est dangereux, ça !

– Là, je n'étais même plus en état de faire attention au danger.

La voix s'appesantit. Peut-être étions-nous enfin entrés au cœur du sujet ; je tendis l'oreille. Mais Fujisato laissait flotter un sourire au coin des yeux et pendant qu'il répétait ce sourire, qu'il le déployait de façon décousue, son visage prenait une expression légère, presque imperceptible.

– Il y a de la béatitude, dit-il comme pour se plaindre, même quand je suis levé, ça continue. Ça s'accroche à chaque mouvement. Même dans l'eau qui coule du robinet, il y a ça. Debout dans la véranda, les herbes du jardin commencent à reverdir et jusque dans chaque brin qui se balance au vent ça se voit. J'étais resté au moins une heure au petit déjeuner face à face avec ma fille. Nous n'avions rien de spécial à nous dire. Je pointais du doigt les choses qui me tombaient sous les yeux une à une, j'avais envie de demander qu'est-ce que c'est ça, et ça, et ça. Et ma fille restait là, non, elle ne s'en allait pas. Dans le trajet pour aller au bureau, cette béatitude ne s'était pas complètement effacée. Toute la journée ça a continué par en dessous. Le lendemain matin au réveil, c'était encore là. C'était en train de remonter jusqu'au passé et ça colorait tout.

Dans le ciel là-haut rien qui ressemblât à un nuage, et pourtant on aurait dit que l'air s'assombrissait autour de nous, on aurait dit des flammes blanches au loin sur l'alignement des frondaisons du taillis, et quand le vent passa, nous avions à nouveau le dos trempé de sueur.

– C'est vrai que ça nous arrive, ces derniers temps, ces sortes d'extase sans raison qui nous saisissent par moments (je réagissais sur un ton d'émerveillement, moi aussi, et je me souvenais que ces paroles étaient sorties de la bouche de Sugaïke l'automne dernier), un peu comme une voix qui dirait Tâche de vieillir en paix ! Ça dure quoi, trois jours, quatre jours ?

– C'était constant et il semblait que ça n'aurait jamais de fin, répondit Fujisato, ramassant ses chaussettes jetées sur le banc, les enfilant déjà.

– Le matin, au réveil, il pouvait y avoir comme ça plusieurs jours d'affilée qui avaient sauté. Bien entendu, je n'essayais plus de recoller les morceaux.

– Et alors de nouveau la béatitude…

– Je ne dirais pas tout à fait ça. Mais c'était si étrangement paisible, ça s'étendait à tout.

– Tout *était fait* enfin…

– Rien n'était fait, et c'est ce qui m'amusait. Et cette paix en même temps, c'était ça le plus drôle. Parfois, ça se reliait à un moi d'il y a plusieurs années et ce qu'il y avait eu entre-temps disparaissait. Mais je m'en fichais.

– On ne doit plus pouvoir vivre en se mêlant à la foule, quand c'est comme ça.

– Si, c'était plus facile à vivre.

Il avait enfilé ses chaussures, les pieds bien carrés sur le sol, les mains posées sur les genoux, il ne lui restait plus qu'à se lever. J'étais prêt à clore la discussion moi aussi.

– Ça n'a pas l'air si méchant que ça, l'un dans l'autre.

– Je ne peux même pas dire : « J'ai été fou. »

– Être fou et se sentir revivre, peut-être que ça se ressemble.

– Ça, on ne sait pas. Est-ce que j'étais fou ? Est-ce que je suis revenu à moi ? Mais entre-temps, plusieurs fois, je me suis vu fou. Même au milieu des gens, il y avait des moments où ça transparaissait. Je prenais des postures, je faisais des gestes qu'on ne peut pas tenir normalement. Par exemple, j'avais les mains qui flottaient loin du corps à une hauteur ambiguë, ni supportées ni pendantes. Ou je me mettais à dire avec ferveur des choses que contredisaient mes yeux et ma bouche. Je faisais des mouvements sur la pointe des pieds si furtifs qu'ils semblaient ne pas vouloir se mêler à toute cette agitation. Au point qu'on avait envie de leur demander, mais à la fin, où comptez-vous aller…

Je voyais avec stupeur s'épanouir de nouveau sur le visage de Fujisato un sourire comme le masque du vieillard dans le Nô, quand il se relève lentement. Une fois de plus indiscernable de la tristesse, c'était malgré tout un sourire de joie calme.

– C'est dans la tête, tu sais, prévint-il enfin.

– Est-ce que tu ne te laissais pas happer ?

C'était moi maintenant qui étais touché par la peur.

– J'avais l'impression de le voir dans mon dos à trois pieds de distance de ma position véritable. Il arrivait même qu'il me suive avec un temps de retard sur mes gestes réels, comme une sensation persistante. Dans les deux cas, c'était la sensation de mon ombre projetée derrière moi : dire que j'étais fasciné, ou possédé, reviendrait évidemment à inverser les rôles. En plus, ça n'était pas un fantôme bien dangereux. Mais si je restais chez moi, au calme, il me semblait voir parfois mon ombre, qui l'instant d'avant marchait dans la maison mine de rien, aller et venir encore là-bas dans le couloir. Je la regardais du coin de l'œil. Elle marchait en étouffant le bruit de ses pas et pourtant, ah, c'était comme si elle coulait, pourtant même rôder à un seul ça fait de l'agitation, on dirait qu'on est nombreux, et tout en m'intéressant à ces détails oiseux je repoussais l'idée : « Moi je n'entre pas là-dedans ! » Or dès que je levais les yeux ma fille était debout je ne sais où et elle me regardait. Un soir, nous avions commencé par détourner les yeux et puis, sans savoir qui avait commencé, nous avons éclaté de rire. Je lui ai demandé à ce moment-là si j'avais quelque chose de bizarre, en montrant ma tête du doigt. Ma fille était pliée de rire, une main appuyée contre le pilier voisin, elle en avait perdu la voix.

– Tu es un père impossible ! Et alors, qu'est-ce qu'elle t'a dit ?

– Elle m'a dit que pendant un temps, chaque soir, je ramenais à la maison une autre tête. Il y avait longtemps que je n'avais plus amené d'invités le soir. Elle parlait, tu t'en doutes, de la tête que je faisais.

– Les présages de malheur s'étaient effacés de ton visage, c'est bien ce que t'avait dit le vagabond, environ vers cet été-là.

– Je t'ai parlé de ça aussi ? Ou peut-être tu l'as appris par Sugaïke. Ce danger, il s'était rapidement répandu. On ne distinguait plus bien qui était précisément en danger. Oui, dans tous les sens du mot…

– C'est bien en avril de l'année dernière qu'on s'est rencontrés, dans le parc du micocoulier ? Est-ce que c'était donc deux ans environ après que ces présages de malheur avaient disparu ?

– C'est ça. La probabilité d'une rencontre aussi inattendue était vraiment très faible.

– Parce que nous, nous avons attendu environ quarante ans. On s'est rencontrés là mais c'était peut-être encore plus froid que le plat qui se mange froid !

– C'est vrai, quarante ans, c'est plus froid. C'est quelque chose de t'avoir reconnu... Il me semble pourtant qu'au moment où je me suis dit Ah, un homme debout sous le micocoulier, je t'avais déjà reconnu.

– Moi, j'ai cru un instant que c'était un vieillard aux cheveux blancs qui fonçait sur moi pour me reprocher je ne sais quoi.

– Mes pieds ont bougé avant que je pense à t'adresser la parole. J'ai peut-être fait les trois premiers pas en me précipitant lourdement.

– Et en plus, avant ça, c'était une illusion de ma part, je le sais bien, mais il y avait de l'autre côté, derrière le parc, un mur de pierre avec une maison d'un étage construite sur ce mur, j'avais cru voir à la fenêtre du premier étage un visage de vieillard effrayant qui m'observait, puis l'instant d'après des pas dévalaient les marches de pierre... Elle n'existe pas, cette maison.

– Une maison avec un mur de pierre à cet endroit ? (Fujisato se mit à réfléchir quand je croyais qu'il allait rire, la lumière de ses yeux s'enferma au-dedans.) Pas que je sache, surtout pas sur un terrain en pente. Peut-être qu'autrefois les différences de niveau étaient plus nettes. Quand on habite longtemps le même endroit, la mémoire vous joue parfois des tours. C'est vrai, tiens ! Ça fait quarante ans aussi que je me suis installé ici.

Et toujours avec le même visage pensif il remit son chapeau de paille (son chapeau de jardinier), roula sa serviette autour du cou et se leva.

– Qu'on se soit retrouvés quarante ans après, ça aussi quand on y pense (il regarda encore une fois du côté du bois depuis l'ombre de son chapeau), c'est une histoire qu'on dirait folle, dit-il bizarrement et sans attendre de réponse il se mit en chemin.

Il était la demie de midi passée.

Nous nous étions quittés à la sortie du parc, Fujisato s'était approché d'une cabine déjà occupée, disant qu'il rentrerait après avoir passé un coup de fil à la maison ; je n'avais que très peu de chemin à faire et quand j'arrivai chez moi le téléphone sonnait dans la maison vide. J'entrai en courant et décrochai, c'était la fille de Fujisato. Voilà qu'elle me demandait si son père ne serait pas chez moi par hasard. Dans ce cas, répondis-je, reposez immédiatement le téléphone car votre bien-aimé père doit être en train d'appeler chez vous. La fille de Fujisato raccrocha sur un oui bref. C'est alors que je m'étonnai d'avoir moi-même répondu comme s'il y avait eu quelque urgence.

Un moment après, le téléphone sonnait à nouveau. Vous aviez raison, me dit la fille de Fujisato avec un sourire dans la voix, à peine avais-je raccroché, ça sonnait – elle s'était affolée pour rien, me remerciait en s'excusant de m'avoir dérangé. Je me dis qu'il n'y avait pas de quoi se sentir soulagé mais, de nouveau seul, la chaleur emprisonnée dans la maison m'enveloppa d'un seul coup. Au plus fort de l'été il suffit de s'absenter deux petites heures pour qu'une légère odeur de moisi se mette, semble-t-il, à flotter. Et de là le cri du sonneur de cloche commençait à monter. Je crois que ce bruit-là était dans ma tête.

La fille de Fujisato avait apparemment laissé sonner longtemps avant que j'ouvre la porte d'entrée.

Cet insecte chante donc bien dans la maison caché quelque part dans une fissure du béton ; je commençais à réfléchir à cela, quand derrière la vitre, sous mes yeux, un homme s'est abattu d'une chute nette. C'était après que le métro avait stoppé sur un quai encore désert, en fin de journée, et que les quelques voyageurs descendus s'étaient dispersés. Je me suis souvenu d'une histoire entendue je ne sais plus quand, disant qu'il vaut mieux faire attention quand quelqu'un fait une chute qui semble ne pas avoir de poids. L'homme était tombé à plat sur le quai, il s'était renversé sur le dos et tentait de lever la tête, puis étonné, à bout de forces, il avait cessé de bouger. Deux employés de la station se précipitèrent vers lui, prirent chacun l'homme aux aisselles et aux genoux, le corps semblait se tortiller, tout en ayant du mal avec le derrière qui pendait ils réussirent à le coucher sur le banc le plus proche et repartirent en courant. Pendant ce temps, le visage de l'homme semblait pâlir de minute en minute dans une couleur terreuse. Cela lui faisait un masque de malade épuisé, et âgé il l'était, mais dans ces circonstances impossible de deviner à quel point. Le tour des yeux clos se couvrait de rides. Or ces yeux-là s'ouvrirent grand, de nouveau il relevait la tête, je crus que la rigidité avait gagné les membres et aussitôt après le buste monta peu à peu : bientôt il se redressa doucement, se rassit bien droit et entreprit de fouiller la poche intérieure de son veston, exactement comme un voyageur qui ferait une pause sur un banc du quai. Quand les employés de la station arrivèrent en courant avec un brancard il s'était levé du banc, à le voir ainsi c'était un homme d'assez grande taille, il sembla refuser plusieurs fois en souriant et en inclinant la tête. Enfin, il posa la main sur le brancard l'air de dire je vais le porter moi-même.

– Je peux bien comprendre. C'est ce qui m'arrive à moi aussi, tous les jours, ces derniers temps. C'est presque un mystère que j'arrive à marcher sans tomber. J'aimerais pouvoir perdre connaissance comme ça, tout de suite, rien que trois minutes sur un banc de gare.

Il y avait eu une voix qui disait cela dans le wagon, au moment où le train se remettait en marche. Je ne m'étais pas retourné pour voir mais c'était une voix bien plus jeune que moi. Même en ce début de septembre, la canicule persistait. Mais là-dedans il y avait déjà un peu de fraîcheur, et pendant qu'on souffrait de la chaleur on était caressé par des courants d'air froid. C'est ce qu'il me semblait et pourtant la sueur me trempait à nouveau. Ma peau était réellement froide au toucher, bien qu'elle continuât d'expulser la sueur peu à peu. À mesure, les forces quittaient mes genoux. Je suis sorti du métro pour remonter vers la ville, la nuit n'était pas encore complètement tombée, il restait à peine une trace d'embrasement sur le bord des nuages, mais partout les cheveux blancs des hommes âgés qui allaient et venaient accrochaient une vague lumière rouge. Je croisais sans cesse des hommes et des femmes en habits de deuil. J'avais le pressentiment, qui dura un moment, que Sugaïke allait surgir de là les yeux écarquillés et qu'il viendrait à moi, ho ! comme on se retrouve…

Passé le 10 septembre il se mit à pleuvoir pour la première fois depuis longtemps, la température baissa d'un seul coup et les jours de pluie, dès lors, se succédèrent. Dans le voisinage à tel ou tel coin de rue les panneaux blancs qui indiquaient les maisons où il y avait une veillée funèbre s'imposaient à la vue. Il me semblait, quand j'apercevais la blancheur de ces panneaux par une de ces fins de journées pluvieuses où déjà on avait envie de manches longues, que c'était là tout ce qui restait de l'été, de cet été qui avait été dur aux malades.

Il y avait aussi la fatigue de l'été : chaque nuit je dormais comme un bout de bois mort et les réveils étaient assez mornes. Je me rappelais que Sugaïke disait avoir eu une époque où il revoyait chaque nuit en rêve la vie qu'il menait quand il était enfant. Il la contemplait en se disant seulement que la pauvreté c'est triste, triste à pleurer, et qu'il fallait faire quelque chose, et à ce moment-là, peu à peu, un doute le prenait et il découvrait que c'était sa propre famille, au présent, réunie là pour un repas furtif. Il m'avait raconté cette histoire autrefois, quand tous deux nous allions avoir quarante ans. Cela ressemblait à un rêve de chute dans la misère, pourtant il n'y avait pas de quoi rêver, crois-moi, à l'époque je n'étais pas si éloigné de la crise qui jette une famille dans la misère ! plaisantait Sugaïke, qui venait une fois de plus de changer de travail. J'admirais seulement maintenant qu'il n'eût pas fait, à cet âge, l'un de ces rêves où on meurt et où l'on regarde les proches qu'on laisse derrière soi – pourtant cette famille réunie pour un repas furtif, n'était-ce pas un peu ça ? Je me perdais dans mes pensées. Il n'avait pas quarante ans et depuis, pas un moment il n'avait eu le temps de souffler, soupirais-je à nouveau

Sur ces entrefaites je me retrouvais moi aussi, bien que restant à la maison, une fois de plus submergé par mon programme de travail, d'avoir pu passer près de deux heures à bavarder avec Fujisato autour de midi sous le ciel brûlant me semblait un lointain souvenir. Il pleuvait du matin au soir, j'étais simplement débordé et vers le soir enfin il m'arrivait de penser vaguement à Fujisato, que faisait-il à la maison, par une journée comme celle-là ? Puis un jour, je l'ai imaginé dans la pénombre de la véranda, un chevalet posé devant lui, au couteau, à tout va, il enduisait une petite toile avec de la peinture à l'huile. Il tournait son regard clair vers le jardin trempé de pluie tandis que sur la toile ça faisait comme un tourbillon rouge. Et malgré cela il soupirait, soulagé, que c'est blanc, quel silence dans le blanc. Je n'avais jamais entendu dire que Fujisato peignait.

Au moment où approchait le quarante-neuvième jour du père de ma femme, la maison était entièrement revenue à la normale. Je m'étais souvenu pas mal de temps après que j'avais fait appeler quelqu'un de l'entreprise de maintenance, parce que pendant l'absence de ma femme le tuyau d'évacuation de la salle de bains s'était bouché et qu'on avait retiré du fond une boule de cheveux, quand j'en avais parlé à ma femme elle avait eu l'air étonnée car elle prenait toujours soin de ramasser les cheveux qui flottaient chaque fois que nous prenions un bain. De toute façon, il y a trois femmes dans cette maison, avais-je dit en riant, et j'avais fait le compte des jours écoulés après que le malade avait été transporté à l'hôpital. L'évacuation de la salle de bains avait mis environ trois mois à s'obstruer.

D'un malade on dirait que c'est la saison où il reprend goût à la nourriture, mais parfois il me semblait que nos dîners en ce début d'automne avaient, même sans aller jusqu'au rêve de Sugaïke autrefois, quelque chose de furtif, comme une immersion momentanée dans l'acte de manger.

Le jour de l'équinoxe, ma femme et mes filles repartirent en province pour le service funèbre du quarante-neuvième jour. Ce matin-là je sortis me promener jusque dans la rue commerçante qui mène à la gare et j'en profitai pour faire quelques courses ; au retour je pris une ruelle bordée d'un côté par un haut mur de béton, devant lequel je passais comme d'habitude sans me soucier de ce qu'il pouvait y avoir derrière, quand il se trouva une petite porte en fer, une porte de service en quelque sorte, à moitié ouverte, de sorte que je m'arrêtai pour jeter un œil et découvris alors que cet espace entouré de quatre murs était rempli de tombes serrées les unes contre les autres et baignait dans les fumées d'encens. Jusqu'il y a quelques années en effet, trois ou cinq années peut-être, ou peut-être même dix ans déjà, on voyait en passant par-dessus un mur plus bas que celui-ci quantité de pointes de monuments funéraires qui penchaient. Dans ce quartier il y avait toujours eu des temples et des cimetières. Il y avait même tout près de là un temple bouddhiste assez important qui avait aussi son cimetière et ceci était une enclave séparée du temple par la route. En plus des murs qui l'abritaient, elle s'était retrouvée à un moment encerclée par les bâtiments neufs et, sans rien qui ressemblât à une chapelle, ce n'était plus qu'un simple paysage de tombes.

J'observai cela un instant et soupirai seulement. La position de voyeur me déplaisait, je voulais m'écarter sans tarder de cette porte. Mais c'est à ce moment-là que j'aperçus des silhouettes discrètes bougeant entre les pierres tombales, pour la plupart des vieillards, des visiteurs qui se rendent sur les tombes le jour de l'équinoxe. Jusqu'à cette minute même, alors que j'étais tourmenté par la crudité des couleurs des fleurs déposées çà et là, j'avais le sentiment qu'il n'y avait absolument personne. Dès que je pris conscience de cela les bruits alentour s'évanouirent et la sensation de regard fixe descendit sur moi avec un temps de retard. Je ne regardais pas. Mais les fleurs déposées sur les tombes et les fleurs qui ornaient les balcons des immeubles de plusieurs étages au-dessus du mur s'appelaient les unes les autres et cela avait agi sur l'axe du regard.

Ne voir qu'un lieu, sans aucune présence humaine, même dans une scène de rêve ça n'est jamais bon signe, réfléchissais-je tout au long du chemin, en rentrant chez moi, et après encore une demi-journée de travail il y eut ce soir-là un appel de Sugaïke.

– Puisque la fraîcheur s'est installée, est-ce qu'on n'irait pas prendre un verre, ça n'est pas si souvent, pour fêter la fin de cet été trop chaud ?

Après cette entrée en matière, il se tut, bientôt le tremblement de son souffle se transmit tout bas.

– J'ai fait un drôle de rêve, dit-il d'une voix qui tremblait de rire. L'un de nous trois, Fujisato, toi ou moi, était mort et comme ça nous nous retrouvions ensemble. Nous étions réunis autour d'un morceau de seiche séchée que nous faisions griller, déchirée en lanières elle accompagnait le saké.

– De la seiche et du saké, mais c'est l'automne mon vieux, même en rêve ! (Je fis d'abord bon accueil et puis je me mis à pinailler exprès.) Quand même, tu ne trouves pas ça curieux, non ? Je suis mort et tu es là avec Fujisato. Fujisato est mort et tu es là avec moi. Mais si c'est toi le mort, qui est-ce qui voit ce rêve ?

– Ne te précipite pas ! répondit pourtant Sugaïke. Nous nous retrouvons là tous les trois. Tous les trois en parfaite santé. C'est le bon côté des rêves. L'un meurt et grâce à cela nous sommes tous trois réunis.

– Ah bon, très bien. Et dans ton rêve aussi c'était drôle ?

– Pour ça, oui. C'était tellement drôle, tiens, pour une fois que je faisais un bon rêve, je me suis réveillé ! L'un meurt, et on est trois, l'un meurt et on est trois, répéta-t-il et il se mit à rire sans plus pouvoir s'arrêter.

– Hé ! Ho ! appelai-je au bout d'un moment, si tu fais ce genre de rêve saugrenu, c'est donc que tu as terminé sain et sauf tes visites au cimetière cet automne ?

L'auberge de Nakayama

– Tu ne devais pas aller à Nakayama, après-demain dimanche ? demanda Sugaïke.

Les courses d'automne à Nakayama s'étaient achevées le dimanche d'avant. Deux semaines entières avaient passé depuis que Sugaïke m'avait, le soir de l'équinoxe, proposé d'aller prendre un verre pour fêter la fin de cet été trop chaud. Ce soir-là au téléphone nous nous étions donné du bon temps avec son histoire de rêve qui n'était pourtant pas de bon augure ; nous en étions presque à décider une rencontre à trois comme dans le rêve, avec Fujisato, dès demain, mais finalement nous avions laissé les choses en suspens sur la promesse de se revoir bientôt. Après cela, quand j'avais pris en main la vieille montre-bracelet que j'utilise depuis plus de vingt ans, elle ne marchait plus du tout. Il semblait qu'elle avait fait son temps. Le lendemain, samedi, j'étais allé aux courses à Nakayama sous la pluie.

Mais demain, justement, elles se transportaient à Fuchû.

– Ah ? dit Sugaïke, je croyais pourtant bien être allé jouer aux courses à Nakayama tard dans le mois d'octobre, au moment où les kakis prennent des couleurs.

Les dernières qui avaient eu lieu à Nakayama durant tout le mois d'octobre remontaient à une dizaine d'années.

– Tant que ça ? Ça fait donc si longtemps que je ne suis plus dans la course ? Alors ça se passe maintenant à Fuchû ?

Il y avait un regret dans sa voix. Sans doute un brusque rappel nostalgique de l'ambiance oubliée de Nakayama, devinai-je, c'est l'endroit qui veut ça, et comme j'avais perçu en outre une sorte de fragilité dans cette voix je lui fis une autre proposition de sortie :

– Pourquoi ne pas aller à Fuchû ? Allons-y, je t'accompagne. L'hippodrome de Fuchû garde encore plus le charme d'autrefois.

– Non, ce n'est pas ce que je voulais dire, répondit pourtant Sugaïke. Dimanche, je suis bloqué jusqu'au soir. Mais si tu avais eu l'idée comme ça d'aller jusqu'à Nakayama pour voir les courses, nous aurions pu nous retrouver par là-bas, une fois mon affaire réglée. Ça ne pouvait se faire qu'à Nakayama. Parce que lundi matin, moi, je décolle de Narita.

Je supposai que ce dimanche il serait retenu pour son travail dans un hôtel proche de l'aéroport et qu'il se proposait donc de me rejoindre dans la soirée à Nakayama, quand il se serait libéré, mais pas du tout. Il avait réservé une chambre du côté de Nakayama. Ça ne faisait pas si grande différence en partant de chez lui, avec les transports qui sont bien plus pratiques ces derniers temps, d'aller directement de Suginami à Narita ; mais tout ce qui est tôt le matin lui devenait vraiment pénible. Et les hôtels d'aéroport n'étaient pas plus à son goût. Passer la nuit à Nakayama était tout sauf évident : ce manque d'évidence-là lui plaisait sans doute. Quelques années plus tôt, quelqu'un l'avait recommandé et depuis il pouvait disposer d'une chambre une ou deux fois par an quand il avait un départ tôt le matin. Nakayama était à l'origine une de ces villes construites autour de temples qui semblait avoir conservé ses anciennes hôtelleries, bien que le lieu en question, on ne sait trop pourquoi, se trouvât quant à lui à l'écart du quartier des temples. C'était une auberge traditionnelle en semi-activité, qui ne recevait plus que les habitués de longue date ou leurs amis, toujours sur recommandation. On disait que c'était aussi le chemin pour aller du côté de l'hippodrome, mais il ne se rappelait pas être passé par là autrefois. D'ailleurs il faisait généralement nuit quand il arrivait, si bien que cela ne se reliait à aucun souvenir du temps où il jouait aux courses…

C'était dit sur le ton d'une conversation qui s'achève. J'allais lui demander s'il irait là-bas ce dimanche en partant de chez lui, et je me retins. Je ne voulais pas le faire répondre inutilement, du moment que je n'étais pas prêt moi aussi à y aller. Au lieu de cela :

– Tu pars pour un long séjour cette fois ? demandai-je.

– Ça serait bien d'en finir vite. Mais de toute manière il n'y en a plus pour très longtemps, répondit Sugaïke et il laissa échapper un rire, trouvant lui aussi que c'était une drôle de façon de parler.

– Tu es de ceux qui dorment bien en voyage ?

– Je n'ai pas de mal à m'endormir mais je me réveille au moins une fois. Si fatigué que je sois.

– Et ça t'arrive, non, pendant un moment, de ne plus savoir où tu es ?

– Oui, je ne sais plus ni où ni qui je suis. Mais je laisse aller, c'est très bien ainsi.

– Être n'importe qui n'importe où, au fond c'est ce qui nous convient.

– Il arrive que je me rendorme aussitôt. Il arrive aussi que je me souvienne le matin, après m'être levé, que ça faisait un moment que j'étais réveillé, oui, comme une chose qui serait arrivée à un autre. Il y a ce roman, *La Métamorphose*. L'homme est un voyageur de commerce lui aussi, un biznessman comme on dit aujourd'hui. Cette histoire-là, tu vois, c'est un voyage qui a mal tourné.

– Il y a donc bien des moments où tu n'as pas envie de te lever.

– Non, je suis un bloc de bonne volonté qui cherche à se lever. Simplement mon corps ne bouge pas. Je décide d'attendre patiemment, ça m'embêterait de me trouver changé en va savoir quoi, si je me force à me lever. Dans tous les cas, je me donne dix minutes, pas plus. Mais après, je continue de compter les minutes.

– Et pendant ce temps tu laisses le réveil sonner ?

– Ma main se tend d'elle-même. Il y a quelque chose d'inquiétant là-dedans, dans ce mouvement de la main qui semble animé d'une intention cachée.

– Ç'aurait été la semaine dernière, c'était encore Nakayama, dommage. Il y avait des courses intéressantes aussi, le dimanche.

Moi-même en disant cela je venais de rentrer tard la veille, jeudi, d'un voyage à Hokkaidô où j'étais parti le lendemain de ce dimanche, lundi en fin de journée. Dans mon hôtel à Obihiro, j'avais été secoué par un tremblement de terre. Ça oscillait sans fin en faisant grincer la charpente de fer. Je m'étais réveillé à l'approche de l'aube, avec l'impression d'avoir autour de moi une foule qui courait en tous sens : apparemment je m'étais endormi, la télé allumée, l'émission spéciale continuait encore.

– Les courses de fin d'année, ça doit encore se passer à Nakayama, non ? Le grand steeple-chase était le point final de l'année, autrefois. (La voix de Sugaïke résonnait un peu lointaine.)

– C'est une occasion à ne pas manquer, j'y vais ! m'entendis-je répondre. Je prendrai le métro, je connais le chemin. C'est pas mal, aussi, de partir pour Nakayama un dimanche sans courses à la tombée de la nuit.

Et après avoir répondu ainsi je me rappelai que la veille au soir, dans le monorail en rentrant de l'aéroport, j'avais été tourmenté par un imperceptible tiraillement tapi au fond de mon poumon.

Pourquoi Sugaïke allait-il exprès passer la nuit dans un endroit comme Nakayama la veille de son départ, à sa place je serais resté à la maison, quitte ensuite à me lever à quatre heures du matin – partir de chez moi un dimanche en fin de journée, même sans parler de voyage, je n'aime pas ça, me disais-je, planté à l'arrêt du bus le plus proche, ce dimanche à la tombée de la nuit. Dans ma vie si peu mobile, jeunesse mise à part, quand je sortais le dimanche soir c'était en général mauvais signe. Lors de la maladie de ma mère, pour celle de mon père aussi, c'était souvent le dimanche après quatre heures, dans les deux cas l'hôpital n'était pas loin de là où j'habitais, n'ayant pas la patience d'attendre le bus pour redescendre aussitôt je faisais sans me laisser troubler plusieurs kilomètres d'un pas énergique et pendant ce temps la nuit tombait, bon sang, où est-ce que j'allais comme ça ? Je commençais moi-même à trouver cela suspect. Pour ma sœur, l'hôpital n'était pas à une distance qui pût se faire à pied et parfois j'arrivais après le coucher du soleil. La malade prenait un air étonné en me voyant entrer dans la chambre un dimanche à pareille heure. Chaque fois, j'en avais des sueurs froides, ces arrivées intempestives ne lui faisaient-elles pas craindre une mauvaise nouvelle ? Je ne voulais plus venir comme ça le dimanche à la nuit tombante, c'est ce que je me disais mais, surchargé de travail pendant la semaine, j'avais laissé la même scène se répéter plusieurs fois. Or voici qu'il y a trois ans, au début du printemps, alors que je venais d'être opéré au cou et que j'étais encore condamné, la nuque immobilisée, à rester couché sur le dos, tous les dimanches à la tombée de la nuit, à l'heure où se termine la transmission des courses à la télé, mon frère débarquait sans prévenir dans la chambre et s'asseyait sur la chaise près de mon lit ; n'ayant rien de spécial à me dire, il lisait un hebdomadaire qu'il avait apparemment acheté en chemin et quand il avait fini de lire il le posait et s'en allait. Ensuite, je me disais que mon frère en s'éloignant de l'hôpital devait me sentir bien seul, abandonné dans cette chambre d'hôpital un dimanche pendant que la nuit tombait, puis tout s'inversait, j'imaginais tout à coup cet homme avant la retraite, sortant de chez lui après trois heures de l'après-midi un dimanche et rentrant à la nuit noire après avoir passé un moment dans la chambre d'hôpital de son frère : cela me semblait tellement triste, même après ma sortie de l'hôpital je me demandais encore, tête inclinée d'un air de doute, si cette tristesse n'était pas due au temps de ce début de printemps qui se gâtait chaque dimanche ; moins de six mois plus tard il mourait.

– Et Fujisato, qu'est-ce qu'on fait, on l'invite ?

– J'aimerais bien le voir, mais il vaut mieux le laisser tranquille encore quelque temps.

– Ce serait dommage de le déranger dans une retraite qui lui va si bien.

– Alors, on lui fait faire le mort cette fois ? C'est vrai, de nous trois c'est le plus vaillant. C'est déjà ce que je pensais dans mon rêve.

L'un de nous trois était mort et grâce à cela nous nous trouvions tous les trois réunis. Sugaïke était revenu sur cette étrange histoire de rêve et, en riant tous les deux, nous avions mis fin à la conversation ; le samedi il fit toute la journée un temps morne et nuageux qui s'éclaircit un moment le dimanche, puis s'assombrit à nouveau dans l'après-midi. Du quartier où j'habite aux environs de Nakayama, la distance géographique impressionne, mais une fois dans le métro, après cinq minutes de trajet en bus, il ne reste plus qu'un seul changement et en moins d'une heure je suis à la gare de Nishi-Funabashi. Tout cela grâce au réseau de transports qui s'est étendu peu à peu en devenant plus dense ces vingt et quelques dernières années, mais se dire qu'on a traversé le sous-sol de la ville depuis presque l'extrémité ouest de Setagaya et qu'on se retrouve déjà devant Arakawa, cette réalité-là, le sentiment peine à la rattraper autant de fois qu'on fait le trajet, même pour aller aux courses de l'après-midi : passé les gares de Shibuya et d'Omote-Sandô le train commençait à se vider, je ne reconnaissais plus ni l'heure ni le lieu, un sommeil qui ressemblait au désœuvrement tombait sur moi. La gare de correspondance était toute proche, si bien que j'ouvrais l'œil à chaque arrêt du train, par les portes ouvertes je contemplais les quais silencieux du samedi ou du dimanche midi au cœur de la ville et je voyais mon dos aspiré descendre sans but, puis je fermais les yeux. Le parcours d'une gare à l'autre s'effaçait, j'ouvrais les yeux, et de nouveau mon dos descendait sur le quai. Bientôt, après une longue correspondance à pied, je changeais de train et c'était de nouveau la même scène qui se répétait. À ce moment j'étais dans un état de nuit profonde.

Est-ce que ma mère ne m'avait pas emmené loin quelque part un dimanche soir en pleine nuit, nous avions pris le train... J'ouvris les yeux et regardai le quai plus désert que jamais. Nous étions arrivés à la gare de Kiba. Et un instant, la certitude bougea. Cela se passe dans la petite enfance. Ma mère est encore jeune. Elle est habillée à l'occidentale. Nous sommes assis dans un coin sombre d'un wagon d'une compagnie privée. Ma mère a les yeux clos, tête baissée ; l'enfant se tient tranquille. On sent qu'il a pleuré. Me revenait vaguement cette seule scène dans un wagon, puis au moment où je posais enfin le pied sur le quai, l'odeur de la ville qui se remettait à vivre au fond de mes narines. Ça sentait aussi l'eau croupie.

Mais ça s'arrêtait là. Les portes se refermèrent et le train se remit en marche. C'était seulement l'ombre d'un souvenir qui remonte à la surface par une impulsion soudaine, imprévisible, à intervalles d'environ une fois toutes les quelques années depuis que ma mère est morte il y a vingt-trois ans, mais que s'était-il passé, l'affaire n'a jamais été éclaircie. Ça sent le faux souvenir. Nous habitions au bord d'une ligne de chemin de fer privé de la banlieue ouest. Prendre le train après la tombée de la nuit pour un enfant petit, de toute manière, ça voulait dire aller loin. La nuit avance vite. Pourtant c'est la nuit de dimanche. Que ce soit ou non un faux souvenir c'est la nuit d'un dimanche, là-dessus aucun changement.

Ma mère n'avait pas rendu le dernier soupir un dimanche, mais un samedi, après neuf heures. La journée de dimanche, je l'avais passée à veiller sa dépouille.

Quelle pitié ! fit une voix. J'eus l'impression que cela venait du wagon de mon souvenir mais, d'après le ton, il s'agissait plutôt d'une parole sortie de la bouche de mon oncle accouru de la maison familiale, du fin fond de Gifu, en apprenant la nouvelle. S'en aller ainsi à soixante ans à peine, après trois mois d'hospitalisation – *quelle pitié !* se lamentait-il (et sans doute voulait-il dire aussi : avant même d'avoir été récompensée assez de ses peines de la guerre et de l'après-guerre). Cette parole conservée précieusement entre les frères et sœurs même vivant loin les uns des autres avait coloré mon oreille. Ma mère m'était aussitôt apparue comme une femme jeune. Et pendant un moment après qu'elle avait rendu le dernier soupir, réellement, son visage était devenu jeune.

Mon oncle aussi était mort peu de temps après, mais ce cri – *quelle pitié !* – demeurait comme le noyau, l'ombre portée en quelque sorte, de toute une masse de souvenirs sans image qui s'étaient amassés en moi tardivement. Dans cette ombre prise en son entier, le cri n'était plus celui de mon oncle, n'était plus même un cri, juste une atmosphère qui flotte. Et même ainsi, dans la scène du souvenir, quelle serait la voix qui murmure *quelle pitié* ? Un enfant n'a pas ce genre de mots. Ils ne pouvaient donc qu'être sortis de la bouche de la mère. Les nuits où les attaques aériennes devenaient plus violentes, la mère regardait son petit dernier qui n'avait pas encore huit ans – alors, peut-être, il lui arrivait de le plaindre, lui qui aurait mieux fait de ne pas naître si c'était pour mourir de façon si horrible. Mais en dehors de cela, non, ni avant ni après, jamais je n'avais été placé dans des conditions telles que mes parents ou n'importe qui d'autre auraient pu me prendre en pitié. Je n'ai pas de souvenir de cette sorte.

Il y avait des moments où je croyais me rappeler que c'était la voix d'une jeune mère qui emmène son enfant et qui se plaint elle-même, alors une pensée qui ressemblait à un remords se mettait à frissonner – que faire de ce souvenir ? – et dans l'ombre qui s'estompait je voyais encore une fois les petites jambes pendantes sous le siège du wagon et ce visage de bambin levé avec un calme étrange vers les poignées suspendues qui se balançaient dans la lueur voilée des ampoules électriques : elle n'avait donc emmené avec elle à cette heure que son dernier enfant parmi les quatre, me disais-je.

Plus rarement, il m'arrive de penser que la voix dans le rêve n'est pas la voix d'un personnage du rêve, n'est pas même la voix de celui qui rêve, mais qu'elle serait en quelque sorte la voix miséricordieuse du rêve lui-même. Pourtant, je ne suis pas l'instrument qui peut, même dans l'ombre du souvenir, faire résonner pleinement une telle voix. Au moment où un rire amer m'échappait le train est enfin sorti à l'air libre, il y avait encore un reste de jour, depuis le pont du chemin de fer d'Arakawa franchi peu après j'ai regardé l'étendue d'eau cendreuse de l'embouchure qui captait la lumière rouge filtrée par les nuages : au lieu de la refléter vers le crépuscule, elle la concentrait en différents endroits de la surface de l'eau et la faisait couler, j'apercevais aussi l'étrange couleur verte des courants, très loin, qui approchaient en ondulant.

À la seconde où le vacarme du pont de fer s'est apaisé, j'ai cru entendre les pleurs d'un enfant, dans une sorte d'hallucination auditive qui a persisté quelque temps. Ça vient du rez-de-chaussée d'un grand bâtiment en bois, j'ai pensé, il a pleuré toute la nuit.

– C'est que demain tu te lèves tôt, n'oublie pas !

Je regardai ma montre, il était neuf heures tapantes. J'aurais pensé que la nuit était plus avancée. Une trace d'encens depuis longtemps consumé se dilatait à chaque inspiration. Il y avait là aussi l'odeur d'une peau tiède.

– Oh, il ne s'agit que de descendre une pente en flânant avec tout juste un léger bagage accroché à l'épaule, répondit Sugaïke, à la gare de Higashi-Nakayama je prends un train, tortillard ou express, le premier qui se présente, j'attends le rapide à Keisei-Funabashi et en un rien de temps je suis rendu à l'aéroport.

La pente du matin se dessina sous mes yeux. Toutefois je n'aurais su dire dans quel coin de Nakayama nous étions, la vision que j'avais eue en arrivant en début de soirée était bien trop confuse.

Il ne devait pas être encore huit heures, la table du dîner venait d'être desservie lorsque Sugaïke avait sorti en riant de son sac une bouteille de vin de Bohême, il avait demandé des verres à une gamine en vêtements ordinaires qui paraissait être la fille de la maison et bientôt, un bruit de pas gravissant lentement les marches raides, on vit apparaître, dans la tenue qui convient à une patronne d'auberge, une vieille dame toute blanche et plus que largement septuagénaire semblait-il, qui échangea un salut tranquille avec Sugaïke et posa sur la table basse le service à vins : « Je vais faire le nécessaire », dit-elle d'une voix jeune, et elle alla s'accroupir face au *tokonoma*. De dos, on eût dit une offrande d'encens peut-être, puis elle se releva avec lenteur en laissant monter derrière elle, du brûle-parfum posé seul au milieu de la petite niche de fabrication grossière, une fumée fragile.

C'était une dame muette vieille comme si le temps s'était arrêté. Elle se tenait discrète au côté de Sugaïke et l'observait pendant qu'il débouchait la bouteille, en silence ; mais quand les hommes se regardèrent l'un l'autre par-dessus leurs verres :

– Je pensais que nous allions vous revoir bientôt. J'ai préparé le brûle-parfum pour vous. Et l'encens, vous nous l'aviez laissé.

Après cela, elle se fit de nouveau ce visage qui ne parle pas.

– C'est qu'on pense à tout, ici. (Sugaïke regarda la vieille dame, ensuite il se tourna vers moi et ajouta d'un air gêné :) Comme si c'était quelque chose qui méritait qu'on y pense !

Un jour, par hasard, il avait découvert à assez bas prix, dans une boutique du centre, de l'encens venu d'Inde dont le nom lui disait quelque chose, il l'avait acheté et une fois fourré au fond de son sac il l'avait oublié ; en arrivant dans cette auberge, alors qu'il fouillait à l'intérieur de son bagage à main tout en buvant un dernier verre avant de dormir, il était tombé sur cette petite boîte égarée là par on ne sait quel mystère et c'est comme ça, en l'ouvrant, qu'il avait trouvé les cônes d'encens qu'il essayait de faire brûler à la flamme d'un briquet au-dessus du cendrier quand la vieille dame était montée en chemise de nuit – je me demandais où ça pouvait être et c'était ici ! avait-elle dit en s'asseyant au bord du lit. Quelle bonne odeur, elle se souvenait de l'avoir respirée quelque part, oui, au temps de sa jeunesse, et elle restait immobile, ravie. Est-ce que vraiment ça s'était répandu jusqu'en bas ? (Sugaïke hochait la tête d'un air de doute) – Mais bien sûr, ça s'entendait nettement (elle utilisa le mot « entendre »), sinon ce serait de l'érotomanie, non ? dit-elle le plus sérieusement du monde, laissant Sugaïke sans voix. Et puis, mon cher client, c'est bien rare de nos jours, un homme qui sait y faire… Tout avait commencé par cette curieuse remarque faite à mi-voix.

Il n'y connaissait rien du tout mais d'être admiré à ce point, ça finit par vous enchaîner. Sugaïke avait pris l'habitude de descendre dans cette auberge et par la même occasion – il pouvait bien avoir après tout, lui aussi, un dada idiot – il repensait à cet encens : s'il le brûlait en cachette pendant la nuit la vieille dame monterait, et il s'en serait voulu de la faire sortir ainsi de son lit aux heures les plus froides, tandis qu'en s'y prenant juste après la fin du dîner elle resterait blottie là une demi-heure, à suivre des yeux en silence le mouvement de sa main pendant qu'il siroterait le brandy qu'il avait apporté, elle lui dirait de faire brûler encore un peu d'encens avant de se coucher, que ça l'aiderait à mieux dormir, puis elle redescendrait. Il avait confié à la vieille dame sa boîte d'encens parce qu'il ne fallait pas qu'il l'oublie en venant.

D'ordinaire elle montait les marches, le moment venu, et attendait patiemment que Sugaïke allume l'encens dans le brûle-parfum qu'il posait sur la table, avec ses manières indolentes, en même temps qu'il se servait à boire ; si ce soir-là elle était allée d'elle-même devant le *tokonoma*, il fallait y voir apparemment une marque d'attention à l'égard de son invité.

– J'ai raison, patronne ?

Quand Sugaïke lui adressa la parole, la vieille dame, qui jusque-là souriait tout simplement d'un air heureux quel que soit le sujet de la conversation, eut un sourire encore plus enfantin. Je compris qu'elle devait être sourde et lorsque mon regard rencontra celui de Sugaïke je reçus un signe de confirmation.

– Quand même, vous ne trouvez pas que c'est une odeur sensuelle ? À la fois grasse et nette, légère et consistante (j'avais envie de m'aventurer sur ce terrain), elle doit être de nature végétale mais il y a au cœur l'odeur de la partie la plus moite de l'animal.

– Exactement ! fit Sugaïke en entrant dans le jeu. Je me sens toujours un peu bête, car à quoi bon faire ça avant l'un de ces voyages à l'étranger qui n'ont rien d'érotique, mais peut-être qu'en y allant avec cette couleur de parfum la traversée du désert sera plus supportable…

Ainsi la conversation continuait par bribes comme avant l'arrivée de la vieille femme ; chaque fois qu'il allait à l'étranger pour son travail ces quelques dernières années, il avait cette impression d'entrer dans le désert. Ce n'était même pas que son travail fût d'année en année plus difficile et moins intéressant. Ce n'était pas obligatoirement la fatigue de l'âge ni une fatigue personnelle. Il lui semblait plutôt ressentir dans son corps la fatigue de ce pays en général, de ces gens. En tout cas, il avait manqué d'endurance à des moments importants. Il avait lâchement laissé passer les occasions à force de demi-mesures et d'atermoiements, la blessure s'était élargie. Pire, il ne s'était même pas senti touché par toute la tension de la crise. Il se sentait à son aise comme si tout cela n'était qu'une tromperie. Les mots restaient sans effet. Quelle que soit l'argumentation, on n'était jamais loin de la tautologie. Machine qui tourne à vide, stagnation. Roues enlisées dans la boue. Les mots s'emballaient, comme en folie. Tant qu'il restait au Japon il pouvait ne pas tellement s'en rendre compte, ça allait, mais quand il sortait du pays, il utilisait son mauvais anglais. Malgré les limitations de la langue, il se débrouillait pour les affaires urgentes. Quant à sa propre situation, il essayait de savoir si ses interlocuteurs la comprenaient, mais il y avait peu de réactions. Il trouvait étrange que dans ces conditions les choses avancent malgré tout. Franchement, ça le rassurait, et en même temps ça lui était égal. En fin de compte il éprouvait une peur indéterminée. Plus souvent, d'ailleurs, quand les affaires marchaient toutes seules plutôt que quand rien n'allait comme prévu.

– Tu ne m'as pas dit, je ne sais plus quand, que tu te sentais comme un fantôme enchaîné au travail ?

À cette question Sugaïke fixa soudain son regard sur un point au-dessus du *tokonoma*, comme pour suivre, dans mon dos, un reste de fumée qui montait au plafond.

– Je ne me souviens pas mais c'est vrai, quand j'en fais trop j'ai l'impression que mon ombre pâlit, répondit-il, tandis que je me mettais à mon tour à guetter les bruits dans mon dos.

– Tu entends comme c'est silencieux là-haut ? (Sugaïke ramena son regard sur moi et il continua son récit en haussant un peu la voix.) Donc, je rentre dans ma chambre d'hôtel au milieu de la nuit. Quand je suis fatigué, vite une douche, un verre d'alcool pour dormir, je mets le réveil et me laisse tomber sur le lit, encore maintenant c'est comme ça. Mais rien que dans ce petit intervalle, je passe par toutes sortes de procédures précises. On a beau se dire que ça n'a pas d'importance, le mieux c'est d'y aller avec prudence. La moindre perturbation ou le moindre dérèglement peuvent te revenir au visage, le lendemain, comme une faute impensable. Faire durer un fredonnement stupide, tout en évitant ce qui pourrait réveiller les nerfs, c'est toute une économie du geste, tu sais, au service de cet instant-là.

– Est-ce que par hasard tu ne te regarderais pas toi-même pendant ce temps ? eus-je envie de demander soudain.

– Bien deviné ! reconnut Sugaïke simplement. Oui, j'observe : ça c'est bien, tu es sérieux. Tu vois, tu es un fantôme sérieux…

– Bien sûr que les fantômes sont des gens sérieux !

– … tu serres bien passionnément les femmes dans tes bras.

– Ah ! bravo. Mais c'est lequel, dis-moi, celui qui voit ? celui qui est vu ? Il vient de loin, je parie, ou plutôt non, il part…

– Il me voit, je sens son regard sur ma peau. Ça s'étend dans les deux sens. Ça ne fait qu'un. Et alors, dans la chambre, cette odeur d'encens se répand.

Ensemble, nous semblions rechercher la source de cette odeur. Et au même moment :

– Mais oui, bien sûr.

Voici que la vieille dame relançait la conversation d'une petite voix haut perchée.

– C'est l'encens qui fait revenir les morts ! dit-elle comme en chantant.

Elle nous entend ? demandai-je à Sugaïke du regard. Il hocha la tête d'un air dubitatif. La vieille dame avait un regard lointain, mais elle tendait nettement l'oreille vers le plafond. C'était aussi une façon de guider l'attention des hommes. Sugaïke m'adressa un sourire rapide. Et bientôt mon oreille aussi se mit à distinguer derrière moi, du côté du plafond, juste au-dessus du *tokonoma*, des sanglots de femme qui enflaient doucement et puis s'éteignaient tour à tour.

– Ça passe par le plafond, dans deux chambres environ, au-dessus du *tokonoma* et rien que là, va savoir pourquoi, m'apprit Sugaïke.

Et il offrit sa conclusion.

– On accueille également les couples mariés.

– Je t'appelle un taxi ? Il pourrait t'emmener à la gare qui te convient.

– Non, je vais y aller à pied pour dissiper l'ivresse. Tu disais qu'il n'y a qu'à prendre le chemin devant l'auberge et se laisser porter. Ensuite, devant l'entrée du temple, je retrouve la grand-route que je connais. Pour le coup, ce sera vraiment une descente en flânant. Jusqu'à la porte du temple il y a pas mal de bifurcations, je crois, mais j'irai au flair.

– Aujourd'hui, les délimitations des terrains sont plus claires, en principe tu ne risques pas de t'égarer dans le cimetière. La grand-mère doit être endormie à présent. Il faut que je fasse brûler de l'encens.

Il était dix heures largement passées. En partant résolument à la demie ça devrait aller, avais-je calculé en gros et je me représentais le long chemin du retour. Mieux valait, maintenant que je me trouvais dans Nakayama même, ne pas reprendre le métro qui m'avait amené : le détour que j'utilisais autrefois il y a une vingtaine d'années pour aller aux courses obligeait à moins de changements et je pourrais dormir tranquillement.

Sugaïke commençait tout juste à me parler de choses personnelles. Cela n'allait pas jusqu'aux petits détails qu'on pourrait appeler des confidences, mais c'était une histoire qu'il n'avait encore jamais racontée à personne, disait-il.

– Ça va aller ? demandai-je malgré moi au moment où la conversation s'épuisait. (Puis, étonné de ma propre réaction qui me semblait exagérée, je ne fis que m'embrouiller davantage :) Je veux dire, partir loin après avoir parlé de ces choses…

Mais Sugaïke avait apparemment deviné.

– Non, répondit-il, autant vider une bonne fois ce qui doit être vidé. De toute manière, je vivais déjà dans les courants d'air.

Voilà qui ne m'aidait pas moi-même à partir.

« Je me souviens, avait dit la vieille dame, l'oreille tendue vers le plafond, tranquillement, sans changer d'expression. C'était une soirée pluvieuse d'automne. Il se tenait dans l'entrée, trempé. J'ai compris tout de suite que ce n'était pas quelqu'un qui rentrait du champ de courses. Les fleurs d'équinoxe étaient encore épanouies, même si le temps de l'équinoxe était passé. Pourtant cet homme-là revenait du cimetière, oui. Il portait sur lui l'odeur de l'encens. C'est parfois avec plusieurs jours de retard qu'ils viennent sur les tombes, seuls, quand il fait déjà noir. Au milieu de la nuit, l'étage était tellement silencieux que lorsqu'une douce odeur s'est écoulée de l'escalier je suis montée voir discrètement dans sa chambre : il était en train de faire brûler cet encens, les yeux fixés sur la fumée. »

Sugaïke, qui écoutait en silence, me retint d'un regard au moment où le récit de la vieille dame s'interrompit, il se pencha au-dessus d'elle et demanda très fort :

– Alors, patronne, quand donc était-ce ?

– Oh, ça, ça doit bien faire dans les quarante ans, répondit-elle avec douceur.

– Nous avions dix-sept, dix-huit ans, nous autres, acquiesçai-je.

Et de nouveau, comme si elle attrapait la balle au bond :

– Mais oui ! Depuis, chaque année, il vient brûler de l'encens dans cette maison, passé le temps de l'équinoxe. Un homme fidèle, comme on n'en voit plus de nos jours. On apprécie, quand on est une femme.

Et la vieille dame à nouveau reprenait son air de n'avoir rien dit, nous tendions tous les trois l'oreille aux voix ténues qui nichaient au-dessus du *tokonoma*.

Bientôt elle se leva en me saluant avec une politesse excessive, m'invitant, car une jeune personne resterait éveillée en bas jusque tard, à prendre tout mon temps et si je souhaitais dormir ici je n'aurais qu'un mot à dire quel que soit le moment ; pour le reste elle s'en remettait à Sugaïke et je la vis, parole et geste précis, redescendre l'escalier d'un pas qui n'avait plus rien d'hésitant.

– Ses pensées vont vers quelqu'un du passé, on dirait. Elle peut accueillir cette ombre en silence, elle n'est plus à un âge où on risque d'être puni par le ciel, dis-je.

Les pas de la vieille dame s'étaient éteints en bas et au-dessus du *tokonoma* aussi le calme était revenu. Il me semblait que c'était la présence de la vieille dame qui avait, comme spontanément, fait monter ces voix-là, ou plutôt que ces voix : ces odeurs-là.

– Un âge où on ne risque plus d'être puni ? Tu me la copieras ! ricanait Sugaïke, et il ajouta : Cette grand-mère avait flairé juste.

« C'est seulement depuis cinq ans que j'ai pris l'habitude de m'arrêter ici pour la nuit, prévint-il d'abord. Et ça ne fait pas encore trente ans, mais une femme est morte, en effet. Elle est morte jeune, d'un cancer. Ç'a été atroce. J'ai dormi à l'hôpital les quinze derniers jours. J'ai même dû quitter mon emploi pour cela. Ensuite, pendant trois années entières, tout juste la trentaine, célibataire, je n'ai plus touché la peau de personne, me confia-t-il d'un souffle.

Ce temps de trois années entières se figea en moi comme une étendue de glace qui serait la passion même, dans toute sa folie.

– C'est sans rapport avec l'époque où nous faisions ensemble les bars de Kanazawa.

Déjà le ton de Sugaïke reculait. À cette époque-là, la personne en question était mariée. Quand Sugaïke, de retour à Tokyo, était tombé nez à nez avec elle dans des circonstances curieuses, elle était séparée depuis un an environ et venait de divorcer. Elle avait subi une opération lourde, elle ne pourrait plus avoir d'enfants. Ils avaient parlé un moment et à l'instant de se quitter, sans même échanger leurs adresses, ils avaient décidé de se revoir un mois plus tard en s'excusant à l'avance pour l'attente vaine si l'un ou l'autre avait un empêchement.

– Je ne pensais pas qu'elle viendrait… Je l'avais rencontrée par hasard, justement là, dans cette allée du temple au retour du champ de courses, en se trompant de personne la grand-mère n'était donc pas si loin de la vérité. Ce n'était pas un jour de pluie, je ne connaissais pas cette auberge. Pourtant, la femme tenait une fleur rouge.

Je pensais à la distance qu'il faut pour pouvoir dire simplement « la femme ». Le récit de Sugaïke recula encore vers le présent. La vieille dame avait parlé d'encens qui fait revenir les morts dès la première fois qu'elle était montée sans prévenir dans cette chambre, mais c'est à peine si Sugaïke avait ricané en se souvenant après coup d'une histoire drôle sur le même thème. Or, pendant qu'il faisait brûler de l'encens en croyant tenir compagnie à quelque ombre de souvenir appartenant à la vieille dame, au bout de deux ans peut-être, ou après seulement trois visites, il était devenu pour elle l'homme fidèle, de quelque génération qu'il soit, qui vient allumer de l'encens pour honorer la mémoire d'une femme morte. Même quand elle laissait parler ses rêveries la vieille dame n'avait pas ce côté sombre qui s'obstine dans l'illusion : elle gardait toute sa générosité, ce qu'elle pensait, elle le pensait seule et semblait se suffire à elle-même, et lentement, au rythme de la parole de la vieille dame, Sugaïke lui aussi semblait s'être fait à son rôle, il avait admis qu'elle le prenait pour un autre, de sorte qu'il ne s'étonnait plus de rien. Oui, patronne, je suis cet homme fidèle, avait-il dit seulement. Maintenant encore, c'est ce qu'il répondait à la vieille dame quand elle devenait plus opiniâtre, quand l'émotion était à son comble et qu'elle exigeait une réponse.

– Pourtant, cette grand-mère, alors que d'année en année elle comprend de moins en moins ce qui se passe, je ne sais pas si c'est moi ou si c'est cet homme fidèle, mais cela, elle ne l'oublie pas. Et moi qui suis toujours aussi occupé, alors que d'année en année je peux de moins en moins penser semble-t-il, je n'oublie pas de venir brûler de l'encens. C'est ça qui est étonnant !

Sugaïke rit, il semblait vouloir en rester là.

– Pourtant cette femme… (je réagis ainsi, au moment où nous commencions à verser dans le bavardage, j'avais d'abord enfermé en moi cette chose qu'il valait mieux ne pas dire mais je pensais qu'il fallait l'interroger pour qu'il ne se soit pas confié en vain) cette femme, si tu as pu rester près d'elle jusqu'au dernier moment, tu t'es aussi occupé de la suite, j'imagine.

– J'ai veillé seul à partir de minuit à la morgue de l'hôpital. Au matin, un frère de la morte est accouru, je lui ai cédé la place et je suis rentré sous un soleil violent. C'est tout.

Il n'essaya pas d'expliquer davantage ses raisons. Je me tus moi aussi pour signifier que je ne l'interrogerais pas davantage. La chambre parut encore plus silencieuse, là-haut, au-dessus du *tokonoma*.

– C'en est déjà au point que je ne peux pas me souvenir d'elle si je ne brûle pas d'encens, alors pour ce qui est d'honorer sa mémoire c'est mal parti, mais si la grand-mère croit que c'est un encens qui fait revenir les morts, allons-y ! (Sugaïke se chargea cette fois-ci d'adoucir le silence) et si la grand-mère veut y voir la confession d'un homme par la faute de qui une femme est morte, je peux la laisser croire que moi aussi je suis un homme. Je pourrais être cet homme, puisqu'elle le croit. Je commence à penser que ce n'est pas vraiment une erreur. Pourtant, je le regrette pour la grand-mère, quand bien même ce serait un authentique encens qui fait revenir les morts, même si je le fais brûler consciencieusement, qui peut bien revenir de si loin ? Il n'y a pas en moi de chambre assez calme pour accueillir cela. Que j'aie veillé toute une nuit près d'une femme morte dans une chambre souterraine ne suffit pas à ramener le calme, ce n'est ni une vie ni un monde où les choses pourraient se passer ainsi. Au contraire, l'agitation ne fait que croître. Moi aussi, en brûlant ici mon encens, j'ai vécu dans l'agitation, oui, c'est ce que je pense. Penser cela c'est déjà s'agiter, alors tu vois, il n'y a pas d'issue.

« Pourtant, continua-t-il, je ne peux pas me défaire de l'idée que toujours, toujours je crois, je me suis servi de la même excuse. (Et il écarquilla lentement les yeux.) Quand la grand-mère est près de moi, je suis quand même un peu plus calme. Je sais maintenant que l'homme fidèle est un être sensuel.

J'eus de lui la vision réduite à l'essentiel d'un homme dans un hôtel à l'étranger se douchant vigoureusement en pleine nuit, laissant l'eau presque froide frapper sans fin sa nuque pour faire venir un sommeil paisible. Cette vision soudain s'effaça, il n'y eut plus que le bruit de l'eau qui tombe et une odeur douceâtre d'encens qui flotte. Ce silence semblait demeurer là, même s'il remontait vers le passé, des années et des années en arrière.

– On n'entend pas un bruit de tambour quelque part ? Je chassai la vision de mon esprit et tournai mon attention au-dehors.

– C'est qu'il y a une quantité de temples dans le coin, des annexes en tout cas (Sugaïke tendit l'oreille lui aussi). Je crois que dans la soirée on a dû l'entendre déjà plusieurs fois.

– Tu as peut-être raison, peut-être que ça bat.

– À présent ça ne bat plus, on dirait. Quand ça s'arrête, ça s'arrête d'un coup sec. On entend le battement de la fin et c'est là qu'on se dit parfois, ah, ça battait.

Après un moment il murmura :

– Autrefois, il y avait des nuits où on entendait jusqu'au bruit de la mer, paraît-il.

« La femme aussi disait qu'elle entendait la voix de la mer à l'hôpital. Elle disait J'entends la voix de la mer, alors prends-moi dans tes bras.

Les femmes pourpres

J'ai ramassé au bout du taillis une petite branche d'à peine trois pouces et demi chargée de sept ou huit fruits rouges. Apparemment des fruits de l'*Idesia*, mais je ne voyais pas d'arbre de ce genre à proximité. Un vent s'était levé qui annonçait l'hiver. La nuit précédente la pluie s'en était mêlée et jusqu'au petit matin ça avait pas mal soufflé. Posés sur ma paume et présentés au soleil qui tombait d'entre les nuages, les fruits ronds brillaient d'un rouge pourpre, puis du pourpre au vermillon. Ils n'étaient pas aussi gros que des boules d'épingles à cheveux mais donnaient cette même impression de qualité. Dès que le soleil se voilait, le rouge se retirait au-dedans. J'étais incapable après cela de les jeter.

J'ai voulu les rapporter chez moi et quand je les ai regardés, dans la maison, leur couleur semblait avoir beaucoup pâli, je les ai posés sur un coin éloigné de ma table de travail. Et à mesure que l'après-midi avançait, que la température chutait, il me semblait que de temps en temps, sur le coin du bureau, le pourpre se rallumait de lui-même. Le corps qui avait senti l'hiver réclamait cette chaleur. La nuit venue, je les ai déplacés vers l'étagère derrière moi. Et puis, juste avant l'aube, j'ai rêvé.

Je grimpais une pente dans la nuit. Je pensais que c'était un chemin montant tout droit vers le sud, de la maison de Yamakoshi à celle de Fujisato. Les deux maisons étaient assez proches en effet pour qu'on puisse aller de l'une à l'autre à pied, et c'était bien la maison de Fujisato qui se trouvait sur le plateau, mais leur décalage d'est en ouest était trop important, le chemin ne pouvait pas être aussi droit. Il y avait aussi une ligne de chemin de fer privé qui passait entre les deux. Tout en marmonnant cela j'avançais pesamment comme si, à ne faire que grimper, plus c'était raide et plus la pente devenait réelle.

Alors, survenant à mon côté, une femme me dépassa. Une odeur épaisse goutta sur la chaussée, le dos éclairé d'un rouge vif même dans l'obscurité me devançait bien que marchant doucement pour ménager les élancements du bas du dos. Le manteau d'une teinte tirant sur le violet sembla briller par je ne sais quel jeu de lumières comme s'il était rouge et à mesure qu'il s'éloignait le rouge devenait encore plus vif, et en plus il se gonflait comme une robe : bizarre, me dis-je en hochant la tête, et de nouveau une autre survenant à mon côté me dépassa. Les deux dos parfaitement identiques, ils auraient pu se superposer, allaient d'une cadence subtilement désaccordée et gravissaient la pente. Pas bon, ce rêve. Je commençais à froncer les sourcils, de nouveau devant moi en surgit une autre, sans même m'avoir frôlé, qui devint le troisième dos et poursuivit sa route. Je sentais approcher la quatrième mais un frisson de déjà-vu m'avertit qu'il ne fallait pas se retourner. C'était le signe que je ne devais pas voir leur visage, pensai-je. Bientôt la pente, sans cesser d'être pente, devint digue et tout à coup j'étais renversé dans la boue sous la digue, aurait-on dit, je suivais des yeux dans les ténèbres la marche de sept ou huit femmes pourpres montant à la file sur le fond du ciel qui commençait à blanchir. La femme de tête pâlissait et quand elle s'effaçait une autre silhouette lui succédait, d'un pourpre encore plus vif. Chaque fois, quelque part dans les profondeurs de la terre, un rire sombre, inarticulé, tremblait.

La femme de Sugaïke tenait une fleur rouge tête en bas dans l'allée du temple de Nakayama. Il ne m'avait pas dit sur quelles tombes il se rendait. Il est vrai que je ne lui avais pas posé de question. J'avais laissé passer l'occasion de demander si la femme, elle aussi, était dans ce cimetière. Le silence s'était interposé et je pensais à la distance des années qui fait qu'on peut appeler simplement « la femme » celle qu'on a accompagnée jusqu'au dernier moment ; Sugaïke avait soulevé le couvercle du brûle-parfum qu'il avait transporté du *tokonoma* sur la table après le départ de la vieille dame et, comme en prêtant son souffle à l'encens qui commençait de s'éteindre, il l'avait regardé jusqu'à ce qu'une mince fumée s'élève à nouveau. Pendant ce temps, il avait peut-être en tête la silhouette de la femme qui s'était arrêtée dans l'allée, d'elle-même ou bien à l'appel de l'homme, la fleur rouge tournée vers le bas. La femme tenait une fleur rouge, avait-il dit et juste avant qu'il se taise il y avait eu en effet du regret dans sa voix. Mais je n'avais pas entendu : Sans cela, rien ne serait arrivé… Il me semblait plutôt qu'il regrettait, seulement maintenant, de ne pas l'avoir prise dans ses bras ce jour-là, quelle qu'eût pu en être la suite.

Un mois environ s'était écoulé depuis et je n'avais toujours pas de nouvelles de Sugaïke. Il devait être rentré depuis un bon moment, mais il est vrai aussi qu'il m'avait prévenu que cela pourrait être plus long. Pour ce voyage-ci il se trouvait dans une position assez délicate, avait-il confié. Apparemment, plusieurs entreprises nationales et internationales de taille moyenne, rejointes par d'autres plus petites et même par des indépendants, avaient choisi une forme de collaboration assez souple, destinée à tenir le temps d'un unique projet dans lequel l'entreprise de Sugaïke avait aussi sa part, de sorte qu'on l'envoyait faire toutes sortes de vérifications, bien que rien n'eût été décidé sur la direction à prendre. Il n'y avait peut-être pas la moindre utilité que quelqu'un y aille. De plus, une fois là-bas, quand on en serait vraiment au stade des négociations, lui-même se trouverait dans une situation professionnelle fluctuante, n'étant ni en mission ponctuelle, ni en détachement. Ce qui rendrait au retour, même s'il reprenait son travail comme avant, son existence d'autant plus étrange, avait-il commencé de m'expliquer assez précisément et s'apercevant qu'il n'y avait guère de chances que je suive ces histoires : même chose pour moi, avait-il dit en riant, j'ai beau les connaître sur le bout des doigts, chaque fois que j'essaie de donner des explications à quelqu'un d'extérieur je ne dois pas trouver les bons termes et en peu de temps j'ai moi-même l'impression de ne plus rien y comprendre.

Sugaïke avait-il répondu à ce que lui demandait la femme à l'hôpital quand elle entendait la voix de la mer et qu'elle voulait, parce qu'on entend la voix de la mer, qu'il la prenne dans ses bras ? J'avais cette idée en tête bien sûr, que je chassais car il était inutile qu'un tiers s'en mêle. Je me raisonnais chaque fois après coup, jugeant que ça ne pouvait être qu'une sorte de divagation échappée d'un demi-sommeil dans lequel la douleur s'est assoupie. Je voyais le regard qui pâlissait, qui s'éloignait malgré le sourire qui faisait tressaillir les paupières. Il est probable que Sugaïke acquiesçait de la tête. Dans tous les hôpitaux on entend le bruit de la mer. Moi-même j'étais allé jusqu'au point où, pour un peu, j'aurais entendu le bruit de la mer ; pas il y a trois ans, mais quand j'avais quinze ans. Je voyais déjà la lumineuse étendue bleue. L'hôpital se trouvait au bord d'un ruisseau boueux. La région de Nakayama, elle, n'était pas si loin de la mer autrefois. Le plateau qui s'ouvrait en cuvette par une vallée en pente douce vers le sud servait aussi sans doute de caisse de résonance aux bruits imperceptibles apportés par la mer. Ce n'était pas seulement le bruit des vagues mais aussi, dans la nuit tranquille, le cri des bateaux qui traversent la mer et qui se transmettait peut-être à l'oreille devenue plus sensible. On pouvait aussi penser que ce lieu où l'on entendait autrefois le bruit de la mer conservait encore aujourd'hui, même après que la mer se fut éloignée de dix ou vingt kilomètres, sa configuration résonnante pleine de murmures quasi inaudibles.

Et malgré tout, c'est au bruit de l'eau que je pensais depuis que Sugaïke m'avait parlé de cette nuit qu'il avait passé seul avec la morte à la morgue de l'hôpital. Il n'avait pas encore été question de la mer. Ce n'était pas le bruit de la mer, c'était celui de l'eau qui tombe en frappant un sol dur. La douche qu'on prend furtivement en pleine nuit à l'auberge, en voyage, et dont il m'avait parlé il y avait pas mal de temps déjà, avec un rire gêné, s'était reliée sans doute en moi au silence de tous les instants dans la morgue, je ne voyais pas comment m'expliquer la chose autrement. Mais moi aussi, avec ma mère, j'avais fait la même expérience que Sugaïke, pourtant je ne me souvenais pas d'avoir entendu de bruit d'eau à la morgue. Il n'y avait pas non plus de bruit d'eau venant de l'étage du dessous pendant que je parlais avec Sugaïke. C'était seulement en moi qu'elle tombait, frappant obstinément le sol. Elle frappait obstinément le sol et le sentiment de présence humaine s'effaçait à mesure.

Face à la morte, comment Sugaïke avait-il passé le temps ? Moi, j'usais sans modération d'un thé âpre qu'une infirmière m'avait apporté avec une théière et une bouilloire. Quand mon estomac était irrité par l'âpreté je me versais simplement de cette eau chaude comme du saké, assis en tailleur, le dos rond et le cou tendu vers le bas je surveillais l'encens qui se consumait. De temps à autre, l'eau refroidie sautait de la tasse que je tenais sur le dos de ma main, et en voyant l'encens qui avait diminué je comprenais que je m'étais endormi. C'étaient des sommeils brefs, presque immobiles et qui pourtant devenaient brutalement profonds semblait-il, au réveil parfois je bandais.

Bientôt la petite fenêtre commença à blanchir. C'était une cabane en bois construite à l'écart des bâtiments de l'hôpital, depuis tout à l'heure il me semblait entendre quelqu'un s'affairer tranquillement au-dehors. Je l'entendais à nouveau dans un demi-sommeil, et au moment où l'intérieur de la cabane blanchit à son tour je me dressai soudain, croyant sentir comme une respiration, j'éteignis l'ampoule nue et après avoir remplacé l'encens sur le point de s'éteindre je me mis à la fenêtre qui avait la taille d'une lucarne située juste à hauteur de ma tête. Dehors, le long de la pente qui montait du portail de derrière, les bambous nains poussaient dru dans un creux ; un homme aux cheveux blancs enfoncé là-dedans jusqu'aux hanches tenait à la main une faucille et coupait des bambous qu'il choisissait pour je ne sais quel usage. Je restai là à le lorgner longtemps par la fenêtre, dans le silence revenu. À un moment, l'homme se redressa et leva un regard interrogateur vers la fenêtre, aucune expression d'avoir vu quelque ombre ne se manifesta mais il détourna lentement son regard, coupa encore un pied de bambou, traversa la bambouseraie en me tournant le dos, puis du haut de la pente il jeta discrètement un regard en arrière.

Pendant ce temps, la morte étendue derrière moi était pour moi, plus qu'une mère, une parente – une femme. De la fenêtre, juste avant de me retourner vers elle, je la voyais les cheveux mouillés, la peau encore légèrement humide entraperçue sous le col bien ajusté d'un peignoir neuf.

Il m'arrive de vivre dans le sentiment que toutes mes connaissances ont cessé de donner de leurs nouvelles, bien qu'à la réflexion je ne remarque aucun changement dans mes fréquentations habituelles. J'ai constaté un jour avec un rire amer qu'il serait plus expéditif de penser de toutes ces connaissances qu'elles sont mortes, ou plutôt que moi-même je ne suis plus du nombre des vivants. Ne serait-ce pas une forme d'autarcie, le maximum d'autarcie qui puisse être accordé à des êtres comme moi ?

De Yamakoshi non plus je n'avais pas eu de nouvelles depuis la fin du mois de juin, voici bientôt cinq mois. Un homme jeune, c'est naturel qu'il se désintéresse de vous quand l'écart d'âge fait que vous pourriez être son père mais, même chez moi, malgré ma tendance à rester cloîtré, accablé de travail, des visiteurs venant de temps à autre avaient apporté par bribes la nouvelle que l'affaire du gaz empoisonné de la fin du mois de juin serait liée à un certain groupuscule religieux, autrement dit une affaire de secte, et chaque fois je repensais à Yamakoshi. Plus particulièrement le jour où j'avais appris, par l'un de mes visiteurs, que dans une conférence de presse un responsable de la police départementale compétente dans cette affaire s'était déclaré convaincu qu'un tel événement ne se reproduirait plus ; à la question : comment pouvez-vous en être aussi sûr, il avait répondu Je m'en remets à votre imagination ; j'avais eu le pressentiment que dès la nuit prochaine peut-être Yamakoshi allait m'appeler, curieux de savoir ce que je pensais de cela – or l'histoire, vérification faite auprès de mon visiteur, datait de plus d'un mois déjà.

« Allô, allô ? » La voix de Yamakoshi m'appelant résonnait en moi seulement maintenant. Ce n'était pas la voix du début, quand j'avais décroché ; nous discutions depuis un moment déjà. Tandis que je parlais à Yamakoshi de cet homme tout replié sur lui-même comme un qui s'est fait prendre la main dans le sac, suant la tristesse, et qui de temps en temps levait les yeux en hésitant, regardait par-dessus son épaule avec un air frileux, dans cette chambre en plein midi de plein été – au beau milieu les mots s'étaient voilés, j'étais retombé dans le silence. Nous en étions à parler de prophétie. Celui qui s'est trompé dans sa prophétie devrait avoir honte, disait Yamakoshi et en réponse à ce soupçon qu'il avait glissé dans la conversation je venais brusquement d'affirmer que non, le plus honteux serait au contraire d'avoir deviné juste. Poursuivant sur cette lancée, et tout en sentant que ça n'était pas un argument, je commençais une description minutieuse d'un souvenir d'enfance quand la crudité de l'image de cet homme s'humiliant devant nous me pesa, je ne pus raconter la suite. J'étais allé jusqu'à *c'est indigne*, mot murmuré par l'homme pour dire son humiliation, mais dès qu'il était sorti de ma bouche, ce mot que je n'avais pas entendu depuis si longtemps, plutôt que l'humiliation de la personne elle-même, c'était le blâme des gens qui y avait adhéré.

Bientôt, je fus rappelé à l'ordre : « Allô, allô ? »

J'esquivai en riant, changeant de sujet et probablement écourtant la conversation. Mais de ce que j'avais pu dire entre-temps, je n'avais aucun souvenir. C'était il y a cinq mois de sorte que je n'allais pas pinailler sur une si petite lacune de mémoire, mais tout de même, cela avait quelque chose de bancal comme si, après que Yamakoshi s'était rappelé à moi, la communication avait été coupée brusquement.

De cette lacune de mémoire, de cette conversation probablement interrompue, il me semblait qu'une voix allait sortir annonçant : c'est moi, Yamakoshi, il est arrivé quelque chose d'étrange, et cette hallucination répétée me ramenait au début de la conversation de ce soir-là, n'était-ce pas en train de devenir une histoire sans fin me disais-je ; cela réussit à me faire reculer.

Quand Yamakoshi avait appris la nouvelle, il m'avait appelé chez moi à une heure proche de minuit, tourmenté par un sentiment de déjà-su, comme s'il avait déjà entendu quelque part une rumeur disant qu'un tel événement allait se produire. C'était dit sur le ton de qui cherche une réponse où il croit pouvoir la trouver. Et alors, j'avais pensé aux ruines de cet hôtel, à Akasaka, qui avait flambé il y a douze ans en faisant de nombreuses victimes, l'affaire n'était toujours pas réglée et le drame restait étalé aux yeux de tous. Yamakoshi s'était plaint à moi une autre fois de l'effet lugubre de cette carcasse. Il avait eu un frisson comme si quelqu'un le regardait d'une de ces fenêtres carbonisées aux étages les plus hauts. Il s'était demandé si un gaz néfaste ne circulait pas encore maintenant venant de ces fenêtres. Il disait que c'était un poison accumulé d'année en année, et distillé d'année en année par les yeux d'un mort qui se tenait à la fenêtre, un poison dont même la haine et la rancœur avaient été filtrées et qui était prêt maintenant à se répandre de lui-même, tranquillement, dans l'atmosphère.

Ou bien y avait-il eu vraiment, quelque part, une semblable rumeur circulant avant que l'événement se produise ? On concevait pourtant difficilement qu'un homme qui vient d'avoir tout juste trente ans, un homme dont la mémoire est encore puissante, pût oublier l'endroit où il aurait eu vent d'une pareille nouvelle. Mais des rumeurs annonçant toutes sortes de catastrophes couraient le monde et peut-être pouvait-on penser que de leurs croisements répétés l'imagination de crimes atroces, qui à l'origine n'existaient nulle part, se nouerait à un moment donné, ou bien peut-être se cacherait, ayant à peine commencé de se nouer. Le désir de tisser une image encore plus noire des atrocités du monde faisait de chaque endroit un milieu de culture des rumeurs, sans doute aussi la matrice de celles qui se propagent après l'événement. L'esprit de Yamakoshi qui avait vu derrière une fenêtre des ruines de l'hôtel le regard d'où s'écoulait le poison était sans aucun doute possible une de ces matrices. Et si ça se trouve il n'avait pas simplement l'impression d'avoir entendu quelque part une rumeur d'événement : peut-être avait-il eu aussi le dos caressé par la peur irraisonnée de l'avoir lui-même énoncée quelque part.

Dans la voix de Yamakoshi appelant « Allô, allô ? », je percevais maintenant comme une résonance de blâme. Si on suppose que, dans le regard qui tombait sur lui d'une fenêtre noire de l'hôtel – regard dans lequel la colère des victimes d'il y a douze ans à l'égard du monde s'était rassemblée et bientôt distillée –, il y avait eu aussi le regard de son père mort d'un cancer la même année, mes divagations ne tournaient-elles pas au blasphème ?

Un poison pareil à la pitié, avait dit Yamakoshi, et sans aucun effet ! Il riait. Le père de Yamakoshi dans sa jeunesse maudissait à tout propos ce monde corrompu, c'est ce que sa mère lui avait raconté de son vivant, ce que moi aussi j'avais appris de lui. Il y avait sans doute là-dedans le refus prononcé par une jeunesse intègre. Il avait fini par quitter un emploi précieux dans une époque où on en trouvait difficilement. Puis il s'était mis en ménage avec une femme plus âgée ; poussé par la nécessité, il avait repris un emploi dans une entreprise et jusqu'à ce qu'il fût vaincu par la maladie – jusqu'au bout, en tout cas – il avait accompli son devoir. C'était un homme sérieux, apparemment, faut-il en conclure qu'il s'était engagé dans une vie ordinaire à cause de son attirance pour une femme ? Pourtant la femme qui vivait avec lui et que je ne peux me représenter que comme une femme très consciencieuse d'après ce que Yamakoshi m'en avait dit, et extrêmement obéissante, il la voyait apparemment comme un être qui appartiendrait plutôt à cette société corrompue. En vivant avec elle et tandis que, en peu de temps, leur naissaient coup sur coup trois enfants, je ne sais pas jusqu'où cette intransigeance de l'homme avait tenu bon, mais il avait perdu son premier fils à l'âge de six ans dans un accident de la route. Et sa fille de deux ans plus jeune, quinze années environ après, avait attendu le troisième anniversaire de la mort du père pour quitter la maison, alors qu'elle était encore étudiante, et à cette occasion, en voulant toujours au père qui ne s'était pas réjoui de leur naissance comme le font d'ordinaire les parents, elle avait déclaré à son frère, son cadet de tout juste un an, stupéfait de la sévérité des femmes, qu'on ne peut pas à la fois dans le fond de son cœur exécrer à ce point le monde et aimer ses enfants. Cette fille aînée était morte elle aussi dans un accident de la route trois ans après la mort du père. Restait Yamakoshi qui après cela, huit années plus tard, soit juste l'année dernière, avait pris soin de sa mère qui allait avoir soixante et un ans avec une femme qui avait résilié la location de sa chambre pour venir s'installer chez les Yamakoshi, et pendant sa maladie la mère lui en avait plus dit, à elle, au sujet de ses rapports avec le père, y compris sur les points délicats, que ce qu'elle avait mis des années à raconter peu à peu à son fils. Tout au moins c'est ce que Yamakoshi avait ressenti. Et malgré ce sentiment il avait laissé échapper l'occasion d'interroger la femme, qui gardait le secret sur ces choses, ou bien il ne l'avait pas assez interrogée. Peut-être, mais cela aussi c'était une histoire que j'avais apprise il y a plus d'un an de la bouche de Yamakoshi. S'agissant de l'intimité charnelle d'un jeune couple, et puisqu'ils ne s'étaient pas séparés, l'affaire était sans doute depuis longtemps réglée. La femme était enfin prête à avoir un enfant, avait dit Yamakoshi en juin dernier. Il continuait de l'appeler par son nom de famille, soit qu'il en eût pris l'habitude avec moi, soit peut-être qu'avec moi le temps fût immobile.

Pourtant la voix de Yamakoshi murmurant *quel formidable entêtement!* avait laissé sa trace en moi. Un entêtement en quelque sorte sans sujet et qui se révélait quand les conditions étaient réunies dans ce monde où céder est la règle générale sitôt qu'un profit est en jeu, avait-il dit. Je m'étais échappé par la plaisanterie en introduisant un fantôme dans la conversation.

Le temps que Yamakoshi avait vu dans la carcasse de l'hôtel, c'était aussi les douze années après la mort du père, les douze années de mort du père. De cela, même en faisant se recouper les dates, je n'avais pas suffisamment pris conscience. Si les morts sont têtus, les vivants le sont plus encore. Il ne fait pas de doute que moi aussi je partageais cet entêtement qui s'était révélé dans la carcasse, dès ce moment-là je l'avais senti. Mais j'avais fui. Comme si quelqu'un me regardait d'une fenêtre là-haut, insistait Yamakoshi, il ne me lâchait pas, j'avais tenté une échappatoire vers le crash qui s'était produit la même année, j'avais demandé des nouvelles du malade, l'ami de Yamakoshi qui avait perdu son père dans cet accident, justement : il s'est suicidé, cet homme – l'issue était bouchée.

Un silence s'était intercalé. « Je me suis demandé s'il n'y avait pas encore maintenant des gaz néfastes qui circulaient venant de là-bas », avait dit Yamakoshi, et il regardait du côté du taillis qui s'embrasait à blanc sous la lumière du soleil. C'était au début de juin, moins d'un mois avant la nuit où le fameux événement s'était produit et où Yamakoshi m'avait appelé. Nous étions assis côte à côte sur les gradins du parc, vers midi, à cette heure qui rappelle la brûlure de l'été. Deux mois plus tard Fujisato regardait au même endroit à la même heure de midi le taillis sous le ciel brûlant : j'ai été fou, une fois, disait-il. Il y a de la béatitude, tu sais, disait-il aussi. À ce moment-là aussi il m'avait semblé que des flammes blanches s'élevaient sur les frondaisons du taillis.

À deux mois de distance, est-ce que ce n'était pas la même odeur qui flottait autour de nous…

Un homme âgé faisait voler des avions de papier dans le parc sous le ciel nuageux. Le milieu de novembre était passé, hier le ciel s'était dégagé, le vent avait soufflé, aujourd'hui les nuages étaient bas sur toute l'étendue du ciel mais il n'y avait pas de vent, c'était un froid tranquille. Ce lundi dans le parc avant midi, il n'y avait que les cris stridents qu'échangeaient çà et là les oiseaux et pas d'autre silhouette humaine. L'homme était monté sur un banc et de là sur la table de bois brut où les familles en balade aux beaux jours étalaient leur pique-nique, gagnant d'autant en hauteur et, d'un sac en papier qu'il tenait à la main, il sortait un à un non pas des avions de papier plié mais d'authentiques petits planeurs en papier bien façonnés qu'il lâchait dans l'air au-dessus de son épaule en les poussant à l'horizontale. Je me mis dans l'ombre d'un arbre à l'écart afin de l'observer sans le troubler.

À l'heure du déjeuner, dans les jardins publics, on voit venir des retraités. On peut apercevoir un homme qui joue de la flûte en bambou dans un kiosque au bord du lac, ce qui témoigne d'un goût assez désuet, mais nombreux aussi sont ceux qui viennent prendre des photos. Pas des instantanés. Ils posent leur trépied, portent une mallette de photographe avec tout un assortiment d'objectifs, ils attendent patiemment la bonne lumière pour photographier le paysage, les arbres ou les fleurs. Chaque fois que je vois ces attitudes passionnées je pense à un souhait jamais réalisé dans l'enfance et qui s'est ensuite égaré dans les occupations de la vie, je comprends que ces hommes et moi nous appartenons au sens large à la même génération. Dans l'allée devant le parc, j'ai même aperçu une fois un homme qui faisait des exercices de saxophone. Ce souffle-là révélait un vide d'au moins quarante ans. Et malgré tout ça swinguait.

Les planeurs blancs, sitôt qu'ils quittaient la main, glissaient dans l'air semi-obscur en conservant un équilibre stable et comme il n'y avait pas de vent on les voyait descendre aussitôt tout droit sur une dizaine de mètres et tout d'un coup, près du sol, comme sensibles à un léger courant d'air, ils viraient brusquement, tantôt à gauche tantôt à droite, en décrivant une jolie courbe. Parfois aussi ils s'élevaient encore une fois légèrement et descendaient ensuite dans une longue courbe. Le tour de main et le geste du bras au lâcher y étaient sans doute pour quelque chose mais c'étaient tout de même de bien gracieux virages qu'il nous faisait voir, j'étais fasciné à chaque fois par leur atterrissage. Pendant ce temps, il me semblait que je percevais subtilement les moindres souffles de vent courant à la surface du sol. Bientôt une dizaine de planeurs étaient dispersés à terre çà et là immobiles, l'homme était descendu de sa table et il les ramassait posément. Il était vêtu décemment d'un manteau et chaussé de souliers de cuir, sa silhouette qui s'éloignait avec ce sac en papier tout propre aurait pu aussi bien être passée dans ce parc au retour de courses qu'il serait allé faire le matin au centre-ville. Je revoyais une nouvelle fois la posture parfaite au-dessus de la table et cette façon de mesurer les mouvements du vent en tenant le planeur de papier prêt à s'envoler au-dessus de son épaule.

Des fruits rouges d'*Idesia*, pareils à ceux que j'avais retrouvés il y a plus de dix jours sur l'étagère tout secs et tout ridés et jetés à la corbeille, étaient tombés partout sur le chemin qui traverse le taillis, c'était une de ces journées qui avaient brillé avec encore plus d'éclat dans le clair-obscur froid. Après le crépuscule, il s'était enfin mis à pleuvoir. Puis, au milieu de la nuit, à mon bureau, je réfléchissais que ce genre d'avions en papier aurait pu être au programme des travaux manuels de troisième année à l'école du peuple[1], en pleine guerre ; en

1. L'enseignement primaire fut réorganisé sous ce nom, en 1941, pour devenir un vecteur plus efficace du nationalisme. Ce système n'eut guère le temps de fonctionner ; Furui Yoshikichi, né en 1937 et inscrit à l'école du peuple en 1945, n'en a connu que les décombres.

quatrième année les maquettes de planeur étaient déjà plus sérieuses. Mais le programme de la troisième année, pour moi, c'était après la guerre, même si ç'avait été dans le programme de la deuxième année j'allais de moins en moins à l'école cette année-là, à cause des bombardements aériens qui étaient devenus fréquents, attiré par une sorte d'insouciante indolence je voyais les planeurs blancs qui prenaient appui sur le vent et tournaient en courbe un sentiment d'éveil s'alluma en moi comme si encore une fois le temps, dans la continuité de la journée, s'était tout à coup remis à couler après avoir été longtemps bloqué.

Fujisato, la main droite vaguement levée devant la bouche comme s'il priait d'une seule main, l'agitait lentement de gauche à droite avec un sourire d'embarras tranquille. Il continuait sans fin, attirant les regards. C'était une main étonnamment noueuse. Au fur et à mesure le même sourire s'élargissait sur tous les visages ; les épaules, les dos se relâchaient. On se détendait dans le silence, on n'attendait plus la parole suivante. Était-ce un sentiment qui se traduirait ainsi : tu es mort, maintenant, et nous, un moment, nous allons partager cette mort ? Dehors, à la fenêtre, le soleil printanier se déversait. Il descendait dans les sifflements aigus du vent âpre qui raclait les murs, dissipait les vertiges de la chute, et atteignait sa fille accroupie dans le jardin. Ensuite, deux ans plus tard, sur le personnage debout au pied du micocoulier pourri, face au tronc coupé, les yeux levés à hauteur de la cime, et sur cette ombre qui semblait réveiller obstinément on ne savait quels sombres souvenirs, était-ce la même lumière qui se déversait ?

Au moment où je m'étais arrêté sous le micocoulier, j'avais sous les yeux toute une aire de jeux pas bien vaste. Passer si peu que ce soit pour un envahisseur, je n'aime pas ça. À ce moment-là, certainement, il n'y avait pas l'ombre d'un chat dans le parc. Bientôt j'avais senti un bruit de pas qui s'approchait dans mon dos, il y avait alors à l'extrémité de mon champ de vision une maison avec un escalier de pierre : je crus que quelqu'un avait dévalé ces marches de pierre vers moi. Après coup, en reconstruisant la scène à partir du bruit de pas réel, j'ai soupçonné que c'était une illusion conçue presque instantanément encore qu'il y eût en elle une épaisseur de temps, mais tout n'était pas qu'illusion là-dedans, semble-t-il. Avant même d'entendre le bruit de ses pas dans mon dos je devinais déjà une présence quelque part qui accourait vers moi. Et quand je m'étais retourné, craignant d'avoir été surpris moi-même en plein délire (car j'imaginais juste avant cela une scène d'amour où l'homme et la femme se retiennent de haleter), c'était sur le visage du vieillard qui se tenait au milieu du parc baigné par la lumière du soleil que la vigueur éclatait.

On s'était rencontrés là… le plat qui se mange froid… J'avais fait cet été-là devant Fujisato une plaisanterie risquée et il avait répondu d'une voix grave que « oui, c'est vrai, quarante ans c'est plus froid », plus que le plat qui se mange froid. J'ai l'impression, disait-il, que dès l'instant où je me suis dit, ah, un homme debout sous le micocoulier, je t'avais déjà reconnu, et en soi ce n'était sans doute pas faux mais ce moi était-il vraiment moi ? Sitôt qu'il m'avait reconnu, n'était-il pas en train de courir au-delà pour apercevoir l'ombre d'une mort de quarante ans ?

Mais par la suite, alors que nous nous étions revus trois fois dans l'espace d'une année et que Fujisato m'avait paru chaque fois profondément soulagé, tout en me laissant entendre qu'il s'était autorisé la folie, je continuais de mon côté à m'inquiéter pour lui en remontant à un danger déjà passé, parfois j'étais comme une chambre vide où seule l'imagination vers autrui tour à tour voltigeait mollement et disparaissait – après quoi il avait suffi du mouvement d'un avion qui virevolte et que je sente en moi un temps depuis longtemps bloqué pour que de nouveau le visage de Fujisato apparaisse la main agitée de gauche à droite devant la bouche d'où les mots avaient disparu, s'excusant d'un sourire.

L'étrange était que tous ces souvenirs, pourtant directement liés aux deux dernières années, défilaient comme s'ils étaient gonflés d'une existence lointaine.

Après minuit on entendait des pleurs d'enfant. Ça montait du rez-de-chaussée. Il pleurait jusqu'au moment où la nuit blanchissait. C'était un hôpital d'un étage construit en bois et mortier au bord d'un ruisseau boueux qui puait le mazout. J'avais été transporté là quinze jours plus tôt et j'avais été abandonné après l'opération dans une chambre au premier étage sans pouvoir me lever, de sorte que même si j'entendais des voix je ne pouvais pas me représenter l'endroit d'où elles venaient.

Juste avant le contrôle des billets, au moment de descendre vers le couloir de correspondance, la mère s'était accroupie dans un coin retiré et pleurait. Qu'est-ce qui se passe, demandait la petite fille, j'ai perdu nos tickets et ça me rend triste avait-elle répondu. Ensuite, elle avait traversé le long couloir tenant par la main la petite fille et le petit garçon et, du quai, elle s'était jetée sous les roues du train. La mère était morte sur le coup. Elle était malade des poumons. La petite fille avait eu une jambe arrachée, quand on l'avait transportée à l'hôpital elle avait déjà perdu tant de sang qu'il était évident qu'on ne pourrait la sauver, mais elle était parfaitement consciente, elle avait dit son nom, son adresse, raconté avec beaucoup d'énergie comment tous les trois ils avaient pris un train d'une ligne privée depuis chez eux et qu'ils étaient allés jusqu'au terminus, et le souffle s'était arrêté. Ce qui s'était passé au contrôle des billets aussi était sorti de la bouche de la petite fille. Qu'elle l'eût appris par sa mère à ce moment-là ou déjà avant de quitter la maison, elle savait en tout cas qu'elles mourraient ensemble. Elle avait cinq ans.

Le petit garçon de trois ans avait été projeté sur le quai où il avait roulé comme une balle, il avait perdu conscience mais s'en tirait avec de simples contusions. On disait que la mère avait pris sa fille sous le bras et que de l'autre main elle avait brusquement repoussé le petit garçon. Transporté dans le même hôpital, il était couché dans une chambre, après les soins qu'il avait reçus dormant à poings fermés, et bien après minuit il s'était mis à pleurer en réclamant sa mère et sa sœur. Est-ce qu'il a pleuré toute la nuit jusqu'au matin, je n'en sais rien. Moi-même j'avais gémi toute la nuit. J'avais une péritonite à complications considérée à l'époque comme pratiquement mortelle et depuis le début de la soirée je souffrais sans relâche. Quand j'étais fatigué de gémir, je m'enfonçais dans un sommeil pesant qui ne faisait qu'un avec la douleur lancinante ; je m'éveillais en gémissant et j'entendais des pleurs d'enfant. Un moment, je les écoutais comme si, poussé moi-même par la souffrance qui ne s'arrête nulle part, je m'étais égaré hors de la chambre, comme si c'était moi qui pleurais au pied de l'escalier. Car je me rappelais seulement cela, l'escalier, pour y avoir été transporté sur un brancard après la première opération, le bas du corps encore anesthésié – et qu'il y avait un palier qui tournait à mi-chemin, que les marches grinçaient. Le même escalier qui craquait encore sombrement le lendemain soir, quand on m'avait redescendu. Pour cette seconde opération j'avais été préparé au pire, mes parents disaient qu'il fallait accepter son destin. J'avais alors quinze ans.

Et pendant dix jours environ je n'avais rien su non plus du drame qui venait de se produire. Puis, un jour, un petit garçon vêtu d'un kimono de tissage artisanal s'était tenu à l'entrée de ma chambre, la tête un peu penchée. Il avait observé timidement le visage que je faisais tandis que je me redressais sur mon lit et bientôt, avec un rire joyeux, il s'était précipité dans la chambre, le cou toujours penché. Son cou était resté légèrement dévié à la suite des contusions, comme je l'appris d'une vieille dame en pantalon rustique qui était accourue peu après sur ses traces. Cette vieille dame qui passait ses journées à l'hôpital pour s'occuper de lui n'était pas la grand-mère du petit garçon mais une personne qui avait depuis longtemps des liens avec cette famille, me dit-on, on apercevait dans un visage distingué qui laissait penser qu'autrefois elle avait été une bien belle femme, sur la lèvre supérieure, une imperceptible cicatrice : du beau travail pour une opération faite autrefois, avait admiré le directeur de l'hôpital ; on disait aussi que cette femme, dans sa jeunesse, dans la même gare, avait tenté de se jeter sous un train d'une ligne nationale – et qu'elle s'était retrouvée courant de toutes ses forces à côté du train.

Ma vue s'était pénétrée peu à peu de la figure du père, un homme maigre et doux qui venait de temps en temps à l'hôpital. En arrivant dans le couloir, il avait la manie de quitter ses pantoufles devant la chambre de l'enfant, ce qui lui donnait à mes yeux l'allure d'un vaincu. L'enfant, lui, était devenu de plus en plus rondouillet. C'était un enfant à la peau claire. Il s'était immédiatement attaché à moi et il voulait qu'on joue ensemble, c'en était même un peu agaçant.

Si on exerçait maintenant un peu de traction continue ça pourrait se remettre sans laisser de trace, mais est-ce qu'il supporterait ça ? disait un jour le directeur de l'hôpital en observant avec la vieille dame l'enfant qui gambadait dans les couloirs, le cou toujours penché.

Si cet enfant a survécu, il doit approcher les quarante-cinq ans... Est-ce qu'il ne lui restera pas une gêne au cou ? avais-je dit en me mêlant avec une certaine impudence à la conversation du directeur de l'hôpital et de la vieille dame. Alors dans l'obscurité quelque chose de blanc a volé en tournant – plusieurs jours s'étaient écoulés depuis ce midi calme sous les nuages, le train d'après minuit venait de s'arrêter dans la gare juste avant celle où je descends, les portes se sont ouvertes, un vent froid s'est engouffré et au moment où j'étirais le cou pour m'empêcher de m'endormir, ce fut comme si elle avait attendu ce signal, une jeune femme sur la banquette d'en face a incliné de biais la tête dans ma direction. Avant de reconnaître la compagne de Yamakoshi, il s'est produit en moi une confusion de couleur pourpre. Répondant à nouveau avec douceur au salut que je lui avais retourné en hâte, elle a ramené son visage de face et a paru réfléchir, souriant à plusieurs reprises toute seule ; il y avait sur la peau blanche de son visage des tâches rougeâtres caractéristiques (peut-être le masque de la grossesse ?) et l'observant à nouveau j'ai vu, au-dessus de ce visage, de biais, une femme du même âge à peu près qui l'avait regardée un instant intensément avant de passer la porte et qui maintenant marchait dehors, de l'autre côté de la fenêtre, mêlée aux passants, et son profil calme qui donnait une impression de lointain m'a fait penser à celui de la fille de Fujisato comme elle était après avoir regardé quelqu'un.

Quand le train s'est remis en marche, Toritsuka regardait toujours devant elle, elle souriait ouvertement.

Avant séisme

– Je vous remercie pour l'attention que vous portez à Yamakoshi.

Toritsuka, qui m'attendait après avoir passé le contrôle des billets un peu avant moi, inclina la tête en disant ces mots.

– Comment va-t-il ? (Cela faisait six mois que je n'avais pas eu de ses nouvelles.)

– Bien, je vous remercie, répondit Toritsuka.

On aurait dit qu'elle s'étonnait elle-même d'avoir produit une petite voix si mélodieuse, elle rentra les épaules et baissa les yeux. Nous n'avions rien de plus à nous dire. Le simple « Bonne nuit ! » échangé au moment où chacun s'en va de son côté parut s'allumer comme une lumière rouge à distance.

J'étais debout devant le passage à niveau aux barrières abaissées, un train arrivait en direction du centre et juste avant que le bruit la recouvre j'eus l'oreille attirée par une voix d'homme dans mon dos : « Quand tout a basculé, si j'y repense maintenant, la blessure n'était encore pas si profonde. » « Ça aurait dû pouvoir s'arranger, il n'y a donc rien eu à faire ? Ça fait combien d'années que tu traînes ça ? » demandait un autre homme. « Presque quatre ans. Je me suis acharné à rouvrir la plaie, répondait le premier, j'avais été tellement poussé à bout, je n'étais plus, physiquement ni moralement, dans mon état normal. Je ne savais plus quand je dormais, quand je mangeais. Sans vouloir me prétendre victime de la bulle économique… », la suite fut étouffée dans le vacarme, le train franchit le passage et juste au moment où il s'immobilisait entre les quais de la gare, de nouveau : « J'ai quand même tenu quatre ans. Rien que d'y penser, ça me fait mal. Mais tout se paie, ça va exploser, de tous les côtés, il va se passer de drôles de choses, je te le dis », et puis les barrières se levèrent, je me retournai en traversant les rails glacés, cherchant sans les trouver deux figures masculines groupées qui auraient pu être les propriétaires de ces voix.

Et si c'était un monologue, réfléchissais-je après avoir marché un moment dans la nuit, un seul homme partageant sa voix entre la gauche et la droite ? Il me semblait même que je l'avais vu, lui, son masque de dépit tiraillé par les rides, j'allais me retourner encore une fois vers le passage à niveau quand un bruit de talons courant à petits pas se leva dans mon dos comme pour m'en empêcher. Une femme apparemment, elle rentre chez elle en courant, tremblant de froid peut-être ou par peur de la nuit, on dirait un cri de détresse caché sous un martèlement aigu ; j'avais ralenti mon allure dans l'espoir qu'elle me dépasserait plus vite, mais l'enjambée de l'homme demeurait la plus forte, seul le souffle me rejoignait sur la chaussée gelée, les pas ne se rapprochaient guère. Le dos qui attend prend de lui-même un air lugubre (quelles passions sont attisées dans l'homme qui voit toutes les issues coupées ? ne comprenait-elle pas que la chair se dévoile dans un bruit de pas ?) – j'étais seul avec mon embarras, entre-temps les pas s'étaient arrêtés. La belle avait pris un autre chemin.

Seuls mes pas résonnaient dans le silence du chemin nocturne qui s'en allait tout droit. Rien ne les troublait. Dans la période précédant les premiers signes de paralysie des membres, il m'était arrivé, en marchant de même dans une nuit froide sans vent, d'écouter curieusement ce tempo régulier. Quelque chose, avec lui, se clarifiait dans mon corps. Je ne pressentais pas que bientôt je n'aurais plus la même liberté de mouvement. Mais sitôt que je tournais l'angle au bout de la rue, mes pas s'embrouillaient de façon mystérieuse. Peut-être un creux dans la chaussée : je regardais à peine et passais mon chemin. C'était il y a quatre ans.

Pour ne pas répéter l'embrouillement des pas, je tournai l'angle en suivant une longue et large courbe ; je trouvai à nouveau curieux que mes genoux ne tremblent pas et alors, dans l'obscurité du petit parc qui occupait une partie du carrefour, un visage blanc surgit : sous un cerisier sec Toritsuka inclina lentement la tête.

– S'il vous plaît…

Elle vint droit vers moi.

– … je voudrais vous confier quelque chose.

Je voyais le visage d'une femme prête à tout, l'idée m'effleura que peut-être elle allait me confier son bébé.

– Accepteriez-vous d'écouter mon histoire ? demanda-t-elle.

« Si vous voulez bien m'écouter (ici son regard se concentra), je rentrerai à la maison et je dirai à Yamakoshi que nous nous sommes rencontrés dans le train. Sans doute recevrez-vous bientôt un appel de lui. À ce moment-là, s'il vous le demande, dites-lui exactement ce que vous avez entendu. S'il ne vous demande rien, enfermez ces paroles au fond de votre cœur. Il viendra certainement vous les réclamer un jour. Et s'il n'appelle pas, si ça dure trop longtemps, je vous prie d'oublier. Je vous en serai toujours reconnaissante.

Alors elle relâcha les épaules, laissant s'échapper le souffle qu'elle avait retenu. Elle avait couru derrière moi, semblait-il, et m'avait devancé en prenant un raccourci.

– Si ça dure trop longtemps, c'est-à-dire... à peu près combien de temps ? demandai-je.

Je comparais mon temps et le temps des jeunes gens.

– Ce ne sera pas long, répondit Toritsuka, deux mois environ. Dès la fin de janvier, vous pourrez tout oublier.

Ce temps plus court que je ne m'y attendais me fit réfléchir, je me demandais ce qui se passait.

– Mais est-ce vraiment une bonne chose, pour vous et pour Yamakoshi ?

– Oui ! C'est une chose que je veux faire avant que nous soyons mariés.

Il y avait du triomphe dans sa voix. Un silence s'imposa.

– Je vous crois, dis-je à la fin ; ces mots qu'il me semblait avoir entendus ailleurs plusieurs fois m'avaient ému.

– S'il vous plaît, et elle se raccrochait à moi par le regard.

– Ça ne serait pas (essayons, me disais-je, il fallait avancer)... l'histoire de la mère de Yamakoshi maintenant décédée ?

Toritsuka acquiesça. Je sentis un grand calme. C'était un acquiescement sorti du plus profond d'elle-même.

– N'est-ce pas assez de savoir qu'il s'agit de cette histoire ? Je l'enfermerai précieusement en moi, comme une page blanche.

Regardant mes yeux au moment où j'essayais de la ménager, Toritsuka secoua la tête de gauche à droite. Elle secoua la tête plusieurs fois tranquillement.

Je me libérai de ce regard – même si j'écoutais son histoire, il fallait d'abord que je me dégage de ce rythme trop pressant, calculais-je – et, tandis que je regardais autour de moi, mes yeux s'arrêtèrent sur les lumières d'un distributeur automatique planté à un coin de rue suffisamment distant.

– Je vais aller là-bas acheter des cigarettes, j'irai lentement. Pendant ce temps, réfléchissez encore une fois, si vous pensez devoir le regretter si peu que ce soit, ne dites rien, fuyez.

– Oui ! Je fuirai ! acquiesça de nouveau Toritsuka.

J'avais déjà le dos tourné et ne fis que bouger la tête en lançant :

– Il y a un chemin qui débouche sur l'avenue, juste à ce coin de rue, si ça se trouve, je fuirai aussi !

Elle rit avec un imperceptible mouvement du buste.

Je me mis en route, marmonnant à part moi que, vraiment, peut-être que j'aurais tout oublié dès que j'aurais acheté mon paquet de cigarettes, et mon dos de lui-même se mit à faire le vieux.

Toritsuka avait du mérite, semblait-il, d'avoir su garder si longtemps le secret. Je ne poserai aucune question, dis-je en me disposant à l'écouter, elle me remercia et commença son récit. Sa façon de raconter, c'était comme si elle remettait en mains propres à quelqu'un un objet soigneusement empaqueté pour que tout soit conservé exactement et sans la moindre déformation, gardant la mesure, rien de filandreux, rien d'abrupt, mais le tout enveloppé dans la chaleur de sentiments longtemps bercés.

Pour commencer, sur le passé de la mère de Yamakoshi, il y avait beaucoup de choses en effet qu'elle lui avait transmises de son vivant en tenant Yamakoshi à l'écart ; mais en fin de compte, franchement, je n'y ai rien compris, annonça-t-elle d'emblée en sondant mon regard, et comme j'acquiesçai, la tension du début se relâchant : Yamakoshi ne peut se défaire entièrement du soupçon que tout en sachant la vérité je la lui tais pour protéger la défunte, les défunts, et même s'il se défaisait entièrement de son soupçon il souffrirait encore de l'imagination des détails, c'est-à-dire surtout d'imaginer deux femmes, sa mère et moi, parlant en détail de ces choses, de sorte que si Yamakoshi demandait ce qu'a dit Toritsuka il faudrait lui rapporter exactement ce qui a été dit, je pense qu'alors il se laissera convaincre, dit-elle.

Puis elle prit le parti de Yamakoshi : ce n'était pas étonnant qu'il doute ainsi puisqu'elle-même, encore pas mal de temps après la mort de la mère, restait dans l'incertitude sur ce qui s'était passé. La défunte, plusieurs fois depuis qu'elle ne pouvait plus se lever, l'avait fait venir à son chevet quand son fils était absent pour lui confier qu'avant de se mettre en ménage avec l'époux qui avait disparu, oui, c'est vrai, il y avait eu une erreur, une faute. Son mari avait deviné ça dès le début, il avait failli se détourner de cette femme insouciante et, malgré tout, parce qu'il ne pouvait pas la laisser aller davantage à sa perte, il l'avait prise sous sa protection. Quant à elle, sous une pluie de reproches, incapable de dire quoi que ce soit et en même temps certaine d'être pardonnée, totalement rassurée, de nouveau elle ne pensait plus à rien. Elle en avait oublié même l'existence de cette erreur, disait-elle.

La malade s'était déjà livrée à bien d'autres extravagances, à l'époque, et Toritsuka, le premier moment de surprise passé, ne prit pas au sérieux ce qu'elle lui racontait. Elle n'avait pas eu une jeunesse si délurée, que l'on sache, alors est-ce que c'était vraiment possible, ça, d'oublier jusqu'à l'existence d'une chose qui n'avait pas dû se produire souvent puisqu'elle en parlait comme d'une erreur ? Pourtant, elle ne doutait pas non plus. La malade parlait en fixant sur Toritsuka un regard limpide ; entraînée par son ardeur, Toritsuka l'écoutait aussi passionnément. Elle n'acquiesçait pas mais, tout le temps qu'elle l'écoutait, elle se disait qu'il ne fallait pas douter, qu'il ne fallait pas troubler ce regard. D'ailleurs elle comprenait que ce que la malade cherchait à lui communiquer, en fin de compte, c'était le bonheur d'avoir rencontré son époux, d'avoir vécu toute une vie avec lui. Trente ans, trente ans, disait-elle, bien qu'il y ait eu en fait un peu plus de vingt ans jusqu'à ce que la mort les sépare.

Cette histoire, elle l'avait entendue en plusieurs fois et comme la malade chaque fois commençait par confesser son erreur il est sûr qu'à ce rythme, au souffle court de la malade, l'histoire n'allait pas loin. Elle avait vécu dans l'ignorance en se reposant sur lui mais son mari – même s'il lui avait tout pardonné – ne la croyait pas, disait la malade. Il ne la croyait pas mais il avait pris soin d'elle, oui, il avait été tendre avec elle, elle en avait les larmes aux yeux.

Son mari, toute sa vie, c'était une chose qu'elle-même ne pouvait pas comprendre, avait observé la corruption de la société, disait encore la malade. Pour nourrir sa femme et ses enfants il devait se plier à la société et du moment qu'il s'y pliait il respectait les règles, en cela il assumait ses responsabilités, en échange de quoi il se taisait et observait. Il ne se plaignait pas, il ne se cherchait pas d'excuses. Il regardait les enfants grandir avec un regard triste. Soyons reconnaissants de cela, comme il disait toujours.

En 1966, quand il avait perdu dans un accident de la route son fils aîné, Sakae, âgé de six ans, le père avait crié : Ce n'est pas ce qui avait été convenu ! – Vraiment, comment imaginer qu'une voiture foncerait aveuglément juste à cet endroit-là ? La mère avait fondu en larmes. Le père gémissait, c'était sa faute à lui qui avait fait cet enfant, puis il s'enferma dans le silence. Il n'exprima plus jamais rien qui ressemblât à de la rancune. Acceptons le destin, élevons précieusement les enfants qui nous restent : la mère pleura encore une fois le soir du septième jour et dès le lendemain elle voulut être forte, elle travailla sans jeter un regard de côté, il ne fallait pas que le trouble entre dans la maison et dans les enfants, mais passé le centième jour, un dimanche, dans la matinée, les enfants jouaient assis au soleil dans le séjour et le père à distance les regardait fixement. Dans ce regard il y avait de la pitié pour ces enfants, on voyait aussi qu'il était perdu. La mère le vit, elle sentit que depuis la mort de leur fils aîné et jusqu'à ce jour elle avait été dans le trouble et qu'elle avait laissé au père le soin de s'occuper des enfants, elle sentit que maintenant elle se ressaisissait. Leur fille cadette de quatre ans, Megumi, tout en sachant que son père la regardait, faisait semblant de ne pas s'en apercevoir et continuait de jouer. Son frère Hitoshi, d'un an plus jeune, se tournait de temps à autre vers le père et souriait d'un air gêné.

Et tous les deux… murmura la malade, mais ce jour-là les mots lui manquèrent. En plus d'avoir perdu son fils aîné à l'âge de six ans elle pensait à sa fille morte elle aussi dans un accident de la route trois ans après la disparition du père, c'est ainsi que Toritsuka interpréta les choses, elle avait caressé la main de la malade par laquelle se transmettait un sanglot calme, jusqu'à ce qu'elle s'endorme, mais les mots « tous les deux » la préoccupaient malgré tout et plus tard, lorsqu'elle interrogea Yamakoshi, c'est que je suis mort, dit-il, les yeux dans les yeux il est arrivé qu'elle me compte au nombre de ses morts ! Il riait.

Un autre jour pourtant, tandis qu'elle confiait à nouveau que oui, elle avait fait une erreur, ajoutant qu'elle avait mis au monde trois enfants de cet homme et qu'elle était heureuse, dans sa voix soudain triomphante le fait que deux d'entre eux lui avaient été arrachés dans des accidents de la route ne jetait aucune ombre. Les jours s'écoulaient nombreux depuis son hospitalisation, l'affaiblissement progressait. Elle était contente quand son mari lui disait que les enfants sont une bien belle chose. Souvent, en se parlant à lui-même, il admirait ce mystère qu'est le ventre de la femme. Ils ont été conçus comme ça, tous les trois, je me souviens… osait-elle dire alors, parlant de soirs où il s'était montré très tendre après l'avoir accablée de reproches.

À mesure que la voix de la malade faiblissait et devenait plus rauque, elle semblait plus joyeuse quel que soit le sujet. J'étais une femme effrontée, vous savez, et sa voix malgré les regrets donnait l'impression qu'elle s'éveillait tout juste d'un rêve agréable. Parce qu'il pouvait lui faire tous les reproches qu'il voulait, sur le moment elle pleurait et demandait pardon, mais sitôt qu'elle était pardonnée et qu'il se montrait tendre, tout était oublié. Son mari lui disait qu'elle était une femme heureuse et sans malice. Ce n'était pas de l'ironie, elle était vraiment heureuse et sans malice, une femme bénie par le ciel, comme il lui disait l'autre jour en l'observant attentivement…

Dans ce que racontait la malade, les indications de temps devenaient très incertaines. On ne comprenait pas bien de quand elle parlait ni à quel moment elle croyait se trouver. À la moindre interruption, le discours pouvait se déplacer d'un bond dans cet espace d'une trentaine d'années qui comprenait aussi les années d'après la mort du mari. Bientôt tout fut ramené à hier et aujourd'hui. La malade se plaignait d'avoir été grondée par son mari justement hier soir, justement ce matin. Et de nouveau elle semblait contente en rapportant qu'il avait été tendre après l'avoir grondée. Elle répétait en gros toujours la même chose, mais chaque fois se découvraient de petits détails neufs. Pour chaque scène dont elle n'avait jamais parlé jusque-là, c'était comme un paysage qui se déployait autour d'elle. On croyait même voir les objets qui l'avaient entourée. De cela, encore maintenant, sans trop savoir pourquoi, Toritsuka n'avait pas envie de parler aux gens. C'étaient pourtant des scènes de rien.

Avec Yamakoshi, ils en étaient à passer leurs nuits à tour de rôle à l'hôpital et cela allait durer encore, personne ne pouvait dire jusqu'à quand. Ils continuaient tous deux de travailler si bien qu'ils étaient arrivés presque à la limite de leurs forces et il fallut tenir encore quinze jours. Alors, même écouter la malade était différent de l'état d'esprit habituel. Ce qu'elle entendait, elle le gardait en elle comme ça venait, sans trop se poser de questions. Elle gardait tout cela en elle, continuant de s'activer jour et nuit. Croire, douter, ces dispositions-là s'étaient éloignées d'elle. Dormant à moitié dans le train au retour du travail, elle comprenait à quel point elle s'était tenue sur ses gardes jusqu'alors, même quand elle se croyait insouciante à l'égard de ce qui l'entourait. À présent ses forces n'y suffisaient plus. Elle laissait couler les choses à l'intérieur d'elle-même. Tout en se sentant dormir à moitié, elle descendait à la bonne gare quand c'était le moment et se mettait à marcher dans la nuit (la direction était la même pour aller chez elle et pour aller à l'hôpital, il n'y avait pas à se poser de question), parfois elle rencontrait Yamakoshi qui arrivait d'en face d'un pied sur l'autre, un peu du même pas qu'elle. Ils se croisaient, je vais faire un tour jusqu'à la supérette, disait-il. Il arrivait aussi qu'ils passent devant l'hôpital en silence, épaule contre épaule, et se retrouvent tous deux dans la maison qui en une journée semblait avoir été envahie par une odeur de moisi et ils y restaient seuls pour une petite demi-heure.

Toute la journée, je m'affaire avec l'impression de dormir à moitié dans la foule, disait-elle un soir à Yamakoshi avant de se changer et de ressortir pour passer la nuit à l'hôpital, et Yamakoshi : Attention, c'est comme ça que les femmes se retrouvent enceintes rien qu'à respirer l'air ambiant.

En attendant c'est ainsi qu'elle écoutait les récits de la malade. Confessions véritables ou divagations, elle n'avait pas le temps de se poser ce genre de questions, ou plutôt non, elle n'était pas si indifférente, elle écoutait et quand elle était émue peu lui importaient les tenants, les aboutissants de l'histoire : du moment que c'était émouvant. Elle était émue et elle laissait les choses s'apaiser d'elles-mêmes. Souvent il lui fallait faire des allers et retours dans le couloir à pas énergiques.

Quand elle y repensait après coup, les histoires que la malade lui avait racontées à l'hôpital n'avaient pas beaucoup de contenu. Il n'empêche, cela pouvait la réveiller plusieurs fois dans la nuit. Une parole échappée dans le sommeil, un cri rauque suffisaient à lui faire ouvrir l'œil. Même endormie elle sentait quelque part la présence de la malade. C'est pour cela que ces histoires, qu'elle n'avait jamais eu à écouter la nuit, lui laissaient ensuite cette impression d'écoute quasi continue. Ou peut-être l'impression d'écouter sans fin était là depuis le début, parce qu'elle ne savait pas se débarrasser de ce qu'elle avait entendu. Il y avait aussi l'odeur de Yamakoshi qui avait dormi là la nuit précédente, une odeur qui s'épaississait brusquement et pendant un moment ne disparaissait pas. De temps à autre elle me confond avec mon père, disait Yamakoshi. Mais bon, on s'endormait avant de s'apercevoir de l'erreur, et il riait tandis que Toritsuka se demandait, de lui et de la malade, lequel était censé s'apercevoir de cela, lequel des deux s'endormait.

La nuit précédant sa mort, alors que Toritsuka allait s'étendre sur la couchette basse, la malade l'appela clairement par son nom – Toritsuka ! –, soulevant, mais comment cela était-il possible, légèrement la tête au-dessus de son oreiller et dans les yeux qui la regardaient il y avait une lueur de retour à la raison. À demi redressée, Toritsuka avait le visage renversé vers la malade, elle crut qu'elle lui demandait d'une voix normale de lui rapporter quelque chose de la maison, elle s'imagina même courant dans la nuit jusque là-bas et réveillant Yamakoshi et fouillant les armoires, les placards, les étagères hautes, mais la malade, après avoir observé avec insistance la posture de Toritsuka comme si elle la voyait nue, reposa la tête sur l'oreiller en déclarant : « À quoi bon si on ne fait pas d'enfant », aussitôt son souffle devint régulier. Toritsuka resta un moment sans pouvoir se défaire de sa drôle de posture. Elle pensa bizarrement, est-ce que ça peut arriver, ça, qu'on tombe enceinte par sensibilité aux odeurs ?

Même après que la mère de Yamakoshi était morte, Toritsuka gardait enfermées dans son cœur les histoires de la défunte telles qu'elle les avait entendues et sans y réfléchir davantage. Après la longue fatigue, quand ils avaient tous deux un moment de liberté, ils dormaient. Sur le point de se réveiller, ils pensaient qu'il fallait se préparer pour aller ensuite à l'hôpital. Ce besoin de sommeil enfin apaisé, vint un moment où ils avaient plus de temps libre que nécessaire et Yamakoshi se montra de temps en temps préoccupé par le passé de sa mère. Chaque fois, il cherchait la réponse auprès de Toritsuka. Elle n'avait pas l'intention de lui cacher quoi que ce soit mais d'elle-même elle était incapable de trancher, de sorte que tout ce qu'elle pouvait lui dire n'était jamais ni blanc ni noir : elle n'y comprenait tout simplement rien, et la voyant dans cet embarras Yamakoshi reculait aussitôt. On eût dit qu'il sautait en arrière.

Cette scène se répétait, six mois s'étaient écoulés ainsi, et pendant ce temps Yamakoshi pensait que ce qu'avait raconté sa mère était vrai. Apparemment, il avait soupçonné un moment que son frère mort à six ans était peut-être l'enfant de cette « erreur », mais de quelque façon qu'on tourne la chose, en admettant même que le père fût au courant, la mère n'aurait pas eu assez de coffre pour garder toute une vie à l'égard de son fils devenu adulte un secret aussi lourd : il ne voyait aucune ombre de cette sorte et semblait avoir trouvé là une forme de repos. Quand bien même ce serait, un fils n'a pas à s'occuper de ça, disait-il.

Il raconta comment le père, qui avait pourtant dû pardonner le passé de la mère puisqu'il s'était mis avec elle, avait attendu plus de vingt ans et d'être atteint par une maladie mortelle pour se remettre à faire des reproches à sa femme – et comment lui-même, Yamakoshi, avait vu sa mère à cette époque. Elle était étrangement docile, touchante, c'en était presque pesant. Or, le père mort, à mesure que les années s'accumulaient, son souvenir s'épurait en elle. Après la mort de sa sœur dans cet accident de voiture, il n'y eut plus rien pour y faire obstacle. Son propre accident marqua une nouvelle étape, à partir de quoi la figure du père commença à s'échapper de la réalité. À la fin, elle racontait cette histoire qui aurait dû être déprimante du mari qui lui avait fait tant de reproches et qu'elle avait avoué et qu'elle avait été pardonnée, comme si ç'avait été un souvenir de lune de miel. Il l'avait écoutée chaque fois avec stupeur, mais maintenant que la mère était morte ses propres souvenirs du père, jusqu'à ses vingt ans, avaient fini par prendre la couleur de la confession en quelque sorte autarcique de la mère. Il restait pour longtemps incapable de penser par lui-même à son père. À croire qu'elle est partie en laissant un magnifique point final au dernier enfant qui lui restait ! Il riait.

Si on rapproche seulement le début et la fin, ça revient à en faire un homme qui aura été obsédé toute sa vie par le passé de sa femme, mais est-ce bien certain ? se demandait-il ensuite. Plutôt que de la jalousie à l'égard d'un autre homme, n'était-ce pas le présent lui-même, vivre en aimant et protégeant une femme habituée dès sa jeunesse à la société que soi-même on déteste et les enfants de cette femme, qui devenait jalousie ? Mais aussi quel arrachement cela avait dû être de perdre son premier enfant tout petit et qu'est-ce qui fait que ma sœur haïssait à ce point mon père, oh, je suis tellement borné… disait-il.

Toritsuka, à cette époque, répétait toujours la même réponse : je ne peux pas savoir le vrai d'après ce que ta mère m'a dit. Tout en faisant ces réserves, elle inclinait à penser au sujet de la mère qu'il n'y avait pas d'erreur puisque son propre fils la voyait ainsi, mais dès que Yamakoshi commençait à parler de son père, elle était prise d'une peur sans raison, elle adoptait malgré elle un ton qui cherchait à l'en empêcher. Alors Yamakoshi avait un regard qui s'accrochait à elle, dis-moi enfin la vérité. Ne disposant au sujet de sa mère d'aucune certitude ni dans un sens ni dans l'autre, il paraissait d'autant plus persuadé que Toritsuka, elle, avait reçu de la mère des sensations exactes. Vraiment, il ne s'est rien passé, je te le promets – un soir, Toritsuka s'était surprise à répondre d'une façon qu'elle n'attendait pas. Ta mère n'a pas été si claire, avait-elle ajouté en hâte, de plus en plus déconcertée. J'ai eu tort, je suis trop insistant, s'excusa Yamakoshi. Et de ce moment il ne parla plus de cette histoire.

Je pense maintenant que ce que ta mère a raconté n'a peut-être jamais existé. Toritsuka avait commencé à parler ainsi plus de six mois après, le premier anniversaire de la mort était passé depuis longtemps, c'était au moment où la nature commençait à reverdir. Elle avait seulement évoqué une chose qui lui trottait dans la tête ces derniers temps mais quand les yeux de Yamakoshi s'étaient tournés vers elle, eh bien oui, j'ai beau retourner dans tous les sens les récits de ta mère on n'y voit pas l'ombre d'un homme en dehors de ton père, avait-elle répondu tout net et elle s'était elle-même étonnée, comment avait-elle pu passer à côté d'une chose dont on aurait dû se rendre compte immédiatement ?

L'habitude de se raisonner pour ne pas s'autoriser le moindre doute alors que la malade se confiait avait continué en elle plus d'une année après sa disparition, et il lui semblait qu'enfin elle en était débarrassée. Tu as raison, on ne voit ni ombre ni lieu où cela aurait pu se produire, reconnut franchement Yamakoshi. Puis il se renversa sur le dos, les formalités ont encore pris du retard, dit-il. Par formalités il entendait l'inscription de Toritsuka à l'état civil. Ils avaient décidé de faire cela avant le premier anniversaire de la mort de la mère. Nous avons été trop occupés tous les deux, répondit Toritsuka. Il leur avait en effet fallu plus d'un an avant de pouvoir se dire qu'ils avaient remboursé tant bien que mal les dettes de temps qu'ils avaient contractées chacun dans leur entourage, au travail, pendant qu'ils s'occupaient de la mère.

Nous sommes fatigués, dit Yamakoshi, et c'était vrai, avec l'apaisement la fatigue ressortait.

En nous inscrivant à l'état civil alors que l'enfant est déjà là, je n'aurai fait qu'imiter mon père, murmura Yamakoshi. D'ailleurs, qu'est-ce que ça change...

Il s'écoula encore six mois, les formalités n'étaient toujours pas réglées.

Tandis que j'attendais un appel de Yamakoshi, l'année touchait à sa fin. Quel accueil lui faire quand il appellerait ? Ça ne servait à rien d'y penser à l'avance et pourtant, pendant que je repoussais chaque nuit cette idée, elle était devenue une sorte de mur, mes pensées n'allaient plus à Sugaïke ni à Fujisato ; de temps à autre seulement le visage de la fille de Fujisato se dessinait. Sans doute grâce à cette tendance à rester enfermé chez moi, c'était une fin d'année calme que je passais à regarder seulement les branches des chênes à dents de scie se dessécher chaque jour un peu plus. Le 28 décembre, je me dis que je n'aurais sans doute plus d'appel de Yamakoshi dans cette année-ci. C'était la nuit, je m'occupais enfin d'écrire des cartes de vœux. À Fujisato et à Sugaïke je demandais quelles étaient les dernières nouvelles. Pensant à Toritsuka, je m'abstins d'écrire à Yamakoshi. Alors la terre trembla un peu après neuf heures. Ce fut un tremblement de terre insolite, une brusque poussée venue d'en bas et puis, pendant que j'attendais la suite, plus rien, plus une secousse. L'oreille tendue à l'horizontale, je me représentais cette rue de l'ancien canal comme un serpent qui se tortille paisiblement.

Il y a au bout du parc, après le marchand de saké qui fait l'angle, là où se trouvait le distributeur automatique, un chemin qui rejoint la rue de l'ancien canal, on traverse la rue, on monte un peu la pente en tournant un autre coin de rue et on arrive à une antenne de la mairie d'arrondissement. Devant Toritsuka j'avais suivi cet itinéraire qui, même si l'on part de chez les Yamakoshi, prend à peine dix minutes pour des jambes jeunes, et je pensais à la fatigue du couple qui ne réussissait pas à franchir une si petite distance. Quand un récit s'accompagne de sensations géographiques, une compréhension un peu trop nue se dessine sur le visage de celui qui écoute, cela s'était-il transmis à celle qui parlait – ou bien essayait-elle à nouveau de vérifier que, dès lors qu'elle m'avait adressé la parole, ne pas raconter la suite serait avoir perdu sa peine ? Toritsuka retenait son souffle, elle fermait doucement les yeux, son visage pâlissait.

– Yamakoshi, avança-t-elle enfin, Yamakoshi a dit qu'une chose qui resurgit d'elle-même encore bien des années après ne peut qu'être vraie, qu'il n'est sans doute pas possible de penser autrement. J'ai pris la main de Yamakoshi, c'était il y a six mois. Encore maintenant il m'interroge en silence. Je n'ai plus de réponse à ses questions.

Puis elle continua en me regardant fermement dans les yeux, comme pour bien me faire comprendre qu'elle ne parlait pas à la légère.

– J'ai eu tort. Jusque-là moi-même j'étais ébranlée, je répondais en allant vers ce que Yamakoshi me demandait…

Ici elle tint bon, retenant son souffle qui commençait à se dérégler – parce que c'est un homme qui m'est cher, trancha-t-elle, j'approuvai, l'éclat de ses yeux s'adoucit et elle inclina la tête, il me sembla qu'elle murmurait « merci », sa voix s'éclaircissait et de nouveau elle m'implorait :

– Elle m'a parlé, dites-lui seulement cela. Ça suffira. Et alors nous pourrons aller de l'avant.

– J'ai compris, m'entendis-je répondre.

Une carte de vœux arriva de Yamakoshi. Il avait seulement ajouté à la main Je vous ferai signe à nouveau un de ces soirs.

J'eus aussi celles de Fujisato et de Sugaïke. Une carte de vœux, c'était la première fois que j'en recevais de ces deux-là.

En six mois d'oisiveté, chaque jour, je suis étonné sans savoir pourquoi, disait celle de Fujisato. Ma fille rit, son père est comme un adolescent qui a jeté un œil dans la cassette de la fille du roi Dragon[1], les trente-cinq années qu'il a passées à travailler à l'extérieur sont comme un rêve.

Trois fois je suis entré dans une cabine téléphonique en repensant à toi, grand frère, la première fois je n'avais pas de pièce, la deuxième fois ma carte était vide, la troisième fois la cabine était en panne, toujours dans une ville différente, toujours au cours d'un autre voyage

1. La cassette qu'Urashima Tarô, héros de l'un des plus célèbres contes japonais, rapporta du fond de la mer où il avait vécu trois ans dans le palais du Dragon. Quand il rentra chez lui plus rien n'était comme avant, trois cents ans s'étaient écoulés comme un rêve et, pour ne pas avoir tenu sa promesse de ne pas ouvrir la cassette, le jeune homme fut changé en vieillard.

d'affaires, avait écrit Sugaïke en lettres minuscules qui remplissaient la carte. Depuis octobre, on l'avait envoyé trois fois faire « le garçon de courses » à l'étranger, bien que ce genre de navette fût inutile vu la façon dont tout fonctionne, mais il fallait dépêcher quelqu'un pour vérifier cela : si vraiment c'était inutile, alors c'était comme si la névrose de ce pays se mettait à courir partout avec sa valise à la main, lui-même était en train de passer maître dans l'art d'être un fantôme ; d'ailleurs ces allures usées qu'on traînait autrefois dans les gargotes des bas quartiers ou dans la rue des Perdants du champ de courses, eh bien on les retrouve maintenant dans les salles d'embarquement du retour, du moins quelques-unes – au début de l'année prochaine je m'envolerai encore une fois quand j'en aurai fini avec ça, je crois que j'aurai beaucoup de choses à te raconter, avait-il ajouté.

Après le 10 janvier je fis une sortie pour la première fois depuis longtemps, j'avais rendez-vous avec trois amis, le soir, sur un quai enfoncé sous terre dans la gare de Tokyo ; deux d'entre eux étaient arrivés à peu près en même temps que moi mais le dernier n'apparaissait toujours pas. L'heure convenue était largement dépassée, nous nous interrogions tous les trois, que lui était-il arrivé ? Et cela me revint : « Il vient de Kokubunji, non ? C'est ça, c'est la ligne Chûô qui a été coupée. Il y a eu un accident de personne. » Jusqu'à cette minute même je n'y avais plus pensé, l'avais-je entendu quelque part pendant que je venais du quai de métro jusqu'ici, avais-je entendu une annonce, avais-je jeté un œil sur le panneau d'affichage électronique, ce n'était pas clair mais je le savais. Je savais même que c'était arrivé après Hachiôji. « Ce matin aussi, il paraît qu'une personne s'est jetée sur la voie », je me souvins que j'avais saisi cela par hasard dans une bribe de conversation de voyageurs qui passaient. « Maintenant que tu nous le dis, il y avait en effet une drôle d'ambiance », ajouta l'un de mes compagnons, en regardant toute la hauteur de l'escalier comme s'il cherchait maintenant à saisir un phénomène anormal.

Il était tard cette nuit-là quand nous avions pris à quatre un taxi pour regagner le centre, et en chemin, sur l'autoroute qui longe la baie, au moment où nous traversions l'eau noire : « C'est ici, c'est ici que le médecin de Tsukuba a balancé sa femme et son enfant enroulés dans des couvertures après les avoir étranglés », nous apprit l'un de nous.

– C'est étonnant qu'on ne l'ait pas vu d'une voiture, dit un autre. Mais que cet endroit est triste. Plus ça va, plus c'est triste.

– Il se sentait triste, quand il a arrêté la voiture, il ne pouvait plus faire autrement que de les balancer, non ? se laissa aller à dire le premier.

– Qui sait ce qu'il avait vraiment l'intention de faire ? dis-je à mon tour au bout d'un moment.

De retour après minuit dans la maison endormie, ma table de travail semblait étrangement bien rangée, il y avait dessus un message qui m'apprenait qu'on avait cherché à me joindre en mon absence, je crus que ça venait de Yamakoshi, et c'était Fujisato. Rien d'urgent, disait le message. Quand je le rappelai le lendemain dans l'après-midi, j'entendis une voix pleine d'énergie. Il paraît qu'il y a quatre ans tu as risqué de ne plus pouvoir marcher ? demanda-t-il après un moment. J'avais écrit dans ma carte de vœux que marcher est une étrange chose.

Survivre tranquillement, ça a un goût de rêve, avais-tu écrit et c'est bien vrai, dit Fujisato. J'avais écrit cela en effet. Mais au moment où je l'écrivais, je pensais en réalité moins à ma santé présente qu'à ce mois et demi entre la fin de l'année et le début de février d'il y a quatre ans, je ne pensais pas au danger alors même que j'avais clairement des troubles de la marche, et tout en m'appuyant au contraire fermement sur la joie de survivre tranquillement, je vivais en chancelant. C'était une époque où j'étais même parti deux fois en voyage. Pourtant, maintenant que Fujisato me le disait, cette peur irraisonnée se superposait au soulagement actuel. Peut-être Fujisato sentait-il lui aussi que ce goût de rêve était double.

– En tout cas, je profite du présent, répondis-je, et je changeai de sujet. Comment va-t-elle, ta demoiselle ?

– Ah, elle dit qu'elle voudrait bien que les visiteurs de l'autre soir reviennent. Elle va très bien. C'est juste que… (la voix de Fujisato commençait à s'égayer et puis il hésita)… de temps en temps elle a tout d'un coup des crampes de la nuque aux épaules, même son dos lui fait l'effet d'une planche, il paraît. Avec en plus des picotements au bout des doigts, aux mains et aux pieds. La sensation s'étend à tout le corps, à l'exception du dos qui se raidit, il paraît que ça monte jusqu'à la pointe des cheveux. Dans sa tête c'est une étendue blanche, elle a des scintillements au fond des yeux et je ne sais quoi. Pas tout le temps, mais elle dit que le lever du jour ne lui réussit pas. Elle se réveille avec l'impression que son dos est plaqué au sol, la surface de son corps en proie à une agitation menue qui grésille jusqu'à la pointe des cheveux, et ça fait comme une lueur pâle qui brille autour de son lit, comme elle dit, alors qu'il fait encore noir dans la chambre.

– Ça, ça doit être pénible.

– Non, non, elle va bien. Elle me regarde toute candide, il n'y aurait pas quelque part un trésor enfoui dans le jardin ? Elle pense que ça doit lui venir du jardin, ça serait une sorte de force métallique ou minérale.

– C'est peut-être vraiment l'esprit de l'or, on dit que les femmes sont sensibles à des rayonnements de lumière invisibles à l'œil.

– Justement, hier, au lever du jour, elle pousse un Ah ! et se lève d'un bond. Ce n'était pas un grand cri, elle a couru dans le couloir de la véranda, elle a poussé les volets et ouvert la porte vitrée. Quand j'y suis allé voir, elle regardait en haletant le jardin où le jour se levait. Père, ce jardin, il ne t'a jamais semblé légèrement déformé, qu'elle me demande. Il te semble déformé, je lui ai demandé à mon tour, non, pas du tout, elle riait. Ensuite, elle a dit que c'était un symptôme du retour d'âge de la femme, elle est descendue dans le jardin et elle a commencé à faire de la gymnastique tournée vers moi, l'air d'être bien aise. Elle faisait tourner ses deux bras au-dessus de sa tête et de nouveau elle riait drôlement en regardant la tête de son père.

– Est-ce qu'elle ne s'est pas souvenue de cet été de je ne sais plus quand où son père restait là nuit après nuit dans la véranda à regarder le jardin jusqu'aux premières lueurs de l'aube ? Elle disait que l'air soupçonneux dont tu le regardais, c'était comme si le jardin était déformé. Elle s'inquiétait pour son père, elle ne devait pas bien dormir, je veux dire, cet été-là. C'est quand même un peu tôt pour parler de retour d'âge.

– Elle est jeune, mais elle va sur ses trente ans.

– C'est trop calme chez vous. Vous vous inquiétez l'un pour l'autre. Vous ne disiez pas que vous reteniez votre respiration ? Un de ces jours, il faudra que vos deux visiteurs reviennent perturber l'atmosphère.

– Nous vous attendons.

Je fis le fou, proposai d'aller chez eux faire le ramdam de printemps[1] et la conversation s'épuisa. La figure de la jeune femme en chemise de

1. *Setsubun*, le 3 février : veille du début de printemps et première fête de l'année selon l'ancien calendrier solaire. On jette partout des graines de soja grillées : « Les démons dehors ! Le bonheur dans la maison ! »

nuit riant au petit matin dans le jardin d'hiver et bougeant son corps souple restait en moi. Je pensais qu'elle était peut-être encore plus mûre, sexuellement, que Toritsuka.

Il y avait des jours où les yeux étaient attirés par les formes rondes de la terre, les matins d'hiver, quand tombe l'ombre des branches mortes. Cela avait en effet un goût de rêve. Même à la mi-janvier, cette année, qui sait pourquoi l'adonide ne fleurissait pas tandis que les petites violettes clairsemées – floraison à contre-saison ? – s'ouvraient déjà au soleil.

Le lendemain matin je fus secoué par l'une des femmes de la maison : « Il est arrivé quelque chose de terrible », me dit-elle, je la rejoignis dans le séjour et là, sur l'écran du téléviseur, devant les rideaux qui laissaient passer le jour, se déployait une ville de gravats d'il y a cinquante ans.

C'est ensuite, après plusieurs heures, que partout sont montées les mêmes flammes rouges que lors des malheurs de la guerre[1].

1. Le 17 janvier 1995, à 5 heures 46, un violent séisme caractérisé par l'ampleur verticale des secousses a détruit une grande partie de Kôbe, faisant, avec les incendies qui suivirent, plus de cinq mille morts et des dizaines de milliers de blessés. Les secours mirent du temps à arriver, la région n'étant pas réputée zone à risques.

Printemps de bois mort

Arrivé au bord du taillis du parc avant midi, la terre d'hiver sur laquelle tombait l'ombre des branches nues m'a semblé aussi belle qu'hier. Ce n'était pas tout à fait comme des aiguilles de glace dressées, mais peut-être comme des grains de terre affleurant à l'aube sur le sol gelé du dedans et qui se brisaient finement à mesure que le soleil montait en les faisant fondre : on sentait que la surface, pourtant sèche, était d'une texture telle qu'elle pourrait produire un bruit humide sous les pas. Cela ressemblait aussi à l'étrange finesse de la terre sous le plancher qui était apparue autrefois dans les décombres de la vieille maison détruite lors d'une évacuation forcée. Pour un cœur d'enfant, c'était une chose mystérieuse que dans un endroit qui n'était pas exposé à la pluie et au vent tant de poussière puisse s'accumuler.

À dix heures du matin, j'avais reçu un appel de Fujisato. Depuis une petite heure, sa fille dormait à poings fermés, disait-il. Fujisato avait été réveillé vers huit heures par les voix bruyantes de la télévision exceptionnellement allumée dès le matin, il s'était levé pour aller dans le séjour et derrière le dos de sa fille assise, bizarrement frêle, il avait pour la première fois vu les scènes tragiques du séisme. Le père et la fille avaient seulement échangé deux ou trois mots d'étonnement, ils regardaient l'écran avec stupeur. La fille s'était déjà habillée mais trop légèrement pour un matin d'hiver. Le séjour était glacé. Le père s'en aperçut et se leva pour allumer le chauffage ; quand il se retourna, les épaules de la fille oscillaient doucement de gauche à droite. « Et si on déjeunait maintenant », proposa le père. La fille acquiesça et éteignit d'elle-même la télévision. Mais ensuite elle tendit les deux bras au-dessus de sa tête (« Quel calme ! ») en commençant à s'étirer, toujours accroupie sur ses genoux joints, et brusquement elle se laissa tomber à plat ventre – de son dos qui semblait agité d'un éclat de rire muet, un sanglot s'échappa.

Le père était assis près d'elle les bras croisés. Il avait beau lui demander ce qui se passait, elle faisait seulement non de la tête. Il y a quelqu'un que tu connais là-bas, demanda-t-il, personne, réponditelle, clairement cette fois. Pendant plus d'une demi-heure elle avait retenu un cri, le dos secoué à partir des épaules, des larmes avaient coulé sur les tatamis entre ses paumes qui couvraient son visage penché. Quand elle fut un peu calmée, le père alla dans la chambre de sa fille, il ressortit la literie encore tiède qu'elle venait de relever et il revint la chercher, il lui conseillait en tout cas de se reposer un peu. Elle le suivit docilement à travers le couloir et avant d'entrer dans la chambre elle leva les yeux au plafond, au point du jour elle avait rêvé qu'une foule de gens se précipitaient dans la maison et passaient à travers, tenant dans leurs mains des choses qui ressemblaient à des bâtons, tandis que du côté des poutres résonnaient comme des coups de gong… Mais elle n'en dit pas plus et devant le père sidéré – car par où voulait-elle que ça entre et ça passe, une foule, dans cette maison ? – elle rit : c'est de l'hystérie, tu vois, je peux être hystérique moi aussi ! – et elle fit coulisser la porte.

De temps à autre il l'entrouvrait pour jeter un œil à l'intérieur, elle dormait à poings fermés. Elle n'avait pas mauvaise mine. Elle avait même repris des couleurs.

– Ce sont des choses qui arrivent, répondis-je dans le vague.

– Et de votre côté, comment avez-vous reçu cela ? demanda Fujisato.

– Chez moi aussi il n'y a que des femmes, mais je n'ai pas remarqué de changement.

– Le corps d'une personne au loin ne peut pas, c'est évident, réagir à un désastre de cette ampleur. Pas même pour une toute petite part.

– C'est tellement énorme, il ne peut réagir qu'à moitié et voilà ce que ça donne, tu ne crois pas ? Nous, nous sommes simplement hors du coup.

– Mais si j'avais été encore en activité, j'aurais déjeuné en regardant la télé et je serais sorti tout de suite. Ou plutôt non, ma fille m'aurait réveillé, je me serais précipité dehors. Avant cela on m'aurait sans doute prévenu par téléphone. Et ma fille, alors, ne serait pas comme ça. Ou bien est-ce que j'aurais passé la journée sans même avoir l'idée qu'elle était seule à pleurer, à plat ventre, dans la maison vide ?

Fujisato semblait déconcerté et sa voix qui me restait dans l'oreille après l'appel m'avait accompagné jusqu'ici, semblait-il. Je l'entendais mêlée au vent qui passait à travers les bambous nains qui poussent au pied du taillis. Sa fille dormait. Aucun appel, de nulle part. Il laissait la télévision éteinte, même écouter la radio seul tout bas était insupportable. Parce qu'il y entendait la voix des messages d'alerte aux populations civiles, riait-il.

Il raconta que la nuit du bombardement aérien sa mère avait enveloppé sa petite sœur qui n'avait pas encore quatre ans dans une couverture et qu'elle avait couru, en la serrant contre sa poitrine. Sa petite sœur avait une forte fièvre. Ils avaient couru tous les deux à travers la fumée qui recouvrait tout, sa sœur semblait avoir perdu connaissance, alors ne pouvant plus ni avancer ni reculer ils se jetèrent dans un abri souterrain abandonné près de là : Je suis désolée pour papa mais quand le feu entrera nous mourrons tous les trois, et après elle ne sut plus rien de ce qui se passait autour. Elle ne connut plus rien d'autre que le souffle de la petite sœur. On dit qu'ailleurs beaucoup de gens sont morts dans les mêmes conditions, mais dans cet abri-là il y avait de l'air. Et pourtant au matin la petite sœur ne respirait plus, confia-t-il.

À tendre l'oreille au vent, il n'y avait pas seulement le frémissement des feuilles de bambou, se mêlait à ce vent si paisible le bruit des branches qui grincent et craquent au-dedans. Quand on levait les yeux, on voyait courir un frisson jusqu'aux pointes des petites branches finement divisées des chênes à dents de scie. Sur le ciel lointain de l'aube embrasé et calme à nouveau, les ombres des arbres morts se découpaient. Eux aussi tremblaient jusqu'au bout des branches. À cette heure-là le vent était tombé, c'est ce qu'il me semblait à présent, mais peut-être était-ce seulement que celui qui regardait retenait son souffle.

L'après-midi je me suis jeté dans le travail avec le sentiment d'y être forcé, il faut régler tout de suite ce qui doit l'être tant qu'il en est encore temps. J'étais particulièrement appliqué. Pendant ce temps aussi le tumulte d'une conversation continue à voix basse hantait mon corps silencieux. Toutes les heures environ je quittais ma table et j'allais d'un air affairé du côté du séjour, j'allumais la télé et je l'éteignais sans pouvoir regarder plus de trois minutes ; dans cette répétition la nuit était tombée et, au moment où un responsable national s'était enfin rendu à reculons à une conférence de presse dans la zone sinistrée, les flammes montaient de partout et continuaient à s'étendre. Dans la nuit, toute la famille réunie, chez nous aussi la télévision restait allumée, les mêmes embrasements de rues qu'il y a cinquante ans apparaissaient sur l'écran. On y voyait aussi ce point limite où il n'y a plus rien à faire que laisser flamber le feu, où le vacillement presque blanc des flammes se perçoit dans un ralenti effrayant. Et à l'intérieur du corps aussi, le souvenir de cet effroi, quand l'épouvante d'être réduit à l'état de spectateur devenait intolérable et qu'elle versait dans un calme étrange et que les flammes semblaient rire.

– Comment ça se passe pour toi ? me demanda Sugaïke au téléphone après neuf heures.

– Je traîne, j'entre et je sors de la pièce où se trouve la télé.

– On est tous pareils. Mais en plus, moi, chaque fois que j'apparais je hurle et la famille me regarde l'air de dire, le revoilà celui-là.

– Qu'est-ce que tu hurles ?

– Mais c'est vrai, non ? J'ai vu ça de mes yeux il y a cinquante ans. Une maison en bois, même effondrée aussi plat que tu peux l'imaginer, il y a toujours à l'intérieur un reste d'espace. Et dans un lieu que tu te dis, quoi, c'est pas possible, il y a quelqu'un. J'en ai vu un qui se faisait tout petit assis là.

– Hé, oh…

– C'est dur, tu sais. Ce vieillard, on l'avait sorti de là. Je croyais que pour moi ce souvenir était une affaire classée. Mais avec ce qui arrive, il n'est pas sauvé. Si seulement je n'avais pas cette scène sous les yeux.

– Du matin jusqu'au soir, oui…

J'essayais de combler le silence mais ma tête était vide, cette sensation des cheveux qui se dressent, quand donc était-ce ? Ça ne me paraissait pas si lointain.

– J'ai seulement murmuré, répondit Sugaïke, mais nous payons, je crois, toutes ces années où nous avons vécu avec la télévision. Tu te souviens quand nous étions gosses, le soir dans le froid nous pouvions rester une heure immobiles à regarder une retransmission de match de sumo dans la vitrine du marchand d'électro-ménager ? Non, nous étions déjà au lycée. On ne sait plus regarder les choses avec cette passion, cette tension, quoi que ce soit, tout. Pour finir on se retrouve à errer chez soi autour de la télévision, on garde un œil dessus sans même s'asseoir, ce n'est pas glorieux.

– Et dans le châtiment il y aurait aussi qu'on nous fait voir en détail des drames lointains, à domicile, dans notre vie tranquille ?

– En plus, on en prend plein la vue mais il n'y a pas un bruit.

– Pas un bruit… répétai-je.

Je l'imaginais qui regardait l'écran le son coupé.

– Bien sûr, ça n'arrête pas de parler. Il y a aussi toutes sortes de sons qui font qu'on se croirait sur place. Mais le grondement d'ensemble et les plaintes sont effacés. Il suffirait qu'ils se taisent complètement trois minutes, on les entendrait.

– Mais alors, nous non plus, on ne s'en relèverait pas.

– Et voilà !

La voix de Sugaïke s'éloignait un peu.

– Mes souvenirs d'il y a cinquante ans, ça ressemble à ça, déjà. Plus le souvenir est visuel et moins il y a de son, même si dans ma mémoire il y a cette voix-là, ce cri qui s'est levé, ce n'est pas la voix elle-même, ni le cri lui-même. Tu m'as bien dit toi aussi que tu avais vu les maisons s'effondrer dans les flammes. Tu as vu dans la colonne de feu qui s'élevait encore une fois haut dans le ciel un long murmure qui jaillissait comme si d'un coup c'était toute une foule qui applaudissait, les étincelles qui s'élevaient en dansant. C'est cela qui me revient. Pourtant, si je regarde au fond de ces souvenirs, eh bien il n'y a pas un bruit. Ils se sont conservés comme ça, sans bruit, pendant des années.

– Que veux-tu, nous étions encore à un âge proche de la petite enfance. Si nous n'avions pas coupé le son du souvenir, le corps n'aurait pas résisté. Et quand on efface les bruits, les souvenirs sont d'une étrange limpidité.

– Non mais, tu te rends compte, trente ans, quarante ans après ? Le petit enfant qui écarquille les yeux pour effacer les voix, il est encore là, il est resté, sans doute. C'est peut-être à cause de cela justement que, chaque fois que je vois une scène terrifiante, le sentiment de déjà-vu est présent. L'effroi de la répétition me saisit aussitôt…

Et puis :

– Attends un instant ! (Il sembla qu'il s'éloignait du téléphone, ohé ! j'arrive tout de suite, fit sa voix qui répondait au loin.) Ah, désolé. On dirait qu'on m'appelle, je te rappellerai un de ces jours.

Faisons signe à Fujisato et essayons de nous revoir tous les trois. On ne sait pas ce qui peut arriver, dit-il en se levant déjà, me sembla-t-il.

Je reposai le combiné et partis moi aussi précipitamment vers le séjour. Mais sur l'écran de la télé se projetait le même embrasement qu'avant.

Une file de gens traînant des bagages énormes marchait le long de la voie ferrée bloquée au milieu des gravats. En plus de ce qu'ils portaient sur le dos, ils avaient les deux bras encombrés. Des femmes surchargées marchaient un moment et s'arrêtaient pour changer de main. On voyait aussi des enfants qui soulageaient les parents d'une partie de leurs bagages. Ils avaient fait le plus de trajet possible par le train, il leur restait ensuite quatre heures, cinq heures à marcher. Ils avaient une robustesse comme on n'en voit plus guère ces dernières années, capables de marcher sans fin sous le poids des bagages. Ils transportaient des produits de première nécessité jusque chez leurs parents et leurs proches sinistrés. Le mot « ravitaillement » me revenait en tête pour la première fois depuis longtemps et, avec lui, c'était une tragédie qui remontait, traversant plusieurs dizaines d'années. Pour assurer le ravitaillement, nous étions toujours fidèles au rendez-vous, me disais-je.

Le lendemain du séisme, dans l'après-midi, j'eus un appel de Fujisato, il s'excusait de m'avoir dérangé la veille. Sa fille s'était levée un peu avant midi, il disait qu'elle était honteuse, elle, une personne pour qui tout est facile, d'avoir perdu son sang-froid dans de telles circonstances. C'est à partir du moment où le bruit de la télévision avait disparu, où la maison était devenue tranquille qu'elle avait senti – même si elle était restée consciente – qu'elle ne s'appartenait plus. Ce rêve d'une foule passée en courant de l'entrée au jardin, elle l'avait réellement vu au point du jour, mais elle n'aurait jamais imaginé qu'il pût s'agir d'un grand tremblement de terre. Et c'est par hasard qu'elle avait allumé la télévision dans le séjour. En regardant les images, elle n'avait pas tout de suite compris ce qui se passait. Elle était consciente d'avoir vu son père, debout dans son dos, même sans se retourner. À ce moment-là les voix et les bruits s'étaient un peu éloignés, disait-elle.

Elle réfléchissait, parce qu'elle avait l'impression d'avoir vu de temps à autre en rêve pendant ces quelques dernières années une foule qui courait. Ce matin, elle était déjà partie travailler.

– Sugaïke a appelé lui aussi. Il proposait qu'on se retrouve à nouveau tous les trois un de ces jours, transmis-je seulement.

Les jours passaient. Un soir, toujours jetant un œil sur la télévision, je vis le visage d'une femme qui racontait comment, alors qu'elle entendait tout près d'elle la voix d'un parent qui appelait à l'aide (mais il n'y avait plus rien à faire, le feu se rapprochait et la poursuivait), elle avait crié « Pardonne-moi ! » en désertant la place. Pendant qu'elle racontait calmement ce qui s'était passé, il y eut comme un tremblement qui montait du fond de son corps. À l'instant même où elle le repoussait au-dedans, avec juste un demi-halètement, dans ce moment de tension extrême, une ombre légère pareille à un sourire passa sur son visage.

Je me demandai quand j'avais eu les cheveux dressés sur la tête. C'était ces dernières années, sûrement lors de mon hospitalisation il y a quatre ans. J'étais encore pris dans tout un attirail qui m'immobilisait du cou à la poitrine, c'était la période où j'étais contraint de rester couché sur le dos vingt-quatre heures sur vingt-quatre, il était déjà plus de minuit je pense, je restais sans pouvoir me rendormir après avoir été réveillé subitement, j'écoutais un bruit de perceuse qui me parvenait par bribes à travers la cloison. C'était un bruit très léger, je ne le percevais pas comme une gêne. En dehors d'un chantier de nuit quelque part dans l'hôpital où on perçait des trous avec des temps d'arrêt pour ménager les nerfs des malades, je n'imaginais rien. Bientôt les racines de mes cheveux se contractèrent avec un bruissement. Cela se calma instantanément. Cependant mon souffle s'était affolé. Un souffle qui s'affole quand, en plus d'avoir le cou immobilisé, on a le menton relevé par un carcan de fer, la chose est dangereuse. Une fois que la capacité d'endurer est détruite, le sentiment d'étouffer se déchaîne, on est secoué par les halètements. Le risque est que l'oppression soit si forte qu'on se lève. Je relâchais autant que je le pouvais mon menton prisonnier, petit à petit j'arrivais à prévenir les halètements. Ce visage riait dans l'obscurité. Je voyais ce visage qui riait en désespoir de cause sans rime ni raison. Enfin quand le dernier halètement s'apaisa, je tentai de retrouver l'odeur de fer brûlé qui venait juste d'effleurer mes narines, mais je ne pus en saisir la trace. Si cela arrivait nous n'aurions plus qu'à mourir tous dans l'incendie et l'affaire serait réglée, fis-je à voix haute.

Je plagiais la réplique lâchée je ne sais plus quand par un vieillard qui était entré à l'hôpital pour des problèmes de tension et qui lui aussi avait du mal à dormir, un jour qu'une jeune infirmière le grondait sur un ton cajoleur d'avoir fumé en cachette : et s'il y avait un incendie, qu'est-ce qu'il ferait ?

Combien d'années s'étaient écoulées depuis que je ne faisais plus de rêves de ciel embrasé, c'est ce que je me demandais, la nuit, dans cet hôpital, en attendant que vienne le sommeil. Je commençais à compter les années comme s'il pouvait y avoir une fin claire et nette, pourtant je n'avais pas la force d'aller plus loin que la première : je calculais au hasard, trois ans, cinq ans, sept ans et pendant ce temps je me sentais comme plongé dans une cave obscure. Adolescent, jeune homme, dans la trentaine et jusqu'au milieu de la quarantaine je pense, je faisais ce rêve avec la même fréquence ; arrivé à ce point je sentais que, par la tension de penser rien que ce peu, sur mon front, là où les courroies du bandeau me serraient, la sueur suintait légèrement. C'était encore seulement dix jours après l'opération. Le ciel s'embrase, au-dessus de ma tête tout est rouge, il brûle en silence et la rougeur s'accroît de seconde en seconde, les maisons ne sont pas encore touchées, quand le rouge du ciel porté à son degré maximal s'éclaircira vers une sorte de blanc alors les flammes éclateront de partout, malgré cela je regarde la pente en bas comme si j'étais encore dans le quotidien, ma propre existence devant tant de sérénité se confond bientôt avec un sentiment de déjà-vu, pour la première fois je suis saisi par la peur – j'y repensais dans mon lit, soulagé de ne plus faire ce rêve à présent. Il y avait eu une période où je me demandais si la vie ne s'épuisait pas à répéter sans cesse ce genre de rêve, mais ça s'était arrêté à un moment, je ne sais quand ; même avant mon hospitalisation, parmi d'étranges perturbations physiques, même les nuits où j'attendais encore d'être opéré, même dans la faiblesse et le léger délire d'après l'opération, le ciel ne s'était pas embrasé et j'étais arrivé jusqu'ici. Les médecins disaient que dans quatre ou cinq jours je pourrais me redresser sur mon lit : encore trois, encore quatre, encore cinq, souvent je m'appliquais à mesurer cet ici.

– Comment allez-vous ?

Yamakoshi m'appela le soir du dernier jour de janvier, exactement deux semaines après le séisme.

– Ça va, ça va. À mon âge, ça peut traîner quatre ans, même quand on croit s'être remis complètement. Depuis quelque temps, enfin, j'ai l'impression de remarcher comme avant.

Et, en écho à cette réponse :

– Moi aussi, cela fait tout juste quatre ans cette nuit que j'ai été renversé par un chauffard qui a pris la fuite. Je vois seulement la chaussée dans la nuit, je ne vois plus du tout la voiture.

« L'autre jour, Toritsuka vous a importuné, ajouta-t-il pour entrer dans le vif du sujet.

– J'ai gardé son histoire et vous pouvez me la réclamer, répliquai-je en attendant la suite.

Pendant ces deux mois, je ne l'avais pas souillée avec ma propre imagination. Nous arrivions juste à la date limite d'un mois et demi fixée par Toritsuka ; s'il me la demandait, je la lui rendrais soigneusement enveloppée telle que je l'avais reçue.

– Merci, fit seulement Yamakoshi comme si c'était déjà du passé. Sans m'en rendre compte, je l'ai acculée plus d'une fois, il semble, c'est une honte. Mais ça va mieux grâce à vous.

– Ça ira, vous êtes sûr ? insistai-je.

– Oui, vous avez écouté son histoire et je suis maintenant convaincu. Elle dit qu'elle n'oubliera pas vos bontés.

Yamakoshi gardait cette politesse déférente et, me semblait-il, ironique s'agissant de moi, lorsque sa voix se détendit.

– Il paraît qu'elle vous a couru après ?

– Je ne me suis rendu compte de rien mais il paraît.

– Ce n'est pas une femme qui fait des choses si osées d'ordinaire, mais à ce moment-là déjà elle était enceinte.

– Il n'y a pas eu de problème ?

J'étais inquiet. Tout est en ordre, me dit-il, et après un moment sans trouver mes mots je m'entendis demander :

– Et le tremblement de terre, comment ça s'est passé pour vous ?

– Justement, voilà, répondit Yamakoshi avec un rire gêné, au milieu de janvier, après m'être assuré que tout était en ordre, j'ai pensé vous le faire savoir, mais avec ce désastre, tous les deux, nous nous sommes trouvés dans un tel état d'excitation. Je vous ai raconté, n'est-ce pas, comment chez moi ma sœur et moi nous sommes nés chacun une année où se sont produites des catastrophes. Mon année, c'était une collision ferroviaire et un coup de grisou dans une mine le même jour, qui ont fait en tout près de six cent vingt morts. Et je suis né, moi, exactement à une semaine de là. Et quand mon propre enfant est dans le ventre de ma compagne, c'est ce grand tremblement de terre. Je n'avais pas dit un mot de cela après la catastrophe. À la maison tout allait bien, or le séisme a bien eu lieu le mardi matin, eh bien le mardi suivant, c'est-à-dire dans la nuit du lundi de la semaine dernière, elle est devenue bizarre d'un seul coup.

Ce lundi, tard dans la nuit, au moment où ils s'apprêtaient à se coucher, Toritsuka se lève et se prépare à sortir, il faut qu'elle aille à l'hôpital, c'est son tour, dit-elle. C'est ce qu'elle dit en présence de Yamakoshi dont elle s'imaginait qu'elle allait prendre la relève. Son regard était éteint, jusque-là elle somnolait, accoudée à la table-chaufferette. Ma mère est morte, tu sais, dit Yamakoshi ; la force de sa voix le surprit lui-même. Toritsuka ne semblait pas satisfaite de cette réponse, elle regardait la chambre autour d'elle, puis voilà qu'elle se met à rire, ah, mais que je suis bête. Elle a ri en effet et elle s'est assise là, d'un air déçu. Moi aussi, encore aujourd'hui, ça m'arrive de me dire, allez, c'est l'heure d'aller à l'hôpital ! dit Yamakoshi en la ménageant. – Vraiment, c'est fou comme nous avons réussi à tenir tous les deux, c'était comme si Toritsuka tout d'un coup se souvenait. Mais de nouveau au bout d'un moment elle se lève, elle sort dans le couloir, va dans l'entrée et commence à mettre ses chaussures. Quand il lui adresse la parole elle se retourne, la lumière de ses yeux de nouveau s'était retirée au-dedans : « Je crois que je suis un peu dérangée. Alors suis-moi sans rien dire », demanda-t-elle d'une voix frêle. Quand Yamakoshi s'inquiéta pour elle du froid dehors, elle n'avait pas oublié qu'elle était enceinte.

Quand ils arrivèrent devant la gare il y avait encore des trains, est-ce qu'elle avait l'intention d'en prendre un pour aller vers le centre, ça irait encore, mais vers la banlieue quelle tristesse, pensa Yamakoshi, avant de sortir il s'était lui aussi prémuni contre le froid et il s'était assuré que son portefeuille était bien dans la poche de sa veste. Toritsuka prit le chemin qui longe la voie ferrée en contournant la gare par le nord. Elle allait d'un pas qui n'hésitait pas, on aurait dit qu'elle avait un but. En dehors du fait qu'elle restait silencieuse même quand il lui parlait, elle ne semblait pas avoir l'esprit dérangé, elle devait avoir un endroit où aller s'était dit Yamakoshi.

Le soir où la sœur de Yamakoshi avait quitté la maison, son frère avait pris ses bagages pour l'accompagner jusqu'à la gare, marchons un peu lui avait-elle dit et ils étaient allés ensemble jusqu'à la gare suivante, c'était ce même chemin. La sœur laissait parler sa haine du père maintenant, alors qu'il n'était plus là. Avec son air si calme il s'était retranché du monde, il avait prétendu supporter en silence qu'on lui ait arraché un enfant mais qu'est-ce qu'il ferait, hein, si un autre allait se jeter là-bas, elle tendait la main vers la voie ferrée, ça avait une violence, comme si le père était encore en vie. Il n'avait plus jamais après cela, pendant dix ans, repris ce chemin. C'était un chemin qu'il n'avait pas besoin de prendre.

Ils traversèrent le passage à niveau, de nouveau marchant un moment le long de la voie ferrée, et ils commencèrent à monter une pente qui partait en biais. Toritsuka, qui fréquentait les Yamakoshi depuis quatre ans seulement, allait d'un pas assuré, bien qu'elle ne fût pas censée connaître la géographie du quartier. Tandis que Yamakoshi qui avait grandi ici la suivait comme s'il était en terre inconnue. Au bout de la montée, ils entrèrent dans un quartier résidentiel, ils se dirigeaient apparemment vers le nord, avant le carrefour qui se trouvait au bout ils virent un micocoulier mort et Yamakoshi retrouva ses repères. Toritsuka s'arrêta, elle leva un regard interrogateur sur le large tronc coupé en son milieu. Un bruit de train qui semblait être le dernier descendit du ciel. « Où sommes-nous ? » demanda-t-elle. « Nous ne sommes pas très loin », répondit Yamakoshi.

Ces derniers temps, c'était dur, physiquement, se plaignit Toritsuka. Avant le tremblement de terre, elle ne pensait pas être en mauvaise santé. D'ailleurs, elle n'était pas devenue tout de suite bizarre dès ce jour-là. C'est à partir du surlendemain que ses genoux de temps en temps semblaient ne plus pouvoir la porter. Elle était effrayée. Elle n'avait plus la force d'endurer. Elle avait beau se dire que c'était passé, passé, son corps, on ne sait pourquoi, ne comprenait pas ce que cela voulait dire…

Toritsuka raconta qu'elle s'était arrêtée devant les stands du marché de fin d'année dans la rue commerçante et qu'elle avait regardé les branches de pin qu'on vendait pour décorer les seuils. Ce n'était pas le genre de choses qu'une femme peut acheter, pensa-t-elle. À plus forte raison une femme enceinte. Et pourtant son regard ne pouvait pas se détacher des branches de pin. Est-ce qu'elles prendraient racine si on les mettait en terre ? se demandait-elle. Elle imaginait les fines racines blanches qui s'allongeraient dans le sol. Son corps alors devint douloureux – comme si elle avait été touchée par une chose dangereuse à l'extrémité de ces racines. Elle sentait ses genoux fléchir, elle sentait l'enfant dans son ventre…

Et pendant qu'il l'écoutait Yamakoshi éprouvait une peur étrange, comme si Toritsuka allait s'approcher tout contre le micocoulier, y appuyer sa poitrine, y coller son oreille, il avait entouré ses épaules par-derrière et le dos avait laissé porter son poids vers lui. Tu savais qu'il y avait ce micocoulier ? demanda Yamakoshi, je le savais, répondit Toritsuka. Elle le savait sans être jamais venue là.

Le père venait de temps en temps jusqu'à ce micocoulier, c'est ce que la mère lui avait raconté à l'hôpital, dit Toritsuka. Pour Yamakoshi, c'était une découverte. Il se demanda même si ce n'était pas une imagination de la malade. C'était au début du printemps, l'année de la mort du père, quand il était à la maison et qu'il pouvait encore se lever. Ça n'était pas très fréquent mais il lui arrivait, en fin de journée, quand il faisait doux, de vouloir sortir se promener. La mère s'inquiétait mais s'il lui disait avec un sourire triste qu'il avait bien le droit, lui aussi, de temps en temps, d'aller prendre un verre dehors en fin de journée, elle ne pouvait pas le retenir. Il rentrait sans montrer de fatigue, au bout d'une petite heure, avant qu'il fasse tout à fait nuit. Tu as bu ? demandait-elle et il répondait d'un air serein : oui, j'ai bu. Il était sans ivresse. C'était un homme qui ne buvait presque jamais depuis son mariage. Un jour, il lui parla du micocoulier. Quand il était au pied de cet arbre, son corps, son esprit s'apaisaient, tout semblait apaisé, il croyait voir au loin le soleil se coucher, il rebroussait chemin quand il sentait que le soleil était passé derrière les montagnes ; rentrer en sentant sur ses épaules les dernières lueurs du jour était agréable, il se sentait réchauffé jusqu'à la nuit, c'est ce qu'il lui avait raconté. Il lui avait indiqué le chemin pour aller jusque là-bas mais la mère qui restait une étrangère, même si elle habitait ici depuis longtemps, n'avait pas vraiment compris que c'était de l'autre côté de la voie ferrée. Pourtant, elle était rassurée de savoir que ses promenades avaient un but, jusqu'au soir où, profitant du fait que la mère était à la cuisine et que l'eau coulait, le père s'était échappé du séjour – il avait disparu.

Il était allé jusqu'au micocoulier, avait-il dit au retour calmement alors qu'elle l'attendait depuis une heure. Regagnant aussitôt son lit, il avait effrayé la mère en murmurant qu'il avait assisté à un coucher de soleil, qu'il avait entendu aussi des voix lointaines, mais je n'irai plus, j'ai mon content – et il avait fermé les yeux en souriant.

Le père mort, pendant dix ans la mère avait songé quelquefois à tenter de suivre le chemin que lui avait indiqué le défunt, mais elle se décidait en général à la tombée de la nuit et puis elle se serait sentie trop seule là-bas, de l'autre côté du passage à niveau, elle n'avait jamais pu réaliser cette envie. Toritsuka pouvait encore moins se faire une idée des lieux. Seulement le père semblait avoir indiqué en détail à la mère le chemin pour aller là-bas et la mère, probablement, l'avait répété mot pour mot à Toritsuka, non pas pour la pousser à y aller, mais en lui mâchant tout de même le travail.

Toritsuka cette nuit-là se sentait tout oppressée de ne pas savoir que faire – déjà, quand elle était allée vers la porte d'entrée, l'état d'esprit dans lequel elle était restée depuis l'étrange quiproquo de tout à l'heure ne se dissipait pas, de sorte qu'elle avait seulement envie d'aller prendre un peu l'air dehors. Or, sitôt qu'elle avait vu le visage de Yamakoshi, en se retournant, elle avait entendu la voix du défunt qu'elle n'avait jamais rencontré disant qu'au pied de ce micocoulier le corps et l'âme étaient apaisés. Alors elle avait confié à Yamakoshi : « Je crois que j'ai l'esprit dérangé. »

Pendant qu'ils suivaient le chemin qui longe la voie ferrée, elle avait toute sa tête, elle se demandait si ça lui était déjà arrivé, jusque-là, de marcher en se reposant sur les explications d'une personne disparue. Ils avaient traversé le passage à niveau et au moment où ils tournaient à gauche, toujours le long de la voie ferrée, elle s'était souvenue que les explications de la mère étaient devenues tout à coup incertaines dans ces parages, après avoir hésité dans un sens, dans un autre, elle avait dit seulement de prendre la longue montée à droite mais comme à droite il y avait le plateau, tous les chemins qui allaient de ce côté étaient en pente. On ne savait pas combien de temps il fallait marcher au bord de la voie ferrée et d'ailleurs il ne semblait pas y avoir de si longue montée. Arrivée au bas d'une pente minable qui partait en biais, elle s'arrêta et eut envie de dire à Yamakoshi : rentrons. Ses pieds bougèrent d'eux-mêmes, suivant la pente comme s'ils reconnaissaient quelque chose. Tout en haut, il n'y avait plus qu'un seul chemin, mais quand même ça continuait de monter, petit à petit. Bientôt, à mesure que grandissait devant eux l'ombre d'un arbre qui semblait vouloir leur dire quelque chose, elle avait oublié la présence de Yamakoshi. Elle était debout face au micocoulier, un grondement souterrain venu de loin s'approchait et s'apaisait à l'intérieur du large tronc. Quand elle avait demandé : où sommes-nous, elle croyait qu'un certain temps s'était écoulé et que Yamakoshi était venu la chercher, disait-elle.

« On dirait, je ne sais pas, un arbre qui aspire de tous les côtés, pendant la nuit, des forces invisibles. Est-ce qu'il les restitue au matin ? » avait dit Toritsuka. À ce moment-là déjà elle riait. Est-ce que son corps et son esprit étaient apaisés, de cela elle n'avait pas parlé mais sur le chemin du retour elle commençait à faire l'enfant qui a froid et court un peu pour se réchauffer, si bien que Yamakoshi inquiet n'avait pas pu s'empêcher de lui prendre le bras.

Au moment de traverser le passage à niveau, Toritsuka regardait à droite, à gauche, et de nouveau elle faisait l'enfant disant : une voie ferrée sans train, quel sentiment d'expansion, et brusquement elle avait dit à Yamakoshi qu'il était temps d'appeler et si possible de le rencontrer, il fallait s'excuser et le remercier. C'était de moi qu'elle parlait.

Yamakoshi me rejoindrait au moment et à l'endroit qui me conviendraient, accordez-lui cette rencontre, ne serait-ce que dix minutes, demanda-t-il à nouveau. Je devinai, à cette façon de dire Accordez-lui cette rencontre, qu'il faisait cela pour Toritsuka. Comme je l'invitais à venir à la maison un jour de repos, il hésita, ce serait venir vous déranger jusque chez vous... Pourquoi pas l'allée devant le parc ? proposa-t-il, c'est un endroit commode pour se retrouver, s'il fait doux. Et s'il faisait trop froid, il y avait suffisamment de cafés à proximité. On choisit le dimanche suivant et tant qu'à faire dans la matinée, pendant la promenade.

– Nous sommes maintenant deux, la femme et le mari, à vous avoir importuné pour pas grand-chose, s'excusa Yamakoshi à la fin et il raccrocha.

Tout de même il avait réussi à m'expliquer des choses difficiles à dire, à commencer par le comportement extravagant de sa conjointe à mon égard, avec franchise, et surtout raisonnablement. Après avoir tout pris sur lui en tant que mari, il avait probablement puisé, sans se justifier, sans exposer non plus sa conjointe, dans les mots qui seraient en tout cas les moins désagréables, les plus audibles pour moi ; et maintenant que Yamakoshi m'avouait, de cette voix qui ne tortille pas, des choses pénibles d'abord pour lui-même, je ne pouvais moi aussi que le croire du seul fait que je les avais entendues. Si l'envie de se justifier avait été première, la conversation aurait sans doute été différente. Supposé même que nous résistions à la laideur, nous nous serions en tout cas éloignés des faits, ce que Yamakoshi lui-même aurait senti. Il avait été obligé de mettre à contribution ses parents morts, mais il y avait de la clairvoyance, assurément, à ne pas en avoir fait une affaire qui ne concernerait que Toritsuka et lui. Quand nous nous reverrions ce dimanche, mon rôle, pensai-je, serait de ne pas me montrer préoccupé du fait que j'avais entendu leur histoire.

Mais dans la soirée du samedi au dimanche j'eus un appel de Yamakoshi.

– Le temps est à la neige, que faisons-nous ? demanda-t-il.

– Ah bon, il neige ? C'est vrai que ça n'était pas encore tombé cet hiver. Et dans la région sinistrée, qu'est-ce que ça donne ?

J'essayais de compter les jours qui s'étaient écoulés depuis le séisme et j'étais étonné de n'en être déjà plus capable.

– Dans ce cas, il vaut mieux que vous restiez tous les deux tranquillement à la maison demain, m'entendis-je répondre, il n'y a pas de raison qu'un jeune marié, et vous l'êtes, se déplace un jour de neige pour aller visiter un vieillard.

– Je vous remercie.

Il semblait que Yamakoshi riait. Sa voix apportait une odeur aigre-douce de femme enceinte.

Le rendez-vous avait été repoussé d'une semaine au samedi suivant, qui nous arrangeait tous deux. Et juste avant de terminer cette conversation :

– Je ne sais pas ce qui se passe, il y a des rumeurs qui circulent à propos de nouveaux malheurs qui pourraient arriver, murmura brièvement Yamakoshi.

Mais depuis que j'avais appris qu'il neigeait, j'étais enveloppé dans un silence qui invite au sommeil et je n'eus pas la réaction appropriée.

– Peut-être que les dieux sont encore en colère, répondis-je stupidement.

Puis, une demi-heure après, repensant à la conversation précédente, c'était un échange si détendu qu'il n'y avait plus vraiment de raison de se rencontrer tout exprès mais, tout de même, nous prenions bien des précautions pour des gens qui vivent si près l'un de l'autre à propos d'une simple sortie, je hochai la tête, me demandant ce qui se cachait là, au fond de nos voix, et il me sembla que le léger sentiment d'urgence qui s'ajoutait après coup à une conversation aisée faisait peut-être partie des séquelles du séisme, chez des gens qui l'ont vécu à distance dans leur vie bien tranquille.

Le samedi, il fit beau et doux, on était tombé sur un jour férié[1]. Dans la campagne où restent des traces de neige dispersées, le drapeau national se dresse devant chaque entrée de ferme. C'est une scène d'un film que j'avais vu pendant la guerre du côté d'Ôimachi quand j'étais encore tout petit. Les vues étaient prises du ciel. On traversait des champs, on franchissait une plaine, les drapeaux se succédaient à l'infini, impassiblement. Sur l'air des *Herbes qui se couchent au vent*. Puis, quelques années après, les nuits où des escadrilles de bombardiers ennemis passaient sans cesse au-dessus de nos têtes, tapi au fond d'un abri antiaérien, je repensais à cette scène. C'était pitoyable.

Je suis arrivé dans l'allée et les fines pointes des branches d'orme dépouillées par l'hiver semblaient se vaporiser dans la douceur du soleil. En passant sous les arbres, je vis que les bourgeons étaient déjà assez gonflés. De la fin de l'après-midi à la nuit, les jeunes s'adonnent ici aux joies de la planche à roulettes et autres sports. Ils sèment la chaussée de toutes sortes d'objets destinés à leurs exercices de saut et on n'a jamais vu qu'ils les rangent après. Une boîte en fer qui devait avoir été un cendrier était bourrée à déborder de vieux papiers, de canettes vides, de restes de nourriture. Tôt le matin les bandes de corbeaux éparpillaient tout cela à coups de bec. Mais aujourd'hui c'était propre.

Je me suis assis sur un banc libre et je n'ai pas attendu dix minutes : au bout de l'allée est apparue la silhouette de Yamakoshi qui arrivait au pas de course. Il n'était pas en retard sur l'heure du

1. Le 11 février, jour de la fondation du Japon. Cette fête instituée en 1872 par le gouvernement de Meiji, avec la proclamation de l'ère remontant à Jimmu premier empereur mythique, fut célébrée de façon grandiose le 11 février 1940, an 2600 de l'ère impériale. Le « Chant de l'Ère », qui date de 1893, fut repris avec des variations, des mises en scène de circonstance qui circulèrent dans les écoles. C'est à ce chant que l'auteur fait ensuite allusion.

rendez-vous, à voir ses baskets et le blouson léger qu'il portait noué autour des hanches je me demandais s'il n'était pas venu de chez lui jusqu'ici en faisant du jogging. Sitôt entré dans l'allée, il a ralenti le pas, tout de suite il m'a repéré de loin et s'est approché avec le sourire, essuyant de la main son visage en sueur.

– Je vous fais venir et en plus je vous fais attendre.

Après un salut net et frais, il s'est assis près de moi. Je me rappelais ce que m'avait dit comme ça, brusquement en plein jour, j'étais encore jeune alors, un collègue qui avait à peu près le même âge que moi maintenant, dis-moi, tu n'aurais pas couché avec ta femme juste avant de sortir ? Un instant j'avais eu l'impression de l'avoir vraiment fait. C'est très bien, c'est très bien, mon collègue approuvait de la tête avec le plus grand sérieux.

– C'est un endroit agréable, vraiment.

Yamakoshi avait les yeux posés sur la chaussée d'où semblait se lever une brume de chaleur, la suivant jusque vers l'entrée du parc comme s'il regardait à travers et pendant tout ce temps un sourire lui gonflait les joues.

– Les cheveux blancs, cela dépend du moment, parfois on les voit blancs, parfois on les voit noirs.

– Aujourd'hui ils sont tout blancs, je parie. C'est le manque de sébum qui les fait blanchir.

– Non, je les vois noirs.

– Le printemps ?

– Le printemps, oui. Ne dirait-on pas un temps de mi-mars ?

Bizarre, la façon dont il s'était brusquement éloigné des cheveux.

– Comment était votre défunt père ? ai-je demandé au bout d'un moment. Il avait deux ans de plus que moi, mais c'était juste avant ses cinquante ans, n'est-ce pas ?

– Il avait beaucoup blanchi en une année. Pourtant, quand j'y repense maintenant, son visage était jeune.

Il faisait apparemment la comparaison avec moi qui me trouvais à son côté.

– Il était jeune, a-t-il à nouveau murmuré, et comme il avait toujours été maigre il était devenu très sec. Mais son visage avait rajeuni. Attendez un instant, s'il vous plaît. Je commence à le voir comme il était dans sa jeunesse, un temps où je n'étais pas encore né.

Et sur la chaussée il regardait osciller imperceptiblement les ombres, bien sûr, les ombres des branches qui tombaient plus pâles qu'un jour d'hiver.

– Je me suis approché tout à l'heure du fameux micocoulier et j'avais les yeux levés vers son tronc coupé au milieu, a-t-il dit enfin, lorsqu'une drôle de personne, aux cheveux blancs bien sûr, m'a adressé la parole. Et derrière lui est apparue une jolie fille.

Nouveau banquet

Je m'étonnai : n'était-ce pas les Fujisato, père et fille ?

– C'est drôle de dire comme ça « une drôle de personne ».

Yamakoshi plissa les yeux de nouveau vers le soleil qui embrumait l'allée. Il ne semblait pas avoir retiré une mauvaise impression de cette rencontre.

– Un homme aux cheveux blancs et qui sourit avec une telle gaieté. Une gaieté presque enfantine (il pencha la tête). Au début il me regardait, lui depuis le parc, moi debout sous le micocoulier. Je sentais qu'on m'observait. Or nos regards se croisent et voilà qu'il me sourit, calmement. Je souris à mon tour sans y penser, je salue. Aussitôt il s'approche familièrement et me demande Vous entendez ?

Non, pas lui, pas ça, je chassai l'image de Fujisato. Mais Yamakoshi poursuivait son récit comme s'il n'y avait rien là de particulièrement bizarre.

– Apparemment, c'était il y a fort longtemps, quand ce micocoulier était encore dans toute sa force, une imperceptible musique pleuvait de temps à autre de la cime, d'après une rumeur qui a circulé un temps par ici et c'est de cela qu'il venait de se souvenir à l'instant, pour la première fois depuis longtemps semblait-il. Ces derniers temps, il avait pris malgré lui l'habitude de dire tout ce qui lui passait par la tête, c'est ennuyeux, qu'il me fait, mais ça ne fait rien, vous regardiez si passionnément vers le haut.

– Une mélodie exquise sortie d'un vieil arbre, repris-je (non, ça ne pouvait pas être Fujisato, et puis, quel âge Yamakoshi donnait-il à son vieillard, il parlait d'il y a fort longtemps mais sur combien d'années cela le faisait-il voyager dans sa tête ?), hum, ça n'est pas impossible.

– Cet homme aussi disait que c'était possible. Quand les conditions sont réunies, un grand arbre aux larges ramures peut, en théorie, jouer le rôle de récepteur des ondes électromagnétiques et reproduire les voix, il y aurait paraît-il des exemples de cela. Mais tel qu'il était, cassé net en son milieu, ça paraissait peu probable, il regardait le tronc et il souriait à nouveau gaiement. C'était de la musique légère, à ce qu'il semblait. Certains disaient aussi que cela pouvait provenir d'un cabaret au loin, va savoir.

– « Cabaret » nous indique peut-être l'époque. Mais dites-moi, il m'a l'air d'être plutôt fort en sciences, votre bonhomme.

– C'était un homme distingué, répondit Yamakoshi, et de nouveau il pencha la tête. Vous m'avez vu quand je suis arrivé en courant. J'étais persuadé que nous avions parlé trop longtemps et que je m'étais mis en retard. Pourtant, nous ne nous étions pas dit grand-chose. Le temps d'admirer qu'un grand arbre puisse servir de récepteur et voilà qu'elle l'appelle, Père ! de sa voix cristalline. Il flottait autour de cette personne une atmosphère différente. Elle incline la tête doucement vers moi comme devant une lointaine connaissance. Ah, ma fille m'appelle, et disant cela le père regardait, avec moi, le visage de la femme. Alors la femme s'est approchée, elle me demandait de tenir compagnie à son père une autre fois et elle l'a entraîné en lui effleurant le coude de sa main. En regardant leurs deux dos qui s'éloignaient, je me suis demandé fugitivement si cet homme n'était pas, par hasard, malvoyant. Mais son regard n'était pas sans lumière.

Arrivé à ce point Yamakoshi suivit des yeux l'ombre d'un petit garçon qui courait dans l'allée claire. Il avait commencé à marcher depuis peu semblait-il, tout rond, tout emmitouflé, en trébuchant l'élan lui venait et il se mettait à courir les deux mains tendues en avant, il penchait de plus en plus au risque de tomber avec des cris de joie et ses pieds qui battaient le sol et près de lui une fillette de trois ans environ courait montrant déjà un calme de femme, elle courait lentement à ses côtés sans lui prêter tout de suite la main, elle attendit que le petit garçon ne puisse plus conserver son équilibre pour se glisser vivement face à lui et le retenir dans ses bras.

– Quand l'enfant naîtra, il faudra lui donner un nom.

En plein soleil la voix de Yamakoshi s'assombrit.

– Sakae, Megumi, Hitoshi[1], énuméra-t-il ensuite. Je me demande

1. Prénoms plutôt sévères dans leur transcription (un seul caractère chinois pour chacun) et dans lesquels s'entendent successivement : Prospérité, Bénédiction, Égalité.

pourquoi notre père nous a donné ces noms-là. Chaque fois que j'essaie de trouver un nom pour l'enfant qui va naître, ils sont là qui font barrage. Laissons de côté Hitoshi, mais ne trouvez-vous pas que Sakae et Megumi sont vraiment trop extraordinaires. On dirait qu'il y a là un désir énorme, qui va au-delà de la recherche du bonheur pour les enfants.

– Ce sont pourtant de beaux noms, répondis-je. Surtout quand on les prend tous les trois ensemble, m'apprêtais-je à dire, mais je m'abstins.

– Vous qui êtes de la même génération que mon père, est-ce que vous auriez donné un nom comme Sakae à votre premier enfant ? demanda Yamakoshi.

– C'était en 1960, n'est-ce pas, répondis-je (l'année de naissance du frère de Yamakoshi qui avait été enlevé à six ans par un malheur de la route était entrée dans ma tête malgré ma mémoire défaillante), la sensibilité à l'égard de ce qu'on appelle prospérité était différente d'aujourd'hui, sans doute. Il y avait bien sûr un désir là-dedans.

– À l'époque, malgré sa jeunesse, notre père avait adopté déjà à l'égard de la prospérité du monde une attitude de refus obstinée et comme raidie.

– Forcément, même moi j'avais tendance à tourner le dos, de trois quarts mais tout de même. À vingt ans ou dans ces eaux-là, j'étais persuadé que je ne pourrais pas suivre la marche de la société. Votre père était certainement plus sévère à l'égard de lui-même. Et malgré tout il ne se détachait pas complètement des désirs mondains. Le refus est une des formes que prend le désir, peut-être la forme la plus sérieuse. Le désir, c'est une chose profonde en tout cas.

– Et c'est cette prospérité qui a avalé Sakae encore enfant.

– C'était l'année où des avions de voyageurs sont tombés les uns après les autres. Trois fois, en un peu plus d'un mois. Un soir, il en tombe un et le lendemain après-midi, un autre. Je n'avais pas encore d'enfant. Je n'avais jamais pris l'avion. Et même ainsi, dans mes connaissances, il y avait une des victimes. La dernière qu'on a repêchée dans la mer.

– Dans ce nom de Sakae, en remontant au moment où il le lui avait donné, il a dû sentir, mon père, la malveillance d'un être invisible. Ce n'est pas ce qui avait été convenu, avait-il crié. C'est ma faute à moi qui ai fait cet enfant, avait-il gémi, et puis il s'était tu. Cette histoire, je l'avais apprise par ma mère au moment où j'entrais au lycée, tu ne connais même pas ton père, elle disait, et comme un grand j'ai répliqué stupidement : il l'a fait et alors ? Cela a pu affecter ma sœur, je pense.

– Megumi, c'est un nom gentil, non ?

– Sans doute. Parce que cette Megumi-là, elle était capable de dire ça, que chez nous les enfants n'étaient pas aimés par leur père. Qu'il ne s'était pas réjoui à leur naissance. Elle était femme, elle avait un an de plus, elle devait être beaucoup plus mûre que moi, sans doute ne percevions-nous pas les choses de la même manière. Et pourtant...

Yamakoshi dirigea les yeux le long de l'allée jusque vers l'entrée du parc.

– Tout à l'heure aussi je me souvenais de cela, je garde en mémoire, avec l'impression de l'avoir vue plusieurs fois, l'image de mon père et de ma sœur marchant main dans la main. Ma sœur pouvait être en troisième ou quatrième année d'école primaire. Ou plutôt non, il me semble parfois que je la vois avec l'uniforme du collège de notre quartier. Elle n'aurait jamais dit des choses aussi brutales du vivant de notre père. Même quand la maladie s'était aggravée, comme notre mère était toujours prête à s'affoler, elle s'est beaucoup occupée d'elle, elle était comme un pilier. Ce devait être plutôt après le premier anniversaire de sa mort, à mesure que notre mère commençait à parler du défunt comme d'une espèce de Bouddha, c'est alors que les réactions de ma sœur sont devenues de plus en plus acerbes. Malgré tout, devant notre mère, elle ne se laissait pas vraiment aller, mais quand elle était avec son frère, et maintenant il me semble qu'à une certaine époque elle y revenait chaque jour, ce qu'elle disait du défunt était de plus en plus violent. Une fois, c'était tellement excessif, j'étais déjà étudiant, je l'ai acculée, qu'est-ce que ça voulait dire ? Alors elle s'est révélée plus faible que je ne l'aurais pensé, elle pleurait, père était si gentil. Mais là, mourir, ça n'était plus gentil... Elle avait laissé échapper cette phrase bizarre. Même quand je la brusquais, quand je lui faisais observer que ce n'est tout de même pas la faute des gens s'ils vivent et s'ils meurent, elle secouait obstinément la tête en pleurant. Ça, je ne comprends toujours pas. Est-ce qu'elle voulait dire, de cette façon, que ce n'était pas gentil d'être mort comme ça ? Ou que notre père aimait ses enfants mais qu'il regardait ces mêmes enfants avec pitié comme on regarde des êtres mal aimés ? Mais bon sang, mal aimés par qui ? je lui ai demandé, ça ne l'a pas aidée à répondre. Je suis moi aussi du genre à ne plus pouvoir penser dès qu'on me parle d'affection ou de grands sentiments. Notre père n'avait tout de même pas fait exprès de mourir... Cette grande sœur a pourtant fini par mourir, elle aussi.

Ici, la voix de Yamakoshi sembla s'égayer et je vis à nouveau que devant nos yeux le petit garçon de tout à l'heure poussait ses cris stridents, il courait comme s'il roulait par terre et la fillette volait à son secours. Je la regardais anxieusement en me demandant si une nouvelle fois elle prendrait ses airs de femme en se courbant souplement devant le petit enfant et si, quand il serait à terre, elle le relèverait (est-ce que quelque chose ne déborderait pas à l'intérieur de Yamakoshi ?) mais la fillette brusquement attrapa l'enfant par-derrière, il agitait ses petites jambes et il poussait encore ses cris et elle, qui n'était pas bien grande non plus, le souleva et le grondant : « Gros bêta ! » – elle l'entraîna de l'autre côté.

– Hitoshi, c'est plutôt facile à porter, sourit Yamakoshi, parce que je ne percevais pas mon père ni comme quelqu'un de particulièrement bizarre ni comme quelqu'un de sévère. Encore maintenant, je ne le pense pas. C'était un homme honnête mais qui laissait couver en lui à l'égard de la société des sentiments de refus qui avaient quelque chose de trop rude, c'est à peu près ce que je pensais quand on me le disait et je trouvais ensuite des raisons d'y croire, même si en réalité je n'en savais rien. À plus forte raison cette idée que nous aurions pu être refusés comme enfants, je n'en avais jamais eu le plus petit soupçon. Si ma sœur avait vraiment des raisons pour souffrir autant, ou plutôt, non, elle en avait puisqu'elle le haïssait tant, c'est donc que moi, finalement, j'échappais à l'influence de mon père. Pour le reste, si on peut dire, j'étais Hitoshi, pareil à tous. Un type qui ne sent rien, se plaignait mon père, et peut-être que de me voir ainsi il se sentait rassuré.

Cette objectivation de soi calme et comme joyeuse d'un homme qui avait à peine trente ans, un âge qui passe dans le monde d'aujourd'hui pour être encore de la première jeunesse, et cette étrange maturité, peut-être venaient-elles de ce qui en faisait le fond, ce sentiment d'avoir été perdu de vue, me disais-je.

– Mais n'est-ce pas vous qui vous posez toutes ces questions sur les noms que votre père vous a donnés, pas seulement pour vous mais aussi pour votre frère et votre sœur qui sont morts ?

– En fait, je ne les voyais pas comme des noms particulièrement bizarres, répondit Yamakoshi. C'est venu il y a quatre ans, à peu près au moment où je vous ai rencontré pour la première fois à l'hôpital. J'étais dans l'attente d'une seconde opération, si vous vous en souvenez. Un soir, et plutôt à une heure proche de l'aube, j'ai ouvert les yeux progressivement avec de nouveau des élancements dans l'os de ma jambe. Les médicaments ne faisaient plus leur effet mais ma tête en était encore tout embrumée. À ce moment-là j'ai entendu les trois noms. Simplement, comme s'ils étaient murmurés quelque part, pourtant je les ai trouvés durs, tellement sévères, tellement solennels. Quels noms démesurés on nous avait mis sur le dos, je me suis dit. Va pour les deux premiers, mais moi, je suis encore vivant ! Je gémissais. Aussitôt, dans la chambre, alors que les autres malades dormaient, les avions tombaient, les gaz explosaient dans les mines, les immeubles crachaient des flammes, les montagnes s'effondraient, un sentiment d'urgence tourbillonnait de partout. En même temps que je regardais du dehors, je criais du dedans. Cette division était douloureuse. J'ai supporté tout cela jusqu'à ce que la fenêtre blanchisse. L'heure du lever a sonné et une infirmière est venue prendre ma température, de sorte que j'ai pu lui demander quel temps il faisait dehors : il tombait une sorte de neige fondue.

– Oui, pendant la nuit le temps s'était gâté, et même si vous ne le saviez pas, vous en avez souffert. Vous n'avez pas allumé la radio et écouté de la musique baroque ?

– Oui, cet air traînant du prélude (et Yamakoshi sourit mélancoliquement), c'était bien le même soir. C'était l'heure d'éteindre les lumières et j'étais dans mon lit, je m'étais servi d'un gratte-dos pour tirer le rideau de lit, je commençais à m'assoupir et soudain l'idée d'avoir encore cette chose-là sous les yeux cette nuit, ça m'a dégoûté, même la façon dont la douleur se calmait avait quelque chose de sournois, alors je me suis extirpé du lit et j'ai filé en chaise roulante, je me suis tenu bien tranquille dans le parloir obscur, puis quelqu'un est entré en poussant un déambulateur, et c'est là, oui, qu'il y a eu cette question subite sur l'année de ma naissance. En répondant tout aussi subitement je me trouvais entraîné, c'est venu tout seul, j'ai parlé de moi, des malheurs familiaux, on ne m'en demandait pas tant. C'est après, en regagnant mon lit, que je me suis étonné, une personne à qui je n'avais jamais adressé la parole…

– Vous vous en êtes sorti sans encombre, de cette nuit-là ?

– J'ai pensé à mon père, évidemment. Le soir de l'accident il était sur les lieux, dans un coin, j'étais par terre et il me regardait. Il ne pouvait rien faire. Son regard disait cette tristesse-là. Mais il ne faut pas avoir peur, ça finira par s'arranger, il a dit. Je n'ai pas pensé que c'était une preuve d'insensibilité. N'allez pas croire que j'avais des visions. Je n'ai rien vu de tel au moment de l'accident. D'ailleurs, c'est à peine si je me souviens du lieu. On dirait que c'est venu pendant mon hospitalisation, avant cela il s'était écoulé deux mois environ, et l'image s'est formée en moi. Pourtant j'avais l'impression d'avoir vu ce visage aussi de son vivant, d'avoir vu cette attitude, d'avoir vu cette scène. Il y a un étroit chemin qui part de l'ancienne grand-route et qui s'enfonce vers le sud-est en serpentant, il traverse la route circulaire et passe près de chez moi, puis continue jusqu'à cette fourche, à côté de votre immeuble : c'était là, au premier embranchement. Je ne me souviens pas être allé avec mon père dans ce genre d'endroit. Un endroit toujours aussi désert, la nuit.

– C'est une question que je me pose seulement maintenant (j'étais inquiet à l'idée que Yamakoshi pourrait, sans cela, se laisser attirer dans je ne sais quel sortilège du lieu), mais si vous avez eu votre accident à ce carrefour, comment se fait-il que vous vous soyez retrouvé dans un hôpital si éloigné ?

– J'ai été transporté en ambulance trois fois jusqu'au matin, répondit Yamakoshi, la troisième fois c'était cet hôpital. Ils m'ont promis qu'ils sauveraient ma jambe droite. La seule chose que je savais, c'était que je ne voulais pas être amputé.

– C'est prodigieux ! (J'en restais bouche bée.) Et vous aviez quelqu'un près de vous ?

– Elle a eu la gentillesse d'accourir au deuxième hôpital. Finalement, c'est peut-être sa volonté à elle qui a prévalu. La deuxième fois, j'étais déjà près de renoncer, il paraît. Je n'étais presque plus conscient.

– Voilà une personne qui sait ce qu'elle veut.

– Elle était toujours là quand j'ouvrais les yeux. Mais moi, pendant ce temps, je ne sais pas à quel moment ça m'est venu mais je pensais à mon père. Il n'avait jamais eu un mot de reproche à l'égard de la société, lui ! Aussitôt, alors que rien ne bougeait, tout mon corps s'est recroquevillé comme s'il soufflait un vent terrible. J'ai cru mourir. Quand j'y repense, ça me paraît incompréhensible de s'étonner ainsi, avec des réflexions toutes calmes, dans un moment qui ne s'y prêtait pas. En plus, est-ce que mon père était vraiment comme ça, sous prétexte que pour une fois je ne l'imaginais pas en train de maudire la société ? C'est douteux.

– Ah, si le fils pense cela dans un pareil moment, s'il réagit ainsi, c'est que c'est vrai. Et ça aussi c'est prodigieux.

Je sentais le long silence du défunt que je n'avais pas connu et mon corps se recroquevillait imperceptiblement en plein soleil.

– Les infirmières se moquaient de moi : on n'a jamais vu quelqu'un d'aussi résistant, n'en faites pas tant ! continua Yamakoshi. Même les médecins me disaient en riant Quand on souffre il vaut mieux se plaindre un peu, c'est plus facile. Moi, j'avais mes raisons, je comprenais que l'hôpital faisait l'impossible, et puis il y avait ma mère devenue tellement fragile, et en plus il n'était pas question de perdre son sang-froid devant une personne que je connaissais depuis trop peu de temps. Malgré tout, j'étais devenu d'une fermeté, d'un entêtement anormal. C'était un moment où je commençais à avoir l'impression désagréable que j'allais devenir quelqu'un de bizarre, de sorte que, ce soir-là, ç'a été une chance que vous ayez écouté mon histoire. Après cela, je pouvais être irresponsable avec beaucoup plus d'aisance. Or, je ne sais combien de jours après la seconde opération, vous étiez déjà sorti de l'hôpital, je pense, j'ai fait à nouveau un rêve terrible.

Un sourire comme gêné s'élargit sur le visage de Yamakoshi. Il regardait les jeunes mères réunies autour d'un banc de l'autre côté de l'allée, qui bavardaient pendant que les enfants jouaient.

– Je suis avec mon père, raconta-t-il enfin, ça, ça va, mais autour de nous il y a une quantité de couples, des hommes et des femmes innombrables, tous passionnément appariés. On n'y peut rien, c'est dans le rêve. Mon père et moi nous sommes à la maison, dans la salle à manger, nous lisons le journal et, bien que nous ne soyons pas en train de regarder d'en haut, nous voyons chaque chambre où il y a un couple, chaque maison, toutes sont ouvertes au vent par au-dessus. Qu'en penses-tu ? a demandé mon père sans lever les yeux. Il ne parlait pas de ce qu'il lisait dans le journal. C'est leur affaire, non ? ai-je répondu. Aussitôt il proteste, ce n'est pas ce qu'il m'a demandé. Son visage levé au-dessus du journal est un peu solennel. Tu ne crois pas que c'est le vrai visage de la prospérité du monde ? Je trouvais cette affirmation trop catégorique et je me taisais. Dans ce cas, très bien, et alors ? me disais-je en moi-même. Et de nouveau il me parle de la prospérité du monde, jusque-là c'est pareil, mais cette fois il s'agirait d'une sorte de force motrice. D'abord j'ai été étonné de l'entendre employer des mots qui avaient tout à coup un air de jeunesse. Sentir son père jeune, même en rêve, c'est dérangeant. J'ai regardé son visage, c'était donc à ce genre de choses qu'il pensait ? Ce visage, alors, je ne sais pas ce qui se passait, mais il était de plus en plus solennel, exactement le genre de tête qu'on fait quand on a une déclaration capitale à faire à la face du monde. J'ai éludé la question en me disant, qu'est-ce qu'il y comprend, mon père, aux histoires d'homme et de femme ?

– Et vous lui avez dit ça comme ça ?

Je m'inquiétais comme si ce n'était pas un rêve.

– Non, je n'ai rien dit, répondit Yamakoshi sur le même mode, c'est lui qui s'est mis à divaguer : et Sakae qui est mort, qu'est-ce qu'il devient alors ? Megumi, au moins, elle a connu un homme mais elle n'a pas été aimée apparemment, il va jusqu'à me dire cela. Mon père avait les yeux tout grands écarquillés et moi, au moment où je commençais d'être tétanisé par la peur, ah, mais c'est ignoble ce qu'il dit, des larmes ont coulé de ses yeux. Sakae, Megumi, mes pauvres enfants, mais ils sont venus au monde et dans leurs yeux les herbes vertes du jardin se reflétaient avec bonheur. Prends soin de ta mère maintenant, c'est une femme qui a toujours eu de la chance malgré tout ce que j'ai pu dire, et quand on prend soin d'une femme chanceuse il y a du bon, dit-il étrangement…

« Étrangement… », dit comme ça dans un murmure en monologuant à moitié, et les yeux de Yamakoshi furent attirés vers des hommes qui entraient dans l'allée en quittant l'avenue. Je suivis son regard, il y avait là un groupe de trois hommes d'un certain âge, à voir leur tenue (chaussures de marche et blouson léger comme celui que Yamakoshi tenait sur ses genoux) on aurait dit une équipe de randonnée-découverte dans les quartiers en bord de ville sauf qu'ils n'avaient pas de bagages et qu'ils ne se parlaient pas, qu'ils ne se regardaient pas et qu'en plus ils se tenaient à distance les uns des autres, l'un d'eux légèrement en tête, les autres écartés à gauche et à droite, on aurait pu croire aussi des passants assemblés par hasard mais ils avançaient pourtant bien du même pas. Avec tous les trois la même façon de poser le pied dans la faim et sitôt que je me fis cette réflexion peu ordinaire de nos jours, je ne pus plus détacher d'eux mon regard. L'homme de tête avait l'âge qui convient à ce genre d'état d'esprit oisif, mais les deux autres étaient plus jeunes, ils pouvaient avoir moins de cinquante ans et tous les trois, qui m'avaient fait penser par association d'idées à de la sous-alimentation, en plus d'être pareillement maigres ils avaient mauvaise mine, un teint terne, plombé, les joues creuses et tombantes, ils n'avaient pas de ces cheveux et barbes qu'on laisse pousser n'importe comment mais il y avait autour d'eux un air de malpropreté, comme s'ils ne s'étaient pas lavés depuis longtemps. Ils sentaient nos regards, cela se vit clairement dès qu'ils approchèrent, chacun à sa façon avait au fond des yeux la même couleur d'alerte, ils continuèrent leur chemin lentement et pendant qu'ils se dirigeaient vers l'entrée principale du parc leurs silhouettes vues de dos révélaient de plus en plus leurs trois respirations réglées sur le même tempo.

– La bulle, qu'est-ce que c'était, finalement ? Elle a éclaté l'année où nous étions hospitalisés.

Yamakoshi aussi avait eu ses propres associations d'idées, il ramena son regard des hommes qui arrivaient au portail d'entrée vers moi et au moment où il posa cette question, de nouveau, deux autres hommes passèrent avec la même tenue que les trois précédents, le même pas lent, la même maigreur, la même pâleur terne, mais chacun avec un petit sac sur le dos, des hommes n'ayant pas plus de trente ans ceux-là, ils avaient l'air de nous avoir vus suivre des yeux la trace des hommes de tout à l'heure et dans leurs yeux, avec un temps de retard, une lueur perçante s'alluma brièvement, marchant côte à côte mais avec trop d'écart ménagé entre eux pour sembler être ensemble ils se dirigèrent vers le parc d'un pas qu'en dépit de leur jeunesse on eût dit lui aussi affamé.

– Qu'est-ce que c'est que ça, des porteurs de casse-croûte qui escortent les vieillards en excursion ?

Je riais.

– Non, il m'a semblé à moi qu'ils surveillaient à distance les trois qui sont passés en premier, répondit Yamakoshi.

Surpris, je revis les yeux des deux hommes jeunes qui, il y a un instant, avaient eu cet éclair viril, j'allais interroger Yamakoshi pour savoir à quoi il pensait mais avant cela, de l'autre côté de l'allée, une voix de fillette haut perchée s'éleva, criant : « Maman, c'est midi déjà ! » Elle avait du mal avec l'articulation mais l'intonation y était.

– Eh bien, moi aussi il faut que je rentre pour midi.

Yamakoshi se leva en prenant son élan des genoux. Puis, renouant solidement sa veste autour des reins, il sourit :

– Je n'en ai pas l'air, mais je suis encore en rééducation. Eh bien ! j'y vais, il salua et partit en courant.

Au bout de l'allée il leva la main droite largement, fit voir un joli jeu de jambes et s'éloigna vite. Il restait sur le banc une odeur de jeune sueur. Une douce odeur de lait semblait aussi s'y mêler.

Je pensais téléphoner à Fujisato pour lui demander comment ça se passait mais j'hésitais et pendant ce temps le premier mois après le séisme déjà était passé. Vers la même époque je pris l'habitude de consulter de temps à autre, tard dans la nuit, l'almanach que je reçois chaque année, au nouvel an, du sanctuaire shintô local. C'étaient des pleines lunes, des premières pluies[1], des derniers quartiers de lune, des mots qui ne semblaient pas pouvoir m'être d'un quelconque renfort dans ma vie mais quand je regardais l'almanach il me semblait que je comptais vaguement les jours. Peu à peu l'impression s'imposa que je comptais sans cesse – mais je n'avais rien à compter. Même dans une vie occupée je ne voyais pas quels jours je devrais spécialement compter. Simplement, cela coïncidait tout juste avec la période où j'avais été hospitalisé quatre ans plus tôt et depuis lors, chaque année à la même époque, mon corps était plus sensible aux changements de temps.

Dans l'ensemble, le beau temps continuait, à la fin du mois il y eut pourtant des jours de pluie mêlée de neige et le premier jour de mars la neige s'accumula le matin, avant midi elle avait presque entièrement fondu, dans l'après-midi ce fut le retour du beau temps et il y eut un coucher de soleil rouge. La fête des Poupées approchait, de nouveau je m'inquiétais de ce qui pouvait bien se passer chez les Fujisato mais je pensais que sans doute ils s'en étaient bien sortis. Le lende-

1. L'un des vingt-quatre jalons du calendrier solaire : période entre le début de printemps et le réveil des insectes, où la neige se change en pluie (18-19 février).

main, un peu après midi, j'eus un appel d'un cousin plus jeune que moi de douze ans, qui me rendit visite après le dîner.

Je n'avais jamais eu jusque-là aucune visite d'un parent. D'ailleurs ce cousin du côté de ma mère, je ne l'avais plus vu depuis vingt ans, alors que nous n'habitions pas si loin l'un de l'autre. Mon cousin avait quarante-cinq ans, il n'avait jamais bu d'alcool et depuis qu'il avait été soigné il y a quatre ans pour une tumeur des glandes salivaires, la sécrétion de salive s'étant réduite, il fallait qu'il ait toujours de l'eau dans la bouche, sans quoi elle était sèche et c'était pénible disait-il, j'avais donc fait poser une carafe sur la table mais apparemment ce n'était pas suffisant : pendant qu'il me parlait il sortait un vaporisateur de poche et s'en humectait la bouche. Cette année-là, il y a quatre ans, j'étais entré à l'hôpital en février ; en mai, le cousin qui était l'actuel chef de famille, toujours du côté maternel, avait été opéré d'un cancer du poumon tout juste avant ses cinquante ans ; en septembre, mon frère aîné était mort brusquement, et vers la même époque, d'après ce que m'avait raconté alors le cousin chef de famille qui venait de sortir de l'hôpital, ce cousin-ci avait une grosseur bizarre sous l'oreille et commençait son traitement.

L'hospitalisation avait duré quatre mois en deux fois, à sa sortie il resta longtemps affaibli, bien qu'il eût repris son travail il devait parfois descendre dans une gare en cours de trajet pour se reposer un peu. L'année suivante, en mai, il rendit visite au chef de famille au fin fond de Gifu et, avec son cousin qui était au repos, même quand ils étaient en pleine discussion de convalescents, ils se regardaient, chacun croyant voir la mort peinte sur le visage de l'autre. La fatigue était telle que Yûzô, au cours de la conversation, fut obligé de se retirer un moment dans sa chambre mais ensuite, c'est ce que le cousin avait appris par la famille, il s'était inquiété, se demandant si ce ne serait pas Mitsuo qui mourrait le premier.

Mon cousin, avec son air robuste qui ne laissait pas voir ce genre d'ombre, me raconta tranquillement ce qui s'était passé après son hospitalisation et vers onze heures il s'en alla, disant qu'il repasserait me voir. Yûzô avait subi l'ablation d'un poumon et après sa sortie de l'hôpital, à l'automne, il s'était montré patient, se reposant sur les paroles du médecin qui disait que dans six mois il se sentirait mieux – mais ces six mois étaient passés et il avait commencé à parler de fatalité en rapprochant le sort des deux cousins ; l'année suivante, en février, il était mort, l'année où il disait paraît-il, vers le nouvel an, qu'il avait enfin retrouvé la force morale de vivre, mais à y repenser maintenant son désir de vivre semblait mince. Pour lui-même (Mitsuo), c'était d'ailleurs un peu pareil à cette époque, il mettait toute son énergie à supporter la douleur présente et même quand il lui arrivait de penser à une éventuelle récidive il n'avait pas peur – se souvenait-il.

Je ne pouvais pas retenir plus longtemps un homme qui ne boit pas d'alcool ; le cousin s'en alla en riant et ensuite, assis devant ma table bien que je n'eusse plus l'intention de travailler, je pris ma tête dans mes mains, me revenaient les mots que mon autre cousin (le défunt) avait écrits dans une lettre qu'il m'avait envoyée tout de suite après sa sortie de l'hôpital : Je n'ai même plus peur de mourir – à cette époque j'étais moi-même encore en pleine convalescence, je devinais seulement la dureté, la cruauté de la douleur qui s'était étendue sur des mois après l'ablation du poumon, j'éprouvais la sensation d'asphyxie... Mais peut-être le visiteur qui venait de se retirer et le défunt avaient-ils malgré leur douceur quelque chose de dur, un amour-propre violent, et cela ne ressortait-il pas, face à la mort, même de plus en plus acculés, sous forme de refus ? commençais-je à me demander avec bien des hésitations puis lassé, sans être allé bien loin sur cette voie, je me surpris moi-même en train de feuilleter distraitement l'almanach shintô qui se trouvait à côté de ma table. Bientôt, l'expression « réveil des insectes » qui figurait dans la colonne du quatrième jour après celui-ci, expression qu'en principe j'aimais retrouver chaque année, m'apparut comme chargée d'une signification monstrueuse ; elle ne se détachait plus de mes yeux. Quand je chassai enfin cela, il y eut encore trois jours plus loin un « premier quart de lune », j'avais lu ces dernières années quelque part dans un article que les nuits de premier quart de lune le nombre d'accidents de la route mortels augmente (pour des raisons entièrement inconnues mais ça se voit paraît-il dans les statistiques, bien que la montée de la courbe soit discrète) : un dernier quart de lune je pourrais comprendre, mais le premier quart ? Eh bien oui, le premier quart serait le plus dangereux, je hochai la tête sans y croire.

Les jours passaient simplement. Le jour de la fête des Poupées il plut dans la nuit et le lendemain, qui semblait être d'après l'almanach l'ancien « premier jour du cheval », il y eut une annonce de grosse chute de neige mais ça ne tint pas et ça se transforma en une pluie qui dura toute la journée ; le jour du réveil des insectes et celui du premier quart de lune, en revanche, il fit soleil. À partir de là je comptai que la quinzaine de jours qui suivait correspondait à la période pendant laquelle, quatre ans plus tôt, j'avais été forcé de rester couché sur le dos dans mon lit sans pouvoir bouger le cou, mais pourquoi diable est-ce que je vivais ainsi chaque jour en étant conscient du temps qu'il fait, je n'étais pourtant pas un entraîneur qui se prépare à lancer un de ses chevaux dans la compétition, cela commençait à m'agacer quand vint le soir qui dans l'almanach était celui du puisage de l'eau au temple Tôdaiji de Nara, ce puisage de l'eau auquel j'avais pu assister du balcon extérieur dans le calme d'un froid qui faisait mal, collé aux portes du pavillon, à regarder le rite de repentance des moines à l'intérieur, il y a plus de vingt ans je pense, je me rappelais le son pur du corps qui se prosterne – du front, des coudes et des genoux, les genoux frappant d'abord l'épais plancher –, mais combien cette haute scène avait dû être ébranlée le matin du séisme, comme les piliers et les poutres avaient dû crier : à peine essayais-je d'imaginer cela que devant mes yeux se dessinaient les visages vigoureux, pâles, virils jusqu'à en paraître rudes des jeunes moines sortant d'une longue abstinence[1].

Le lendemain, le ciel qui était dégagé le matin se couvrit dans l'après-midi, à deux heures il était chargé de nuages noirs et dans la maison il faisait sombre comme à la tombée du jour, il ne pleuvait pas encore mais quand on commença à entendre le tonnerre gronder au loin, le téléphone sonna, je le pris, c'était Fujisato.

– Sugaïke t'a parlé de notre projet ? demanda-t-il.

– Non, je n'ai rien entendu.

La voix qui répondait ainsi tinta comme pour chasser une mauvaise nouvelle, ce qui m'étonna. C'est comme ça qu'on se débrouille pour attirer les malheurs ? me dis-je tout aussi curieusement.

– Je m'en doutais ! Je deviens gâteux (Fujisato riait), c'était je crois bien le soir de la fête des Poupées, ça fait déjà dix jours.

Le mot « poupées » entendu dans l'obscurité avait quelque chose de cru, comme si on les voyait devant soi.

1. *Omizutori*, du 1er au 14 mars. Cérémonie de l'eau offerte à Kannon et du feu qui dévore les défauts des humains. Les moines se purifient par quarante jours d'abstinence, ils ne mangent qu'un bol de riz par jour.

– Ah, les poupées, répéta Fujisato, chez nous, depuis la mort de ma petite sœur la nuit du bombardement aérien, j'avais aussi une grande sœur, cette grande sœur s'en voulait d'avoir été la seule évacuée et de s'en être sortie, les poupées étaient en quelque sorte proscrites. Mais après son mariage, elle s'était mariée à vingt ans, notre mère avait calculé l'âge de la petite morte qui serait bientôt pour elle aussi celui du mariage, comment ne pas avoir pitié, un jour elle avait acheté un couple de poupées et depuis, chaque année, elle les exposait modestement, on aurait dit plutôt une offrande faite à la petite sœur. C'est sous cette forme-là que la tradition s'est transmise jusqu'à ma fille.

En disant cela, il se remit à rire gaiement :

– La conversation dévie tout de suite. Je ne parle que de moi. C'est la sénilité pour de bon cette fois-ci.

– Ainsi, tu avais une grande sœur.

– Elle est morte il y a trente ans. Mais attends, avant que j'oublie...

Le soir de cette fête des Poupées, Sugaïke avait appelé Fujisato, il avait un renseignement à lui demander, c'était pour une histoire de travail bien que Fujisato fût « démobilisé » maintenant, mais avant cela il serait temps de se réunir à nouveau tous les trois, pourquoi pas au moment des fleurs ? avait-il proposé. Fujisato avait fait bien sûr bon accueil, il n'y avait pas de cerisier dans son jardin mais est-ce que ça leur dirait de venir cette fois encore à la maison ? Sugaïke dit qu'il avait envie de voir le visage de sa demoiselle et le lieu du rendez-vous se trouva fixé. Pour le jour, Sugaïke avait en attente un autre rendez-vous, il ne savait pas encore quand, de sorte que Fujisato, libre de ses mouvements, lui avait dit de s'arranger avec moi, c'est du moins ce qu'il croyait, il attendait un signe de l'un ou l'autre mais n'avait-il pas promis à Sugaïke de jouer cette fois le rôle de médiateur, lui avait-il semblé justement à l'instant, dès qu'il avait fait noir et que le tonnerre avait grondé, et c'est comme ça qu'il avait décidé de m'appeler pour s'en assurer.

– Ça, c'est un bon plan. Mais il serait plus malin de ne pas se fixer sur la pleine floraison. Un tiers de floraison, ou même les feuilles qui commencent à sortir, c'est ça ce qu'il nous faut. Un jardin où il reste encore la trace de l'hiver, ça serait bien aussi, répondis-je.

Après avoir indiqué les trois jours où je risquais d'avoir un empêchement, entre la fin du mois et le début du mois suivant, j'ajoutai :

– Et ta demoiselle, comment va-t-elle depuis ?
– Ça s'est bien calmé, je dois dire, répondit Fujisato.
– Calmé ? Elle n'était pas calme depuis toujours ?
– Non, je veux dire, la maison.
– Parce que c'est encore plus calme qu'avant ?
– Le père en premier.
– Mais toi, tu es calme, tu avais retrouvé ton calme.
– Je n'avais pas retrouvé mon calme.

Tandis que le tonnerre grondait dans le ciel proche et que la pluie commençait à tomber bruyamment, Fujisato ne pouffa pas de rire à cet échange qui devenait absurde et moi non plus je ne ris pas, mais dans le même temps je pensais à la silhouette du vieillard dont m'avait parlé Yamakoshi, son air de rire sans cesse joyeusement sous le micocoulier pourri.

– Mon propre visage, quand je me tenais derrière ma fille qui regardait la télévision le matin du tremblement de terre, je n'ai commencé de le voir qu'après coup. C'était un visage de malheur.

– Quand on voit des scènes aussi horribles, tout le monde sans doute prend un visage de malheur, non ?

– C'était le visage qui regardait fixement un homme sauter.
– Ça ne diverge pas un peu trop, pour le coup ?
– C'était moi qui sautais, c'était moi qui regardais.
– Donc, tu as été témoin, il y a quarante ans.
– C'est arrivé à une heure où je dormais encore chez moi.
– Alors, est-ce que ça n'était pas *c'est fait* depuis plusieurs années ?
– Ça n'était pas fait.

Je fus pris d'un sentiment de lassitude. Se regarder soi-même sur le point de sauter, ça ne peut pas avoir de fin, c'est pour l'éternité. Mais Fujisato parlait d'une voix qui transmettait à nouveau une joie douce.

– Pendant que ma fille dormait, ce jour-là, je regardais mon visage de malheur. Il m'était donc arrivé de vivre avec ce visage-là, de temps en temps ? Il y a quelques années, c'est vrai, quand j'avais d'abord eu l'intention de démissionner, je voyais ce visage et je m'en voulais, c'était mal agir à l'égard de ma femme morte. Et quand j'ai pris la décision de démissionner, tout a été plus facile. J'avais changé de visage. Autour de moi c'était plus calme. C'était plus calme encore après que j'ai commencé d'être à la maison. Chaque jour j'étais étonné, vraiment, qu'une journée puisse être aussi paisible, aussi neuve. Mais ce jour-là, tandis que j'attendais que ma fille ouvre les yeux, il me semblait que sa respiration calme se transmettait jusqu'à moi, oui, et j'ai su que jusque-là, en comparaison, ce n'était pas encore le calme. Même si le calme était calme, quelque part ça déferlait encore avec un élan brutal. J'étais réjoui et soulagé, le visage de malheur avait disparu. Je n'aurais pas voulu emporter ce visage-là dans le cercueil, ça non.

– En somme, c'était violent pour toi aussi. (Je soupirai. J'allais dire que ce n'était pas étonnant qu'une telle rumeur coure mais je demandai à nouveau :) Dis-moi plutôt, comment ça se passe pour ta demoiselle ?

– Elle est devenue plus joyeuse, répondit Fujisato, apparemment elle n'a plus ces sortes de paralysies qui la clouaient sur son lit, à l'aube.

– Cette affaire-là, si ça ne disparaissait pas, ça serait terrible. Mais dis-moi encore, que dit-elle de son père, demandai-je autrement.

Je me souvenais avoir entendu je ne sais plus quand une réponse du même genre et à nouveau j'étais pris d'un sentiment de lassitude. Pourtant, je me disais que tout en se répétant, ça allait petit à petit dans la bonne direction même s'il pouvait y avoir des limites à cela, que c'était normal après tout. Et là, de nouveau, il me semblait que je m'étais dit la même chose je ne sais quand.

– Elle rit plus souvent maintenant. Je ne sais plus quand, nous étions face à face dans la salle à manger et tout d'un coup elle se met à rire. Quand je lui ai demandé ce qu'elle trouvait si drôle, elle a dit que j'avais commencé à rire le premier. Ces derniers temps, je ris souvent sans raison, je ris comme un enfant qui a reçu un gâteau, c'est ce qu'elle m'a dit. Alors je lui ai dit, moi aussi, que depuis quelque temps quand elle rit elle ne secoue plus les épaules, ça monte tout droit de la poitrine au cou, le visage se détend, comme une cheminée qui crache sa fumée, tu ris comme ça, avec la même insouciance, elle a crié Quelle horreur ! Et en même temps elle a ri exactement comme je viens de le dire.

– Ça c'est bon signe (j'étais entraîné à mon tour dans le rire bien qu'il ne soit pas très poli d'imaginer une pareille scène) mais ce qui m'inquiète, ce n'est pas tant la fille que le père. Il y a des exemples de vieux qui se mettent à être toujours de bonne humeur, tout le monde autour d'eux se réjouit et *vlan !* ils s'en vont d'un seul coup.

– Je ne suis pas parti d'un seul coup. (Et puis, après un silence :) En revanche, c'est le tour de reins qui m'est venu d'un seul coup. J'étais accroupi dans le jardin, j'ai commencé à me relever, la douleur m'a traversé comme si on m'enfonçait un poignard dans les reins, j'en ai eu le souffle coupé. J'ai essayé de me redresser sur mes jambes par tout petits mouvements et heureusement j'ai pu me mettre debout. Ma fille me souriait depuis la véranda. Ça me paraissait loin. Il paraît que je faisais une tête de petit enfant surpris. J'ai quand même gardé le lit trois jours. Ensuite, pendant encore plusieurs jours, j'allais d'un pas mal assuré. Quand je sortais sans rien dire me promener jusqu'au parc du micocoulier, ma fille me rattrapait en riant. Pour plaisanter, elle faisait semblant de me tirer par la main. Elle savait que si je riais ça résonnerait encore dans les reins.

Au bout d'un moment, « Allô, allô », je revins à moi, Fujisato m'appelait, le bruit de la pluie s'était arrêté, face à la fenêtre qui blanchissait légèrement je regardais en riant tout seul la silhouette du vieillard qui avait surpris Yamakoshi sous le micocoulier. Je laissai encore passer un « Allô », est-ce que le rire devient un peu plus léger quand ça vous résonne dans les reins ? Je m'émerveillais en pensant que sa fille qui jouait les dames de compagnie avait pris dans les yeux de Yamakoshi l'apparence d'une beauté stupéfiante.

Voilà un homme qui délire quand il faut, murmurai-je.

Après deux jours de beau temps, il se mit à pleuvoir le soir du troisième jour, le lendemain ça continua, je fis un tour au parc avant midi avec un parapluie, en passant la porte je vis sur les branches d'un charme quelques épis bruns tirant sur le jaune qui pendaient. Cela aussi c'étaient des fleurs, avec le temps ça germerait assez vivement et ils prendraient une légère couleur rouge mais à les regarder, pendants, mouillés dans l'air encore frileux, ils me rappelaient le mot « chaton ». Les épis de fleurs qui pendent de la même manière sur d'autres espèces d'arbres, des noisetiers, des boulots, des saules, en allemand ou en français on appelle ça des « chatons ». Je regardais en l'air, serait-ce par comparaison avec une queue de jeune chat ? Est-ce que des gouttes se forment au bout de la queue, quand il pleut ?

Il plut toute la journée et le soir, en regardant l'almanach shintô, je vis qu'aujourd'hui c'était la pleine lune du deuxième mois de l'ancien calendrier. Je m'aperçus ensuite que c'était aussi le deuxième mois du séisme. Je feuilletai l'almanach à rebours : le jour du séisme était aussi un jour de pleine lune, la pleine lune du douzième mois de l'ancien calendrier. Pendant que j'essayais de comprendre comment c'était possible avec ma tête qui ne marche pas fort, l'idée me vint d'appeler Sugaïke chez lui.

– J'ai eu un appel de Fujisato l'autre jour, commençai-je dès que je l'eus au bout du fil, mais je n'arrivais plus à calculer combien de jours avant : il me semblait que ça aurait pu faire même quinze jours.

– Ah, cette histoire de se revoir tous les trois. Je pensais te faire signe bientôt (Sugaïke avait une voix lourde pleine de sommeil comme s'il avait bu), avec nous les choses traînent toujours, on n'y peut rien.

Et pourtant il se mit aussitôt à comparer nos emplois du temps respectifs. Ce serait bien qu'il y ait tout de même un peu de fleurs, la première ou la deuxième semaine d'avril, mais pas le dimanche, il n'était pas question de m'empêcher à nouveau d'aller à une course de chevaux importante pour moi, plaisanta-t-il, on se verrait cette fois un samedi après-midi. Il fut entendu que Sugaïke appellerait Fujisato pour s'assurer que c'était bon, puis il me rappellerait ; au moment où nous allions conclure, je demandai :

– Comment était Fujisato ? Il dit qu'il devient gâteux depuis qu'il reste à la maison, ça semblait pourtant le réjouir.

– C'est un homme qui voit loin, tu sais, répondit brièvement Sugaïke, en fait, pour une histoire de travail, je pensais à propos d'une chose qui pouvait me conduire à démissionner que Fujisato saurait et je l'ai appelé et en effet il était au courant de tout, ça faisait plus de six mois déjà qu'il restait enfermé chez lui et depuis un bon moment déjà il n'était plus en position de recevoir des informations importantes, disait-il, et malgré cela il m'a appris bien des choses avec amabilité et franchise. Voilà.

– C'est sans doute en effet un homme capable.

– Mais là-dedans il y avait aussi des choses que même en demandant conseil je ne pouvais pas encore divulguer, tout récemment un scandale a éclaté partiellement et c'est lui qui a commencé à parler, de lui-même, avec réserve, en pronostiquant l'avenir à propos de telle ou telle chose qui pourrait bien arriver. Et ce qu'il disait était réellement en train d'arriver. Ça bougeait de toute évidence dans la direction que Fujisato disait. Après coup, on pouvait penser que la chose était tout à fait prévisible, qu'elle se préparait sous nos yeux, évidemment, maintenant qu'elle avait éclaté, mais tout de même…

– Difficile à dire. Tu ne crois pas quand même qu'il reçoit encore des informations ?

– Je l'ai pensé. J'ai même cru qu'il jouait encore quelque rôle secret. Mais dans une entreprise, une fois que tu as commencé de te retirer, ce n'est plus possible. Ça m'a rappelé plutôt ce que j'avais entendu dire çà et là il y a quatre ou cinq ans, que cet homme, Fujisato, voyait loin, que ça faisait même peur, on avait peur parce qu'il voyait et faisait semblant de ne rien voir. Je m'étais demandé si ça pouvait encore exister aujourd'hui, un homme qui voit ce qui va arriver.

– Il y a sans doute des situations, je pense, où on voit ce qui va arriver. Quand on en a suffisamment souffert, peut-être qu'on continue, même après être sorti des tracas, à voir encore ce qui peut arriver. Ou bien c'est peut-être quelque chose d'inné en lui.

– Ce ne sont jamais que des rumeurs.

– Mais les rumeurs, justement, ça enfle monstrueusement.

– Les rumeurs ont peut-être quelque chose à montrer, quand on n'en fait pas une affaire personnelle. Même dans un monde où on ne voit pas devant soi, dans les gens il y a quelque chose qui voit. Mais à quoi ça sert, en général, d'avoir vu ? On ne peut pas faire face, on se démène comme on peut. Et en plus dans « ne pas voir » il y a du « voir » par toutes petites touches, on dirait qu'il y a là une contradiction avec « voir » mais c'est vrai aussi qu'on peut voir presque sans le savoir. C'est pour cela que quand on apprend que tel jugement, tel pronostic audacieux, a touché juste plusieurs fois, même si on veut rester froid, on est plus impressionné qu'on ne le croit. On veut que ça ait un visage humain. On en fait même un peu trop, parfois. Prenons par exemple Fujisato, eh bien, ce sera Fujisato sans être Fujisato. De toute manière, tout ça se passe dans un monde si petit.

– Bon, et qu'est-ce que tu sens devant le Fujisato de maintenant ?

– C'est ça qui est étrange, à présent je le crois.

– Rétrospectivement ?

– Cet homme, tant qu'il était dans le tourbillon, il n'était pas plus avancé que moi pour voir ce qui va arriver.

– Tu penses qu'il voit maintenant ?

– Il voit, maintenant.

– Pourquoi ?

Je m'attachais à la question.

– Je pense que c'est peut-être grâce à sa fille, répondit Sugaïke.

– Grâce à sa fille, oui, me contentai-je de répéter (non pas tant parce que je ne pouvais pas suivre ce saut dans le raisonnement, mais parce que la sensation d'être convaincu me barrait le passage).

J'imaginais la fille riant à pleine gorge devant le père.

– On ne voit pas venir la crise pour soi, murmura Sugaïke, et si on ne voit pas venir la crise, on ne voit ni ce qui s'est fait ni ce qui vient. On ne voit rien. On ne voit même pas le bout de son nez. Cet homme, à présent, pour protéger sa fille, vit rétrospectivement en foulant des pieds la crise à l'intérieur de sa vie tranquille. Il disait de drôles de choses. Qu'il avait par exemple l'impression en marchant chez lui que partout où il allait un gouffre s'ouvrait sous ses pieds. Il disait que c'était une chance de marcher à tout moment au-dessus de l'abîme sans tomber.

– Oui, c'est une bénédiction, murmurai-je, et j'étais étonné moi-même d'avoir prononcé ce mot étrange.

L'ombre souriante de la fille de Fujisato se déploya à nouveau.

– Et toi, où en es-tu ? Je voulais connaître les dernières nouvelles.

– Moi, je ne suis pas du genre à voir ce qui va arriver mais plutôt à être vu. Ces deux derniers mois, je serais plutôt une espèce de monstre.

– Tu te mets dans des colères noires ?

– Quand je vois des bâtiments, j'ai envie de les piétiner. Les ponts, les autoroutes, tout ce qu'ils sont allés nous construire…

– Encore des séquelles du séisme.

– Mais c'est quand je pense avec cette brutalité que je comprends que je suis un être humain dans le monde humain, avec ce visage plein de bonne volonté, ce visage constructif.

– Un peu difficile à imaginer, ton visage constructif.

– C'est bâtiment et travaux publics… et nous sommes tous des ingénieurs des travaux publics.

– Ça, on peut le dire.

– J'ai bien l'intention de faire du tapage jusqu'à épuisement. Et même s'il faut à la fin se retrouver seul, j'assume. Cela dit, ces derniers temps, on me regarde.

– Qui te regarde, les femmes qui passent dans la rue ?

– L'encens qui fait revenir les morts.

– La dame de Nakayama… Pas mal, elle a du charme, même s'il y a du regret.

– C'est peut-être excessif de dire qu'on me regarde. Ce temps de trente années après que quelqu'un est mort est devenu maintenant plus épais que moi, on pourrait dire que c'est lui qui me regarde. Qu'est-ce que tu fais ? dirait-il à peu près. Hmmm, pas grand-chose, j'en ai peur, il ne me resterait plus qu'à me gratter la tête. Mais je sens son regard.

– Tu parles du retour de l'auberge de Nakayama en octobre ?

– Le lendemain matin, j'ai vite descendu la pente avec mon bagage léger jusqu'à la gare. Je me suis envolé de Narita comme prévu. C'est le septième jour après, je pense, dans la nuit, je me suis relevé sur mon lit en hurlant, il me semblait entendre une respiration. J'ai jeté un coup d'œil dans la salle de bains. L'hôtel était bon marché, il n'y avait qu'une douche, pas de baignoire. Ça n'avait aucun charme, ce n'était même pas sinistre. J'ai pissé et je suis revenu sur mes pas.

– Tu n'avais pas oublié de bien fermer le robinet de la douche ?

– Jusqu'à ce que j'ouvre la porte, j'imaginais une baignoire à l'ancienne, j'étais complètement endormi. Dans la chambre il y avait une trace d'encens.

– Tu disais qu'il restait accroché aux vêtements longtemps, même en voyage. Ça ne fait rien… Tu ferais bien de prendre soin de toi.

– Je prends soin.

– Ça vaut mieux.

– Quand je sens son regard, où que je sois, tout se calme.

– Ça n'est pas le début de l'équinoxe, demain ?

– Si, et je suis déjà allé faire mon tour à Nakayama. Il n'y avait pas de fleurs rouges cette fois.

Le lendemain aussi, il restait de la pluie, il fit froid toute la journée, le temps ne parvint pas à se dégager. Chez moi, ma femme et ma fille cadette étaient parties pour l'équinoxe dans la maison de famille de ma femme. Dans la matinée je sortis me promener dans le quartier, dans les rangs de maisons bien serrés il y avait par endroits ce qu'on pourrait appeler une ruelle et je m'en apercevais seulement aujourd'hui. Je m'étais arrêté et je regardais une maison en cours de démolition, comme une chose honteuse plutôt que laide.

Le dimanche qui suivit fut beau mais, un peu avant midi, alors que j'attendais une visite, le temps recommença à s'assombrir ; après avoir marché ensemble dans le parc où les pruniers étaient en pleine floraison, nous avons déjeuné dans un restaurant proche, nous nous sommes séparés et au moment où je rentrais il sembla qu'il allait se mettre à pleuvoir, j'avais un peu bu et je me sentais las, pour la première fois depuis longtemps je décidai de faire une sieste. Je dormis en deux fois, me relevant dans l'intervalle, au réveil la nuit tombait ; il pleuvait enfin. Le soir, ma fille cadette qui travaillait le lendemain rentra à la maison avant ma femme, puis à minuit passé, j'étais déjà couché, des sirènes passèrent dans la rue. Il semblait que c'était des voitures de pompiers, plusieurs, espacées, qui tournaient à la fourche toute proche en lançant on ne savait quel message par haut-parleur aux voitures qui circulaient, elles se dirigeaient apparemment vers le nord par le chemin de l'ancien canal. Dès que le bruit des sirènes s'éloignait, la direction devenait difficile à identifier, c'était un peu comme des lumières errant à droite et à gauche sur une haute mer obscure. Tout en tendant l'oreille du côté des sirènes j'étais aux aguets, par intermittence, me demandant si le téléphone n'allait pas se mettre à sonner dans la maison, je continuais de somnoler ainsi, jusqu'à ce que je m'éveille à moitié : les voitures de pompiers étaient déjà de retour. À ce moment-là je vis debout, côte à côte, le micocoulier pourri et la maison des Fujisato portant sur leur dos un ciel embrasé, alors qu'ils ne pouvaient pas être, l'un par rapport à l'autre, dans cette position-là. Je vis le profil du père et de la fille assis tous deux avec un sourire aux anges sous un rayon de lumière rouge dans la véranda dont seul le dernier volet était ouvert. Depuis un moment, une foule se pressait dans le jardin, des hommes et des femmes aux vêtements qui devaient sentir le brûlé, ils se distribuaient des boules de riz. Il y avait aussi Yamakoshi et Toritsuka au gros ventre. Dehors, Sugaïke accouru à la porte à laquelle il frappait d'un air profondément abattu.

Il ne manque que moi, me dis-je sur le point de me rendormir, j'en pleurais presque.

Le lendemain fut une belle journée de printemps ensoleillé ; j'ouvris les yeux vers dix heures dans la maison vide, après un peu plus d'une heure de promenade dans le parc je me préparai à déjeuner seul puis, avant de me mettre au travail devant ma table, je passai un coup de fil pour vérifier quelque chose au bureau. Vous ne saviez pas ? Mon interlocuteur était stupéfait, ce matin, à une heure d'affluence, près du centre, un gaz toxique avait été répandu dans le métro et il y avait apparemment de nombreux morts et blessés[1]. J'allumai la télé et je fus pris par l'illusion qu'on rappelait, sur l'écran où déjà les mêmes séquences d'images se répétaient, une tragédie vieille de trois jours – j'en fus effrayé et j'éteignis : je restais assis devant l'écran noir, je me dessinais dans la tête le plan du métro, je faisais défiler les heures mais je n'arrivais pas au bout d'une opération de calcul qui aurait dû être simple, je me perdais dans un affolement au ralenti. Bientôt je me levai, mes gestes aussi étaient ralentis, j'atteignis le téléphone et j'appelai ma fille cadette à son travail, sa voix me parvint aussitôt. Ce matin aussi elle avait traversé le centre en métro mais son bureau se trouve beaucoup plus à l'est, de sorte qu'il y avait eu un décalage assez important entre son passage par le centre et la catastrophe. Je lui demandai des nouvelles de sa sœur : au moment où elle-même était sortie sa sœur dormait encore. Je compris ainsi que le décalage avait joué également pour ma fille aînée et je téléphonai donc à la maison de famille pour faire savoir qu'elles étaient saines et sauves ; j'eus mon beau-frère au bout du fil, il est arrivé quelque chose d'étrange à Tokyo, lançai-je aussitôt, eh bien, je vous passe ma sœur, dit-il en étouffant sa voix et il s'éloigna vers le fond de la maison. Il s'était imaginé qu'il s'agissait d'une affaire privée. Là-bas non plus ils n'étaient pas encore informés de l'événement. Le soir, je compris que ma fille aînée était sortie le matin à peu près à l'heure où je m'éveillais. Il ne planait sur cet instant du réveil aucune présence de quelqu'un qui aurait tout juste quitté la maison.

Ensuite, des jours durant, des hélicoptères tournaient sans cesse pendant que je me promenais dans le parc, le matin. Ils se dirigeaient vers le nord et revenaient par l'ouest. Quand le temps était à la pluie, c'était seulement le bruit qui passait, enfermé à l'intérieur des nuages. Ils volèrent même un jour où il neigeait un peu.

J'appelai Fujisato chez lui ; il prit l'appel après avoir laissé sonner longtemps.

1. L'attentat au gaz sarin perpétré par la secte Aum Shinrikyô, le 20 mars 1995. Il y eut douze morts et cinq mille cinq cents blessés. La police était sur la piste depuis plusieurs années. Un premier attentat à Matsumoto avait fait sept morts et deux cents blessés.

– Les nouvelles déplaisantes se succèdent mais j'ai à nouveau parlé avec Sugaïke, nous nous sommes arrêtés au 8 avril. Vous viendrez en vous disant que c'est pour conjurer le sort. Ma fille se réjouit d'avance.

Chaque jour il regardait le journal : d'après l'heure et le lieu, il aurait lui-même été en grand danger, à une certaine époque. Il ne connaissait personne parmi les victimes et ça lui semblait être presque un miracle.

Yamakoshi appela le dimanche soir et dès qu'il m'eut à l'autre bout du fil, sans presque saluer :

– Mais qu'est-ce que c'est que ça ? L'enquête de police était arrivée tout près d'eux, faire ça à ce moment-là, c'était carrément les inviter, n'importe qui peut comprendre ça, non ? Ils doivent avoir eu eux-mêmes leur propre nécessité. Il a dû y avoir à la base un jugement sur la situation : que, s'ils faisaient ça, l'enquête s'arrêterait. Évidemment, à groupe bizarre, jugement bizarre, mais faut-il se contenter d'une tautologie aussi grossière ?

Il dit cela sur un ton comme s'il me faisait des reproches. À la fin, avec un rire amer :

– Quand un événement inexplicable se produit, le dimanche soir j'ai toujours des espèces de frissons et dans la nuit je suis tout simplement à bout de nerfs, c'est ennuyeux. À l'hôpital, c'était justement l'heure d'extinction des lumières, vous vous rappelez ? dit-il.

La grossesse suivait son cours, la future mère ne montrait pas beaucoup d'intérêt pour cette affaire.

« Tu ne trouves pas que ça prend un tour grotesque, tous ces êtres humains, et on est dans le lot, qui n'arrivent pas à devenir grands ? disait Sugaïke. Je suis innocent ! Ou non, comment c'était déjà ? J'ai rien fait : j'ai rien fait, j'ai les mains blanches, c'est ça que nous avons à la bouche à tout propos ! Changeons un peu d'air et essayons de chanter ça, au moins ce sera notre propre voix. Parce qu'en plus il y a maintenant une rumeur qui court, comme quoi une rumeur aurait couru depuis longtemps disant que ce genre d'événement allait se produire… La prochaine fois que nous nous verrons tous les trois, regardons bien les uns et les autres la tête que nous ferons. J'espère que nous éclaterons d'un bon grand rire entre vieux. »

« Tous les trois » : arrivé là, il était devenu comme taciturne. Je n'avais pas moi non plus la patience de prendre la suite.

Il restait quelques jours avant la fin du mois. Un matin, avant midi, il faisait beau, un vent froid soufflait, j'ai vu dans le parc une scène curieuse. Il y a devant le taillis à l'intérieur du parc un rectangle de pelouse qu'on appelle la carrière de dressage, pour les concours d'équitation. D'ordinaire, je traverse depuis l'est une piste de sable qui fait largement le tour de ce bois et de la carrière, et encore du pâturage et du parc d'attractions qui se trouvent au fond ; je passe à côté des modestes gradins et en arrivant face à la carrière je longe les barrières grillagées, je tourne à droite, à l'extrémité de la barrière du côté nord, puis soit j'entre dans le bois, soit je continue de les longer ; je tourne à gauche et avant le bois je me dirige vers le sud. Ce jour-là, ce qui était bizarre, c'était que je n'avais rien remarqué avant de tourner à gauche au coin, devant le bois, en suivant le grillage. J'ai tourné et quand j'ai levé les yeux il y avait devant moi une file d'hommes âgés, rien que des hommes, qui approchaient tranquillement. On aurait dit une colonne en marche. Mais ce n'était pas une armée, ils avançaient tous du même pas faible et comme vacillant. Calmes, bien sûr, personne ne parlait. Il va sans dire qu'ils ne riaient pas, ils ne se regardaient même pas, ils laissaient tomber, en général, leurs regards à leurs pieds. L'homme qui marchait en tête avait les cheveux presque entièrement blancs, il était accoutré des pieds à la tête dans le même style de randonneur que ceux que j'avais vus le mois dernier avec Yamakoshi dans l'allée devant le parc, il n'avait pas de bagage sur le dos mais, suspendue par une courroie, de biais de l'épaule à la hanche, quelque chose que je pris pour une lampe torche de veilleur en plus grand et qui était une bouteille thermos cylindrique en acier ; pendant que je le croisais, en me déportant à droite vers le bois, dans ce regard qui m'observait discrètement sans que rien ne perce sous les paupières une couleur d'alerte s'alluma : par l'expression aussi il ressemblait à l'homme du mois dernier, mais avant que j'aie pu m'en assurer, il s'est défendu autant qu'il le pouvait, en douceur, contre l'intrusion de mon regard, puis est passé en détournant brusquement les yeux. Alors, une légère vague de trouble a couru parmi les hommes qui suivaient, des hommes de cinquante ans, de quarante ans, tous avec les mêmes visages maigres et sans éclat qui se levaient un à un et qui me regardaient tandis que je les croisais, les uns avec une expression décontenancée comme s'ils avaient été pris à partie, les autres avec un regard d'envie, de rancune, tous comme on regarde quelqu'un du dehors, distant, même quand il est proche, et avant que s'étende tout à fait la couleur qui montre qu'ils avaient vu quelqu'un, ils baissaient à nouveau les yeux à leurs pieds, cinq hommes, dix hommes passaient et bientôt les hommes avec leurs petits sacs à dos approchèrent, sans baisser la tête ceux-là et pour autant sans le moindre regard de côté, ils avaient eux aussi cette façon de poser leurs pas chancelants par la force de l'inertie mais ils étaient jeunes, trente ans, vingt ans, on aurait dit que la colonne avançait par ordre d'âge et on voyait aussi en queue un garçon étranger aux cheveux clairs encore plus abattu, semblait-il, l'ensemble s'éloignant le long du grillage.

Parvenu presque à l'extrémité sud du taillis, j'ai jeté un regard en arrière comme si je revenais à moi, le groupe semblait marcher au ralenti et déjà il contournait la carrière du nord vers l'est ; au moment où ils approchaient des gradins le jour s'est obscurci d'un coup, leurs ombres se sont brusquement découpées en noir, une à une et, dans cette impression d'y voir clair, j'ai pris la file dans l'ordre et j'ai compté jusqu'à vingt-cinq, vingt-six, et là seulement, frappé d'étonnement car ils étaient tous sans rien regarder, le paysage autour n'existait pas, mon regard s'est dispersé tandis que le groupe à son tour contournait les gradins, traversait la piste de sable blanc comme s'il marchait dans le désert, toujours de ce pas vacillant sans défaire si peu que ce fût les rangs, sans un seul retardataire, il semblait se diriger de l'entrée principale à l'allée et de l'allée vers l'avenue.

Remerciements

À l'équipe du JLPP (Japanese Literature Publishing Project)
qui a rendu possible ce travail.

À Asako Taniguchi et Laurent Grisel,
pour l'avoir accompagné d'un bord à l'autre.

Véronique Perrin

Table

RÉALISATION : IGS-CHARENTE-PHOTOGRAVURE À L'ISLE-D'ESPAGNAC
IMPRESSION : NORMANDIE ROTO S.A.S. À LONRAI
DÉPÔT LÉGAL : AVRIL 2008. N° 91585-2 (083684)
IMPRIMÉ EN FRANCE